БОРИС
АКУНИН

АКУНИН

КВЕСТ

ИЗДАТЕЛЬСТВО
Астрель
Москва

УДК 821.161.1
ББК 84(2Рос=Рус)6
А44

Акунин, Б.

А44 Квест: [роман] / Борис Акунин. — М.: АСТ: Астрель, 2011. — 608 с.

ISBN 978-5-17-066364-4 (АСТ) (ПС)
ISBN 978-5-271-27437-4 (Астрель) (ПС)
Оформление обложки — Василий Половцев

ISBN 978-5-17-067385-8 (АСТ) (Жанры черн.)
ISBN 978-5-271-28064-1 (Астрель) (Жанры черн.)
Оформление обложки — Сергей Власов

«Квест» — новый роман из серии «Жанры», в которой Борис Акунин представляет образцы всевозможных видов литературы, как существующих, так и изобретенных автором. Читателю предлагается необычная возможность — разгадать вместе с героем одну из ГЛАВНЫХ ТАЙН человечества, для чего придется отправиться в Советский Союз тридцатых годов, а оттуда перенестись в еще более отдаленную эпоху.

УДК 821.161.1
ББК 84(2Рос=Рус)6

СОДЕРЖАНИЕ

СЛОВАРЬ НЕОБХОДИМЫХ ТЕРМИНОВ

квест (от англ. quest — поиск; исполнение рыцарского обета) жанр компьютерной игры, в котором требуется, преодолев цепь препятствий, разгадать тайну или достичь некоей цели

intro вступительный ролик; небольшой мультфильм, являющийся прологом к игре

profile представление персонажа

tutorial обучающий этап, позволяющий освоиться с игровым режимом

level уровень игры

code код, дающий подсказку для перехода на следующий уровень

INTRO

НОЧЬ. ПОДЗЕМЕЛЬЕ. ЛАБОРАТОРИЯ

, оборудованная по самым передовым стандартам. Повсюду стерильная чистота, как в операционной. На белейших кафельных стенах бликуют огоньки — отраженный свет многочисленных ламп и лампочек: ярких и тусклых, белых и цветных, ровно горящих и ритмично помигивающих. Алюминиевые полки уставлены пробирками, колбами, ретортами. На столах шеренги разнокалиберных микроскопов, спектрометров, анализаторов и прочих, еще более хитроумных приборов, назначение которых понятно лишь посвященному. Одним словом, настоящий храм науки. Или же кадр из кинокартины по фантастическому роману Герберта Уэллса.

В абсолютной тишине раздался мышиный писк — это на табло новейшей американской диковины, электрических часов, сменились цифры. Не ведающий погрешностей хронометр зарегистрировал начало новых суток: в нижней строке, обозначающей время, «11.59» превратилось в «00.00»; в календарной вместо «14.04» появилось «15.04»; в строке года («1930») изменений не произошло.

Единственный обитатель чудесной лаборатории, пожилой сутуловатый мужчина в белом халате и черной академической шапочке, рассеянно оглянулся на звук и пропел неважнецким голосишкой: «Уж полночь близится, а Германна всё нет». Продолжения прославленного ариозо из «Пиковой дамы» он толком не помнил и дальше мурлыкал почти без слов: «Я знаю он пам-пам, парам-парам-папам... не может совершить...», однако место, где унылая мелодия вдруг оживает и заряжается адреналином, пропел громко, с чувством: «Ночью и днем только о нем думой себя истерзала я!»

Ученый очень походил на доброго доктора Айболита: седоватая эспаньолка, старорежимное пенсне, только взгляд прищуренных блеклых глазок был очень уж остр, слишком быстры и скупы движения.

Айболит неотрывно, с явственным нетерпением наблюдал за работой какого-то сложного агрегата, отдаленно напоминавшего самогонный аппарат. По длинной змеевидной трубке медленно ползли капли, проходя через многоступенчатую систему фильтров. Время от времени мужчина брал пинцетом из квадратного резервуара стеклянные пластинки, покрытые очень тонким слоем неаппетитного сероватого вещества, и осторожно вставлял их в прорезь прибора. Мигала лампочка, агрегат издавал довольное урчание, движение жидкости в трубке чуть ускорялось.

Наконец, прозвучал звоночек, из краника в пробирку упала вялая капля.

— Заждались вас, милочка, заждались, — сказал ей профессор (судя по представительной внешности, да и по великолепной оснащенности лаборатории, это был как минимум профессор, возможно даже академик). Сказал — и хихикнул. Как многие очень одинокие люди, он имел привычку бормотать под нос. Сам себя бранил, хвалил, веселил шутками, сам этим шуткам смеялся. Он вообще был человек веселый, органически неспособный падать духом или скучать.

Зато сердился часто.

— А вы, батенька, мне уже осточертели! — обругал он один из четырех стоявших на письменном столе телефонов, который вдруг взял и затрезвонил. И в трубку Айболит тоже заговорил сварливо:

— Что там еще? Я ведь кажется просил не беспокоить!

Шур-шур-шур, зашелестела, оправдываясь, трубка.

— Новое поступление? Ну хорошо.

Так же быстро успокоившись, профессор направился к двери.

Изнутри она выглядела обыкновенно: белая, деревянная — дверь как дверь. Но когда ученый, произведя сложные манипуляции с затвором, открыл ее, оказалось, что створка претолстая, внутри укреплена сталью и открывается при помощи гидравлического механизма, ибо очень уж тяжела.

Вошел ассистент, прижимая к груди квадратный металлический чемоданчик. Белый халат зацепился за косяк.

— Застегнитесь, это научное учреждение, — строго велел профессор, показывая пальцем на высунувшуюся из-под завернувшейся полы кобуру.

— Виноват, товарищ директор.

Молодой человек поставил свою ношу на стол и поспешно оправился.

Однако Айболит на него уже не смотрел. Он быстро набрал на крышке чемоданчика код, отщелкнул крышку.

Внутри лежали три одинаковых цилиндрических контейнера.

«В.В. Маяковский (14.04. 1930)», сообщала надпись на аккуратной этикетке первого.

— Это же литератор! — разочарованно воскликнул директор (а не профессор и не академик; хотя второе и третье первого отнюдь не исключало). — Я читал в газете, он застрелился. Зачем мне литератор?

— Есть распоряжение считать посмертно великим пролетарским поэтом.

— В самом деле? А он разве не в висок?

— В сердце, товарищ директор.

— Хм, поэт? Черт знает что... Mundus idioticus, — забормотал исследователь. Задумался. — Хотя, с другой стороны, властитель дум, камертон эпохи... Ладно, поставьте туда. А что остальные два?

— Эти присланы от товарища Картусова. По линии загранотдела.

Ассистент достал другие контейнеры, наклейки на которых ученый прочитал с явным удовлетворением.

«У.Г. Тафт (08.03.1930)».

«А.Дж. Бальфур (19.03.1930)».

— Вот это другое дело! — И рукой на помощника. — Ступайте, голубчик, ступайте.

Подождав, пока монументальная дверь закроется, товарищ директор извлек из контейнеров три одинаковые стеклянные банки, кажется, довольно тяжелые. Нажал кнопку — в одной из стен раздвинулась панель. За ней виднелись полки, на них — ряды точно таких же банок. Всё это напоминало отдел маринованных овощей в бакалейном магазине. Точнее, лишь одного овоща: цветной капусты. В прозрачном растворе мирно покоились одинаковые серовато-белые кочанчики. Присовокупив к ним новое поступление, ученый обернулся к своему самогонному аппарату, который, звякнув, исторг из себя еще одну натужную каплю.

— Ну-с, ну-с, пожалуй, что довольно, — пропел исследователь на мотив «Интернационала», — пора анализ проводить!

Потер белокожие ручки, капнул из пробирки на стеклышко, сунул стеклышко в микроскоп, взволнованно засопел.

Через минуту-другую вскричал:

— Не то! Не то! Дрянь этот ваш Бенц, вот что!

Теперь он расстроился (да и рассердился) всерьез.

— Mundus idioticus! Однако это невыносимо! Сколько можно? — непонятно приговаривал директор, гневно притопывая. — Что они там, в конце концов?

Он подсеменил к письменному столу, схватил телефон (не тот, что недавно звонил, — другой).

— Семнадцатый, вас слушают, — ответили на том конце. — Говорите.

— Соедините с Заповедником.

Несколько секунд спустя другой голос сказал:

— Да, товарищ директор?

— Давали? — требовательно спросил Айболит.

— Конечно, давали. Ведь нынче третий день.

— Результат?

— Отчет отправлен мотоциклеткой, со спецкурьером.

— Что там, в вашем отчете? — От нетерпения ученый подергивал себя за бородку. — Без воды, только суть!

— Как одиннадцатого. «Ломоносов. Загляните в Ломоносова». Больше ничего.

— «Загляните»?

«Ломоносов. Загляните в Ломоносова», — быстро записал исследователь на листке.

— Этого следовало ожидать. Там, очевидно, система защиты. Ладно, продолжайте сеансы... Ну а я, грешный, буду и дальше тянуть за вымя дохлую корову...

Последнюю фразу он произнес, уже рассоединившись. Некоторое время невидящим взглядом смотрел на телефоны, напряженно размышляя.

Снова зазвонил первый аппарат. На диске у него было написано «ПС», что вообще-то означало «приемная-секретариат», но директор любил переиначивать аббревиатуры по-своему.

— Да, псих-стационар, слушаю вас. Что еще?

— К вам двое товарищей из ЦК. По срочному делу.

Хозяин таинственной лаборатории проворчал: «Це-ка, це-ка. Цепные Кобели». Подошел к двери. Открыл, однако, не сразу. Сначала подсмотрел в специальный глазок с широкоугольным объективом, позволявшим видеть всю приемную.

Оглядел ассистента за секретарским столом, с телефонной трубкой возле уха. Второго ассистента (этот в деревянной позе сидел на стуле). И еще двух людей — несомненно тех самых, из ЦК.

Их директор разглядывал примерно с минуту.

Один был бритоголовый, ладно скроенный, с усами щеточкой. Второй пожиже, молодой, но совершенно седой.

— Скажите, что я занят. Пусть подождут.

Айболит снял трубку с третьего телефона, наборный диск которого имел всего одно отверстие. Хоть время было позднее, но человек, с которым хотел связаться ученый, не имел обыкновения спать по ночам — как, впрочем, все вожди Советского государства.

— Алё, алё! — Директор постучал по аппарату, подул в микрофон. Линия была мертва. — Ну уж это я не знаю! — Он шмякнул трубкой о рычаг. — Главная линия связи, и на той перебои. Mundus idioticus!

Поколебался еще немного — и пошел отпирать. В глазок больше не заглядывал.

А между прочим напрасно.

Как только бронированная переборка защелкала секретными рычажками и завздыхала гидравликой, в приемной стали происходить удивительные вещи.

Посланцы Центрального Комитета партии переглянулись и, очевидно действуя по предварительной договоренности, шагнули один к первому ассистенту, другой ко второму. Бритый ударил человека за столом в переносицу — очень резко и сильно. Сидящий опрокинулся без стона и крика. Он раскинул руки, закатил глаза под лоб и больше не шевелился.

Молодой поступил более жестоко — ударил кастетом, причем в висок, так что на пол свалилось бездыханное тело.

— Ты что, Кролик? — У бритого поперек крутого лба прорезалась морщина. — Это же наш товарищ!

Убийца хладнокровно вытирал платком забрызганный кровью манжет. Вблизи было видно, что волосы у него не седые, а бесцветные: и на макушке, и на бровях, и на ресницах. Глаза же очень светлые, с розоватыми белками, как это бывает у альбиносов.

— Шеф, опять вы дразнитесь, — пожаловался он. — Я не кролик. А кокнул я его, потому что вы сами сказали: наверняка и без оплошки. Сами сказали, а сами теперь...

— Ладно-ладно, прав, — быстро перебил его начальник, приложив палец к губам — дверь начала открываться.

Он сразу же сунул в щель носок сапога, сильной рукой толкнул створку и ринулся внутрь. Белоголовый не отставал ни на шаг.

Доктор Айболит попятился от двух направленных на него пистолетов. Его подвижная физиономия исказилась гримасой не столько страха, сколько досады.

— О господи, здрасьте-пожалуйста, — вздохнул ученый, отступая все дальше и дальше. Его рука непроизвольно шарила по гладкой стене. Нащупала выключатель, повернула. Лампы на потолке погасли, однако это мало что изменило: в лаборатории стало сумрачно, но не темно — огоньки многочисленных приборов давали вполне достаточно света.

— На сей раз «прощай». — Главный спрятал в карман свое оружие и подал знак альбиносу. У того ствол ТТ (новейшая экспериментальная модель) заканчивался странной дырчатой трубкой. — В голову, а то знаем мы эти штучки...

Поняв, что спасения ждать неоткуда, директор остановился. Обреченно закряхтев, улегся на живот. Пенсне отложил в сторону, руки пристроил по швам, лицом уткнулся в ковер.

— Mundus idioticus, — глухо повторил он свою излюбленную присказку. — Чтоб вам всем провалиться...

Беловолосый молодой человек опустился на одно колено, аккуратно примерился и выстрелил лежащему прямо в матерчатую шапочку. Дуло пистолета изрыгнуло огонь, но вместо выстрела раздался сочный хлопок. Голова жертвы дернулась.

«Шеф» глаз не отвел, но поморщился. А убийца, наоборот, улыбнулся.

— Наш советский глушитель, но не хуже бельгийского. В соседней комнате было бы не слышно.

— Выпендриваешься, Кролик. Зачем глушитель? В соседней комнате подслушивать некому. Один в отключке, второго ты грохнул.

— А на будущее? Чтоб проверить. И пожалуйста, шеф, я просил, не зовите меня кроликом. Моя фамилия Кролль!

— Хорошо, не дуйся. Ты не кролик. Удав. — «Шеф» смотрел на тело. — Чем болтать, лучше убедись, точно ли.

— Чего убеждаться? Я стрелял в затылочную долю, под углом сорок пять градусов. Пуля пошла через мозжечок, мозолистое тело и свод мозга. Это мгновенная смерть.

— Уверен?

— Обижаете. У меня четыре курса медицинского. — Альбинос присел, пощупал мертвецу артерию. — Пульса нет. Можете сами проверить.

— Молодец, Кролик. Получишь морковку... Стало быть, конец бессмертному Кащею.

Бритоголовый уже не смотрел на покойника. Неторопливо прошел через лабораторию, посматривая вокруг с любопытством и отвращением. Наклонился над письменным столом, включил лампу. Прочел запись, сделанную директором после звонка в заповедник.

— Еще и Ломоносова тебе подавай? Совсем спятили!

Открытый стенной шкаф с коллекцией маринованной цветной капусты почему-то вызвал у «шефа» настоящий приступ ярости.

— Чертов паук! Трупоед!

На пол полетела одна банка, вторая. Резко запахло формалином. Погромщик хотел расколотить следующий сосуд, но прочел этикетку и замер.

— Маяковский?!

Трехэтажно выругался, сплюнул, однако банку почтительно поставил на место.

— Всё! Дело сделано. Уходим.

Убийцы скрылись за дверью.

В лаборатории стало тихо. Было слышно, как из краника самогонного аппарата упала очередная капля.

Минуту спустя застреленный доктор Айболит зашевелился, сел. Брезгливо сдернул с головы запачканную красным шапочку.

— В каких условиях приходится работать! — пробурчал он. — O mundus idioticus!

PROFILE

ПРЕДСТАВЬТЕ СЕБЕ

, что вас зовут Гальтон Норд, что вам тридцатый год от роду и что вы занимаетесь самой интересной профессией на свете — экспериментальной фармакологией. У вас три докторских степени: по медицине, химии и биологии, вы на отличном счету на службе, в Этнофармацевтическом Центре знаменитого нью-йоркского Института Ротвеллера, но при всем при этом вы, в сущности, довольно скромный винтик огромного и сложного механизма, настоящего улья, в различных отсеках которого, разбросанных по всему миру, трудятся десятки тысяч людей.

И вдруг вас срочно вызывают Наверх, к самому высокому начальству. Не к заведующему Центра, даже не к директору Института, а к самому Джей-Пи Ротвеллеру, владельцу транснациональной корпорации, над которой никогда не заходит солнце, к царю царей, выше которого на земле, наверное, лишь президент США и папа римский, да и то не факт, потому что на долгом веку великого Ротвеллера сменилось множество президентов и пап, причем некоторых Джей-Пи, как говорится, создал собственными руками.

Прибавьте к этому, что за восемь лет работы в Институте вы ни разу вживую не видели своего работодателя и не были уверены, что Небожитель вообще знает о вашем существовании.

«Небожитель» — одно из прозвищ Джей-Пи, потому что его офис находится в пентхаусе ротвеллерского небоскреба, под самыми облаками. Немногих избранных, кого приглашают Наверх, возносит под крышу особый скоростной лифт.

Заведующий Центром, который ни разу не был удостоен подобной чести, о причине внезапного вызова не извещен и поражен не меньше вашего.

Итак:

1. Великий Человек лично вас не знает.
2. Начальство о вас Наверх не докладывало.

Вывод?

Только один: мистера Ротвеллера чем-то заинтересовал ваш личный файл — персональное досье, которое в корпорации заведено на каждого сотрудника. Заглянуть туда — заветная и совершенно неосуществимая мечта всякого мало-мальски честолюбивого работника огромной научно-индустриально-филантропической империи, кадровая политика которой работает как часы и никогда не дает сбоев. Все служебные повышения, понижения и перемещения — в том числе неожиданные — оправданны, резонны и идут на пользу делу. Значит, сведения, содержащиеся в персональных файлах, безукоризненно полны и достоверны.

Чем же мог ваш файл заинтересовать господина Ротвеллера?

Тем, что вы родились 1 января 1901 года, одновременно с новым веком? Вряд ли. Джей-Пи — крупнейший в мире филантроп и, как утверждают некоторые, неисправимый идеалист, но в склонности к мистицизму не замечен.

Быть может, тем, что в семнадцать лет вы пошли добровольцем на войну? Эка невидаль! В Америке счет пылким юнцам, жаждавшим крови коварных тевтонов, шел на многие тысячи. А про основной урок, почерпнутый вами в результате этого мальчишеского приключения, из вездесущего досье Небожителю узнать не удастся. Вы отправились за море стрелять и убивать, а вместо этого поняли, что ваше призвание — спасать и врачевать.

В файле наверняка отмечено, что Гальтон Норд прошел шестилетний курс университета за три с половиной года, но опять-таки упущено главное: после фронтовой мясорубки обучение самой гуманной из профессий показалось вам милой и трогательной игрой.

Зато всё, что произошло после окончания медицинского факультета, в досье зарегистрировано в мельчайших подробностях, можно не сомневаться.

И то, как блестящему студенту предложили захватывающе интересную работу в Этнофармацевтическом Центре — в ботаническом отделе, который исследует экзотические практики знахарства, используемые колдунами диких племен Африки, Южной Америки и Океании.

И то, как вы проявили себя в многочисленных экспедициях. Какие вы имеете публикации.

Сколько у вас на счету научных разработок.

Сколько заявленных патентов на новые лекарства.

Ну а еще в файле, конечно же, есть фотография, с которой на мистера Ротвеллера смотрит молодой мужчина исключительно позитивной наружности: с чистым лбом, чуть вздернутым носом, твердой линией рта и упрямым подбородком, увенчанным ямочкой.

Настоящий американец, хоть сейчас на рекламу «кокаколы».

«За каким же хреном ты понадобился Небожителю?» — спросил Гальтон Норд, разглядывая в зеркале свое образцово-показательное отражение. Отражение ответило сосредоточенным, немного настороженным взглядом.

Лифт плавно, почти бесшумно возносился всё выше и выше. Шестьдесят четвертый этаж, где восседал великий и ужасный Ротвеллер, неотвратимо приближался, а загадка оставалась неразрешенной.

Обычно Гальтон не соблюдал формальностей в одежде, отвергая всё бессмысленное или неудобное: галстуки, крахмальные воротнички, узкие туфли. Но тут вдруг засомневался — удобно ли будет заявиться к такому человеку в льняной паре, рубашке с открытым воротом и парусиновых туфлях? Хорошо, еще не настал май, когда доктор Норд переходил на летний режим волосяного покрова: снимал со скальпа отросшие за зиму волосы, сбривал бороду и до октября *дышал кожей*, раз в неделю убирая растительность опасным лезвием.

До первого мая оставалось еще восемь дней. Лицо этноботаника, загорелое после недавней экспедиции во французскую Африку, заросло светлой бородкой, на лоб свисал золотистый чуб. Общее впечатление классической англо-саксонскости нарушали лишь черные глаза, по преданию доставшиеся Нордам от индейской принцессы. Правда, их обладатель, любивший точные формулировки, утверждал, что корректнее говорить о «сильно пигментированной радужной оболочке», поскольку черной радужной оболочки в природе не бывает. Некоторые коллеги нордовское пристрастие к точности называли занудством, а самого его считали скучным. Он действительно плохо понимал, зачем люди все время шутят, да и улыбался крайне редко. Зато если уж улыбался, к ямочке на подбородке прибавлялись еще две, на щеках — очень симпатичные.

Что еще сказать о внешности доктора Норда? Высокий, широкоплечий, с эластичными, будто насилу сдерживаемыми движениями.

Ах да! Когда Гальтон о чем-нибудь всерьез задумывался (как, например, сейчас), на чистом лбу проступала резкая продольная морщина.

Пока лифт несся в поднебесье, Норд педантично перебирал варианты (см. адресованный зеркалу вопрос).

Волнения Гальтон не испытывал. Из-за вызова к высокому начальству волнуются лишь карьеристы или лузеры, а ни к одной из этих категорий молодой ученый не принадлежал.

Любопытства тоже не было. Одно из жизненных правил, которыми он руководствовался, гласило, что любопытство несовместимо с любознательностью. Тот, кто ломает себе голову над необязательной ерундой, важных открытий не сделает и поставленных целей не достигнет. А в личных планах доктора Норда важным открытиям и достижению целей отводилось очень большое, можно сказать, ведущее место.

Пожалуй, о правилах Гальтона имеет смысл рассказать чуть подробнее.

За не столь долгую, но богатую событиями, а главное наблюдениями и размышлениями жизнь Норд обзавелся некоторым количеством принципов, на которых держался столь же незыблемо, как во время óно Земля на трех китах.

Когда в семнадцать лет он сбежал из дому на войну, мироздание мнилось ему простым и ясным, ни по каким вопросам бытия сомнений не возникало. К тридцатому году ясности поубавилось; набор истин, представляющихся очевидными, оказался пугающе невелик. Зато за любую из них доктор ручался головой, потому что их правота была проверена на собственной шкуре — или, выражаясь научно, доказана экспериментально. Некоторые из принципов были сформулированы великими предшественниками, до остального Гальтон дошел сам.

Со временем правила составились в небольшой свод, который постепенно обрастал новыми пунктами, но медленно, очень медленно. Ведь основополагающих законов много не бывает.

Свод основополагающих жизненных правил по версии д-ра Г. Норда

1. Ключевая проблема бытия дефинирована Шекспиром — предельно кратко и корректно: «Быть или не быть». Ответ — положительный. И если уж «быть», то по-настоящему, на все сто процентов.

2. Опять Шекспир: «Есть многое на свете, что и не снилось нашим мудрецам», а значит, главный принцип ученого — держать глаза открытыми, не впадать в догматизм и критически относиться к мнению авторитетов.

3. Из Конфуция: «Хорош не тот, кто никогда не падает, а тот, кто всегда поднимается». Добавить тут нечего.

4. Главная из наук — химия, которая не только объясняет внутреннюю суть вещей, *но и позволяет эту суть менять*.

5. Самозабвенная любовь между мужчиной и женщиной — гипотеза непродуктивная. Экспериментально не подтверждается, а стало быть, внимания не заслуживает.

6. Другая недоказанная гипотеза — Бог. Для ученого практического интереса она не представляет, поскольку не может быть использована в работе.

7. Но Добро и Зло не поповская выдумка, они действительно существуют, и долг всякого порядочного человека защищать первое от второго. Иногда с первого взгляда трудно разобраться, что является Добром, а что Злом. В подобных случаях допустимо отойти от логики и прислушаться к так называемому «голосу сердца». Этим условным, крайне некорректным термином обозначают эмоционально-нравственный распознаватель, устройство которого науке пока неизвестно (см. Правило № 2).

Семь железных правил. Для двадцати девяти лет не так уж и мало. Тем более что на подходе было Правило № 8, находившееся в стадии финальной проверки: «Любая необъяснимая загадка представляется таковой лишь до тех пор, пока не разработан механизм ее исследования».

Отсюда вытекало, что загадка внезапного вызова Наверх может и должна быть разъяснена немедленно, потому что механизм исследования наличествовал — голова на плечах. Доктор интенсифицировал работу механизма и получил немедленный результат: три возможных варианта, из которых один был неприятный и два приятных.

Неприятный вариант (чрезмерно затянувшееся исследование секреций мадагаскарского таракана Gromphadorhina portentosa) представлялся все же маловероятным. Получить нагоняй за срыв сроков можно от заведующего Центром, максимум от директора Института, но не от самого же Небожителя?

Второй вариант (присуждение доктору Норду Малой золотой медали Фармацевтического общества за серию публикаций по аллергенности плесневого гриба Aspergillus fumigatus) тоже выглядел не очень убедительно. Будь золотая медаль Большой — еще куда ни шло.

Пожалуй, фаворитным следовало признать третий вариант: прошлогоднюю экспедицию в джунгли Новой Гвинеи, где Гальтону пришлось выручать одного молодого антрополога, имевшего неосторожность попасть в плен к охотникам за головами. Дело в том, что недотепу звали «Ротвеллер Шестой» и Небожителю он приходился младшим внуком. Правда, с тех пор миновало уже полгода — поздновато для благодарности, но кто их знает, небожителей, на каком уровне срочности числятся у них родственные чувства?

На этой версии Гальтон и остановился.

Так или иначе время для размышлений иссякло. Двери лифта, благоговейно выдохнув, разъехались.

Посетитель оказался в просторной приемной, которая (высший шик, доступный лишь миллиардерам) выглядела нисколько не шикарной. Ни ковров, ни скульптур, ни даже картин. Письменный стол, телефоны, телеграф, маленькая радиостанция, терминал пневмопочты.

— Пришел мистер Норд, — сказал секретарь в микрофон и лишь после этого поздоровался. — Здравствуйте, мистер Норд. Вы можете войти. Он вас ждет.

А все-таки немного волнуюсь, с неудовольствием отметил Гальтон.

TUTORIAL

САМЫЙ БОГАТЫЙ ЧЕЛОВЕК ВСЕХ ВРЕМЕН

стоял у окна кабинета, находящегося на самой вершине самого высокого здания в мире и смотрел на самый главный город планеты, раскинувшийся внизу.

Биография Дж. П. Ротвеллера была известна любому гражданину США — идеальный образец того, как можно осуществить американскую мечту и правильно распорядиться ее плодами.

В «Иллюстрированной энциклопедии маленького американца» (том «Наши великие соотечественники») о мистере Ротвеллере была помещена следующая статья:

> «**РОТВЕЛЛЕР, Джеральд Пуллмен** (р. 1838)
>
> Когда-то он тоже был ребенком, и у этого мальчика, выросшего в очень простой семье, была очень непростая мечта. Он хотел стать самым богатым человеком на свете. Не ради денег, а ради того, чтобы сделать мир лучше, чем он есть. Запомни это, дружок: деньги — не цель, деньги — средство. Людям плохим и слабым они помогают делать зло. Людям добрым и сильным — творить Добро.
>
> Первый дайм Джей-Пи заработал в семь лет, покрасив соседский забор. В школе он наладил свой первый бизнес: приносил в класс одноцентовые леденцы и продавал их на перемене по два цента. В пятнадцать лет у него уже были кое-какие сбережения в банке. Но в шестнадцать лет с предприимчивым подростком стряслась ужасная беда. Во время урагана ему на голову упал фонарный столб. Целую неделю бедняжка пролежал без сознания, врачи не надеялись его спасти. Но Джей-Пи одолел смерть. Он долго болел, но выздоровел. Настоящего мужчину не сламывают несчастья — они делают его сильнее.
>
> Благодаря гениальному дару предвидения юный Ротвеллер одним из первых понял, что черный, пахучий сок земных недр, именуемый «нефтью», имеет великое будущее. Компания «Ротвеллер ойл», основанная в 1859 году, через каких-

то двадцать лет стала самой могущественной корпорацией в нашей стране. К 50 годам Джей-Пи заслужил прозвище «Мистер Один Процент», потому что его личный капитал равнялся одному проценту всего национального богатства Соединенных Штатов. Такого баснословного состояния не имел ни один человек во всей мировой истории!

Но истинную славу мистеру Ротвеллеру принесли не миллиарды, а то, на что он их тратит. Восемь университетов, несколько десятков клиник, сеть благотворительных фондов и, наконец, ведущее научно-исследовательское учреждение планеты, прославленный Ротвеллеровский Институт, целиком финансируются этим великим филантропом.

Ты хочешь знать, дружок, какое чудо помогло этому человеку осуществить свою фантастическую мечту? Есть три волшебных качества, которые способны перевернуть мир: Запомни их: Воля, Целеустремленность, Здоровье. Развивай два первых, береги третье, и для тебя не будет ничего невозможного!»

Сколько же ему лет? — прикинул Гальтон, когда старик обернулся. За девяносто. Должно быть, интересно жить так долго, да еще во времена, когда мир стремительно меняется. Многое, что показалось бы родителям Джей-Пи сказкой Шехерезады, для их отпрыска стало повседневной реальностью: автомобили, аэропланы, радиоволны, да и сам этот небоскреб, на окна которого как раз наползало ленивое облако. О чем думал хозяин кабинета, глядя сверху вниз на столицу современного мира? Быть может, вспоминал другой Нью-Йорк, двух-трехэтажный, булыжный, лошадиный, в окаеме деревянных мачт вдоль пирсов Гудзона и Ист-ривер?

Однако, что помнил древний старик, а что предпочел забыть, да и сам ход его мыслей были для Гальтона тайной за семью печатями. Сухое, в глубоких складках лицо магната показалось молодому доктору абсолютно непроницаемым. Автор слащавой статейки из детской энциклопедии не соврал: здоровье у долгожителя было завидное. От всей его фигуры веяло закаленностью векового дерева — наполовину высохшего, но еще полного жизни. И, как два свежих листка на фоне тусклой коры, — зеленоватые глаза, рассматривавшие посетителя с нестарческой зоркостью. Можно было не сомневаться, что уж для этого-то взгляда мысли тридцатилетнего мальчишки никакая не тайна.

И хозяин, и приглашенный стояли, глядя друг на друга. После первого почтительного приветствия Норд ничего не говорил и не двигался — инициатива должна была исходить от старшего. Пауза тянулась, тянулась, сделалась невыносимо длинной. Но мистеру Ротвеллеру она, кажется, не была в тягость. Вероятно, он существовал в каком-то собственном масштабе времени, отличном от общепринятого.

Минут, наверное, через пять или даже шесть древнее дерево наконец качнуло веткой — Джей-Пи показал гостю на стул.

Сели.

— Вы желаете знать, из-за чего я вас вызвал, — сказал миллиардер. Пожевал морщинистыми губами. — Из-за вашей статьи о гениальности.

И умолк, давая собеседнику возможность ответить.

Но теперь запастись терпением пришлось уже мистеру Ротвеллеру.

Гальтон не сразу сообразил, о какой статье речь. А когда сообразил, ужасно удивился и не сразу нашелся, что сказать.

Статья была написана еще в студенческие годы, для университетского журнала, и, строго говоря, посвящалась не гениальности, а столетию со дня рождения сэра Френсиса Гальтона — ученого мужа, очень известного в девятнадцатом веке и несколько подзабытого в двадцатом. Этот легендарный полимат, то есть человек разнообразных увлечений и талантов, был антропологом, изобретателем, метеорологом, географом, основоположником современной генетики и светилом еще в дюжине областей. Именно в его честь доктор Лоренс Норд, боготворивший великого англичанина, назвал своего единственного сына.

Первоначально юный Гальтон взялся за юбилейную статью, чтобы сделать отцу приятное, но в процессе подготовки увлекся спорной теорией сэра Френсиса о наследственной гениальности, вцепился в эту концепцию, как зубастый щенок в войлочную туфлю, и разодрал ее в клочья. Норд-старший обиделся за своего кумира и потом целых полгода с сыном не разговаривал.

Еще не окончательно поверив, что его вызвали Наверх не по поводу Новой Гвинеи и охотников за головами, молодой человек позволил себе переспросить:

— Вы имеете в виду мой разбор гальтоновских работ «Наследование таланта» и «Исследования человеческих способностей»?

Древо качнуло седой кроной.

— Но это было восемь лет назад!

Ротвеллер снова наклонил голову.

— Именно после той публикации я распорядился пригласить вас на работу в Институт.

Гальтону опять понадобилось некоторое время, чтобы переварить эту новость. Собственно, две новости. Оказывается, задиристая статья имела научную ценность? Оказывается, приглашение на работу поступило от самого Джей-Пи? Вот это да!

«Почему же вы соизволили пригласить меня для разговора только сейчас?» — хотел спросить Норд, но проглотил этот не вполне приличный вопрос и вместо него задал другой, приличный:

— Разве наш институт занимается темой наследственной гениальности?

То есть само по себе это было бы неудивительно. В Ротвеллеровском институте имелось бог весть сколько подразделений, филиалов и исследовательских центров, в том числе строго засекреченных. Но если Норда пригласили на работу из-за статьи о гениальности, то почему он все эти годы занимался совсем другим?

— Нет, я не финансирую исследований в этой области, — строго сказал Джей-Пи. — Во-первых, они глубоко аморальны, ибо неминуемо ведут к разделению людей на категории различной ценности. Вы тогда совершенно справедливо, хоть и чересчур пылко, обрушились на вашего тезку за его теорию. Ее прямое следствие — нынешнее повсеместное увлечение евгеникой. Известно ли вам, что в некоторых штатах уже вовсю применяется насильственная стерилизация людей, которые, по мнению медицинских комиссий, не должны иметь потомства? Кто это решает? Господь Бог? Нет, это решает ограниченный и тупой чиновник, которому кажется, что он выпалывает сорняки с грядки под названием «человечество». Погодите — не за горами время, когда в цивилизованных странах начнут выводить особо ценные подвиды homo sapiens, как разводят племенной скот!

— Да, я читал, что такого рода идеи обсуждаются германскими генетиками.

— Гениальность по принципу естественного отбора — это мерзость!

Восковые ноздри Ротвеллера сердито раздувались, глаза метали молнии. Выходит, долгожитель не утратил способности к сильным чувствам. Гальтон преисполнился к старцу еще большим почтением.

— Вы сказали «во-первых», — осторожно напомнил он.

— А во-вторых, эта тема не интересует меня и в научном плане. На нынешнем этапе она бесперспективна, — отрезал Джей-Пи, уже совершенно успокоившись. Должно быть, огня, еще сохраняющегося в этом старом сердце, на долгий взрыв эмоций не хватало.

После такого заявления Норд просто растерялся. Если мистер Ротвеллер считает разработку этой темы во-первых безнравственной, а во-вторых научно бесперспективной, тогда... Тогда вообще ни черта не понятно.

Гальтон смотрел на магната, ожидая пояснений. Однако Джей-Пи заговорил совсем об ином.

— Вы следите за тем, что творится в мировой экономике? Нет? А напрасно. Наша страна, а вместе с нею все так называемые передовые страны переживают тяжелейший кризис.

— Ну, это я знаю, — рискнул вставить Норд. — Газеты я все-таки читаю. «Черный вторник» на бирже и всё такое...

— Ничего вы не знаете! Сидите и слушайте! — прикрикнул на него богатейший предприниматель планеты. — Мы на пороге пропасти. Мои эксперты — а это лучшие в мире специ-

алисты — подготовили закрытый доклад. Прогнозы чудовищ-
ные! В течение ближайших трех лет индекс Доу-Джонса сни-
зится на 90 %. В США закроется не менее 9 тысяч банков.
Обанкротится две трети всех предприятий. Объем производства скатится на уровень 1910 года. А в разоренной войной
Европе дела обстоят еще хуже.

Хоть Гальтон и мало что смыслил в экономике (не его специальность), но цифры его ошеломили.

— Всё так плохо?

— Хуже, чем плохо. Если бы кризис и депрессия распрост-
ранились на весь мир целиком, это было бы полбеды. Но есть
зона, которая не только обладает иммунитетом против этой
болезни, но еще и развивается невиданными темпами. Это
Советский Союз. Вы слышали об их Пятилетнем плане? Ну
разумеется, нет. А между тем это совершенно исключитель-
ная затея. К 1933 году в отсталой, разрушенной стране вве-
дут в действие полторы тысячи новых заводов, пустят в разработку гигантские топливные бассейны, проведут тысячи
километров железных и шоссейных дорог. Планируется уве-
личение национального дохода и объема производства на сто
процентов!

— Такого не бывает. Это прожектерство, — снисходительно заметил Гальтон.

— Первые два года пятилетки уже выполнены. Годовой темп
прироста промышленной продукции превысил 20 %. А это значит, что Pyatiletka (так они называют свой дерзкий план) почти
наверняка будет осуществлена досрочно.

К чему клонит старик и зачем рассказывает всё это ма-
лозначительному сотруднику, было совершенно непонятно.
А беседа вдруг взяла и нарисовала новый зигзаг.

— Большевики не просто строят индустриальную державу.
Они строят новый мир и новое общество, подобное безукоризненно функционирующему муравейнику.

— Прошу извинить, сэр, — не выдержал Гальтон, почитав-
ший прямоту одним из главных достоинств человеческого общения. — Я что-то не возьму в толк, какое отношение имеют
русские большевики и их намерения к моей работе в Институ-
туте?

Старик его будто не расслышал. А может быть, все дело было в пресловутой волшебной целеустремленности. Среди прочих прозвищ, изобретенных прессой, имелось у Ротвеллера и такое: «Носорог» — если этот человек двигался в каком-нибудь направлении, остановить его было невозможно.

— Ленинский большевизм, мистер Норд, система безнравственная и жестокая, но чрезвычайно эффективная. Знаете, в чем ее суть?

— Полагаю, в построении социализма.

— Нет. Построение социализма — это одна из их целей. А цели, которых хотят достигнуть большевики, меняются в зависимости от обстоятельств. Это называется «марксистско-ленинская диалектика». Суть же большевизма — в достижении поставленной цели любыми средствами и любой ценой. Последователи Ленина не связаны ни религией, ни моралью. Если для индустриализации необходим приток рабочей силы в города, они намеренно устраивают в деревне массовый голод, и миллионы крестьян покидают свои дома, тянутся на заводы и шахты. Однако на отдаленные стройки Севера и Сибири людей все равно не загонишь. И вот две недели назад в Москве создано новое министерство под названием Gulag, Главное управление лагерей. Его задача — производить массовые аресты людей трудоспособного возраста и переправлять их туда, где наблюдается дефицит рабочих рук. Уверяю вас, мистер Норд, через десять лет отсталая Россия превратится в мощную индустриальную и военную державу, а через двадцать лет подчинит себе полмира. Когда государство действует по принципу «Что полезно для победы, то и нравственно», оно берет на вооружение метод, которым можно достичь очень многого.

— Но этот метод отвратителен!

— Зато продуктивен. И прежде всего в области науки. Наука, не цензурируемая церковью или общественной моралью, устремляется вперед с головокружительной скоростью.

И мистер Ротвеллер опять повернул разговор — прочь от экономики и политики. Гальтон наконец понял, что беседа движется по какому-то определенному плану. Встревать со своими репликами и сентенциями — лишь тормозить ее течение. Он решил впредь ограничиваться кивками, мычанием и прочими знаками вежливого внимания, рта же без крайней необходимости не открывать.

— Вам известно, мистер Норд, что я трачу весьма значительные средства на поддержку церкви. При том, что я нисколько не религиозен. Почему, спросите вы? Да потому что религия — это постромки, на которых человечество учится ходить, пока не войдет в возраст зрелости. Зрелость — это прежде всего формирование внутреннего нравственного чувства, которое подсказывает человеку, что хорошо, а что плохо. Наш биологический вид в этом отношении пока еще дитя. Спусти его с постромков — упадет на четвереньки и поползет черт знает куда! Именно это сегодня происходит в безбожной России. Причем деятельность советских ученых тревожит меня еще больше, чем замыслы народных комиссаров. Особенно опасны эксперименты с мутационными изменениями организма. На Западе некоторые фанатики тоже ведут исследования в этой области, но вынуждены таиться от общества и самостоятельно изыскивать средства. В России же экспериментаторов ничто не сдерживает. Наоборот, правительство оказывает им всестороннюю помощь. Особенно большевиков занимает новая отрасль, именуемая «эвропатологией». Вы знаете, что это такое?

«Ага, — сказал себе Гальтон, — кое-что начинает проясняться».

— Да, сэр. Это наука, изучающая патологии, якобы приводящие к гениальности. Еще Макс Нордау предположил, что неповторимость гениев определяется особой физиологией их мозга. Однако я не знал, что русские всерьез увлечены этой сомнительной проблематикой.

— Вы даже не представляете себе, до какой степени! В СССР существует целая система научно-исследовательских учреждений, так или иначе занятых экспериментальной работой по выведению Нового Человека. Есть Русское евгеническое общество, в руководство которого входит сам министр здравоохранения господин Семашко. Есть Институт экспериментальной биологии в Москве, есть Институт мозга в Ленинграде, есть Музей нового человечества и при нем Пантеон мозга, есть Институт экспериментальной эндокринологии и еще какой-то Институт пролетарской ингениологии, о котором мало что известно.

— Термин «ингениология» мне знаком — это дисциплина, исследующая феномен одаренности во всех ее проявлениях. Но в каком смысле «пролетарской», сэр?

Мистер Ротвеллер дернул плечом.

— Ни в каком. Декоративный эпитет. У них в Советском Союзе всё теперь или «пролетарское», или «марксистско-ленинское», или на худой конец «рабоче-крестьянское».

— А что такое «Пантеон мозга»?

— Место, в котором хранится мозг выдающихся покойников. Прежде всего человека, которого большевики считают величайшим гением истории, — Владимира Ильича Ленина. Стоит кому-нибудь из революционных вождей, знаменитых ученых или деятелей культуры умереть, как из черепной коробки покойника извлекают содержимое и переправляют на исследование в этот научный центр. Каждый газетный некролог, посвященный смерти кого-нибудь из советских гениев, теперь заканчивается словами: «Мозг передан в Пантеон». А между тем, по имеющимся у меня сведениям, — Джей-Пи сверкнул своим пугающе острым взглядом, — в строго засекреченной лаборатории, то ли в Москве, то ли в Ленинграде, ведется разработка некоей химической формулы. Мне стало известно, что советские ученые научились делать вытяжку из патологически развитого мозга одаренных личностей. Этот препарат называется у них «Экстракт гениальности».

Надо сказать, что доктор Норд не был ценителем юмора, а уж в серьезном разговоре подавно. Поэтому, нахмурившись, он сказал с нарочитой сухостью:

— Полагаю, вы шутите, сэр. Во-первых, химическая формула гениальности — это утопия, такая же, как социализм. А во-вторых, пускай русские ученые занимаются, чем им угодно. Вряд ли копание в мозгах мертвых большевиков обогатит ингениологию.

По бескровным губам старца скользнула тень улыбки, но не веселой, а печальной. Внезапно доктор Норд почувствовал себя ребенком, который пытается препираться с учителем, хотя тот в сто раз образованней и в тысячу раз мудрей.

— Что такое социализм — утопия или антиутопия — покажет будущее, — тихо произнес Джей-Пи. — Но дело не в этом... Видите ли, мистер Норд, русские не ограничиваются мертвыми большевиками. С недавних пор появился новый вид международного воровства. У выдающихся людей крадут мозги.

— Простите? — вежливо переспросил Гальтон, не уверенный, что правильно услышал.

– ЕСЛИ У ЧЕЛОВЕКА УКРАСТЬ МОЗГИ

, он умрет, — терпеливо объяснил доктор почтенному долгожителю, подумав, что 92 года все-таки не шутки. При самой ясной памяти и самой идеальной работе сосудов все равно неизбежны склеротические явления, временные помрачения, да и элементы бреда.

И опять по лицу Ротвеллера проскользнула печальная, терпеливая улыбка.

— Мне это известно, мистер Норд. Мозги крадут у тех, кто недавно умер. Крадут из моргов, из склепов, из могил. Впервые об этом заговорили примерно год назад, в связи со смертью Карла-Фридриха Бенца — того самого, что изобрел бензиновый двигатель и создал автомобильный концерн «Даймлер-Бенц». Семья покойного пресекла слухи в зародыше. Однако я давно уже ждал чего-то в этом роде и поручил специалистам соответствующего профиля следить за подобными происшествиями с особым вниманием. С почти стопроцентной достоверностью могу утверждать, что в ноябре минувшего года из прозекторской пропал мозг бывшего премьер-министра Французской республики Клемансо. Недавно столь же таинственным образом исчез мозг нашего 27-го президента Тафта и бывшего британского премьера лорда Бальфура. Я неплохо знал всех троих. Клемансо еще куда ни шло, но мозги Тафта и Бальфура, поверьте мне, даже при жизни стоили недорого. А между тем резидент советской разведки — это установлено — заплатил служащему похоронной конторы, который выпотрошил череп лорда, целых пять тысяч фунтов.

— Это очень глупо! — воскликнул Гальтон.

— Это очень опасно, — поправил его миллиардер. — Поверьте мне, я неспроста прекратил исследования в области нейрофизиологии мозга.

«Так-так, значит, вы, сэр, все же ими занимались», отметил про себя Норд.

— Да, было время, когда я хотел проникнуть в тайны мозга. Но быстро понял, что этот тайник распечатывать еще рано. Сокровенное знание, не базирующееся на эти-

ке, способно погубить мир. А большевики вторглись в святая святых с отмычкой и ломом. Этому нужно положить конец.

Тон мистера Ротвеллера стал энергичным. Гальтон подобрался, понимая, что сейчас, наконец, всё объяснится. Он уже догадывался, почему его сюда вызвали и что последует дальше.

— У Соединенных Штатов нет дипломатических отношений с Советским Союзом. В любом случае обычные каналы здесь неприменимы. Большевики ни за что не отказались бы от своих поисков. Здесь, как во времена Дикого Запада, требуется рейд кавалерии. Только без конского топота и сабель. — Кулак, похожий на сухой сук, с неожиданной резкостью рассек воздух. — Отправиться к месту действия. Найти. Пресечь. Иного решения нет! Выполнить эту сложнейшую задачу может лишь тот, кто соединяет в себе качества, в одном человеке почти никогда не сочетающиеся. Это должен быть высококвалифицированный ученый-медик и притом, выражаясь языком Библии, «муж силы», то есть человек действия. — Зеленые глаза Джей-Пи неотрывно смотрели в черные глаза молодого доктора. — На меня работают 86 000 человек. Среди них есть блестящие исследователи, и уж тем более полным-полно «мужей силы». Однако анализ всего массива персональных досье показал, что вы — единственный кандидат, набирающий нужное количество баллов по обоим критериям. Скажите, Норд, вы готовы отправиться в СССР?

Хоть Гальтон и правильно вычислил логический финал беседы, вопрос все же застал его врасплох. Слишком буднично он был задан, без какой-либо паузы.

— Что конкретно от меня потребуется? — таким же ровным (самому понравилось) тоном спросил Норд, немного подумав.

— Раскрыть наглухо запечатанный секрет в намертво за купоренной стране, где очень эффективная, фанатичная та ная полиция организовала систему тотальной слежки за в и всеми. Вы должны выяснить, какой именно научный о занимается «Экстрактом гениальности». Установить

сколько далеко продвинулись исследования. Уничтожить достигнутые результаты без возможности их восстановления. Ну а в остальном... действовать в соответствии с логикой событий.

Было понятно всё, кроме последнего.

— То есть?

Мистер Ротвеллер заколебался. Теперь он говорил, тщательно взвешивая каждое слово.

— Само развитие событий подскажет вам, что еще понадобится сделать. Я предсказывать не берусь. Судя по данным вашего досье, вы обладаете превосходной реакцией и умеете находить спонтанные решения. Но вы должны сознавать одну вещь... — Поразительно, но мистер Носорог сейчас выглядел неуверенным, чуть ли не смущенным. — Вы будете подвергаться риску, смертельному риску. И никто за вас не заступится — ни дядя Сэм, ни я. Это будет борьба без правил. Как на Новой Гвинее, у охотников за головами, только в сто раз трудней и опасней.

Выходит, Джей-Пи все-таки знал, кому обязан спасением внука. Но магнат небрежно дернул углом рта:

— И в тысячу раз важней, чем жизнь великовозрастного шалопая, пустая голова которого не стоила того, чтоб на нее охотиться и тем более ее спасать. Так вы поедете в Москву?

Вопрос вновь был задан без малейшего перехода, но теперь доктор Норд был готов.

— Да.

— Невзирая на столь паршивую рекламу этого турне? — улыбнулся Ротвеллер уже не одним движением губ, а по-настоящему.

— Если мне дадут отсрочку по мадагаскарскому таракану, — с великолепным бесстрастием заявил Гальтон, а сам при этом думал: «Вот это да! Вот это экспедиция! Такой шанс выпадает раз в жизни!».

Внезапно старец ему подмигнул — или, может быть, древнее веко само дернулось от тика?

— Я уже сказал, что не смогу вам помогать по ту сторону советской границы. Всю возможную поддержку вы получите, пока находитесь здесь.

— Что за поддержка? — деловито спросил Норд, уже и сам начавший прикидывать, что ему может понадобиться для поездки.

— Она будет заключаться в трех вещах. Во-первых, я выдам вам чековую книжку. Безлимитную. Вы никак не ограничены в своих расходах и никакого отчета от вас не потребуется. Погодите благодарить! — покачал узловатым пальцем Джей-Пи. — В Советском Союзе чековая книжка вам не особенно поможет. Большевикам удалось построить общество, в котором деньги важной роли не играют.

«Ну не деньги, так что-нибудь другое, все равно приобретаемое за деньги, — подумал Гальтон. — Например, бусы или бензиновые зажигалки, как у охотников за головами». Безлимитности расходов — недостижимой мечте любого исследователя, затевающего научную экспедицию, — он ужасно обрадовался. А еще больше — возможности не возиться с бумажной отчетностью.

— Во-вторых, вы пройдете необходимую подготовку. Советская виза делается через наше представительство в Берлине, это занимает неделю. Вы потратите ее на интенсивное изучение туземной специфики и русского языка.

— Да, конечно. Мне нужно знать хотя бы набор самых необходимых фраз.

— Нет, мистер Норд. «Необходимых фраз» недостаточно. Едва сойдя с парохода на немецкий берег, вы, скорее всего, попадете под негласный надзор ГПУ (так называется русская разведка). Германия буквально кишит ее агентами из числа местных коммунистов. Каждый иностранец, запросивший советскую визу, оказывается под наблюдением. А уж после пересечения русской границы слежка за вами станет неотступной. Придется отрываться от нее и переходить на нелегальное положение. Для этого вы должны овладеть русским языком в совершенстве.

— За неделю? — засмеялся Гальтон, довольный, что понял: это шутка.

— Да. За семь суток. — Джей-Пи смотрел на него абсолютно серьезно. — Одно из подразделений Института разработало специальную методику пенетрационного изучения иностранных языков.

— К-какого?

— Пенетрационного, то есть проникающего сразу в кору головного мозга. Разработка пока засекречена.

Ошарашенный Норд сглотнул.

— А что третье, сэр? Вы говорили про три вещи.

— Я обеспечу вас помощниками. В одиночку со столь сложным заданием справиться невозможно.

Небожитель, он же Носорог, он же Мистер Один Процент, вынул из черепахового бювара какие-то бумаги.

— Вам подобраны четыре команды помощников. Нужно выбрать одну. Файлы имеют гриф особой секретности, так что просмотреть их вы не сможете. Лично познакомиться с кандидатами тоже не удастся — вас должны знать только члены той группы, которую вы отберете. Поэтому я прочту вслух выдержки из файлов, лишь самое существенное. А вы решите, какая команда вам больше подходит. Прямо здесь и прямо сейчас. Готовы?

И он начал:

«ПЕРВАЯ КОМАНДА

состоит из трех человек. Ее кодовое название «Самураи». Она идеально приспособлена для работы во враждебной обстановке и непредсказуемо опасных условиях. Эти люди сработались давно, еще в годы Великой войны, когда занимались диверсионно-разведывательными операциями в тылу противника. Понимают друг друга без слов. Как говорится, один за всех и все за одного. Я не могу ознакомить вас с их послужным списком, но поверьте: на счету этой группы множество блестяще выполненных заданий высокой сложности. Если вы выберете «Самураев», вам гарантирован успех в любых акциях, где требуется смелость, мощь, находчивость.

Перехожу к персоналиям.

Старший группы — мистер Сота. Или, если угодно, Сота-сан. Он происходит из старинного самурайского рода. Молчун. Человек незыблемых принципов (что не всегда удобно для окружающих). Абсолютно бесстрашен — впрочем, все они таковы... М-м-м, что еще может иметь для вас значение? Пожалуй, сведения из раздела «Минусы и отклонения». Безжалостен, даже жесток. Ни малейших колебаний или рефлексий при «зеро» (это на языке моего Оперативного отдела означает «ликвидация», «физическое устранение»). Особенно склонен выбирать вариант «зеро», когда противник — женщина, потому что является выраженным женоненавистником.

Второй член группы — Симара-сан. Он не самурай, а ниндзя из древнего клана. Блестяще владеет всеми видами холодного оружия. Незаурядные организаторские способности, очень высокий коэффициент интеллектуального развития... Ну, смелость, решительность — это понятно... Полагаю, вас интересуют «Минусы и отклонения». Что у нас тут? ...В женском вопросе Симара — полная противоположность Соты. Очень заботится о своей внешности и одежде. Постоянно меняет любовниц. Однако (это помечено особо) относится к разряду сладострастников, которые не попадают в зависимость от женщин, а наоборот, сами их используют. Это полезное качество может вам пригодиться... Что еще? Хм, любопытно. Несмотря на половую распущенность, очень набожен и не раз заявлял, что после отставки намерен уйти в монастырь.

Третий в команде не самурай и не ниндзя, а уроженец Беарна. Имя — Сотроп. Обладает феноменальной силой. Однажды удержал на плечах обрушившуюся крышу дома. При этом коэффициент интеллектуального развития скромный. Чересчур разговорчив. Очень зависим от калорийности питания — но при таких физических данных это естественно.

Ну как вам команда «Самураи»?»

— Интересно, — признал доктор Норд. — Очень интересно. А ничего, что двое японцы? Не будет ли это привлекать ненужное внимание?

— В Советском Союзе кроме России еще полтора десятка республик, в том числе населенных представителями монголоидной расы. Есть киргизы, калмыки, буряты, якуты, эскимосы...

— Тогда нечего и думать. Отличная группа. Беру не задумываясь!

— Погодите, не торопитесь. — Ротвеллер перевернул несколько листов. — Послушайте про остальных...

«Вторая команда отличается от первой точной сбалансированностью. Это тоже три человека, но, как вы увидите, функции между ними строго распределены. Группа имеет кодовое название «Волшебники» — она действительно умеет творить настоящие чудеса. Специализация — работа в экзотических странах.

Аналитиком, ответственным за планирование операций, является мистер Али Шартс, полуамериканец, полуегиптянин. Это, так сказать, интеллект в чистом виде. Мягок характером, приятен в общении, скромен. В схватке или потасовке пользы от него будет мало, зато разум острый, как игла. Как сотня игл! Телосложения он, прямо скажем, неатлетического и вообще внешне непривлекателен, но вам ведь это неважно? Зато чудесный товарищ, душа компании. Мои психологи утверждают, что такой человек для слаженной работы группы просто находка.

Потом там есть некто Кес О'Ворд, полуголландец-полуирландец, специалист по техническим средствам. Мастер на все руки. В его арсенале множество самых разных инструментов и изобретений, которые могут вам пригодиться... Что из недостатков? Несентиментален до черствости. Слишком прямолинеен. Зато воля железная.

Ну и третий. Это типичный «муж силы». Предпочитает, чтобы его называли просто Вел. Простой парень из Канзаса. Незаменим в острых конфронтационных ситуациях. Склонен к излишней нервозности, но делу это не мешает».

«Третья команда называется «Артисты». Она покажется вам странной, но действует с редкой эффективностью. Ее подготовкой занимался наш отдел интуитивно-интеллектуальных методик. Слышали о таком? Нет? Неудивительно. Он свою деятельность не рекламирует. Главные направления изысканий — внушение мыслей на расстоянии, гипергипнотические состояния, биопольные и экстрасенсорные технологии. Важное достоинство «Артистов» заключается в том, что они не так давно побывали в Москве, где провели одну деликатную операцию. Так что неплохо знакомы с тамошними реалиями, а это очень кстати.

Итак, кого мы здесь имеем...

Рок Вовье, канадец из Квебека. Мастер психологической манипуляции. Сверхъестественно развитая интуиция, незаурядные актерские способности. Может втереться в доверие к кому угодно. Виртуозно владеет техникой предметно-ассоциативного допроса. Это когда собеседник, сам того не заметив, выбалтывает вам всё самое сокровенное.

Затем Томек Егбот, чех. Фантастически искусный гипнотизер. Может устраивать не только индивидуальные, но и коллективные галлюцинации. Редкостный дар перевоплощения. Если Вовье насмешлив и язвителен в общении, что чревато ссорами и напряженностью, то Егбот служит своего рода психологическим противовесом: мягок, покладист, обладает легким характером. Правильный личностный баланс в команде — это очень важно.

Третий человек — венгр Лазло Еза. Про него вам достаточно знать только одно: это лучший в мире (думаю, что не преувеличиваю) профессионал по части акций «зеро». Настоящая машина смерти. Нет такого оружия и таких способов насилия, которыми он не владел бы в совершенстве... Увы, мистер Норд, мы живем в жестоком мире, где многие язвы приходится удалять хирургическим путем. Вы были на войне, а после войны в множестве опасных переделок, так что не вам это объяснять».

«Ну и наконец четвертая команда. Кодовое название — «Ученые». Всего два человека, мужчина и женщина. Это разработка нашего отдела прикладной психологии, подготовленная с учетом специфики данного конкретного задания. Я предлагаю вам сей вариант не без колебаний, потому что он экспериментальный и пока еще не проверен в деле. Комбинация участников составлена на основании теоретических выкладок, по принципу взаимокомпенсации. Эти двое мало того, что не работали вместе, но никогда друг друга не видели. Оба медики, только он специалист по биохимии, а она хирург. Профессионального «мужа силы» в связке нет. Психологи сочли, что он не впишется в группу, состоящую из «яйцеголовых». У мужчины есть некоторый опыт выживания в критических ситуациях. Женщина тоже не роза-мимоза. Но все же при проведении силовых акций главная нагрузка ляжет на вас.

Что я могу вам рассказать о биохимике? Немец. Имя — Курт Айзенкопф. До войны был скульптором. На фронте струя пламени из огнемета сожгла ему лицо. Он попал в госпиталь для пленных, где им занимались врачи из моего института. После войны мистер Айзенкопф поменял профессию. Работает на меня и, кажется, об этом не жалеет. Это очень талантливый исследователь в области прикладной экспериментальной биохимии. Кроме того он незаурядный инженер-изобретатель... Вот еще важная деталь: поскольку собственное лицо у него изуродовано, он превосходно умеет менять внешний облик... Так, читаем про характер... М-да. Характер отвратительный. Надеюсь, мои психологи как-то это учли...

Женщина. Она из русской белой эмиграции, настоящая княжна. Зовут — Зоя Клински. Воспитанница одного из моих пансионов. Проявила блестящие способности к наукам. В свои 25 лет считается очень перспективным хирургом (большая редкость для женщины). При этом не затворница, не серая мышка. Я обратил на нее внимание в прошлом году, когда она весьма своеобразно потратила премию, полученную за научные достижения. Мне доложили, что молодая мисс приобрела фальшивые документы и под видом туристки отправилась проведать свою бывшую родину. Согласитесь, такой поступок свидетельствует о силе характера, независимости и любви к приключениям. К тому же опыт, приобретенный госпожой Клински во время ее ностальгического путешествия, будет вам полезен. Если, конечно, вы остановите свой выбор на команде «Ученые».

Так что же, мистер Норд? Какую из этих четырех групп вы предпочитаете?»

Поразмышляв, Гальтон спросил:

— А нельзя ли взять с собой все четыре? Если уж расходы неограничены...

— Нельзя. Иначе это будет уже не экспедиция, а экспедиционный корпус. Известна ли вам старинная мудрость: «Излишество хуже, чем нехватка»? Нет, мистер Норд. Вам предстоит выбрать лишь одну из команд. Решайте.

LEVEL 1. ПАРОХОД «ЕВРОПА»

ХОРОШЕНЬКО ВЗВЕСИВ ВСЕ «ЗА» И «ПРОТИВ»

, Норд неуверенно сказал:

— Пожалуй, с коллегами мне будет удобнее. Все-таки это в первую очередь научная экспедиция. Если мне понадобится квалифицированный совет, от кого я его получу — от головореза, от гипнотизера? Ну а в случае чего махать кулаками и палить из пистолета я тоже умею, дело нехитрое. Между прочим, и гипнозом в свое время увлекался... Решено. Выбираю «Ученых».

Джей-Пи поднялся, перегнулся через стол и торжественно пожал молодому человеку руку.

— Именно этого выбора я от вас и ждал. Более того, если бы вы отдали предпочтение команде, состоящей из «воинов» или хотя бы имеющей в составе специального, как вы выразились, «головореза», это означало бы, что вы не рассчитываете обойтись одним интеллектом и втайне уповаете на силу — да еще не на свою собственную, а чужую. Я бы сразу понял, что вы не тот, кто мне нужен, и снял бы вас с задания.

Он умолк, отведя взгляд, — будто хотел еще что-то сказать, но не знал, стоит ли.

Все-таки решился:

— И последнее. Не знаю, имеет ли это отношение к делу, но на всякий случай запомните слово «Lomonosov». Вернее фразу: «Zaglyanite v Lomonosova».

— Что это значит?

— «Загляните в Ломоносова». Ломоносов — это русский ученый 18 века. Может быть, эти слова что-то в себе таят. А может, и нет. Просто запомните их, и всё. Больше я ничего об этом не скажу... Отправляйтесь домой, соберите всё необходимое для поездки. В 18.00 за вами явится мистер Айзенкопф, уже снабженный необходимыми инструкциями. Он займется вашей подготовкой и проведет с вами всю предотъездную неделю. Вы будете жить на одной из моих вилл, в Нью-Джерси, а 29 апреля прямо оттуда поедете в порт. Вам заказаны каюты на немецком пароходе «Европа», следующем в Бремерсхавен. Третий член группы, мисс Клински, присоединится к вам на борту. Желаю удачи. Прощайте.

Квартира доктора Норда, куда он отправился после встречи с миллиардером, пожалуй, заслуживает отдельного описания, поскольку иногда жилище рассказывает о своем владельце полнее и красноречивей, чем иное досье, даже составленное асами кадровой психологии.

Как и великий американец, Гальтон обитал на самом последнем этаже — но не роскошного небоскреба, а унылого браунстоуна в неопрятных окрестностях Тайм-сквер. Никому не пришло бы в голову назвать эту надстройку «пентхаусом» — это был просто чердак. Ну в крайнем случае мансарда, состоявшая из одной-единственной комнаты.

Окон в стенах не было, свет проникал внутрь через застекленный прямоугольник в потолке. Доктора это идеально устраивало: картинки и звуки города не отвлекают от работы, а вид голого неба — отличный фон для движения мысли.

Природа, а стало быть, и наука, не выносит пустоты. Не признавал ее и Гальтон, поэтому пространство, которое в нормальных домах обычно используется в декоративных целях или не используется вовсе, у него было заполнено всякой функциональной информацией. Например, потолок обклеен таблицами, графиками, схемами. На стенах не обои, а школьные доски, сверху донизу исписанные формулами и неразборчивыми каракулями (у доктора Норда была привычка размышлять, бродя из угла в угол, и записывать полезные идеи мелом). Мебели же в комнате было так мало, что она упоминания не заслуживает. Зачем нужна мебель человеку, который почти все свое время проводит в разъездах по белу свету?

Опытному путешественнику много времени на сборы не требуется. За четверть часа Гальтон собрал свой обычный багаж — два чемодана. В первом набор простой и практичной одежды: штаны-рубашки-белье и, учитывая климатические условия России, парка да меховые сапоги. Во втором чемодане, разделенном на аккуратные отделеньица, содержался обычный экспедиционный арсенал: необходимые вакцины и лекарства, стерилизатор воды и много всяких полезных вещей, частью изготовленных на заказ, частью привезенных из странствий. К числу последних относилась духовая трубка из Колумбии, стрелявшая деревянными иголками. Индейцы смазывали их ядом, превращая трубку в смертоносное оружие. Но доктор Норд был не столь кровожаден. В поездки он брал с собой два пузырька — густо-красный, с неразбавленным ядом, и бледно-розовый, с 20-процентным раствором. Обычно Гальтон пользовался розовым. Человек или зверь, ужаленный такой иголкой, мгновенно погружался в сон — то есть, с одной стороны, оставался жив, а с другой, переставал представлять опасность. Чистый же яд предназначался для двуногих и четвероногих, от которых посредством сна избавиться невозможно. По счастью, существа этого сорта на пути доктора попадались редко.

В общем, домой Норд вернулся в 14.07, а в 14.22 уже захлопнул крышку второго чемодана. До шести оставалось еще три с половиной часа. В обычный день Гальтон занялся бы работой (он не признавал безделья), но сегодня не получилось бы — мысли были заняты предстоящей поездкой.

Тогда он решил истратить образовавшийся излишек времени максимально разумным способом: подкрепиться и отдохнуть.

Сначала поел. Белок, крахмал, один овощ, один фрукт, пол-унции жиров, кусочек сахара. Потом лег спать, поставив будильник на 17.45. Засыпать доктор Норд умел в любых условиях, причем сразу. Нервная система у него была на зависть крепкой.

Чаще всего ему снились вещи, так или иначе связанные с нынешним кругом интересов. То, одна за другой, все двадцать шесть костей стопы, то безупречная архитектура Периодической таблицы Менделеева, то африканские бабочки. Если болел или злился — что-нибудь неприятное вроде объемных моделей насыщенных углеводородов или лопающихся мыльных пузырей. Сегодня приснилось строение человеческого мозга, прекрасного и загадочного в своей непроницаемости.

*

В 17.45 зазвонил будильник. Гальтон встал свежий и бодрый. Оделся, умылся, почистил зубы. Ровно в 18.00 постучали в дверь. Инженер-биохимик оказался человеком пунктуальным. Очень хорошо!

Открыв, Норд увидел мужчину среднего роста, среднего телосложения, с неподвижным, будто застывшим лицом, которое сбоку было рассечено двумя глубокими шрамами. Следы косметической операции, подумал Гальтон, протягивая руку и широко улыбаясь.

— Мистер Айзенкопф?

— Мистер Норд? — вопросом же ответил немец.

— Зовите меня Гальтон. А вы — Курт?

— Я буду вас звать «мистер Норд». А вы меня зовите «герр Айзенкопф».

Гость не перешагивал через порог, не улыбался, на вытянутую ладонь не обращал внимания. Через некоторое время Гальтон руку убрал.

Не улыбается, потому что мышцы лица повреждены, подумал он. Возможно, руки тоже повреждены — то-то они в перчатках.

— Я уже готов. Заходите, — сказал доктор сухо. Все-таки ему не понравилось, что «герр Айзенкопф» не ответил на рукопожатие и никак этого не объяснил.

— Зачем я буду входить, если вы уже готовы? Едем.

Немец вел машину очень быстро, маневренно, но при этом неукоснительно соблюдал правила дорожного движения. Гальтон подумал: в будущем, когда автомобили станут самоходными, умный двигатель будет управлять ими столь же экономно, точно и эффективно.

Герр Айзенкопф и сам казался ожившим мехнизмом, автоматической куклой. Он все время молчал, не ворочал шеей, смотрел только вперед. Справа, где сидел Норд, шрамов было не видно. Лицо как лицо, только неестественно холодное, неподвижное и, прямо сказать, антипатичное. Что-то там в досье было про невозможный характер...

Понемногу Гальтоном начинало овладевать раздражение. Он и сам не любил вежливого пустословия, обычно пренебрегал светскими условностями, но всему есть предел. Это во-первых. А во-вторых, в команде с самого начала должно быть ясно, кто главный. Иначе впоследствии возникнут проблемы. Значит, нужно поставить биохимика на место.

— Послушайте, герр Айзенкопф, нам предстоит очень трудная командировка. Хотите вы того или нет, но нам придется наладить нормальный рабочий контакт, — сказал Норд со своей обычной прямотой. — Иначе я буду вынужден исключить вас из состава группы.

Тот равнодушно, не поворачивая головы, ответил:

— У меня к вам пока вопросов нет. Если есть вопросы ко мне — задавайте.

Что ж, уже неплохо. Гальтон решил и дальше действовать без экивоков.

— Вы действительно в прошлом человек искусства? Чтото непохоже.

— Искусства больше нет. Оно сгорело.

— Как сгорело? — удивился доктор.

— В струе огнемета.

Теперь Норду стало неловко. Человек — тяжелый инвалид, перенесший невероятные физические страдания и ужасную психическую травму. Стоило ли так бесцеремонно бередить его раны?

— Вам отлично восстановили кожный покров лица. Должно быть, в Ротвеллеровской клинике?

Айзенкопф выехал из туннеля Холланда, повернул направо и, быстро набрав скорость, погнал машину вдоль берега Гудзона.

— То, что вы видите, не лицо, — все тем же спокойным голосом сказал он. — Это маска. У меня их несколько. Моя собственная конструкция. Основа из гуммиарабика или латекса, сверху настоящая человеческая кожа. Способ ее препарирования запатентован на мое имя.

— Невероятно!

Сколько Гальтон ни рассматривал профиль немца, никаких признаков суррогатности не замечал. Поры выглядели совершенно естественно, кое-где виднелись маленькие родинки, даже волоски.

— К сожалению, возможный набор типажей невелик. Проблемы с мимикой. — Автомобиль съехал с шоссе на лесистую дорогу, над которой висела табличка «Частное владение. Посторонним въезд воспрещен». — Немецкий бурш со шрамами во всю щеку — идеальная маска для плавания на немецком пароходе... С остальными вопросами, если они у вас есть, придется подождать. Мы приехали.

*

Вилла — вернее сказать, целое поместье — располагалась в лесу на берегу реки. Дом был толково обустроен, комфортабелен и напичкан всевозможными техническими новинками вплоть до автоматических дверей, электрических вентиляторов и трехрежимных тостеров, но больше всего Гальтона впечатлили не эти изыски, а то, что за все время пребывания в этом технократическом раю он не увидел ни единого живого человека кроме своего напарника. Это, очевидно, и есть признак идеально вымуштрованной прислуги, думал доктор Норд: когда ее вообще словно бы нет. А может быть, в доме мистера Ротвеллера прислуживал джинн или волшебник, прирученный каким-нибудь засекреченным отделом Института.

Ворота перед автомобилем открылись сами собой. Во время трапез гостей ждал сервированный стол, который потом уезжал куда-то вниз, под пол. Кровати словно сами собой расстилались и застилались. Свежие газеты невесть откуда прилетали прямо под дверь спальни. Кто и в какое время производил в доме уборку, так и осталось для доктора загадкой.

Правда, он почти все время был занят и не имел времени особенно интересоваться таинственной жизнью виллы.

Подготовка к предстоящей экспедиции началась через несколько минут после того, как члены команды прибыли на место.

Айзенкопф объявил:

— Всю эту неделю вы будете меня слушаться. Я учитель, вы ученик. Потом, во время экспедиции, роли поменяются. Вы станете босс, я — подчиненный.

То есть выходило, что ставить немца на место не нужно. Поняв, что проблем с субординацией не возникнет, Гальтон облегченно вздохнул и решил, что с таким сухим, начисто лишенным эмоций сотрудником, работать даже удобнее, чем с задушевным рубахой-парнем. Никаких симпатий-антипатий, одна голая функциональность.

Учитель объяснил, что днем они будут изучать государственное и социальное устройство Союза Советских Социалистических Республик, его историю, географию, традиции, табу, особенности этикета и прочее. Для изучения русского языка хватит ночей.

— А спать? — опешил Норд.

— Лингвозагрузка происходит именно во сне.

Когда же Гальтон, скривившись, сказал, что читал про гипнообучение во время сна и не верит в эту чушь, Айзенкопф прочитал ему целую лекцию, невероятно интересного содержания.

Он рассказал, что так называемая лингвистическая одаренность определяется некоей аномалией мозга. У таких людей в одном из участков коры содержится эксцессивное количество белого вещества. Айзенкопф-де лично производил вскрытие и анализ тканей мозга у недавно скончавшегося Эмиля Кребса, знаменитого полиглота, много лет прослужившего в германском МИДе. Герр Кребс владел в совершенстве сорока пятью языками и еще на двадцати свободно изъяснялся. Микротомирование выявило чрезвычайно большой объем белого вещества в височной доле левого полушария, в так называемой извилине Гешля. Именно там обрабатывается звук и регулируется скорость обмена информацией между разными отделами мозга.

— В отделе, где я работаю, создана целая библиотека биохимических медиаторов знаний. Подробно рассказать о них я не могу, это направление засекречено. Опишу лишь общий принцип действия. Тут все дело в молекулярном переносе памяти. Мы расшифровываем мозговой код мыслительных процессов, а дальше используем механизм обычного химического переноса. Самое сложное — синтезировать медиатор, то есть посредник-носитель информации. Он называется «самсонит». Самсониты могут нести в себе разную «начинку» и воздействуют на различные участки мозга. Лингвистические, например, стимулируют выработку белого вещества в извилине Гершля. Есть и другие самсониты, но вам про них знать ни к чему.

Это было до того поразительно, что Норд даже не обиделся на снисходительный тон немца.

— А почему препарат называется «самсонит»?

— Точно не знаю. Когда я приступил к работе, это название уже существовало. Полагаю, оно как-то связано с библейским богатырем Самсоном. Ведь в сущности самсонит — не более чем мощный усилитель памяти.

— Ну а... а как происходит рецепция медиатора? — Гальтон нарочно выразился понаучней, чтобы не выглядеть совсем уж невежей.

— Элементарно.

Айзенкопф показал ящичек, в котором лежали семь пузырьков с какой-то жидкостью. На шести было что-то написано кириллицей — Норд прочесть не смог. На седьмом значилось: «Distributor».

— Каждый вечер перед сном вы будете принимать по одной дозе, — сказал немец. — Больше от вас ничего не потребуется. Разве что выучить славянскую азбуку. Этим мы и займемся на нашем первом уроке. Потом пройдем краткий курс туземной истории.

Русские буквы Норд выучил безо всяких препаратов, по-школьному. Это оказалось нетрудно. Поздним вечером, придавленный грузом тысячелетней истории российского государства, Гальтон, хоть клевал носом, но без труда прочитал надпись на выданном ему пузырьке: «ПУШКИН». Понятно. Главный русский поэт и писатель, жил в минувшем столетии. В России его очень любят, в мире почти не знают.

Ну, Пушкин так Пушкин. Измученный учебой доктор пожал плечами, выпил залпом снадобье (кисловатое, с легким привкусом аниса) и мгновенно уснул.

Спал он, надо сказать, отвратительно. Какой-то настойчивый голос размеренно, будто вколачивая гвозди, бубнил слова. Вначале они были просто набором звуков; потом некоторые стали отсвечивать разными цветами, позволяя проникнуть в свой смысл; наконец, слова начали вступать между собой в сложные взаимоотношения. Мускулистые красные существительные сталкивались друг с другом, и одни из них склонялись перед другими, заискивающе повиливая хвостиками. Синие заостренные глаголы и желтые, вертлявые прилагательные, будто зверье поменьше, выстраивались вокруг существительных. Куча-мала обретала стройность, цветозвуковая белиберда понемногу превращалась в живую картинку. Слушать и наблюдать все это было довольно мучительно.

Картины, в которые складывались разноцветные слова, выглядели маловразумительно. Мелькали какие-то обтянутые хлыщи байронического вида, лихие офицеры пили из чаш пылающий пунш, помахивали веером дамы в кринолинах, а одну из них почему-то взял и уволок медведь. Интересней всего выглядела сцена дуэли: маленькая группка человечков на заснеженном лугу у речной мельницы; двое встали друг напротив друга; из смешного пистолетика выкатилось облачко дыма; один человечек упал, второй остался стоять, но закрыл лицо руками...

Утром Айзенкопф еле добудился измученного ученика.

— Moi dyadya samyh chestnyh pravil... — пролепетал Гальтон, хлопая глазами. — Ya priblizhalsya k mestu moevo naznacheniya... Ya pomnyu chudnoye mgnovenye... Господи, что я бормочу? Что за бред?!

— Полагаю, какие-нибудь цитаты из Пушкина. — Немец раздвигал шторы. — Первый самсонит содержит собрание его сочинений. Вы теперь знаете их все наизусть, просто пока не понимаете слов. Разработанный для вас курс русского языка состоит из глоссария трех культурообразующих классических литераторов — Пушкина, Толстого, Чехова; плюс один современный писатель, активно использующий советский слэнг, — Михаил Зощенко; плюс содержание газеты

«Правда» за последние полгода; плюс сборник пословиц и поговорок. Последняя, седьмая порция представляет собой самсонит-дистрибутор, который систематизирует всю полученную лингвистическую информацию и расставит ее по местам. Через неделю будете говорить по-русски совершенно свободно и безо всякого акцента.

— Вы шутите! — догадался Норд.

*

Но герр Айзенкопф не пошутил.

Через шесть дней они стояли на палубе парохода «Европа», дожидаясь появления третьего участника (точней, третьей участницы) экспедиции, и разговаривали между собой по-русски — так, словно родились и выросли в этой далекой стране. Семь волшебных пузырьков сделали свое дело.

— Курт Карлович, вам не кажется, что товарищ Клинская непозволительно опаздывает? — Норд в десятый раз посмотрел на часы. — Похоже, она придерживается русского правила: «Поспешишь — людей насмешишь». Мне, однако, совсем не смешно.

Посадка пассажиров заканчивалась в 23.30. Часы показывали 23.28. Через две минуты трап поднимут, и начнется подготовка к отплытию.

— Здесь уместнее другая пословица: «Баба с возу — кобыле легче». — Немец затянулся русской «папиросой»: такая бумажная трубочка, в один конец которой насыпано немного крепкого табаку. — Полагаю, Гальтон Лоренсович, мы справимся с заданием и вдвоем. На что нам хирург в юбке? У нас не акушерская операция, не для кесарева сечения в Россию едем.

За неделю, которую напарники провели в постоянном общении, шероховатость в отношениях поистерлась. Гальтон понемногу привык к колючим манерам биохимика. Понял, что эта дикобразья щетина выставлена не персонально против него, Норда, а вообще против окружающего мира. В представлении доктора психологический портрет Курта Айзенкопфа выглядел примерно так.

Когда-то этот индивидуум был художником, наделенным тонко чувствующей душой и богатым воображением. Но война уничтожила его лицо, то есть *личность*, и он решил: «Раз меня лишили главного, что есть в человеке, я убью в себе все человеческое». Он стал полной противоположностью прежнего себя и в этом черпает силы, чтобы жить дальше. Бравирование черствостью и цинизмом — не более чем защитная реакция.

Какое мнение о Гальтоне составил немец, было неизвестно, но, судя по чуть меньшей ощетиненности, не слишком плохое.

Бруклинский пирс был ярко освещен прожекторами, лучи которых выхватывали из темноты то какую-нибудь из десяти палуб красавца парохода, то германский флаг на его корме, то сверкающий лимузин, повисший в воздухе над разинутым жерлом трюма.

Прошло уже минут пять после того, как прозвучал последний свисток, который напомнил провожающим, что настало время покинуть корабль.

— Alles Klar! — прогудел трубный голос с капитанского мостика.

Главный прожектор устремил свое сияющее щупальце на трап, чтобы пирсовым рабочим было ловчее его отсоединять.

— Все-таки опоздала, *чертова кукла*! — воскликнул Гальтон, употребив уместное выражение из Чехова.

Ровно в эту секунду из черноты причала в сияющий луч впорхнула стройная фигурка, узко перетянутая в талии. Упруго покачиваясь тонким телом, похожим на рапирный клинок, женщина поднималась по трапу. Он пружинил и прогибался у нее под ногами, но она не касалась перил: одной рукой придерживала шляпку, другой — краешек короткого манто. Вокруг шеи красотки, согласно последнему писку моды, обвивалось боа из меха шиншиллы. Сзади несколько носильщиков волокли чемоданы.

— Надеюсь, это не наша, — сказал поначалу Айзенкопф. Но модница приблизилась, и он уныло вздохнул. — Нет, она... Узнаю по приметам.

Гальтон уже шагнул навстречу мисс Клински и протянул руку, чтобы помочь ей ступить на палубу.

Яркий электрический свет искажал черты, но было видно, что лицо у русской княжны худое, с резкими, если не сказать, хищноватыми чертами. Нос тонкий и острый, волосы черные, ресницы сильно накрашены, а то и приклеены. Стильная штучка. Прямо Мэри Пикфорд, а не восходящая звезда хирургии.

— Я — Гальтон Норд, — представился Норд, удивившись, как крепко сжали его кисть тонкие пальцы. — Вы чуть не опоздали.

— Чуть не считается, — беззаботно ответила она, показывая носильщикам, куда поставить вещи.

Приблизился Айзенкопф. Сухо назвался и заметил, оглядывая роскошные чемоданы:

— Неосторожно, товарищ. А как же конспирация?

— Конспирация — это искусство не выделяться, — отрезала Зоя Клински. — На пароходе «Европа» не выделяться означает по пять раз в день менять туалеты. Почти весь мой багаж останется в Бремерсхавене. В Москву я возьму лишь вот этот скромный чемоданчик, в нем самое необходимое.

Но вид «скромного чемоданчика», укутанного в парчовый чехол с монограммой ZK и коронеткой, немцу тоже не понравился.

— Этот предмет багажа, товарищ Клинская, тоже выглядит не очень по-пролетарски.

Дама не удостоила его ответом.

Царственно кивнув, она обронила:

— Увидимся за завтраком, господа. — И грациозно удалилась, сопровождаемая стюардом.

— Ее сиятельство поставила плебеев на место, — ехидно прошептал Айзенкопф. — Аудиенция окончена.

Мужчины кисло смотрели вслед напарнице, за которой, будто комнатная собачка, следовал почтительный луч прожектора.

Какой-то человек, наблюдавший эту сцену, спрятавшись за палубной шлюпкой, тихо выругался по-русски. Незнакомца раздосадовало, что прожектор уполз, толком не осветив собеседников элегантной пассажирки.

— Drei Blasen! — прозвучал сверху, из самого поднебесья, приказ капитана.

Грянули три свистка.

Буксиры потянули гигантское судно прочь от берега, прочь от города, в сторону океана.

Впереди сквозь ночь засветились далекие маяки: по левому борту — огни Форт-Гамильтона, по правому, слабее, огни Форт-Уэдсворта.

Плавание началось.

ЯИЧНАЯ СКОРЛУПА

, хлебные крошки, кожура от манго, пустая кофейная чашка — вот что увидели мужчины, выйдя к завтраку. Самой мисс Клински они не обнаружили.

Убиравший со стола официант сообщил, что ее Durchlaucht[1] уже изволили откушать и отправились загорать на солнечную палубу, о чем и просили известить. Погода чудеснейшая, наитеплейшая — просто не верится, что еще апрель, nicht wahr?[2]

Столик в ресторане первого класса был закреплен за членами экспедиции, никого чужого к ним подсадить не могли — вместо четвертого стула красовалась напольная ваза в стиле арт-деко с пышными орхидеями, очень изысканно.

— Судя по следам жизнедеятельности, у ее сиятельства аппетит, как у кашалота, — заметил Айзенкопф, когда официант удалился. Сам биохимик к еде почти не притронулся, лишь пососал через соломинку апельсинового сока.

Должно быть, в маске, да еще на людях, есть не очень-то удобно, с сочувствием подумал Гальтон и с содроганием вспомнил, что произошло ночью.

Зоя Клински путешествовала в одноместной каюте, Айзенкопф с Нордом разместились вдвоем. И вот, посреди ночи, Гальтон вдруг проснулся от каких-то непонятных звуков.

Полежал, прислушался. Понял, что это немец скрипит зубами, бормочет и постанывает.

Забеспокоившись — не заболел ли, Гальтон включил лампу и приблизился к кровати соседа.

Маска стояла на тумбочке, натянутая на болванку. Пустые глазницы зловеще темнели, щеки же лоснились, очевидно, натертые какой-то мазью. Зрелище было жутковатое, но оно не шло ни в какое сравнение с тем, что Норд увидел, взглянув на спящего.

Там, где у людей находится лицо, у Айзенкопфа было нечто красное, рубчатое, больше всего похожее на мозолистый

---

[1] Сиятельство (*нем.*).

[2] Не правда ли? (*нем.*)

зад павиана. Вместо носа торчал небольшой бугорок с двумя дырками.

Видя такое в зеркале каждый день, художником быть не захочешь, думал Норд, пятясь от постели. Впечатлительностью он не отличался, но уснул нескоро. Да и сейчас при одном воспоминании завтракать как-то расхотелось.

— Товарищ Айзенкопф, пойдемте найдем товарища Клинскую. Некогда загорать. Делу время — потехе час.

На самой верхней, так называемой «солнечной» палубе, выше которой были лишь трубы, капитанский мостик и площадка для почтового аэроплана, нежилось так много пассажиров, что Норд засомневался, найдет ли он Зою Клински. В конце концов, он видел ее почти что мельком, к тому же в неестественном освещении.

Но он зря беспокоился.

— Ее сиятельство в окружении свиты, — тронул Гальтона локтем язвительный биохимик.

На шезлонгах, наслаждаясь теплом и солнцем, загорало немало дам, но лишь подле одной из них, как бы по случайности, не было ни одного свободного места. Вокруг сплошь мужчины. Одни сидели, другие стояли, третьи вроде бы прогуливались — только очень уж неширокими кругами. И смотрели, кто явно, кто застенчиво в одну сторону.

На пляжах раскованного Кот д'Азура купальный костюм, состоящий из двух узких полосок ткани, вероятно, уже не был редкостью, но в пуританской Америке или на борту чопорного немецкого парохода этакая непринужденность была в диковину.

Мисс Клински лежала в расслабленной позе, прикрыв глаза темными очками, а нос листком ландыша. Ее узкое, почти девчоночье тело, казалось, не впитывало солнечные лучи, а само их источало. Длинные, ничем не прикрытые ноги на вкус доктора Норда были тощеваты, но, судя по взглядам мужчин, большинство из них так не считали.

Загорающая наяда не обращала внимания ни на жадно пялящихся мужчин, ни на возмущенные взгляды дам.

— Вы думаете, это она завлекает самцов? — вполголоса поделился мыслями Айзенкопф. — Как бы не так! Я эту породу знаю. Ей наплевать на окружающих. Знаете, аристократы запросто ходят при слугах голые или справляют нужду. Потому что не считают плебеев за людей.

Привычки аристократов Гальтона мало интересовали, но это шоу было не на пользу делу.

Он подошел к шезлонгу.

— Извольте одеться и спускайтесь к нам в каюту, товарищ, — сказал Норд со всей возможной строгостью. — У нас будет совещание.

Она приспустила очки и зевнула — весьма аристократично, одними крыльями носа.

— В СССР красивую женщину «товарищем» называют лишь старые большевики или гомосексуалисты. На старого большевика вы непохожи, а за гомосексуализм там могут посадить в тюрьму. Так что вы с этим обращением будьте поосторожней.

Гальтон не знал, как отнестись к этим словам. Про красивую женщину было сказано безо всякого кокетства или хвастовства, это прозвучало как констатация очевидного факта. Общий же смысл высказывания был не очень понятен: то ли добрый совет, то ли насмешка.

— Мы вас ждем, — чуть менее строго сказал Норд, и они с Айзенкопфом удалились.

Трое зевак (один в канотье и темных очках, двое в одинаковых полотняных костюмах), глазевшие на полуголую деву истовее всех остальных, вдруг потеряли интерес к ее худосочным прелестям. Быстро переглянулись, о чем-то пошептались. Канотье осталось на месте, полотняные двинулись вслед за приятелями княжны.

*

Когда группа наконец была в сборе, доктор произнес небольшую, но тщательно продуманную речь, призванную, с одной стороны, дать заряд бодрости и конструктивного оптимизма, с другой — обрисовать задание во всей его сложности. Своим спичем Норд остался очень доволен. Ему нравилось говорить на свежевыученном языке, слова которого будто сами собой слетали с губ — ощущение удивительное, но очень приятное. Особенно пригодился выпитый в предпоследнюю ночь учебы «Словарь пословиц и поговорок», Гальтон ими так и сыпал. Первая часть его выступления, где основной упор делался на слаженность действий, прошла под лозунгом *«думай двояко, а делай одинако»*. Закончил Норд (уже после перечисления всех предстоящих трудностей) уверенным *«ан ничего, не первую зиму волку зимовать»* — то есть, мы с вами люди опытные, как-нибудь справимся.

От преамбулы перешел к плану действий.

Прежде всего требовалось установить, в каком учреждении ведутся секретные работы по экстракции «гениального» вещества: в Институте экспериментальной биологии, в Пантеоне мозга, в неведомом Институте пролетарской ингениологии, в ленинградском Институте мозга либо еще где-нибудь.

Гальтон стал рассказывать, что известно о деятельности каждого из перечисленных заведений. Члены экспедиции слушали, не задавая вопросов и вообще не проявляя особенного интереса. У доктора даже возникло подозрение, что все эти сведения им уже знакомы, а может быть, им даже известно такое, о чем руководитель группы и сам не имеет понятия. Однако Норд отогнал эту мысль как нелепую. Просто у всех своя манера слушать.

Герр Айзенкопф сидел восковой куклой, прикрыв веки.

Княжна сосредоточенно красила ноготки сиреневым лаком. Теперь у доктора была возможность разглядеть третьего члена команды как следует. С некоторым облегчением он увидел, что глаза у нее не подведены и ресницы не наклеены, как ему показалось вчера вечером, а просто волосяной покров на переднем ребре свободного края век (таково корректное название ресниц) очень густой, длинный и пигментированный. В сочетании со светло-голубой радужной оболочкой глаз это создает необычный эффект. Самоуверенное заявление о собственной красоте, ранее сделанное мисс Клински, полностью соответствует действительности.

Предстояло проверить, до какой степени интеллектуальное развитие красотки соответствует внешним данным.

— Зоя (простите, не знаю, как по батюшке), вы единственный из нас, кто недавно побывал в Советском Союзе, — обратился он к ней без «товарища», но тоже очень по-русски. — Можете ли вы сформулировать ваше общее впечатление от этой страны?

Умение обобщать информацию и делать точные формулировки — один из главных признаков развитого интеллекта. Ну-ка, как у нас с этим?

— По отчеству девушек в СССР называют только осколки старого режима, так называемые «гнилые интеллигенты», — сказала мисс Клински. — Зовите меня просто «Зоя», так будет естественнее.

Гальтон подумал: она не насмешничает, как мне показалось на палубе, а действительно хочет помочь. Очень хорошо.

— Советский Союз сегодня — самое интересное место на земле, — спокойно и серьезно сказала Зоя. — Если коротко: современная Россия — логическое завершение всей линии развития европейской цивилизации за последние 400 лет, начиная с кризиса христианской религиозности.

Оказывается, формулировать она умела, да так, что Норду пришлось задуматься.

Однако немца неожиданно глубокомысленное суждение, прозвучавшее из уст удивительной княжны, раздражило.

— Какой могучий, неженский ум! — с явным сарказмом воскликнул он. — Вы умеете не только делать маникюр, но еще и философствовать!

Мисс Клински не снизошла до ответа. Биохимик разозлился еще больше и угрожающе засопел.

Внутри команды намечался конфликт характеров, который следовало немедленно пригасить.

Память подсказала доктору Норду цитату, отлично подходящую к ситуации.

— «Быть можно дельным человеком и думать о красе ногтей», — примирительно сказал он.

Зоя воззрилась на него с не слишком лестным удивлением.

— Боже, вот уж не подумала бы, что такой человек, как вы, знает Пушкина!

Какой это «такой», нахмурился Гальтон. Ему не понравился тон, которым были произнесены эти слова.

— Предположим, вы правы относительно последствий кризиса религии, — перевел он разговор в более безопасное русло. — Но почему этот нарыв прорвало именно в России, на окраине европейской цивилизации?

— То же самое происходит в колыбели этой цивилизации — в Италии, где власть захвачена фашистами. Атеистический дух переустройства мира без оглядки на Бога и «вечную жизнь» охватил всю Европу и быстро распространяется по остальным континентам. Просто в России выше концентрация энергии Хаоса и слабее сдерживающие факторы. Прибавьте к этому масштабы: сто пятьдесят миллионов населения, да двадцать миллионов квадратных километров территории. В Советском Союзе развернут небывалый эксперимент по созданию мира без Бога. Эксперимент этот закончится или прекрасно, или ужасно — середины не будет. В России середины вообще не бывает...

Пока Зоя формулировала свои взгляды на СССР, Норд не только слушал, но и сам пытался вывести формулу этой необычной девицы.

В чем, собственно, заключается ее необычность? Первое: в редкостной для такого возраста самоуверенности. Второе: налицо умение молчать и умение говорить, эти два дара сочетаются нечасто. Третье, самое интересное: при полном отсутствии женского кокетства ни малейшей мужеподобности. Такое ощущение, будто она знает, что нравится мужчинам, но *не удостаивает* пользоваться этим оружием. Стильные туалеты, стрижка а-ля Жозефина Бейкер, маникюр и прочее — не средство произвести впечатление на других, а род нарциссизма.

Тем временем немец предпринял новую атаку.

— Странно слышать дифирамбы в адрес большевиков от столь аристократической особы.

На этот раз Зоя ему ответила — ровным тоном школьной учительницы:

— Боюсь, доктор Айзенкопф, вы плохо представляете себе, в чем заключается суть аристократизма. Аристократизм — это выработанная веками система выживать в любых условиях и при этом все время оказываться наверху. Аристократическое воспитание существует не для того, чтобы научить мальчиков шаркать ножкой, а девочек делать книксен. Нас с малолетства, словно охотничьих собак, натаскивают, как себя вести в любой ситуации. Это дополнительная защита, универсальное оружие.

— Не смешите меня! — фыркнул биохимик. — Какое к черту оружие! Няньки, перинки, шелковые подтирки.

— Я выросла в одном из состоятельнейших домов России, — все так же спокойно продолжила княжна. — Но меня никогда не баловали. Обстановка была самая спартанская, главным педагогическим методом считалось воспитание выдержки, главным гигиеническим принципом — закаливание. В Институте благородных девиц условия мало отличались от монашеских. Плаксивость не поощрялась. За жалобы наказывали. Потом вся эта наука мне очень пригодилась. Многие дети из так называемого интеллигентского сословия в годы революции не выжили — слишком нежны и брезгливы. А я, чтобы не умереть с голода, в Константинополе мыла полы в лепрозории. Настоящий аристократ пройдет через любые испытания, не сломается, приспособится. Посмотрите на советскую верхушку. Да, Иосиф Сталин вышел из низов, это самородок. Но остальные революционные вожди? Вы скажете, что среди них много евреев, но евреи — тоже своего рода аристократия, умеющая приспосабливаться и выживать, не теряя своего стержня. А сколько среди видных большевиков оказалось дворян! Ленин — дворянин. Создатели тайной полиции Дзержинский и Менжинский — дворяне. Народный комиссар иностранных дел Чичерин — из древнего рода. Реформатор армии 37-летний Михаил Тухачевский, которого называют «красным Мольтке», тоже. Самый популярный писатель — граф Толстой...

Как интересно, размышлял Норд, глядя на эту молодую женщину, так легко и так *взросло* кладущую на обе лопатки оппонента, который был и старше, и опытнее. Это какой-то новый тип женственности: мужскому натиску противопоставляется иной вид силы, которым мы не обладаем.

— Ей слово — она в ответ сто, — пробормотал деморализованный Айзенкопф.

Однако нельзя было допустить, чтобы психологическое первенство осталось за барышней. Авторитет руководителя требовал, чтобы точку в дискуссии поставил Гальтон.

— Если уж вы помянули графа Толстого, дорогая Зоя, то, насколько мне помнится, он придерживается иной точки зрения на истинный аристократизм, — снисходительно вставил Норд, благословляя пузырек № 2. — Как это в «Анне Карениной»? — Он сделал вид, что напрягает память. — Ах да. Левин говорит князю Облонскому: «Нет, уж извини, но я считаю аристократом себя и людей, подобных мне, которые никогда ни перед кем не подличали, никогда ни в ком не нуждались». Вряд ли из такого писателя получился приспособленец.

Мисс Клински смотрела на него странно. Наверное, была потрясена такой начитанностью.

— Доктор Норд, «Анну Каренину» написал Лев Толстой. Он уже 20 лет, как умер. А я говорила про Алексея Толстого, которого прозвали «красным графом».

Гальтон так смутился, что его и самого впору было назвать «красным доктором».

Спокойно, сказал он себе. У меня еще будут случаи восстановить авторитет.

Положение спас каютный репродуктор, который деликатнейшим голосом пригласил господ пассажиров сектора «А» на «увлекательную экскурсию по флагману всех пассажирских пароходов современности».

— Мне это интересно, — сразу сказал Норд. — Я много читал о техническом оснащении «Европы». Закончим совещание позже.

Поднялся и Айзенкопф.

— Я тоже пойду. Это настоящий шедевр германской инженерной мысли.

— В самом деле? — рассеянно спросила Зоя. — Что ж, составлю вам компанию...

В салоне собралось человек пятьдесят, то есть в экскурсии участвовали все или почти все пассажиры сектора «А», тридцати правобортных кают первого класса. За помощником капитана, который возглавлял процессию с рупором в руке, потянулись дамы и господа разной комплекции и разного возраста, целая стайка детей, два инвалида в каталках и даже индийский раджа в белом смокинге и черной чалме.

— Паноптикум, — прошептал злыдень Айзенкопф, кивая на пестрое сборище. — Даже слепой потащился.

Он показал на человека в соломенном канотье и темных очках, который стоял неподалеку с отсутствующим видом.

— С чего вы взяли, Курт Карлович, что он слепой?

— А зачем человеку в помещении темные очки?

Экскурсия началась с капитанского мостика, который был размером с теннисный корт. Помощник расписывал непревзойденные достоинства парохода: пятьдесят тысяч тонн водоизмещения, каждая из турбин мощностью в 25 тысяч лошадиных сил. Бронзовые 17-тонные винты способны делать 187 оборотов в минуту, и так далее, и так далее. Мужчины слушали внимательно, женщины скучали, но техническими подробностями публику утомляли недолго.

Начался обход — с самого верха и вниз.

Полюбовались аэропланом «Люфтганзы», который выстреливался с самолетной площадки при помощи катапульты.

Спустились на главную прогулочную палубу, где находились многочисленные салоны, зимний сад, несколько ресторанов, магазины, бары, кинотеатры, стрелковый тир, редакция ежедневной газеты «Ллойд пост».

Уровнем ниже располагались бассейн и гимнастический зал. Здесь же гостиница для собак.

Посмотрели, как устроены кухни, содержавшиеся в преувеличенном, истинно германском порядке. Дамы похихикали, наблюдая, с каким терпением поваренок чешет панцирь большой черепахи, лежавшей на зеленой травке в террариуме. Помощник юмористически описывал, что иногда эта процедура занимает час или два. Другой способ заставить черепаху высунуться науке неизвестен, а если она не высунется, то в завтрашнем меню не окажется черепахового супа — неслыханный скандал.

Отправились дальше.

Миновали пассажирские палубы, под которыми начинались служебные и технические этажи.

— Попросим герра Шульца, корабельного брандмайора, рассказать нам, как устроено его хозяйство.

Слово «хозяйство», произнесенное экскурсоводом с нарочитой скромностью, очень мало подходило для описания самой современной в мире системы противопожарной безопасности.

Брандмайор с гордостью принялся демонстрировать водонепроницаемые и огнеупорные двери, пульт управления 305 гидрантами, продемонстрировал работу пенного огнетушителя.

— Главную опасность для судна представляет не пожар в каютах и прочих местах, где есть люди, а возгорание в отсеках, куда редко кто-нибудь заходит, — объяснял герр Шульц, заводя публику в помещение с табличкой «Feuer-Wache»[1].

Всю стену в ней занимало нечто похожее на церковный орга́н, состоящий из светящихся стеклянных трубочек.

— Это детектор дыма. Каждая трубочка — датчик, отвечающий за определенный отсек. При задымлении огонек начинает мигать, вахтенный немедленно поворачивает ручку, и в помещение под давлением идет углекислый газ. Даже если вахтенный отлучился или, предположим, упал в обморок, — экскурсовод улыбнулся, — система все равно сработает автоматически. Минута-другая, и очаг пожара потушен.

Видя, что многие из пассажиров заскучали, помощник капитана поблагодарил брандмайора и повел группу дальше.

---

[1] Пожарная вахта (*нем.*).

— Прежде чем мы спустимся в преисподнюю (так некоторые называют машинное отделение), — выдал он многократно обкатанную шутку и сам ей засмеялся, — хочу продемонстрировать вам самый верхний, приятнейший отдел корабельного инферно. — Снова белозубая улыбка. — Наше спа, где работают косметические и массажные кабинеты, а также великолепный банный комплекс. К вашим услугам финская, турецкая и японская национальные бани. Советую записываться на процедуры заранее — спрос очень велик.

Участники экскурсии оживились, возникло подобие броуновского движения: женщины устремились в рецепцию косметического отдела, мужчины по преимуществу заинтересовались банным.

Норд заметил, что первой в дамской очереди оказалась Зоя, не проявив при том ни малейшей суетливости и спешки. «Вот наглядная демонстрация аристократизма», подумал он.

— А что же у вас нет русской бани? — спросил он экскурсовода.

— Для нее, как известно, нужен снег, в котором русские обязательно купаются после обжигающего пара, — с важным видом наврал помощник. — Снега, к сожалению, у нас нет.

— Записалась на массаж, — сообщила довольная мисс Клински. — А вы что же?

Айзенкопф куда-то запропастился — ему эти глупости были неинтересны. Доктор Норд размышлял, какую выбрать баню. Исследованием терапевтических, стимулирующих, тонизирующих, медитативных и прочих свойств разных бань мира он в свое время занимался профессионально. И у финской, с ее сухим паром, и у турецкой с влажным имелись свои плюсы, но он все-таки предпочел о-фуро, потому что японская баня не только релаксирует мышцы, но еще и дает хороший духовно-энергетический эффект, а перед предстоящими испытаниями зарядить энергией дух (некорректное обозначение нервно-психического потенциала личности) будет очень кстати.

К сожалению, у остальных пассажиров о-фуро тоже пользовалось популярностью. Перед входом в отделения стояли служители, ведя запись: у входа в финскую баню — белобрысый парень в расшитой оленями рубашке, у входа в турецкую — черноусый молодец в феске, у дверей о-фуро дежурила японка в кимоно, причем очень хорошенькая. Неудивительно, что Гальтону пришлось постоять в очереди, а записаться он смог лишь на завтра. Зато девушка оказалась настоящей специалисткой — отлично разбиралась и в морских солях, и в водорослевых добавках. Сказала, что у них *фурако*, банная бочка, какой-то особенной конструкции.

Из-за этих переговоров доктор отстал от экскурсии. Пришлось догонять.

Он видел, что группа спустилась по лестнице на уровень ниже, где, кажется, находились склады.

В коридоре, куда он попал, было пусто, но из-за поворота доносился шорох шагов, сдержанный гул взрослых голосов и визг расшалившихся детей.

— А сейчас, дамы и господа, я покажу вам, как разумно устроен отдел хранения почтовых грузов! — слышался голос экскурсовода.

Идя на шум, Гальтон рассеянно посматривал по сторонам.

Слева и справа тянулись стальные прямоугольники плотно закрытых дверей, на каждой номер и табличка «Zutritt Verboten»[1]. Только одна была наполовину отворена, и доктор, конечно, туда заглянул — интересно же взглянуть, как на чудо-пароходе устроены грузовые отсеки.

Однако помещение оказалось совершенно пустым. Он хотел пройти мимо, как вдруг заметил, что на полу лежит какой-то предмет.

Кожаный бумажник! Как он туда попал? Откуда?

Предположить было нетрудно. Кто-то из участников экскурсии обронил, потом кто-то, не заметив, задел ногой, вот бумажник и отлетел в сторону.

Гальтон вошел, поднял. Возможно, там есть визитная карточка или монограмма?

---

[1] Вход воспрещен (нем.).

Ни карточки, ни инициалов. В бумажнике вообще ничего не было — ни купюр, ни монеток в отделении с кнопочкой. Странно.

За спиной у озадаченного Норда послышался скрежет.

Доктор обернулся — створка отсека задвигáлась. Сухо щелкнул замок.

— Эй! Не закрывайте! — заорал Гальтон. — Здесь люди!

Поздно. Он заколотил в стальную обшивку. Хоть она была массивной, но не услышать в коридоре не могли. Однако дверь не открылась.

И тут он всё понял.

Это мальчишки, которых в группе была целая стайка! Сорванцам наскучила экскурсия, решили пошалить. Обычная детская проделка: на землю подбрасывается пустой кошелек на ниточке. Нашедший нагибается, не веря своей удаче. Спрятавшиеся в кустах чертенята тянут и давятся со смеху. А тут, в трюме, они придумали штуку еще смешней. И он, как дурак, попался. Сейчас они слушают его крики, стук и гогочут. Незачем доставлять им удовольствие.

Еще не решив, разозлиться или посмеяться, Гальтон прислонился к стене и достал портсигар. Нужно перекурить. У детей терпение короткое — откроют. А нет — придется подождать, пока в коридоре раздадутся чьи-то шаги, и тогда постучать. Конечно, ситуация глупая, но торопиться ведь особенно некуда. Умный человек всегда найдет занятие мозгу. Слава богу, есть о чем подумать, над чем поломать голову.

Он спокойно раскурил папиросу, выдохнул к потолку струйку пахучего дыма.

Прошла минута, другая, третья.

Мысли доктора Норда улетели за несколько тысяч километров, витая то над башнями московского Кремля, то над геометрически стройными просторами Петербурга, несколько лет назад переименованного в Ленинград, то есть Leninville или Lenintown, в честь пролетарского вождя, который отдал делу революции всю свою жизнь, а когда жизнь закончилась — даже свой мозг.

Уже некоторое время откуда-то сверху раздавалось едва слышное шипение, но погруженный в раздумья Гальтон не обращал внимания. Лишь когда ноздри уловили слабый, едва уловимый запах, а папироса ни с того ни с сего погасла, доктор стал принюхиваться и вертеть головой. Что за черт? Почему спичка, едва вспыхнув, не разгорелась? И почему стало трудно дышать?

Тут-то он и разглядел в углу, под потолком, зарешеченное окошечко, из которого с легким шелестом тянуло раздражающим запахом.

Это же CO_2, двуокись углерода! Но зачем!?

О боже! Он стукнул себя по лбу.

Какой идиотизм! На чертовой Feuer-Wache сработал датчик, ответственный за этот отсек. Зарегистрировал дым, немедленно пустил в проблемную зону газ, вытесняющий кислород и подавляющий возгорание!

Норда уже начинало тошнить, закружилась голова. Если концентрация CO_2 превысит 5%, а при столь небольшой кубатуре это случится очень быстро, удушье неизбежно! Сердце и так уже стучало, как бешеное, вокруг всё плыло.

Неужели разумная, тщательно выстроенная жизнь может оборваться из-за такого нелепого стечения обстоятельств?! Не обидно погибнуть со смыслом, стремясь к высокой труднодостижимой цели, но подохнуть в этой мышеловке, из-за собственной дурости!

Он бросился к двери и что было сил застучал в нее.

— Помогите!!! Откройте!!! Дети, черт бы вас побрал!!! Скорей отоприте!!!

Снаружи не доносилось ни звука. Проклятым мальчишкам наскучило ждать, они сбежали. А члены экипажа в этот глухой закоулок трюма, должно быть, заглядывают редко.

Проклятье!

Он разевал рот, бился о патентованную водонепроницаемо-огнеупорную переборку, сам понимая, что очень похож на выуженную рыбу. Свет в глазах померк.

Вдруг что-то лязгнуло, дверь дернулась, отъехала.

Сначала Гальтон жадно вдохнул воздух, потом надавил пальцами на глазные яблоки. Захлопал ресницами.

Перед ним, удивленно приподняв брови, стояла мисс Клински.

— Что вы здесь делаете, доктор Норд?

— Мальчишки подшутили... Захлопнули... Глупо... — выдавил он.

Поскорее шагнул в коридор и задвинул за собой дверь, чтобы Зоя не уловила запах углекислого газа. Незачем этой девице, и без того самоуверенной, знать, что она спасла его от верной смерти. Достаточно того, что он, руководитель экспедиции, застигнут в жалком и дурацком виде.

— Вы очень бледный, — сказал княжна, внимательно его разглядывая. — У вас что, клаустрофобия?

— Нет у меня никакой клаустрофобии! Просто разозлился, — буркнул Норд. — Возвращаюсь в каюту. А с родителями сорванцов я еще потолкую.

В каюте Гальтона ждал еще один неприятный сюрприз, хоть и меньшего масштаба.

Когда он полез в чемодан за витаминным концентратом «кокавит», отличным средством для восстановления сил и нервного баланса, обнаружил, что в вещах кто-то шарил, причем не особенно заботясь о сокрытии следов.

ПРОПАЛ КОНВЕРТ

, в котором лежал весь запас наличности на дорогу, 500 долларов.

Патентованное лекарственное средство собственной разработки д-ра Г.Норда (в основе — сок листьев перуанской коки) обладало отменным транквилизирующим эффектом, и пропажа денег вызвала у Гальтона лишь улыбку. Известно, что шикарные лайнеры вроде этой расчудесной «Европы» кишат всевозможными аферистами, шулерами и просто воришками, часто одетыми с иголочки, совершенно неотличимыми от почтенных буржуа. Эта фауна подобна мелким паразитам, уютно обитающим в шерсти царственного льва.

Если бы в вещах похозяйничал человек серьезный, он не оставил бы следов, а пропали бы не только банкноты. Воришка же не тронул даже чековую книжку мистера Ротвеллера — видимо, был совсем мелкотравчатый, не умеющий и чек подделать. А раз цела книжка, потеря пятисот долларов — ерунда. Здесь же, у пароходного казначея, можно выписать нужную сумму в любой валюте.

На всякий случай, когда в каюту вернулся сосед, Норд спросил, в порядке ли его вещи. Айзенкопф сказал, что всё мало-мальски ценное он хранит в кофре, открыть который без знания кода невозможно. Чемодан у биохимика был монументальный, в человеческий рост. Весь в заклепках, с массой замков и тяжеленный — передвигать его можно было только на колесах.

— В чем дело, Гальтон Лоренсович? У вас что-то пропало?

— Нет.

После постыдной истории в трюме не хотелось выглядеть растяпой еще и перед немцем.

Не удовольствовавшись искусственным успокоителем, Гальтон подверг себя сеансу самовнушения. Всё шло хорошо, просто чудесно. На каждого жителя планеты приходится определенная доля от общей суммы несчастных случаев, преступлений и прочих пакостей, происходящих на свете. Это вроде лотереи, в которой выпадает не выигрышный, а проигрышный билет. За время жизни мало кому удается избежать своей порции невезения. Сегодня Норд разом отработал норму за все минувшие годы, когда ему множество раз чрезвычайно, а иногда и чудодейственно везло. Статистическая справедливость восстановлена. Притом отделался он сущими пустяками. Про кражу и говорить нечего, а потеря лица перед мисс Клински, во-первых, не катастрофична, а во-вторых, на самом деле Гальтону страшно повезло. Если бы Зоя по случайности не оказалась в коридоре и не услышала стук, финал был бы совсем другим...

Повысив тонус, доктор окончательно воспрял духом и перед тем, как лечь спать, даже напевал в ду́ше.

А утром, поскольку было 1 мая, то есть наступил летний сезон, Гальтон сбрил с головы всю зимнюю растительность. Освеженная кожа с наслаждением задышала всеми порами — с палубы через открытое окно задувал чудесный бриз.

В ванной Айзенкопф возился со своей маской. Норд не стал его ждать, отправился завтракать один. Лучше, если немец не будет присутствовать при начале разговора с мисс Клински.

Девушка, как и вчера, пришла в ресторан раньше коллег и с аппетитом ела намазанный джемом тост. Сегодня она была в чем-то белом, воздушном. Из-под гладкой, словно приклеенной ко лбу челки, на Норда посмотрели светлые (и как ему показалось, насмешливые) глаза.

— Доброе утро, доктор. Где ваша борода?

О вчерашнем происшествии ни слова. Что бы это значило? Проявляет деликатность? Или же оттягивает удовольствие?

Мать Гальтона (она была англичанка) учила сына, что в ситуации, когда отношения между людьми не вполне определены или накануне случилась какая-то неловкость, самое верное средство — заговорить о погоде. Тем более и повод имелся: великолепное утреннее солнце бликовало на поверхности океана миллионом искорок.

Доктор хотел сказать что-нибудь об атмосферных явлениях в северо-западной Атлантике, но с губ само собой вдруг сорвалось:

— Уже прекрасное светило простерло блеск свой по земле.

— Это какая-то цитата? — удивилась Зоя, не донеся до рта серебряную ложечку с мякотью грейпфрута.

Норд и сам был озадачен. Потом вспомнил.

Странная фраза выскочила из стихотворения Михаила Ломоносова «Утреннее размышление о Божием величестве». По поручению Гальтона, герр Айзенкопф еще на вилле изготовил самсонит с собранием сочинений этого русского гения позапрошлого столетия. Раз мистер Ротвеллер зачем-то помянул Ломоносова, нужно было всесторонне ознакомиться с предметом.

Михаил Васильевич Ломоносов (1711−1765) оказался настоящим полиматом, вроде сэра Фрэнсиса Гальтона. Он занимался химией, физикой, ботаникой, минералогией, а кроме того был еще художником и поэтом. Накануне вечером доктор Норд принял самсонит, уверенный, что всю ночь ему в подкорку будут внедряться научные трактаты, но сочинения Ломоносова почти сплошь состояли из длиннющих од и тяжеловесных стихотворений, написанных допотопным языком, на котором уже никто не говорит. В голове от этого неудобоваримого и, похоже, излишнего багажа как-то странно и малоприятно гудело.

Доктор сел, снял белую панаму, вытер платком свой сияющий череп — и вдруг заметил, что княжна смотрит на него с очень странным выражением. Слова, которые она произнесла в следующее мгновение, прозвучали еще более странно:

— Колобок, Колобок, я тебя съем, — тихо, но отчетливо прошептала Зоя.

— Простите?

Она усмехнулась.

— Вы стали похожи на Колобка. Это персонаж сказки, которую знают все русские дети.

Гальтон пожал плечами — русские сказки в самсонитный набор герра Айзенкопфа не входили.

— Это такая круглая булочка. Символ позитивного мышления и активного образа жизни — совершенно не русский персонаж. Колобок родился в хорошей миддл-классной семье, у обеспеченных Бабушки и Дедушки, но буржуазная жизнь ему наскучила, и он покатился по свету в поисках приключений. Все встречные говорили аппетитной булочке: «Колобок, Колобок, я тебя съем», но до поры до времени ему везло, потому что он был ловкий и верил в свою удачу. Однако в конце концов Колобку повстречалась Лиса, которая перехитрила его и слопала.

— В чем мораль этой сказки? — подумав, спросил Гальтон.

— В том, что на одном позитивном мышлении очень далеко не укатишься.

Так он и не понял, правда ли у русских есть такая странная сказка или же мисс Клински насмешничает.

Появился Айзенкопф. Он опять ничего не ел, лишь тянул через соломинку апельсиновый сок да просматривал корабельную газету. На Зою, которая теперь взялась за клубнику со сливками, биохимик поглядывал с нескрываемой враждебностью. Гальтон забеспокоился, не назревает ли новая стычка.

Так и вышло.

— А вот кстати, как раз к нашему вчерашнему разговору, — обратился к нему немец, словно они сидели вдвоем. — Об ошибках природы: когда женщине достается мужское тело или, наоборот, мужчине женское.

Айзенкопф действительно вчера в каюте очень зло отзывался о мисс Клински. Он-де терпеть не может баб, которые бесятся из-за того, что родились на свет не мужчинами.

— Курт Карлович... — предостерегающе начал Гальтон, но биохимик невозмутимо стал читать вслух статью о первой операции по перемене пола, которую только что провел в Берлине профессор Магнус Хиршфельд.

Датский художник Эйнар Вегенер, более известный под именем госпожи Лили Эльбе, ибо давно уже одевался и вел себя, как женщина, решил окончательно избавиться от мужских гениталий и трансплантировать себе яичники молодой женщины. В ходе следующей операции фрау Эльбе обзаведется и маткой, чтобы обрести способность к деторождению.

— Очевидно, совокупляться по-женски это существо сможет уже сейчас, — прибавил от себя Айзенкопф и, будто лишь теперь вспомнив о Зое, преувеличенно сконфузился. — Ах, простите, княжна! При даме о таких вещах... Тысяча извинений!

Стало понятно, что немец намерен взять реванш за вчерашнее: разозлить мисс Клински, а еще лучше смутить — в общем, пощипать самоуверенной аристократке перышки.

— Извинения? За что? Спаривание — нормальная медицинская тема, — ответила княжна. — Я ведь врач.

От подобного хладнокровия Айзенкопф немедленно сам полез в бутылку.

— Я так и думал, что для вас секс — не более чем теоретическая тема. *Во всяком случае секс с мужчиной*, — уже откровенно оскорбительным тоном прибавил он.

Но и это не вывело Зою из равновесия. Она поставила кофейную чашку на блюдце и, невозмутимо глядя на немца своими светло-бирюзовыми глазами, спросила:

— Вы хотите сказать, что я девственница? Вовсе нет.

Норд чуть не поперхнулся чаем с молоком и почувствовал, что краснеет. А мисс Клински как ни в чем не бывало продолжала:

— Я знаю о сексе всё. Это ведь одна из ключевых сторон нашего физиологического существования. Проблематика такой важности безусловно заслуживает фундаментального исследования. Поэтому сначала я изучила теоретическую часть вопроса, чтобы избежать ошибок, которые обычно совершают неопытные девушки. Потом выбрала лучший образец из всех самцов, оказавшихся в зоне досягаемости, и применила его опыт, а также свои теоретические познания на практике. Ну что вам сказать? — Она оценивающе прищурилась. — Секс — штука интересная. Временами весьма. Но в целом я пришла к выводу, что проблем от него больше, чем пользы и удовольствия. Я поняла, что могу обходиться без этого. Есть занятия, которые не менее остры по ощущениям, но приносят гораздо больше удовлетворения, а главное не оставляют после себя дурного привкуса. А как относитесь к сексу вы? Вам с вашим дефектом, наверное, непросто находить себе партнеров?

Айзенкопф молчал. Если б у него имелось лицо, оно наверняка было бы перекошено.

Непробиваемая барышня взглянула на платиновые часики.

— Расскажете о своем сексуальном опыте в другой раз, договорились? Мне пора на массаж.

— Клянусь, она лесбиянка! — прошипел биохимик, провожая Зою яростным взглядом. — «Могу обходиться без этого»! Тьфу!

Он так и сказал: «тьфу» — буквами. Должно быть, звук плевка плохо воспроизводился искусственными губами.

От обсуждения интимных пристрастий мисс Клински доктор Норд предпочел уклониться.

— Мне тоже пора. В японскую баню.

Ну и психологи у мистера Ротвеллера, думал он, спускаясь в лифте. Хороши специалисты по совместимости. Не команда, а банка со скорпионами. Того и гляди пережалят друг друга.

*

«Храм Умиротворения» — именно это, по словам японки, означали иероглифы, написанные на потолке бани. Помещение обладало идеальной звукоизоляцией, никакие шумы снаружи сюда не проникали.

Фурако — кедровая бочка, окованная медью, — стояла на плите *камаба*, под которой пылало пламя. Огонь, увы, был не дровяной, а от газовой горелки. Опытный взгляд Норда сразу заметил этот отход от канона. Новшество, однако, было разумным: сила пламени легко регулировалась поворотом рычага.

Саюри (так звали банщицу), очаровательно коверкая английскую речь, пропела гимн растениям, целебным соком которых пропитана вода, и объяснила производимый ими эффект: *сисо* обостряет все пять чувств, *юдзу* снимает усталость, кора *хиноки* заряжает мышцы силой, и так далее, и так далее.

Пока Гальтон раздевался, японка стояла лицом к двери. Когда же он медленно опустился в сорокапятиградусную воду, подошла, надела деревянную крышку с отверстием для головы, завернула по часовой стрелке и обмотала шею клиента мягким полотенцем. Вода доходила Норду до сердца; верхняя часть груди и плечи подвергались исключительно воздействию пара.

— Ну-ка, погорячей, — попросил доктор, любивший, чтобы баня была обжигающей.

Просеменив к котлу, Саюри опустилась на колени, опустила рычаг книзу — стрелочка на градуснике поползла к отметке «50».

— Достаточно. — С Норда градом лил пот.

Банщица повернула рычаг вверх, гася пламя под бочкой.

— Я все время здесь, — прожурчала она. — Если пот будет попадать в глаза, скажите — я вытру. И когда будет достаточно, тоже скажите. Такую горячую воду трудно выдерживать больше десяти минут.

— Ничего, я крепкий.

Он откинул затылок на деревянную подставочку, прикрыл глаза.

Заскрипела патефонная пластинка, полились мурлыкающие звуки японской музыки.

При полном расслаблении тела очень хорошо работает рациональное мышление. Именно здесь, в «Храме Умиротворения», Гальтон рассчитывал разобраться в своих мыслях и чувствах. Во-первых, сделать первичный анализ работоспособности команды. Во-вторых, обдумать возможные трудности на отрезке пути от порта Бремерсхавен до советской границы. В-третьих...

Но рациональное мышление что-то не желало работать как следует. Мысли путались, налезали одна на другую. А все потому, что полного расслабления тела не возникало.

Очевидно, Норд слишком давно не сидел в фурако и отвык от такой горячей воды. А может быть, дело было в плотно закрытой крышке. Так или иначе жар становился невыносимым.

Доктор потерпел еще немного и, не выдержав, смущенно позвал:

— Мисс Саюри! Пожалуй, с меня довольно... Мисс Саюри!
Ответа не было.

Он поднял голову, открыл глаза. Зажмурил их, не поверив увиденному. Снова открыл.

Японка сидела всё там же, возле котла, но не прямо, а привалившись к стене. Ее прическа растрепалась, шея была неестественно вывернута, а тонкая рука безжизненно свисала на пол.

— Что с вами, мисс?! — рванулся было Гальтон, но уперся плечами в крышку.

Ей плохо? Она лишилась чувств? Или... Цвет лица какой-то подозрительно синюшный.

Но помочь японке он не мог, запертый в этой дурацкой бочке с крепко завинченной крышкой. Значит, лимит статистических несчастий еще не исчерпан? Повторялась вчерашняя история — в новой вариации, уже не комичной, а, похоже, трагической.

До какой степени положение трагично, Норд понял, когда заметил одну деталь, не сразу бросившуюся ему в глаза.

Рычаг, регулирующий пламя, был повернут вниз! Должно быть, когда Саюри потеряла сознание, она задела ручку локтем или рукавом. Так вот почему вода такая огненно горячая. Под бочкой включена горелка!

В ужасе Гальтон взглянул на термометр. Стрелка качнулась, переместившись на деление вправо. Еще немного, и вода закипит. Доктор Норд сварится в ней заживо! Лучше уж было задохнуться вчера углекислым газом.

Он закричал что было мочи:

— На помощь! Сюда!

Меланхоличное завывание патефонной пластинки. Легкое потрескивание газа. Более — ни звука. Ведь здесь «Храм Умиротворения», никакой шум извне не проникает. Значит, и снаружи ничего не слышно.

Доктор Норд еще раз попытался выдавить плечами крышку. Бесполезно — она держалась намертво.

«Сварюсь, как фрикаделька в бульоне», мелькнуло в голове. Мысль, вероятно, была смешная, но Гальтон от нее заорал вдвое громче прежнего.

— Помогите! Помогите!

От жара и от натуги перед глазами замерцали огненные круги. «Сейчас у меня лопнет сердечная мышца», подумал он — причем не со страхом, а с надеждой. Что угодно, только не свариться заживо!

Двери с грохотом распахнулись. В баню вбежал Айзенкопф. Его маска, разумеется, была неподвижна, но голова быстро поворачивалась, озирая помещение, а в руке черной сталью поблескивал пистолет.

— Принимаете ванну? — сказал он с некоторым недоумением. — Зачем же звали? Я как раз проходил мимо, шел в турецкую баню. Вдруг слышу, еле-еле: «Помогите!»

— Рычаг... Кверху... — просипел Норд.

Надо было отдать немцу должное. Никаких дополнительных объяснений не потребовалось, у Гальтона просто не хватило бы на них сил.

Айзенкопф задержал взгляд на бесчувственной банщице максимум на одну секунду. Потом отодвинул ее и рывком дернул ручку. Японка плавно, даже грациозно повалилась на пол.

— Что... с ней? Посмотрите...

Однако биохимик не стал заниматься несчастной Саюри. Он быстро подошел к бочке, моментально сообразил, как отвинтить крышку, и выволок Норда — мокрого, горячего, тяжелого — из бочки. Уложил на пол, пощупал пульс, зацокал языком.

— Нужен укол камфоры. Здесь рядом кабинет врача. Я сейчас.

— Что с девушкой?

— Мертва, — равнодушно обронил Айзенкопф уже от двери и быстро вышел.

Через минуту в небольшой комнате стало шумно и тесно. В баню набилась куча народа: в белых халатах, в морской форме, в штатском. Гальтона приподнимали, опускали, кололи, растирали, засыпали вопросами и извинениями.

А бедной японкой занимался всего один человек, и то очень недолго.

Примчался срочно вызванный пассажирский помощник.

— Какое ужасное происшествие! Мы запретим использование завинчивающейся крышки! Нет, мы приставим к японской бане двух служителей! Но кто мог такое предположить? Все члены экипажа проходят строжайший медицинский осмотр! Мистер Норд, мы сделаем всё, чтобы этот инцидент не испортил вам впечатление от плавания. До конца путешествия вы можете пользоваться всеми услугами спа совершенно бесплатно!

Гальтону было лучше. Он встал, отстранив говорливого помощника, и подошел к мертвой Саюри.

Она лежала на спине с полуоткрытыми глазами.

— Разрыв сердечной мышцы, — вполголоса объяснил врач. — Даже у молодых и здоровых людей случается внезапная немотивированная остановка сердца. Редко, но бывает.

— Я знаю.

Он присел на корточки, стал снимать с японки кимоно. Внимательно осмотрел тело — сантиметр за сантиметром.

— Что вы делаете? Вы себя хорошо чувствуете? — встревожился корабельный медик, вероятно, решив, что у американца после перенесенного ужаса затуманился рассудок.

Норд наклонился вплотную к покойнице и замер.

Он нашел то, что искал. Справа на шее, в области щитовидного хряща гортани.

НУ ТО-ТО ЖЕ

, сказал себе Гальтон. Я, возможно, идиот, но не до такой степени.

Успокоившееся после укола сердце снова застучало очень быстро, но доктор подавил возбуждение усилием воли. Нужна максимальная концентрация всех умственных ресурсов.

Для полной уверенности он наведался в Feierwache и установил то, что требовалось выяснить. Еще один фрагмент паззла встал на место.

Следующий этап — сопоставление фактов и анализ ситуации. Этот процесс требовал абсолютной сосредоточенности и уединения. На пароходе такое место найти непросто, но Гальтон нашел: на сандеке. Еще утром там было полнымполно народу, но к полудню небо посуровело, солнце скрылось за облаками, и холодный атлантический ветер сдул с открытой палубы любителей воздушных ванн.

Доктор Норд сидел в полном одиночестве, ткань соседних шезлонгов пузырилась и хлопала, словно паруса. Думать это не мешало.

Интересная получалась штука.

За два дня — два несчастных случая. Произошли они с человеком, который не имеет привычки становиться жертвой несчастных случаев. Нелепые катастрофы обычно происходят с людьми несобранными, неорганизованными и невнимательными. Гальтон Норд не таков. Ни разу в жизни он не поскользнулся на банановой кожуре, а если и поскользнулся бы (предположим, в темноте), то ни в коем случае не шлепнулся бы, потому что у него отменная реакция. Он бы сгруппировался и удержался на ногах.

Вчерашний эпизод еще можно счесть за дурацкое стечение маловероятных обстоятельств. Но лишь до сегодняшнего инцидента. Маловероятность в квадрате? Это величина, близкая к нулевой, а значит, в расчет не принимаемая.

Вот почему Норд так тщательно осматривал тело банщицы, сердце которой ни с того ни с сего вздумало остановиться. Кто хорошо ищет, тот находит.

На нежной коже злополучной Саюри — там, где сонная артерия раздваивается на наружную и внутреннюю, — чернела крошечная точечка. Кто-то тихонько открыл дверь, одной рукой зажал японке рот, другой — вонзил шприц. А потом, аккуратист, еще и протер след инъекции ваткой, чтоб не осталось крови. Чуткое обоняние Гальтона уловило еще не вполне улетучившийся запах спирта.

А посещение «Пожарной вахты» помогло разъяснить вчерашний казус. Как раз в то время, когда Норд разговаривал с банщицей, а потом догонял группу, в помещении Feierwache никого не было — в этот час начальник противопожарной безопасности, как обычно, проводил пятнадцатиминутную тренировку аварийного тушения. Вчера учение происходило в машинном отсеке. Дверь Feierwache никогда не запирают. Туда мог войти кто угодно.

И кто-то вошел. Только сначала подготовил Гальтону ловушку — немудрящую, но сработавшую безотказно. Всякий человек, увидев оброненный бумажник, его подберет. Нечестный заберет себе, честный станет искать хозяина, но мимо не пройдет никто.

Злоумышленник дождался, пока Норд войдет, задвинул дверь. Потом побежал на вахту и пустил газ. Ловкая работа. Если бы мимо по чистой случайности не проходила мисс Клински...

Вот тут вопрос. Стоп. *По случайности ли?*

Чем дальше, тем интересней. Два несчастных стечения совершенно невероятных обстоятельств (назовем их: «Детская Шалость» и «Внезапный Инфаркт») нейтрализованы двумя столь же невероятными контрударами Фортуны.

Вчера в безлюдном коридоре счастливым образом оказалась Зоя.

Сегодня у дверей о-фуро, по мановению волшебной палочки, откуда-то возник Айзенкопф.

Если бы Норда выручили посторонние люди, в случайность еще можно было бы поверить. Но чтобы из трех тысяч человек, плывущих на пароходе, в роли спасителей оба раза выступили члены его собственной группы? Невозможно. Случайность исключается.

Следуем дальше. Несчастного стечения обстоятельств,
как выясняется, не было. Кто-то очень грамотно провел две
акции, едва не стоившие доктору Норду жизни.

Что из этого следует?

В том-то и дело, что ничего не следует. Выходит полная
ерунда.

Японка убита уколом в артерию. Для такой точности нужен навык или специальные знания. И Зоя Клинская, и Айзенкопф имеют медицинское образование.

Выходит, это они пытались убить своего руководителя?
Почему?

Нет, это не самый актуальный вопрос.

*Почему все-таки не убили? Почему спасли? Сначала
княжна, потом биохимик?*

Нелогично. Не складывается!

Умопостроения доктора Норда делались всё запутанней.
Он попробовал разложить их на версии.

Первая: враг — Зоя Клинская. Вчера она была вынуждена выпустить Гальтона из ловушки, потому что по коридору
приближался кто-то третий. Этот человек услышал бы стук и
все равно открыл бы дверь. Сегодня княжна (которая, между
прочим, находилась неподалеку — в массажном кабинете)
произвела повторное покушение, однако Норда спас немец,
который что-то заподозрил или же действительно оказался
поблизости случайно.

Вторая: Курт Айзенкопф. Тогда всё наоборот. Вчера Гальтона спасло то, что Зоя случайно проходила по пустому коридору. А сегодня немцу пришлось отказаться от своей затеи,
потому что крики Гальтона мог услышать кто-то третий...

Стоп! Доктор скривился на собственную несообразитель-
ность. Должно быть, после перенагревания еще не восстановилось нормальное кровоснабжение мозга. Биохимик сказал,
что шел в турецкую баню. Это с приклеенным-то лицом — и
во влажный пар?

Вот и определился главный подозреваемый.

Но для порядка не следовало исключать и третью версию,
довольно экзотичную, однако же вписывающуюся в логику
событий.

Что если его убить хотят оба — и немец, и русская? *Но действуют они не сообща, а каждый по отдельности и потому мешают друг другу?*

Вчера Клинская помешала Айзенкопфу, сегодня он ей. Зачем? Черт их знает...

Голова у доктора от всех этих версий чуть не задымилась.

Ну и помощничков он себе выбрал! Любого из них было совсем нетрудно представить в роли хладнокровного убийцы.

Женщина — вылитая египетская кобра, такая же красивая и смертельно опасная.

Но более вероятный кандидат все-таки немец. Это настоящий франкенштейн. Не человек, а ходячий ужас.

Айзенкопф безусловно подозрительней.

Вранье про турецкую баню — раз.

Из досье известно, что он отличный инженер-изобретатель, то есть горазд на технические выдумки — два.

И третья деталь — пустяковая, но очень характерная: пропажа 500 долларов. Соседу взять их было нетрудно, а заметать следы незачем. Ведь он знал, что Норд с экскурсии не вернется. Типично немецкое сочетание цинизма с мелкой прагматичностью!

Или же типично русское, византийское коварство, сам себе возразил Норд. Деньги могла забрать Клинская, чтобы подозрение пало на гальтоновского соседа по каюте.

Сверху доносился лязг, мешавший и без того сложному мыслительному процессу. На самолетном трамплине возились механики, готовя аэроплан «Люфтганзы» к завтрашнему полету. Как только европейский континент окажется в зоне досягаемости беспосадочного перелета, самолет отправится вперед с грузом почты. Будет там и подробный отчет для мистера Ротвеллера, объясняющий причины, по которым экспедицию в СССР пришлось отменить. С такой командой возможен только один маршрут — прямиком на кладбище.

Спускаясь по трапу, доктор остановился и стукнул кулаком по перилам.

Гальтон Норд не таракан, чтоб морить его газом, и не сарделька, чтоб кипятить его в кастрюле! Он умеет давать сдачи. Черт с ней, с экспедицией, она так или иначе сорвана, но виновник (или виновники) будут установлены и наказаны! Сегодня же. И без помощи мистера Ротвеллера.

*

— ...Итак, коллеги, меня пытались ликвидировать. Дважды, — сказал Норд в конце своего короткого, нарочито бесстрастного, но энергичного сообщения. — Почти наверняка это сделал кто-то из участников вчерашней экскурсии. Человек, который мог подстроить ловушку в грузовом отсеке, а потом, когда дело сорвалось, подсмотреть в клиентском журнале, на какое время я записался в японскую баню.

Его выслушали в напряженном молчании. Гальтон стоял к «коллегам» боком, делая вид, что смотрит через окно каюты на палубу. На самом же деле периферийным зрением (которое у доктора было отменным) внимательно следил за реакцией. Зоя выглядела взволнованной: кусала губы, хмурила брови. Неживое лицо Айзенкопфа чувств не выражало, но пальцы биохимика нервно сжимались и разжимались.

Самое время подбросить в костер еще хворосту.

— Укол банщице в шейную артерию выполнен очень профессионально. Работа медика, я уверен.

Вот здесь они переглянулись. Неужели все-таки действуют заодно?

— Перехожу к выводам. — Он обернулся к членам группы. — Первое: наша миссия не секрет для врага. Второе: враг знает, что я — старший в группе, и поэтому хочет меня устранить. Третье: вероятно, будут новые покушения. Четвертое, самое тревожное: мы понятия не имеем, кто он, этот враг. А теперь слушаю вас. Соображения, возражения, дополнения — что угодно.

На каждый из его выводов слушатели согласно кивали. Но мнения высказали разные.

— Миссию придется отменить, — без тени колебаний заявила женщина. — А нам следует быть начеку и все время держаться вместе.

Мужчина столь же безапелляционно отрезал:

— Найти. Выяснить, кто. Обезвредить. А уж потом решать — ехать в Россию или нет.

Доктор обдумал каждый из ответов. В каком из них таится ловушка? Держаться вместе в этой ситуации действительно было бы целесообразней всего. Еще один балл в плюс мисс Клински и в минус Айзенкопфу.

— Согласен с Куртом Карловичем. Хуже всего, когда не знаешь, кто и когда нанесет удар. Поэтому предлагаю поменять роли.

— Как это — «поменять роли»? — Зоя смотрела на него широко раскрытыми глазами, словно ребенок на фокусника. Это было лестно. Если, конечно, мисс не актерствовала.

— Есть игра, древняя, как мир. Охотник прикидывается жертвой. До сих пор врагу приходилось идти на ухищрения, чтобы подловить меня, когда я в одиночестве или полностью беззащитен — как в бане. На пароходе, среди трех тысяч людей, это не так-то просто. Даже ночью в каюте я не один, а с соседом. — Гальтон взглянул на немца. Тот наклонил голову: мол, не беспокойтесь, с таким защитником, как я, тревожиться не о чем. — Что ж, я облегчу врагу задачу. Подставлюсь сам. В самое глухое время суток, в самом безлюдном месте.

— Самое глухое время — рассвет, — заметил Айзенкопф. — А где, по-вашему, самое безлюдное место?

— Конечно, на сандеке. Кому придет в голову загорать в потемках? Я выйду из каюты, будто мне не спится, поднимусь туда. Сяду на виду, в шезлонг. Закурю. Может быть, я хочу полюбоваться, как из-за горизонта выглянет солнце? Бери такого романтика прямо голыми руками.

Он засмеялся, поняв, что неожиданно пошутил и, кажется, неплохо.

Немец хмыкнул — оценил юмор.

— А я еще с вечера спрячусь где-нибудь, например, за шлюпкой. Тут-то мы его и зацапаем. Хорошая идея!

— Ни в коем случае! Я уверен, что за нашими каютами очень плотно наблюдают. Возможно, не один человек. Хвост может быть приставлен не только ко мне, но и к вам. Заметят ваш маневр — всё пропало. Не беспокойтесь, Курт Карлович, я отлично справлюсь один. Это не в завинченной бочке сидеть, — с преувеличенной самоуверенностью сказал Гальтон.

— Вы сошли с ума! Вас убьют! — Зоя вскочила. Она раскраснелась, от аристократической сдержанности ничего не осталось. Румянец ей очень шел, а еще больше — сердитый огонь в глазах. — Я никогда на это не соглашусь!

— А вашего согласия не требуется. — Норд проговорил это очень тихо, холодно. — Я начальник экспедиции. Это приказ. Дискуссия окончена.

Подчиненные снова переглянулись — то ли озабоченно, то ли озадаченно.

Ничего, скоро этим шарадам наступит конец. Кто предупрежден, тот вооружен.

*

Вечером, готовясь к операции, Гальтон обнаружил новый сюрприз. Осматривал свой пистолет, вдруг видит — сточен боек.

Это значило, что спать ночью нельзя.

Он лежал, изображая ровное сонное дыхание, а сам был настороже. Чутко прислушивался к звукам, доносившимся с соседней кровати.

Спал ли Айзенкопф, было непонятно. В его половине каюты царила гробовая тишина.

В пять утра, за час до восхода, Норд тихо встал и оделся. Вынул-вставил обойму — эта демонстрация посвящалась персонально Айзенкопфу. Пусть думает, что глупый американец ничего не заметил.

На самом деле Гальтон и не собирался пользоваться огнестрельным оружием, разве что в крайнем случае. Кому нужен труп? Мертвецы на вопросы не отвечают. Безотказное оружие лежало в нагрудном кармане и выглядело совершенно невинно — по виду обыкновенный сигаретный мундштук, разве что длинноватый. Иголки, смазанные усыпителем, находились в том же кармане.

Трудно было поверить, что немец проспал сборы командира. Но ни напутствия, ни слов прощания вслед доктору не прозвучало.

«Зачем прощаться, если скоро опять увидимся», мрачно улыбнулся Гальтон, уже почти не сомневаясь, что личность таинственного убийцы установлена.

На палубе охотника подстерегала неожиданность. Над океаном висел густой туман. Фонари светились сквозь него тускло, почти ничего не освещая, а лишь обозначая свое существование — как бакены, поставленные вдоль фарватера.

Из молочной взвеси донеслись чьи-то шаги. Гальтон быстро сунул в рот иголку, вынул духовую трубку.

Но это был всего лишь матрос из ночной вахты. Он с удивлением посмотрел на пассажира, прошел мимо. Пять шагов — и его стало не видно.

Обеспокоенный этим непредвиденным обстоятельством, Норд поскорей поднялся на самый верх.

На сандеке видимость была получше, но все равно недостаточная. По палубе стелилась сероватая дымка, клубясь у бортов. Враг вполне мог подкрасться незамеченным шагов на пятнадцать, а то и на десять. С такой дистанции можно не только выстрелить, но бросить нож. Стрелять-то убийца вряд ли станет. Рядом капитанский мостик, там люди. Скорее всего противник воспользуется метательным оружием. Еще бы лучше — удавкой или кастетом, вот было бы замечательно.

Он прошелся, стараясь держаться открытой середины, но все равно чувствовал себя слишком уязвимым, беззащитным. Кто же это будет, думал Норд: он или она? Спрятаться здесь можно где угодно — в тени спасательных шлюпок, или палубных надстроек, или катапультной платформы, над которой темнел крылатый силуэт аэроплана.

Минутку! От метательного оружия даже хрупкая преграда вроде стекла — уже защита. И обзор сверху будет идеальный!

Довольный идеей, доктор достал портсигар, сделал вид, будто хочет прикурить, но встречный ветер гасил спички одну за другой. Гальтон отлично умел прикуривать и при гораздо худших погодных условиях, но изобразил раздражение, растерянность. Выругался, сердито топнул, стал озираться.

И тут ему вроде как пришла в голову отличная, лихая мысль: покурить в кабине. Он хохотнул и взбежал по лесенке.

Дверца стеклянного колпака оказалась откинутой. То ли механики вчера забыли закрыть, то ли это так зачем-нибудь полагалось перед полетом.

Перед тем, как залезть, доктор посмотрел вокруг и остался доволен. Весь сандек хорошо просматривался, а еще на кабине с двух сторон были зеркала. Если их немного повертеть, будет видно, что находится сзади.

Он блаженно потянулся — понимай, что человек в таком оригинальном месте не прочь и подремать. Плохо ли: паришь, как птица надо всем морским простором, навстречу рассвету.

Подтянувшись, Гальтон ловко перекинул ноги через бортик и с размаху опустился в кресло пилота.

Оно оказалось, во-первых, очень мягким и упругим. А во-вторых, взвизгнуло тонким голосом.

В кресле уже кто-то сидел!

Реакция у доктора Норда была превосходная — это качество не раз спасало ему жизнь и на войне, и в опасных экспедициях.

Извернувшись, Гальтон левым предплечьем вдавил горло врага в спинку, а правым кулаком приготовился нанести удар в висок.

Не нанес.

На него, часто дыша, смотрела Зоя. Ее вытаращенные глаза были всего в нескольких дюймах от его лица.

— Что и требовалось доказать, — медленно произнес доктор.

Княжна просипела:

— Вы же собирались сесть в шезлонг...

Он молча, безо всяких церемоний, обшарил ее.

— Что вы себе позво...

Из левой подмышки ее сиятельства был выужен револьвер со странной штукой на дуле.

Вот тебе раз. Выходит, гипотеза насчет метательного оружия была ошибочной. В арсенале шпионов и киллеров появилась техническая новинка — глушитель. Как можно было об этом забыть? Непростительно! Если бы эта особа не растерялась (все-таки женщина есть женщина), кое-кто уже валялся бы на палубе с дыркой в башке.

— Кто вы такая на самом деле? — Норд чуть ослабил хватку, и Клинская закашлялась.

— Я — это я.

В голосе девицы опять зазвучал вызов. Тогда Гальтон снова взял ее за шею, крепче прежнего.

— Ставлю вопрос иначе. Чье задание вы выполняете?

Она молчала. Он смотрел ей в глаза, думая: египетская кобра. Малейшая оплошность — и ужалит.

Из-за полной концентрации на Зое чудесное периферийное зрение доктора временно отключилось. Он вроде бы даже и уловил какое-то шевеление внизу, но отвлекаться не стал.

Это была серьезная, даже роковая ошибка.

Металлический скрежет, раздавшийся где-то очень близко, заставил-таки Гальтона повернуть голову. Но было поздно.

Щелкнул блокатор катапульты, звонко ударила пружина мощного эжектора, и сильнейший толчок бросил Норда на его пленницу, а ее вдавил в кресло.

— А-а-а!!! — закричала Зоя.

— М-м-м!!! — замычал Гальтон.

Аэроплан подкинуло вперед и вверх — метров на пятьдесят.

Если бы доктор не знал, как включается двигатель, самолет описал бы красивую дугу и рухнул бы в море вниз носом.

Однако по долгу службы Норду приходилось управлять аэропланом: в Африке, в Индонезии, в Тибете.

Кое-как развернувшись, Гальтон крутанул ключ зажигания. Превосходно отлаженный двигатель немецкого самолета сытенько заурчал: «Яволь-яволь-яволь». Поворотом штурвала доктор выровнял крен. Взял рычаг на себя — «Хейнкель» стал набирать высоту.

Пропеллер ровно стрекотал, пароход остался далеко внизу. Длинный, сужающийся с обоих концов, окаймленный огоньками, он был похож на гроб в обрамлении свечек.

— Что это? — крикнула Зоя. — Что произошло?

— Ничего особенного. Сообщник решил вами пожертвовать. Угробить заодно со мной. Как в русской пословице: «Лес рубят — щепки летят». Так вам и надо.

— Но вы умеете управлять самолетом, — сказала Клинская. — Этого они не ожидали. Какой вы молодец! Просто чудо!

Она поцеловала его в щеку. Поразительная все-таки барышня, подумал Гальтон.

— Мне очень неудобно вести самолет, вывернувшись. Давайте попробуем как-нибудь устроиться рядом.

С большим трудом, кое-как, они уселись в одноместной кабине бок о бок. При этом ей пришлось тесно прижаться к нему всем телом. Теперь ее частое дыхание согревало ему ухо и щеку.

Но если шпионка рассчитывала таким немудрящим образом умилостивить доктора Норда, то здорово ошибалась. Обниматься с коброй — сомнительное удовольствие.

— Вы зря воспряли духом, мисс. — Он наклонил голову, чтобы быть подальше от ее губ. — Да, я умею управлять аэропланом. Поэтому мы не погибли в первую же минуту. Но это мало что меняет. Запаса топлива в баке миль на пятьсот, до берега не хватит. Обратно на пароход опуститься невозможно. На воду садиться я не умею.

— Значит, мы пропали?

В вопросе звучал не страх, а что-то вроде недоверия. Молодым, красивым и самоуверенным женщинам, наверное, кажется, что они никогда не умрут, зло подумал Норд.

Он сунул руку под сиденье, нащупал там плотно набитый брезентовый мешок.

— Вы — да. Я — нет. Здесь есть парашют. Один. Но мне хватит.

Помолчав, чтобы она как следует вникла, Гальтон продолжил:

— Я дам вам шанс. Но лишь в том случае, если вы скажете мне всю правду.

Приходилось не только вести самолет, но быть в постоянной готовности: теперь, до конца уяснив ситуацию, Клинская могла предпринять отчаянную попытку оглушить его или убить. Женщина она сильная, ловкая. Не исключено, что владеет приемами рукопашного боя — в ремесле убийцы без этого нельзя.

— Зачем я стану откровенничать, если парашют все равно один?

И опять никакого испуга, одно любопытство.

— Мы прыгнем вместе. Если б внизу была земля, мы бы разбились. Но о воду удар гораздо мягче. Повезет — выживем. А с парохода спустят шлюпку.

Он взял крен вправо, чтобы описать круг.

Корабль снова стал приближаться.

Туман спустился ниже, сквозь него там и сям просвечивали волны. На востоке поднималось солнце — казалось, будто горизонт проложен окровавленной ватой. Зрелище жутковатое, но очень красивое.

Стало видно верхнюю палубу. По ней бегали, размахивая руками, крошечные фигурки. Одна из шлюпок, покачиваясь на тросах, ползла вниз.

Двигатель вдруг зафыркал, зачихал.

— Решайтесь, времени нет. — Гальтон лишь теперь догадался взглянуть на приборы. — Я ошибся насчет пятисот миль. Оказывается, бак еще не заправлен. Мы взлетели, потому что на дне оставалось немного горючего.

Зоя смотрела на него и улыбалась. Это было очень странно.

— А где гарантия? Я скажу вам всю правду, а вы меня обманете и выпрыгнете один.

Сказала, словно поддразнивая. Что-то не нравилось Гальтону такое легкомыслие. Он насупил брови.

— Слово Норда.

— Глупо, но я верю. — Она на мгновение прижалась лбом к его щеке. — Если бы даже была вашим врагом, все равно бы поверила. Редко когда встретишь по-настоящему квадратного человека.

— Какого?

Он повернулся, потому что ответа не последовало.

Оказывается, ее глаза уже не улыбались, а брови были сдвинуты так же сердито, как у него.

— Тупого, вот какого! Мистер Ротвеллер не исключал вероятности, что руководителя группы попытаются ликвидировать. Советская разведка на сегодняшний день — лучшая в мире. У нее всюду свои информаторы. Поэтому мы с Айзенкопфом получили инструкцию: кто-то один все время должен держать вас в поле зрения. Когда вы отстали от экскурсии, я вернулась — и как раз вовремя. Когда вы были в бане, под дверью сторожил мистер Ходячий Кошмар. Вы вначале кричали недостаточно громко, а у этого болвана уши приклеенные, вот он не сразу и услышал... А сегодня моя очередь. Я сразу решила, что сяду в самолете, откуда всё видно, и буду вас страховать.

Мотор последний раз чихнул и заглох. Аэроплан пошел на снижение, планируя вокруг парохода по спирали.

Как просто, думал Гальтон. Вместо того, чтобы высчитывать вероятность случайных совпадений, нужно было не ограничиваться одними негативными версиями. Всё детство вдалбливали в голову: "Think positive[1]", да, видно, недостаточно.

Зоя, как выяснилось, тоже размышляла о вероятности.

— Удар о воду будет сильным? Какова вероятность, что он нас оглушит до потери сознания?

Расстояние до поверхности моря с каждой секундой сокращалось. Пора было выпрыгивать.

---

[1] Мысли позитивно (*англ.*).

— Не знаю. Никогда не пробовал. — Гальтон поднял стекло. — Об этом заботиться нечего. Как будет, так и будет. Вы, главное, не оторвитесь от меня в свободном падении. Помогите продеть лямки! Пряжку застегните!

— Что?

— Пряжку!

Он откинул дверцу, теперь приходилось орать во все горло.

— Обнимите меня крепче! Наше спасение в вертикальности! Раз, два, пошли-и-и!

Что отрываться от Гальтона ни в коем случае нельзя, она поняла. Обхватила его и руками, и ногами — намертво.

Сцепившись, они камнем полетели вниз. У Норда захватило дух, Зоя завизжала.

Досчитав до десяти, Гальтон дернул кольцо. Ремни чуть не выбили плечи из суставов, затем падение замедлилось.

Вот уже можно было дышать. Они скользили вниз, слившись в одно целое.

«Если удар окажется слишком сильным, так и уйдем под воду. Будем лежать на дне двумя переплетенными скелетами», — подумалось Норду. Еще пришла в голову вот какая мысль: никогда прежде, даже в миг самых страстных объятий, *он не был так близок с женщиной*.

Черт знает, куда подевался туман — просто взял и растаял. Огромное красное солнце стремительно выныривало из темно-синих вод, словно катящаяся по планете круглая булка из русской сказки. Море переливалось всеми возможными и невозможными цветами спектра — о такую красу и разбиться не жалко.

Девушка что-то крикнула.

— Что?

— Спасибо! Я никогда...

Дальше было неслышно, но он понял. Он ведь тоже *никогда* — никогда и ни с кем не ощущал так остро близость смерти и красоту жизни.

Он повернул лицо к ней, а Зоя к нему, так уж совпало. В объятьях, крепче которых не бывает, они друг друга и так сжимали, поэтому поцелуй получился сам собой, и тоже очень крепкий.

Удара о воду, который их так тревожил, оба даже не почувствовали.

Просто Гальтон открыл глаза и удивился — почему все вокруг зеленое и голубое, а сомкнутые ресницы Зои видны будто сквозь пелену.

Потом в подмышки снова впились ремни, но уже не так резко, как в момент раскрытия парашюта. Шелковый купол, расстелившийся по воде, не желал тонуть. Лямки тянули кверху.

Вынырнув на поверхность, Зоя и Гальтон одновременно вдохнули воздух. И снова, толком не успев выдохнуть, соединились в поцелуе.

Шлюпка, подплывшая десятью минутами позже, застала парашютистов в точно такой же позиции. Расцепить целующихся удалось не сразу. Кое-как их усадили на скамью, повезли на пароход.

Что было потом, Гальтон помнил неотчетливо. Его ощупывал врач, что-то выспрашивал. Капитан возмущался и кричал, что утоплен аэроплан стоимостью в 50 000 долларов. Потом, когда Норд пообещал выписать чек, немец перестал кричать и стал очень любезен.

Все это время Гальтон смотрел только на Зою, которую тоже щупали, вертели, допрашивали. А она смотрела только на него.

Наконец все эти ненужные люди отстали, он взял ее за руку и повел вниз, в каюту.

Лица у чудом спасшейся пары были особенные, словно не из этого мира. Собравшаяся на палубе толпа сначала гудела и шумела, потом утихла и наблюдала молча.

Было там и канотье в темных очках, рядом с ним — неизменные спутники: двое крепких мужчин в полотняных костюмах.

Первый снял шляпу, провел рукой по растрепавшимся волосам неестественно белого оттенка, приподнял очки. Глаза под ними были странноватого розового цвета.

— Заколдованный он, что ли, — сквозь зубы произнес альбинос. — Культурно замочить не вышло, а время поджимает. Значит, будем кончать с грохотом. Ничего не попишешь.

– ТОВАРИЩ КРОЛЛЬ

, пристрелить его да за борт, я давно говорил, — сказал один из полотняных, маленький и вертлявый — никак не мог устоять на месте, всё ерзал, да дергал краем рта. — Сто раз случай был.

— Умный ты очень, Шарков. Скажи лучше, ты пушку его обработал?

— Еще вчера ночью, товарищ Кролль. И самозарядный «нордхайм» Меченого тоже обезвредил. А как же.

— И заодно доллары попёр. Пять сотен. Что вылупился? Они у тебя за подкладкой пиджака. Были.

Альбинос хихикнул. Второй полотняный, с широким и жестким лицом, тоже засмеялся. А Шарков схватился за пиджак, его нервная физиономия так и запрыгала.

— Смотри, Шарков. Еще раз будешь замечен — отправлю домой. Со всеми вытекающими.

По тону командира коротышка понял, что оргпоследствий не будет — товарищ Кролль просто забрал куш себе. Тоже оскалившись, Шарков вкрадчиво сказал:

— Хоть сотенку отслюните, товарищ Кролль, а? И Садыкову лишняя валютка не помешает.

— Плевал я на ихние доллары, — сказал Садыков и правда плюнул.

Розовоглазый построжел.

— Делаю замечание обоим. Тебе, Шарков, выговор — за наглость. Получишь полсотни премиальных, если проявишь себя на задании. А тебе, Садыков, предупреждение за бескультурье. Кого учили: на пол за границей не харкать? Первым классом плывем, а никакого понятия!

Вся троица перекочевала на корму, подальше от чужих ушей.

— Значит, так, товарищи. — Альбинос снова нацепил очки и похрустел пальцами. — Действуем в соответствии с планом «Б». Шарков со мной, Садыков на подстраховке.

— Чего это я на подстраховке? Пускай он!

— Разговорчики! У Шаркова реакция лучше. Клиент у нас, сам видел, серьезный.

*

Курт Айзенкопф уже не в первый и не во второй (если быть точным, в *одиннадцатый* раз) постучал в дверь каюты.

— Товарищи! Коллеги!

В ответ только невнятный шум неинтеллектуального свойства: ахи, стоны, рычание.

— Donner-Wetter! Сколько можно? Вы ведь не кролики! Это нечестно! Я имею право знать, что произошло...

Никакой реакции. Зло фыркнув и выругавшись (теперь по-русски), биохимик повернулся и ушел.

А Гальтон ни стука, ни крика не слышал, потому что пребывал в раю. Вроде бы не мальчик, всякое повидал, но такого абсолютного самозабвения никогда еще не испытывал.

Однако земной рай тем и отличается от небесного, что подвластен течению времени. Закончилось и волшебное забытье — но не бесследно, отнюдь не бесследно.

Разнеженный доктор Норд лежал на спине, смотрел в потолок и думал: она — совершенство. Удивительная, ни на кого не похожая! В ней поразительно всё. Даже то, что после любви она молчит, а не начинает ворковать или стрекотать, как все женщины.

Зоя лежала точно в такой же позе, курила сигарету. Только что они были как единое существо, и вот связь распалась, каждый размышляет о чем-то своем. Это показалось Гальтону противоестественным, даже невыносимым: почему проникнуть в тело любимой женщины можно, а в мысли — нет?

Он вдруг осознал, что вообще очень мало о ней знает. Лишь то, что зачитал из досье мистер Ротвеллер, да еще какие-то обрывки сведений. Вроде сурового воспитания и тяжелого эмигрантского детства. А еще (Норд нахмурился) она рассказывала про свои практические исследования в области секса. Наука пошла ей впрок, это она продемонстрировала. Но что за история про самого лучшего самца?

Гальтону ужасно захотелось узнать про эту женщину как можно больше. Желательно *всё*.

Он повернулся к ней, и вышло так, что как раз в эту секунду Зоя тоже повернулась к нему. Уже не в первый раз их порывы в точности совпадали.

— Пусть это сентиментально и банально, но расскажи мне о своем детстве, — попросила она. — Пожалуйста. Только подробно. Мне нужно это знать.

Из чего следовало, что и ход их мыслей был одинаков.

Рассказчик из Гальтона был плоховатый, но он отнесся к просьбе любимой женщины со всей ответственностью.

Начал с отца, самого умного, самого лучшего человека на свете, сумевшего распорядиться своей жизнью наиболее оптимальным образом. До 40 лет Лоренс Норд странствовал по миру, удовлетворяя свою научную и экзистенциальную любознательность. Потом купил дом в глуши, на озере. Поселился там с женой-англичанкой. (Как-то в минуту откровенности он сказал своему уже взрослому сыну: из правильно воспитанных англичанок получаются неважные любовницы, но лучшие в мире супруги и матери.) Ни у кого на свете нет такой счастливой, идеально устроенной жизни: прекрасная жена, превосходная библиотека, отменная лаборатория. И детям в этом доме тоже было очень хорошо. Чудесные книги, увлекательные опыты, захватывающие приключения в лесу и на озере. Отец учил своих сына и дочерей, как надо учиться; мать показывала — не столько словами, сколько примером — как нужно жить. Детство, проведенное в этом маленьком, совершенном мире, было очень хорошей подготовкой для погружения в мир большой, полный испытаний и открытий, опасностей и побед.

Рассказывая всё это, Гальтон сам чувствовал, что картина получается какая-то паточно-сиропная, будто из бойскаутского журнала «Ребята-тигрята». Но всё было правдой.

— Теперь ты, — попросил он. — Только ничего не пропускай.

Зоя затянулась, выпустила струйку дыма, в затемненной каюте он казался голубым.

— Детство у меня примерно такое же. Прибавь лакеев, бонн и прочие глупости да некоторый русский колорит вроде катания на санях и долгих чаепитий на веранде. Ну, институтка. Что-то там было, какие-то девичьи переживания, ссоры, влюбленности в актеров по фотокарточкам... Не помню. Честное слово, как ветром из памяти выдуло, остались одни обрывки.

Было видно, что она не прикидывается — действительно забыла и сама этому удивляется. Гальтон кивнул. Он когда-то читал очень интересную статью о принципиально различном устройстве мужской и женской памяти: последняя более избирательна и менее выстроена хронологически. Несущественное отсеивает, не загружает попусту клетки мозга.

— ...Первые годы революции тоже прошли без особенных ужасов. Мы сидели на нашей мисхорской даче — это на Черном море, вдали от главных событий. Было тревожно, скудновато, но в общем ничего страшного... Страшное началось, когда мы попали в Константинополь. Отец умер от тифа, он заболел еще на пароходе. За ним мама. Нас еще и обокрали, дочиста... — Она передернулась, вспоминая. — Это я Айзенкопфу могу плести про закалку аристократического воспитания, а на самом деле... Только представь: неделю назад я была папина-мамина дочка, и вдруг в чужом мире, одна. Хуже, чем одна — с девятилетним братом на руках, и у него тоже тиф. Нужно лечение, продукты, крыша над головой...

Зоя погасила сигарету, зажгла новую. Ее пальцы дрожали.

Он слушал, сердце сжималось от сострадания. Не рад был, что разбередил прошлое. Да и стыдно стало за свое идиллическое американское детство.

— Да, ты говорила, что тебе пришлось мыть полы в лепрозории, — быстро сказал Гальтон, чтобы избавить ее еще и от этого воспоминания.

Но Зоя хрипло, зло рассмеялась.

— Насчет полов в лепрозории — это я выразилась фигурально. В действительности никакой работы, даже мыть полы, девчонке-белоручке никто не давал. Единственное место, куда меня соглашались взять, был бордель. Ну я, дурочка, и пошла. Вообразила себя Соней Мармеладовой.

— Кем? — с ужасом переспросил Норд.

— Ты что, «Преступление и наказание» не читал? Достоевского?

— В мою языковую программу Достоевский не входил, — объяснил Гальтон. — Только Пушкин, Толстой, Чехов, Зощенко. И еще Ломоносов.

— Неважно. Это такая дурочка, которая пошла на панель, чтобы спасти семью от голода. Символ глупой русской самоотверженности... Но мне жертвенности не хватило. Когда привели первого клиента — жирного бородавочника в бриллиантовых перстнях, у меня случилась истерика. Расцарапала бедняге всю морду. Выдрали меня, посадили под замок, на хлеб и воду. На третий день удалось сбежать... — Тут она запнулась, по лицу пробежала тень, и конец рассказа о борделе был скомкан. Выпытывать Норд не стал. — ...Я решила, что, если уж мне судьба идти в проститутки, хоть выберу своего первого клиента сама. Разумеется, все равно угодила бы к какому-нибудь сутенеру и вышло бы еще хуже, чем в публичном доме. Но мне повезло, я вообще очень везучая и невероятно живучая. Присмотрела себе на улице одного приятного на вид мужчину, подхожу к нему со своим нескромным предложением. Сама фразу придумала. — Зоя пропищала жалким, дрожащим голосом. — «Не желает ли господин сорвать нетронутую розу настоящей русской прансес?». — Она презрительно фыркнула — безо всякой жалости к слабой девчонке, которой когда-то была. — На мое счастье, это был сотрудник ротвеллеровского Фонда по борьбе с детской проституцией. Моя роза уцелела и еще долго оставалась нетронутой.

Концовка Гальтона покоробила. Он вспомнил о «самом лучшем самце», но расспрашивать не решился. Это могло всё испортить.

— А где твой брат?

— Умер, — коротко ответила она. — И всё. Не хочу больше об этом.

Наступило молчание.

Доктор терзался, борясь с собой. Ему всё не давал покоя мерзавец, который посмел продемонстрировать Зое, какая *интересная штука* секс. Спросить или нет? Ни в коем случае! Это недостойно. Что за инфантильное собственничество!

И опять выяснилось, что оба молчали об одном и том же.

— Я вынуждена скорректировать свою позицию по сексу, — со вздохом глубокого сожаления произнесла Зоя. — Я считала, что могу обходиться без него. Теперь вижу, что ошиблась. Оказывается, там дело не только в стимуляции нервных окончаний...

После паузы она еще прибавила, глубокомысленно:

— Возможно, дело не столько в сексе, сколько в тебе. Я подумаю.

Норду тут тоже было о чем подумать.

А путь от мыслей до дела недолог, особенно когда на повестке дня столь животрепещущий предмет.

Бедному Айзенкопфу опять не повезло. Он как раз предпринял двенадцатую попытку воззвать к благоразумию коллег, и вновь не услышал в ответ на увещевания ни единого членораздельного звука.

— Послушайте вы, животные! — заорал он, придя в неистовство. — Вечер скоро! Только у бабочек спаривание продолжается по двенадцать часов кряду!

— Он прав, — сказала Зоя, мягко отталкивая любовника.

— А?

— Всё, всё. — Она взяла его за виски. — Включайте интеллект, доктор Норд. Придется впустить этого андроида. До прибытия в Бремерсхавен остается одна ночь. Можно ожидать чего угодно. Нам нужно держаться вместе.

Гальтон с досадой «включил интеллект»: взглянул на часы, присвистнул, вскочил с постели.

Мозг заработал, быстро набирая обороты.

Действительно, ночью следует ожидать новой атаки. А пистолет испорчен. Револьвер Зои на дне океана. Теперь оружие осталось только у Айзенкопфа.

— Сейчас! — крикнул он. — Перестаньте колотить в дверь. Ступайте в нашу каюту. Мы все переместимся туда, она просторнее.

— Мы будем с тобой целомудренно делить ложе, как Тристан и Изольда, только вместо обнаженного меча между нами будет герр Айзенкопф, — шепнула Зоя, натягивая платье.

— Какой Тристан? Какая Изольда? — удивился доктор.

Он был не виноват. В отцовской библиотеке имелось множество книг, но ни одной художественной.

*

На океан наползала безлунная и беззвездная тьма. Наступала последняя ночь трансатлантического плавания.

Команда «Ученые» встретила ее в полной боевой готовности.

Руководитель сидел на стуле сбоку от окна — изображал удобную мишень для выстрела с палубы. В руке он держал духовую трубку. Иглы лежали в нагрудном кармане.

Огнестрельная мощь группы была представлена Айзенкопфом. Он устроился за столом, на котором поблескивал снятый с предохранителя семизарядный «нордхайм». Перед тем как занять эту стратегическую позицию, биохимик долго возился в своем гигантском кофре, а потом открыл окно.

— Зачем? — удивился Норд. — Это облегчит им задачу.

— Иначе задохнемся. Если они вздумают стрелять, стекло все равно не защитит.

Зое было приказано отдыхать, она должна была сменить Гальтона в два часа ночи. Немец же ядовито сказал, что его сменять необязательно, поскольку он не истощил свои силы излишествами.

Девушка, кажется, в самом деле выбилась из сил. Во всяком случае, заснула она моментально, едва скинув туфли. Норд смотрел, как она ровно дышит, лежа на его кровати, и в груди поднималось незнакомое, довольно болезненное чувство, от которого было трудно дышать.

Но подолгу любоваться спящей Зоей он себе не позволял. Нужно было неотрывно наблюдать за дверью, что выходила в коридор. Это они с Айзенкопфом так распределили зоны ответственности: немец следил за окном, Норд — за дверью. Нападения следовало ожидать или оттуда, или отсюда.

Электричество в каюте было погашено, но через окно проникало достаточно света. Часов до двенадцати по палубе прогуливались пассажиры, но постепенно шорох неторопливых шагов, голоса и смех утихли. Доносился лишь шум волн да посвист ветра.

Гальтон напряженно прислушивался — не скрежетнет ли в замке отмычка. На окно не оборачивался, поскольку каждый должен быть на своем посту.

Именно поэтому он не видел, как меж колышащихся белых шторок мелькнуло что-то маленькое, круглое.

Зато услышал мягкий стук.

Обернулся и увидел какой-то предмет, катящийся по полу. Предмет ударился о ножку стола, остановился. Для гранаты он был недостаточно тяжелым.

Они с Айзенкопфом разом кинулись к непонятному объекту, наклонились.

В полумраке разглядеть его было трудно, но вблизи он был похож на туго скатанный клубок шерсти. Слышалось легкое шипение.

Немец втянул носом воздух.

— Не вдыхайте! — шикнул он. — Это газ! Чего-то в этом роде я и ждал.

Он метнулся к столу, схватил какую-то склянку (Гальтон видел, как вечером биохимик вынул ее из своего кофра) и вылил ее содержимое на газовую бомбу, то и дело оглядываясь на окно. В левой руке немец сжимал пистолет.

Задержав дыхание, Норд опустился на четвереньки.

Устройство бомбы было примитивно. Круглая жестяная емкость в войлочном чехле. Крышечка отвернута, из горлышка с сипением идет газ — очевидно, накачанный под давлением.

— Готово, — шепнул Айзенкопф. — Секунд через десять можно будет дышать.

— Давайте сделаем вид, что мы потеряли созна... — начал Гальтон, в голове которого моментально родился неплохой план. Договорить не успел.

Из-за возни с газовой бомбой он перестал обращать внимание на дверь, а там уже с четверть минуты что-то поскрипывало.

Щелкнул замок, в каюту ворвались двое. В руке у каждого был пистолет с уродливым наростом на стволе.

— Застыть! — приказал по-русски человек в канотье и навел дуло на доктора Норда. Кажется, Гальтон уже видел этого типа в ресторане первого класса. Точно — тот самый, что никогда не снимает темные очки.

Второй нападавший — низкорослый, очень подвижный — держал на мушке Айзенкопфа.

Но и биохимик успел поднять руку с пистолетом. Короткими, быстрыми движениями он переводил оружие с одного противника на другого.

Зоя села на постели. Но что могла она, безоружная, сделать?

— Я говорил: головой надо думать, — самодовольно заметил первый, обращаясь к напарнику, словно они здесь были вдвоем. — Отвлечь внимание от двери, и бери их голыми руками.

— Ты сначала возьми. — Рука Айзенкопфа двигалась ритмично, словно стрелка метронома, дуло перемещалось чуть вправо, чуть влево. — Это «нордхайм», германская работа. Осечек не дает.

Субъект в канотье (он очевидно был старшим) ухмыльнулся.

— Чудак человек. Ну, пульнешь ты в одного, а нас двое.

— Вот и попробуйте угадать, кому из вас крышка.

Испугать противников немцу не удалось.

Низенький лишь презрительно усмехнулся, а его начальник лихо сдвинул свою соломенную шляпу на затылок.

— Для чекиста нет большего счастья, чем погибнуть за свою советскую родину.

Из-под канотье свесилась седая челка, глаза чекиста задорно сверкнули.

«Не бравирует, — отметил Гальтон. — Действительно, не боится. Что за люди!»

— Но можем и договориться. — Седой вкрадчиво понизил голос. Он переводил взгляд с Айзенкопфа на Зою, вовсе не глядя на Норда. — У меня твердый приказ только насчет американца. Вы двое мне не нужны. Отвечаете на один-единственный вопрос, и расходимся, как в море корабли. Вопрос простой: в чем конкретно состоит задание, которое вы должны выполнить в Москве. И всё. Мы делаем пиф-паф в мистера Норда и откланиваемся.

— Так я вам и поверил, — процедил Айзенкопф.

Зоя по-прежнему сидела, только спустила ноги на пол.

— Он говорит правду, — сказал она, тоже не глядя на Гальтона. На него вообще никто не смотрел, будто его уже не было среди живых. — Зачем им нас убивать? Ответив на вопрос, мы попадем на крючок к ГПУ. И уже не соскочим. Мы им еще пригодимся.

— Умная девочка, — засмеялся старший чекист. — Я чувствую, мы договоримся.

Она тоже улыбнулась. Казалось бы, что такого — легкое движение губ, но у Гальтона внутри всё будто покрылось ледяной коркой.

Однако терзаться душевными ранами было некогда. Это всё потом — если «потом» наступит.

— Извините, что встреваю, — вежливо сказал доктор. — Поскольку со мной вопрос так или иначе уже решен, можно, я покурю перед расстрелом? Традиция есть традиция.

Он вставил в зубы мундштук, пальцы засунул в нагрудный карман.

— У нас буржуазных традиций не придерживаются, — сказал седой, едва покосившись в его сторону. — Шмаляют в затылок, и точка. В карман не лезть! Руки кверху!

— Хорошо-хорошо, я только хотел достать папиросу...

Гальтон поднял руки, левой на миг коснулся губ — ничего особенного, нервный жест, в его ситуации даже естественный.

Жалко, игла усыпляющая, а не с жабьим ядом, как у колумбийских индейцев. Обидно.

На помощь дорогих коллег рассчитывать не приходилось, а шансов справиться в одиночку с двумя противниками было мало. Он собирался плюнуть иглой в седого и сразу же броситься на дерганого. Может быть, удастся увернуться от пули.

Увы — худшие подозрения подтвердились. Айзенкопф опустил пистолет. Оказывается, даже человеку, оставшемуся без лица, все равно хочется жить.

Тянуть было нельзя. Теперь ничто не мешало чекистам застрелить «американца» и спокойно допросить остальных.

Гальтон набрал полные легкие воздуха и плюнул.

Седой схватился за щеку.

— Что за...

По ощущению укол индейской иглы похож на укус насекомого. А эффект почти мгновенен.

Глаза чекиста закатились под лоб. Он закачался.

— Товарищ Кролль! Вы что?! — крикнул второй.

Он полуобернулся к седому, чуть опустив оружие.

Была не была!

Гальтон с места ринулся вперед, но где-то сбоку раздался короткий хлопок, и у низенького между глаз зачернела дырка.

Норд не сразу сообразил, что выстрел грянул из левого рукава Айзенкопфа.

Пальцы застреленного судорожно сжались, пистолет в его руке тоже разразился сочным, чмокающим звуком. Пуля с хрустом вошла в стену каюты.

В следующую секунду оба чекиста одновременно повалились на пол: усыпленный —ничком, убитый — навзничь.

— Браво, — сказала Зоя. — А я уж собиралась изобразить прыжок дикой кошки.

Немец оттянул рукав бархатной куртки, поставил на предохранитель маленький «браунинг».

— У моего «нордхайма» сточен боек, я еще вечером заметил, — невозмутимо сказал он. — Поэтому товарищи чекисты и вели себя так героически. Я только не понял, что случилось с начальником? Что за внезапный обморок?

— Приступ сонливости, — столь же небрежно обронил Гальтон. Если минуту назад у него внутри всё будто заиндеве-ло, то теперь случилась внезапная, бурная оттепель. Он жив! Враги повержены! А главное — *она собиралась прыгнуть на них, как дикая кошка!* — Через полчасика товарищ про-снется, и теперь уже мы зададим ему кое-какие вопросы.

Зоя вдруг рассмеялась:

— Какие вы, мужчины, смешные. Как вы обожаете распу-скать хвост! Мол, всё вам нипочем. Были на волосок от смер-ти, но ни один мускул на лице не дрогнул. Хотя этим вы мне, собственно, и нравитесь...

Айзенкопф заметил:

— Во-первых, у меня на лице нет мускулов. А во-вторых, женщины не к месту болтливы, и этим вы мне не нравитесь. Мой «браунинг» стреляет не громче пробки от шампанского, но все же нужно понять, разбудил он соседей или нет. Если сейчас прибегут, допросить чекиста не получится. Придется отдать его властям.

С минуту они прислушивались. Вокруг было тихо.

— Никто не проснулся. А если и проснулся, то перевер-нулся на другой бок, — констатировал немец. — Однако луч-ше все-таки удостовериться. Гальтон Лоренсович, вас не за-труднит пройтись по коридору?

Норда нисколько не задело, что Айзенкопф распоряжает-ся. Гальтон считал себя человеком бывалым, но во всем по-ведении биохимика чувствовалась хватка истинного профес-сионала. Отчего же не довериться специалисту?

Доктор осторожно выглянул в коридор.

Пусто.

Мягко ступая по ковровой дорожке, прошел в один ко-нец — там был выход на лестницу.

Никого.

Сходил в другую сторону, где располагался курительный салон. Там в кресле дремал скуластый мужчина в светлом ко-стюме. На коленях раскрытая газета, в пепельнице погасшая сигарета. Выстрел полуночника не разбудил — спасибо гулу турбины и шуму волн.

Всё было в порядке.

Когда он вернулся в каюту, там горел свет, шторы были задвинуты, а пленный чекист сидел, привязанный к стулу. Голова его свешивалась на плечо, волосы (не седые, а неестественно светлые) растрепались.

— Где труп?

Второй чекист исчез, лишь на ковре, да и то если хорошенько приглядеться, можно было рассмотреть несколько темных пятен.

— Вытащили через окно. Швырнули за борт, — спокойно объяснил Айзенкопф. — Надо отдать должное ее сиятельству. В обморок не упала, и руки сильные. Хоть какая-то польза.

Гальтон опешил.

— Но... но это делает нас преступниками! Одно дело — законная оборона, совсем другое — сокрытие убийства!

— Неужели вы еще не поняли, что на карту поставлены вещи куда более важные, чем соблюдение юридических церемоний? — Айзенкопф смотрел на него, укоризненно покачивая головой. — Как вы могли заметить, *та* сторона не церемонится. И правильно делает. Это вопрос будущего всей планеты. Наша миссия ни в коем случае не должна быть сорвана. Странно, что я должен объяснять очевидные вещи своему начальнику.

Зоя энергично кивнула в знак полного согласия. Ишь ты, как моментально спелись заклятые друзья, подивился Норд.

— Ладно. От одного вы избавились. Но есть же второй. Что делать с ним?

— Как что? Допросить.

— А если будет молчать? Пытать станете?

Вопрос был задан чисто полемически, но, поглядев на застывшую физиономию биохимика, Гальтон вдруг понял: этот, если понадобится, не остановится ни перед чем.

— Пытать — это средневековье. Глупо и неэффективно. Человек может наврать, а мы поверим. Я сделаю ему укол — расскажет всё, что знает. Без утайки и вранья.

— А потом?

— А потом отправится вслед за первым. В воду.

И снова Зоя поддержала немца кивком.

— Миссия ни в коем случае не должна быть сорвана, — повторила она за Айзенкопфом слово в слово.

Это окончательно вывело доктора из себя.

— Опомнитесь, коллеги! Мы с вами не киллеры, мы ученые! Одно дело — убить врага, который на тебя напал или, по крайней мере, представляет явную и очевидную опасность. И совсем другое — хладнокровное уничтожение беззащитного человека! Я этого не позволю! Это гнусность! — Он обернулся к девушке, понимая, что к немцу апеллировать бесполезно. — Зоя, что с тобой? Отец меня учил: гнусность совершать нельзя даже ради спасения мира. А мать прибавляла: мир гнусностью все равно не спасешь.

Она ничего не сказала, лишь посмотрела — с сожалением, а может быть, с жалостью. Он толком не разобрал.

Айзенкопф же воскликнул:

— Послушайте, Норд, который день наблюдаю за вами и всё не возьму в толк, почему вам доверили участие в этом сверхважном деле? Да еще назначили начальником! Раз вы такой чистоплюй, сидели бы в лаборатории, писали научные статьи. Не понимаю!

— И тем не менее начальник я, — отрезал Гальтон. — А вы будете выполнять мои приказы. Ясно?

— Ясно. — Голос биохимика был скрипучим, недовольным. — Но вы же понимаете, что отпускать его нельзя. Передать полиции — тоже. Это сорвет миссию.

Зоя снова произнесла, как заклинание:

— Миссия не должна быть сорвана. Ни в коем случае.

Все замолчали. Норд понимал, что они правы. Какой же выход?

— Вот что. — Айзенкопф открыл свой чемодан и зазвенел какими-то склянками. — Я не буду его убивать. После допроса я вколю ему тройную дозу препарата. Он не умрет, но рациональная зона мозга будет перманентно нейтрализована.

— Вы превратите его в идиота? Это еще чудовищней!

— Гальтон, послушай, — тихо сказала Зоя. — Этот чекист — изувер и убийца. Разве тихий, безобидный идиот хуже, чем изувер и убийца?

В нерешительности доктор оглянулся на человека, чья судьба сейчас решалась, и увидел, что тот очнулся. Взгляд розоватых глаз был полон ужаса.

— Лучше убейте! — хрипло сказал альбинос. — Чик и готово. Не надо уколов!

Биохимик подошел к нему с шприцем в руке, ладонью зажал рот.

— А это, *товарищ*, не тебе решать.

Чекист замычал.

— Пусть говорит, — велел Норд.

Немец убрал руку.

— Я все вам расскажу. Я буду работать на вас!

Вот это уже был разговор. Доктор подал Айзенкопфу знак: не мешайте.

— Что ж, проверим. В чем конкретно состояло ваше задание?

— Уничтожить командира диверсионной группы, — с готовностью, даже с поспешностью ответил белесый. — По возможности без шума. Вы не должны пересечь советскую границу. Чего бы это ни стоило.

Кажется, он действительно был готов к сотрудничеству. Следующие три вопроса прозвучали одновременно.

Княжна спросила:

— Откуда вы о нас узнали?

Айзенкопф:

— На какой стадии находятся работы по экстракту гениальности?

Гальтона же интересовал вопрос более практический:

— Какое именно учреждение разрабатывает формулу гениальности?

Пленник не знал, кому отвечать. Он обвел всех троих глазами.

— Я знаю. Я много чего знаю. Я не простой исполнитель. Я — эмиссар Коминтерна и ответственный сотрудник Разведупра.

— Он лжет! — воскликнула Зоя, но замолчала.

О Коминтерне доктор Норд слышал — это «Коммунистический интернационал», международная революционная организация, управляемая и финансируемая из Москвы. Но что такое «Разведупр»?

— Разведупр?

— Советская военная разведка, — объяснила Зоя. — Только врет он. Он из ГПУ, из политической полиции. Разведуправление Красной Армии сывороткой гениальности не занимается, это нам хорошо известно.

«Кому это *нам*? — подумал Гальтон. — Мне, например, нет». Не в первый раз у него возникло ощущение, что он проинформирован о предстоящей операции хуже, чем подчиненные.

— Я не вру! — Альбинос нервно облизал губы. — Разведупр своим сотрудникам при выполнении загранзаданий мандатов не дает, а насчет Коминтерна... Оторвите подметку моего правого штиблета.

Айзенкопф нагнулся, снял с протянутой ноги ботинок. За подметкой, в самом деле, оказался сложенный листок тонкой промасленной бумаги. На ней лиловыми буквами был напечатан убористый текст по-немецки.

— «Предъявитель сего является полномочным представителем Центра категории ХХХ», — быстро прочел вслух биохимик. — Больше ничего, только печать, число, подпись Мануильского, секретаря бюро Исполкома. Три креста — это высшая степень полномочности, присваивается как минимум инспекторам бюро. Приказы обязательны к исполнению для всех ячеек Коминтерна.

Убедившись, что документ произвел впечатление, чекист заговорил уверенней:

— Давайте так. Я вижу, вопросов у вас много. Диктуйте, я их запишу. Отвечу письменно. Так выйдет полнее. К тому же верная гарантия, что я никуда от вас не денусь. У нас предателей не прощают. Никогда.

— Это правда, — подтвердила Зоя. — ГПУ охотится за перебежчиками по всему миру. Если нужно — годами.

— Жалко превращать в идиота такого разумного молодого человека, — рассудительно заметил Айзенкопф. — Я отвяжу тебе правую руку. Пиши. А станешь дурить — шприц вот он.

Они с Нордом подняли стул вместе с пленным, перенесли к столу. Положили стопку бумаги. Придвинули чернильный прибор из малахита.

— Первый вопрос: сколько человек в твоей группе. Второй вопрос: кто вас встречает в Бремерсхавене. Третий вопрос... — Немец слегка ткнул чекиста в затылок. — Ты будешь записывать? Или все-таки предпочитаешь угодить в идиоты?

Эмиссар обмакнул стальное перо. Его пальцы подрагивали, на лист упала клякса. Тогда он взял длинную ручку крепче, в кулак. Его губы что-то прошептали.

— Что-что? — переспросил Гальтон.

— Сами вы идиоты, вот что! — заорал вдруг альбинос. — Да здравствует мировая революция!

И, перевернув ручку пером вверх, с размаху вогнал ее себе в глаз — до самого упора. Из-под кулака брызнула кровь пополам с чернилами. Самоубийца взвыл, заизвивался всем телом и вместе со стулом рухнул на ковер.

Зоя зажала себе рот. Немец же, выругавшись, склонился над упавшим.

— Проклятье! Мерзавец нас надул!

Потрясенный Гальтон стоял и смотрел, как судороги сотрясают тело умирающего. Зоя тоже не шевелилась. Зато Айзенкопф не потерял ни секунды.

Он повернул чекисту голову, приставил к виску шприц.

— Я сейчас сделаю укол. Сыворотка действует как очень мощный стимулятор. Но время эффективности крайне короткое. Мы успеем задать только один вопрос. О чем спросить, решать вам, Норд. Вы — руководитель! Громким голосом, ясно, четко! Второго шанса не будет. И учтите: в этом состоянии он вам ответит одним, максимум двумя словами... Пульс уходит! Соображайте скорей, черт вас возьми! Ну!

— Пусть скажет, кто он на самом деле! — крикнула Зоя. — Нет, пусть скажет, кто нас выдал!

— Чушь! — перебил ее Айзенкопф. — Спросите, что нас подстерегает в Германии!

Гальтон закусил губу. Что спросить? Что самое главное?

Кто послал?

Где ведутся разработки?

На какой они стадии? Нет, это не годится. Одним-двумя словами на этот вопрос не ответишь, да еще в таком состоянии...

— Скорей! — толкнул его биохимик. — Еще десять секунд, и в мозгу начнутся необратимые процессы. Укол ничего не даст! Готовы? Колю!

Игла глубоко ушла в бледный висок альбиноса.

CODE-1

I.

В исходе августа 1812 года на обширном поле, расположенном в сотне верст от Москвы, сошлись две большие армии. Они стояли, оборотясь друг к другу, и готовились к баталии, которой давно уж ожидала Европа. Тому два с лишним месяца, невиданное в истории полумиллионное войско под водительством французского императора пересекло границу российской державы и, сметая все препятствия, двинулось на восток. Русские долго пятились, не смея поставить военное счастье на одну карту, то есть дать решительный бой, поражение в котором означало бы крах всему. Слишком очевидно было превосходство неприятеля, слишком грозна репутация вражеского полководца.

Однако настал миг, когда отступать далее стало невозможно. Позади лежала древняя столица с ее храмами, святынями и дворцами. К тому ж la Grande Armée[1] втрое или вчетверо подтаяла за время долгого похода, и силы примерно сравнялись. А еще в русскую армию прибыл новый командующий, затем и назначенный, чтобы воодушевить войска на генеральное сражение.

И вот два неповоротливых скопища, отягощенные обозами и артиллерийскими парками, начали медленно разворачиваться в боевые линии. Подготовка растянулась на два дня.

В ночь на 24 августа ни в том, ни в другом войске толком не знали, будет ли завтра *дело*. Тот, от кого это зависело, пухлый человечек с гениальным чутьем и несгибаемой волей, еще сам не принял решения. Он верил в свою неизменную звезду и ждал от нее всегдашнего знака, внятного ему одному, но звезда пока молчала.

По низинам, на равнине, в негустых перелесках плыл холодный туман, из которого там и сям торчали черными островами невысокие холмы. Подле бесчисленных костров триста тысяч мужчин храбрились и трусили, молились и скверносло-

---

[1] Великая Армия (*фр.*).

вили, готовились к смерти и надеялись выжить. Сто тысяч лошадей, зараженные общей тревогой, не могли спать. Над безымянным полем, в обоих его концах, слышались ржание, лязг железа, взрывы громкого хохота и протяжное пение, а с русской стороны еще и звук суматошных шанцевых работ.

Торопливей всего копали у деревеньки Шевардино, где князь Кутузов назначил быть опорному пункту левого фланга. Плоская возвышенность показалась светлейшему удобной для возведения укрепленной позиции на дюжину орудий, огнем которых можно было простреливать всю окружную местность.

С вечера начали рыть, но грунт оказался каменист и неподатлив. Пришлось таскать носилками землю с окрестных пашен, а потом утрамбовывать ее, перекатывая снятый с лафета пушечный ствол. Настала полночь, а замкнутый пятиугольник редута еще только начинал обрисовываться. Этак можно было не успеть до рассвета.

Тогда в помощь прислали ратников из ополчения московской губернии. Воинство это выглядело необычно. Рядовые были одеты по-мужицки, обуты в лапти. Единственной форменной принадлежностью у них являлся картуз с белым крестом. По сравнению с регулярными солдатами они казались толпой бородатых оборванцев. Зато ополченские командиры, сплошь из лучших московских семей, обмундировались пышно — за собственный счет и на свой вкус. Их мундиры сияли галунами, эфесы сабель сверкали золотом и серебром. Средь скромных армейских офицеров эти господа смотрелись павлинами.

Посреди холма у большого костра собрались лица благородного звания, кто не начальствовал над земляными работами. Там были артиллерийский подполковник с батарейными офицерами, пехотный майор с субалтернами и командир ополченческого полка, носитель громкой фамилии, с целым букетом оранжерейной молодежи, средь которой было три князя, три графа, два барона и даже эмигрант с нерусским титулом виконта.

Один из ополченцев отличался от остальных. Был он не в щегольском наряде, а в цивильном платье, к тому ж в очках. Ростом невысок, сложением щупл, облика нисколько не воин-

ственного. На очень свежем, а в то же время каком-то удивительно старообразном лице его застыло выражение сосредото-
ченной задумчивости, словно юношу сильно заботила некая
мысль. Черты ополченца не представляли собой ничего особенного кроме разве одной странности. Когда он снял свой беже-
вый цилиндр, чтобы вытереть со лба крупицу налипшей сажи,
сделалась заметна седая прядка на темени — вероятно, разно-
видность родимого пятна, ибо в таком возрасте сединам благо-
приобрестись еще рано. Время от времени рука молодого человека, беспокойно постукивавшая по ляжке, натыкалась на
рукоять сабли. Тогда он рассеянно взглядывал на оружие и
словно бы удивлялся, что это за штука и откуда она взялась. Но
спохватывался, оправлял портупею и снова начинал глядеть в
огонь, шевеля губами. На пальце чудака поблескивал серебряный перстень. Если приглядеться, там можно было прочесть
буквы «О.Е.». В общем разговоре задумчивый ополченец участия не принимал, к вину не притрагивался, табака не курил.

Капитан из пехотного прикрытия, опытный вояка, разглядывал молодого человека с любопытством и, хоть почитал себя
(имея на то веские основания) знатоком человечества, всё не
мог решить, к какому разряду божьих тварей отнести сию
птицу.

Наконец ветеран тихонько спросил у своего соседа, вчерашнего архивного бездельника, а ныне начальника двух сотен
мужиков:

— Скажите, барон, а кто таков вон тот господин, что не рас-
стается с кожаным сундучком? Верно, лекарь?

Розовощекий барон со смехом отвечал:

— Хороша фигура? Это Самсон Фондорин, из сибирских за-
водчиков. Он не лекарь, но в сундучке у него и вправду лекарства. Скляночки, баночки — я сам видал. Должно, ревматизма
боится. Иль простуды. Зачем только начальство приставило
этого фетюка к нашему полку? Большая подмога, нечего сказать! То-то Бонапарту от него достанется на орехи.

— Так он заводчик?

— Не он — отец. Тот слывет мильонщиком. А Самсон служит
в Московском университете профессором. Математик!

Барон засмеялся. Ему хотелось показать, как он весел перед сражением, всё ему нипочем. Еще и пошутил:

— Выучил математику, чтоб считать папенькины мильоны.

Капитан заинтересовался юношей пуще прежнего. Не из-за мильонов (богачей на своем веку старый воин видывал много), а из-за того, что профессор — в такие-то годы.

Близость смерти извиняет простоту обращения. Посему капитан без лишних церемоний пересел поближе к Самсону Фондорину, назвался и добродушно молвил:

— Я вижу, сударь, вы тушуетесь. Право, не стоит. Не робейте. Завтра *большого дела* не будет. Уж можете верить, тридцать лет воюю. Рекогносцировка или *перепалочка* — это наверняка. Пушки для пристрелки побухают. Но для *генерального* рано.

— Вы полагаете? — тоже представившись, спросил профессор с таким видом, будто известие его очень расстроило. — Да верно ли?

— Будьте покойны. Еще день-два поготовимся. Француз теперь спешить не станет. Ему наобум лезть не резон. Понимает, что раз мы встали, так уж не сбежим, быть драке. — Капитан попыхтел трубочкой, благожелательно оглядывая собеседника. — А позвольте, любезный Самсон Данилович, узнать, сколько вам лет?

— Двадцать четыре.

— Хм. Выглядите моложе.

— Мне это часто говорят.

II.

Разговорчивый капитан, хоть и видно, что хороший человек, Самсону был некстати. Только мешал найти решение для задачи, по сложности мало уступавшей исчислению квадратуры круга.

Что несолиден наружностью, Фондорин знал сам и нисколько о том не заботился. Эту прихоть натуры он объяснял себе тем, что его внутреннее время не совсем совпадает с внешним и словно бы движется по собственным законам. В детстве он выглядел много старше своих лет; возмужав, сделался похож на подростка. Ощущал же себя в разные миги жизни по-разному. То древним стариком, который вынужден обитать в мире, населенном малыми детьми. А то, напротив, ребенком средь взрослых. Голова Самсона была наполнена премудростью, много превосходившей разумение окружающих, но и окружающие (он чувствовал) ведали про мироустройство нечто важное, чего юный профессор постичь не умел.

Из этого видно, что человек он был особенный, не похожий и не стремящийся походить на других. Главной чертой этого необыкновенного характера являлась нетерпимость по отношению ко всему непонятному. Еще в первую пору детства Самсона Фондорина поражало: как это люди могут жительствовать средь явлений, смысл которых по большей части туманен, и нисколько этим не мучиться? Цель своего существования мальчик определил так: разъяснить всё неясное, раскрыть подоплеку всего загадочного. Сия задача, превосходная в своей неисчерпаемости, сулила долгую и увлекательную жизнь. Девизом Самсон выбрал латинское OMNIA EXPLANARE[1] и даже вырезал начальные буквы этого выражения на серебряном перстне, с которым никогда не расставался.

Едва научившись ходить, ребенок уже выказывал признаки исключительной одаренности. В шесть лет он проштудировал всю «Энциклопедию» и говорил на нескольких языках, на десятом году беседовал на равных с первыми умами своего времени — словом, являл собою блестящий образец природной аномалии, который немцы называют Wunderkind, а французы enfant prodige.

Как известно, у детей этой породы за бурным ранним развитием часто следует замедление умственного роста; войдя в возраст, они перестают отличаться от дюжинных людей. Но с Самсоном этого не произошло. На втором десятилетии жизни он развивался не менее стремительно. Первый научный трактат (исследование галлюцинаторных свойств одного якутского гриба) он опубликовал в 11 лет, и никто из столичных му-

---

[1] Всё разъяснить (*лат.*).

жей не хотел верить, что из-под пера отрока могло выйти исследование столь безукоризненное по форме и глубокое по содержанию. Случился даже род скандала. Университетские авторитеты утверждали, что истинным автором является отец мальчика, известный своей разносторонней ученостью и оригинальными привычками, который-де вздумал подурачить профессорскую братию. Посему славы Моцарта-от-науки юный сибиряк не стяжал, да он, правду сказать, к ней и не стремился. На ту пору Самсона больше всего занимали не академические труды, а практические исследования. Вдвоем с отцом он объездил самые глухие уголки пустынного Сибирского субконтинента, собирая растения с минералами и изучая диковинные обычаи языческих племен.

К 14 годам молодому человеку (никому из знавших Самсона не пришло бы в голову назвать его «подростком») Сибирь стала тесна. Благословленный родителями, он пустился в большое кругосветное путешествие. Оно продлилось долгих восемь лет, но знаний, почерпнутых Фондориным в это время, другому человеку было б не собрать и за целый век. Юноша побывал на Востоке, в испанской Америке и многих иных местах, причем не любовался красотами, а постигал бесчисленные тайны природы.

В итоге неспешного и пытливого вояжа по разным уголкам земли Самсон сделал немало научных открытий, собрал обширную коллекцию из удивительных растений и даже из некоторых экзотических животных, однако горько разочаровался в состоянии человеческого рода и во всех разновидностях общественного устройства. Нигде — ни на Западе, ни на Востоке — не обнаружил он стран, где люди жили бы разумно и достойно, не мучая друг друга и не совершая каждодневных мерзостей. Правители повсюду оказались тиранами и себялюбцами; подданные, хоть и вызывали жалость, были не лучше своих владык.

Единственная стихия, где царствовало достоинство, именовалась «разум». Единственной отрадой для Разума могла считаться Наука. Единственным прибежищем для Науки служила тишина кабинета или лаборатории. Таков был основной урок, извлеченный двадцатидвухлетним мыслителем из странствий по сторонам света.

По возвращении в отчизну он прочитал в Москве несколько лекций на разные темы. Выступления эти произвели на взыскательную публику огромное впечатление. Иван Андреевич Гольм, университетский ректор, предложил юному ученому должность экстраординарного профессора физико-математического факультета. Честь была небывалой, поприще блистательным. Фондорин согласился. Где ж и служить Науке, если не в главнейшем ее храме, Московском университете?

Круг познаний новоявленного профессора (очень скоро переведенного в ординарные) был обширен. Помимо математики и физики Самсон Данилович читал курс химии и ботаники, а также вел со студентами занятия в анатомическом театре. Сам же более всего интересовался физиологией, а именно той ее частью, что изучает деятельность органов, купно называемых «мозгом».

В ходе исследований мозговой субстанции, загадочнейшей во всем человеческом устройстве, Фондорин часто вспоминал один случай из эпохи своих плаваний.

Однажды корабль, на котором он следовал из Веракруса в Маракаибо, встретил в открытом море шхуну, которая носилась под ветром невероятными зигзагами, то клонясь мачтой до самой воды, то снова выравниваясь и непрестанно делая бессмысленные повороты. Заподозрив неладное, капитан спустил шлюпку. Любознательный Самсон, конечно, был в ней. После долгих усилий подозрительное суденышко удалось нагнать. Каково же было изумление поднявшихся на борт, когда они обнаружили за штурвалом мартышку! Вся команда шхуны, четыре человека, лежала на палубе бездыханная — как определил Фондорин, причиной смерти стал испорченный ром. Мартышка, должно быть, много раз видала, как люди управляют судном, и, оставшись одна, принялась крутить колесо безо всякого толка и смысла. Если б не встретившийся корабль, шхуна рано или поздно непременно бы перевернулась.

Таков и человек, бывало думал Самсон, разглядывая в микроскоп таинственные ткани мозга. Мы не понимаем устройства руля, который управляет нашими движениями и поступками; ведем себя подчас не умнее несчастной обезьянки — и очень часто это приводит наше судно к крушению. Надобно освоить сей драгоценный прибор, научиться им владеть и пользоваться его чудесными возможностями, о которых мы и не подозреваем. Именно внутри черепного сосуда обитает душа, то есть сумма стремлений, представлений и качеств, определяющая действия человека. Ergo[1] путь к усовершенствованию человечества лежит не через развитие общественного закона, который вторичен, а через реформирование закона внутреннего, творцом коего является мозг.

Великая задача поглотила помыслы юного мудреца без остатка. Будучи пытлив, приметлив и настойчив, Фондорин быстро продвигался к цели, а сфера исследований раскрывала перед ним все новые бездны, от заглядывания в которые захватывало дух. Однако ученый не спешил делиться своими открытиями с коллегами. Он очень хорошо понимал, сколь опасным становится знание, когда делается достоянием неподготовленного ума. Неслучайно фондоринские предшественники свято оберегали те крупицы сокровенных сведений, что попадались им в руки.

А предшественников у Самсона было много. Они жили во всех частях света. Их кропотливая, муравьиная работа длилась веками и даже тысячелетиями.

Разрозненные, часто случайные открыватели тайн мозга именовали себя по-разному: жрецами, колдунами, знахарями, ведунами, алхимиками. В Якутии, где юный Самсон впервые столкнулся с этой породой людей, их называли «шаманами». Впоследствии Фондорин выискивал *носителей знания* намеренно — и находил их почти всюду, куда бы ни попадал.

Первым в истории науки Самсон додумался собрать рассеянные по свету и тщательно оберегаемые кусочки общей мозаики воедино. А уж затем, объединив их, сопоставив и поняв, чего недостает, двигаться дальше.

В доме профессора Фондорина хранилась богатейшая коллекция *особенных* растений, минералов и грибов, имевших

---

[1] Следовательно (*лат.*).

прямое касательство к предмету исследования. В подвале был устроен виварий, где в стеклянных коробах сидели тупоголовые саламандры, урчали бородавчатые жабы, дремали меланхоличные змеи и сновали разноцветные ящерицы. Каждый из образчиков флоры и фауны мог внести — соком ли, плесенью ли, слизью, ядом, испражнениями либо экстракцией — свой вклад в составление Конституции Мозга. Так ученый окрестил суммарную формулу, с помощью которой было бы возможно систематизировать законы управления этим природным механизмом.

Всякий человек, обладающий чрезмерно развитым умом и мало развитыми чувствами, склонен к излишней схематизации. Таков был и наш герой. Например, он искренне полагал, что все элементы мироздания — не только вещества, но явления и даже чувства — можно и должно разложить на формулы. Известно ведь, что разлитие желчи вызывает приступ злобливости, что веселящий газ способен рассмешить даже ипохондрика, а некоторые мухоморы сводят с ума. Разве не является всё это прямым подтверждением химического происхождения наших реакций и эмоций?

Профессор начал с того, что разработал несколько снадобий, способных усилить ту или иную полезную функцию. Так появились порошок для улучшения настроения, мазь для обострения умственных способностей, эликсир бесстрашия, концентраторы зрения, слуха и обоняния.

Затем Фондорин занялся более мудреной задачей. Обуреваемый вечной жаждой новых познаний, накопление которых требовало много времени, он решил создать вещество, помогающее мозгу впитать некую сумму сведений *разом*, то есть не постепенным накоплением, а за счет мгновенной химической передачи. Работа над веществом заняла целый год. Оно получило имя «Гнозис». Историю создания этого удивительного эликсира, пожалуй, стоит рассказать подробнее. Не для пользы науки, а чтобы дать пример фундаментальной дотошности Самсона, его неотступного упорства в преследовании цели, которая всякому другому показалась бы недостижимой.

*

За основу ученый взял слизь морской жабы Bufo marinus, что водится в Новой Гранаде. У колдунов племени чоко, которое хранит множество секретов, доставшихся в наследство от древних ацтеков и индейцев майя, существует ритуал. Во время священнодействия колдун облизывает жабу, отчего обретает дар видеть и знать вещи, неведомые простому смертному. Произведя исследование, Фондорин установил, что гланды морских жаб выделяют некую секрецию, которая обладает способностью многократно обострять восприимчивость правого мозгового полушария, однако столь же резко ослабляет инстинкт самосохранения, что нередко побуждает впавшего в транс колдуна наносить себе увечья, вплоть до смертельных. Действие буфотоксина (так ученый назвал экстракт жабьей слизи) требовалось чем-то смягчить.

Действуя в соответствии с принципом similia similibus[1], он стал пробовать иные яды — однако не возбуждающего, а паралитическо-замедляющего воздействия. Требуемый эффект дало прибавление яда лягушки кокои, которым индейцы смазывают иглы своих стрел.

К тому времени Самсон уже давно оставил Южную Америку и воротился на родину. Труды над «Гнозисом» остановились, потому что исходный материал иссяк. Лягушьего яда оставалось еще достаточно, ибо доля этого ингредиента в эликсире была незначительной, но запас морских жаб подошел к концу. Молодой человек думал уж снова отправляться в устье реки Рио-Атрато (и отправился бы, потратив на путешествие год иль два), но, как гласит поговорка: не ищи далёко, не летай высóко.

До сведения Фондорина, нарочно собиравшего подобные легенды, дошел слух, что в глухих болотах Приуральского края, хоть и редко, можно повстречать земноводное, которое местные жители зовут «жаба-ага». С незапамятных пор ведуньи и знахарки используют ее слизь для лечения порчи и лихобесия,

---

[1] Подобное подобным (лат.).

а попав в злые руки, слизь бывает употреблена и на черное дело. Будто бы и древнее прозванье лесной ведьмы «баба-яга» произошло как раз от колдовской силы, которая присуща сей болотной твари.

Самсон немедленно отправился в сравнительно недальнюю экспедицию да посулил околоболотным жителям по рублю за всякую пойманную жабу-агу. Чудаку-барину наловили бородавчатых уродищ мешка два. Соскреб он пахучую слизь, произвел анализ — и что же? Буфотоксин в чистейшем виде, не хуже американского!

Неоднократно самоотверженный испытатель опробывал свой продукт на себе, меняя дозу и соотношение компонентов. Результат казался ему не вполне удовлетворительным. В правой височной доле растекалось странное онемение, от которого обычные чувства словно притуплялись, зато воспалялось неведомое, шестое чувство, для коего больше всего подошло бы определение *внутренний взор*. Ему представали необычайные видения, открывались нежданные прозрения, однако всем этим явлениям не хватало чёткости. Они проносились через рассудок радужной чередой, не замедляясь ни в одном пункте и не оставляя в памяти прочного следа. Что ж за цена знанию, если оно не сохраняется?

Стало быть, эликсиру недоставало цепкости. Порывшись в своей коллекции, Фондорин нашел искомое средь плодов одной давней, еще отроческой экспедиции на Средний Вилюй. У якутских шаманов особенным почтением пользовался настой растения кучукт, в Европе называемого «артемизия». В этом отваре, часто используемом и европейскими лекарями, якутские шаманы растворяли порошок «сото-унуога». Его соскребали ножом, произнося разные заклинания, с голенной кости человеческого скелета. В дело годился далеко не всякий скелет, а лишь добытый из могильника, где хоронили людей, в давние времена умерших от проказы. Юный Самсон выяснил, что пригодными почитались захоронения, чей возраст превышал «три рода», то есть примерно сто лет. Анализ магического порошка обнаружил в нем присутствие некоей особенной соли кальция, которая в сочетании с отваром артемизии производила сильное действие на рассудок: всякое сказанное слово западало человеку в самую душу, навечно. Шаманы употребляли этот эффект для того чтобы лечить больного от болезни, дурных привычек или привязчивого наваждения (власть самоубеждения над недугами общеизвестна); Фондорин нашел якутской смеси иное применение — он добавил ее в свой эликсир.

Результат превзошел все чаяния.

Выпив «Гнозиса», молодой человек раскрыл перед собой линнеевские «Species plantarum»[1], книгу, по которой привык беспрестанно сверяться. Едва взглянул на разворот, и тот сразу, целиком словно бы отпечатался в рассудке. Перелистнул — то же самое. И так до конца. После по часам Фондорин установил, что переворачивал страницы весьма быстро. За этот миг ни прочесть текста, ни даже разглядеть рисунки было бы невозможно. И тем не менее весь основательный трактат навсегда запечатлелся в памяти. Заглядывать в классификацию Самсону никогда уже не приходилось.

Это замечательное открытие скоро сделало молодого профессора образованнейшим человеком своего времени. Отрадней всего, что высвободилось много времени и умственных сил для занятия исследовательскими трудами. Теперь, прежде чем прочесть студентам лекцию, Фондорин не тратил времени на подготовку. Он просто выпивал перед занятием толику «Гнозиса», наскоро перелистывал нужную книгу — и строчки будто сами по себе, вытянувшись длинной сияющей тесьмой, перемещались с бумаги в глубины мозга.

Средь других преподавателей, не раз наблюдавших этот подозрительный церемониал, пополз слух, что Скороспелок (заглазное прозвище, которым наградили Самсона завистники) *не просыхает* и скоро вовсе сопьется. Несправедливый домысел, как ни странно, пошел молодому человеку на пользу. Если раньше многие не любили его за то, что он сделался ординарным профессором в непристойно юном возрасте, то теперь общественное мнение утихомирилось. Таковы уж русские люди — всегда простят пьянице и ум, и талант, и даже удачливость.

---

[1] «Виды растений» (*лат.*).

А самые отъявленные недоброжелатели, кого не умилостивило мнимое фондоринское пьянство, были принуждены смирить свое злоязычие, когда мальчишка (ох, ловок!) стал зятем господина ректора.

Все университетские не сомневались, что любви тут не было и в помине — лишь самый трезвый расчет, причем с обеих сторон: ректор Гольм выдал дочку-перестарка за наследника мильонов, а шустрый юнош обеспечил себе еще более блистательную академическую карьеру. Но почтенные преподаватели были правы только наполовину.

Молодые поженились по самой настоящей любви, однако страсть эта действительно произросла из наиточнейшего, научного расчета — была *экстрагирована* по тщательно составленной химической формуле. История эта настолько удивительна, что заслуживает небольшого уклонения от генеральной линии повествования.

III.

Иван Андреевич Гольм, известный математик и физик, был из тех немцев, кто решил сделаться русским и блестяще в том преуспел. Первым из иностранных профессоров он стал читать лекции по-русски, не смущаясь смехом, который раздавался со студенческих скамей в моменты слишком вольного обращения с речью Ломоносова и Державина. Постепенно разговор Ивана Андреевича делался чище, повадка степенней, а привычки обмосковились. Единственная дочь его получилась уже совсем русской. Языком своих предков она интересовалась только с научной точки зрения — ведь физика и химия преимущественно изъясняются по-немецки.

Из этого нетрудно догадаться, что Кира выросла другом и ассистентом своего многоученого отца, а следовательно законченным *синим чулком*. Девица была в высшей степени умна, язвительна и несклонна к пустым разговорам, то есть не имела ни малейшего шанса найти себе мужа. Не то чтоб Кира Ивановна имела некрасивую внешность — напротив, ее черты даже следовало бы назвать правильными, а волосы так были решительно хороши: красивые и густые, необычного янтарного оттенка. Но пышную эту растительность барышня стягивала в безжалостный пучок, одевалась *как удобнее*, смотрела собеседнику прямо в глаза. Прибавьте к тому преогромные очки, ироническую линию рта и сильные, недамские руки, которыми мадемуазель Гольм могла не только произвести сложный химический опыт, но и смастерить какой-нибудь аппарат, потребный для лаборатории. Откуда ж тут взяться женихам?

Мужчинам глупым в обществе Киры было неуютно, они не знали, как себя с нею держать и о чем говорить. Мужчинам умным нравилось вести с ней ученую беседу, но такой разговор исключает всякую легкомысленность, тем паче романтические фантазии о лобзаньях.

К тому времени, когда в Московском университете появился новый профессор непристойно юного возраста, Кира Ивановна уж миновала тридцатилетний рубеж, почитаемый девицами рекою Стикс, за которой не может быть ничего живого. Нимало тем не печалясь, перезрелая барышня довольствовалась участью отцовской ассистентки и почитала себя вполне счастливой. Она, бывало, шутила, что наречена в честь преподобной Киры Берийской, непорочной девственницы, которая провела в затворничестве более пятидесяти лет, предаваясь посту и молитве. «Поскольку гипотеза о существовании Бога еще не доказана, — неизменно прибавляла старая дева, — я заменяю пост научными занятиями, а молитву лабораторными опытами».

Иван Андреевич был в таком восхищении от талантов своего нового сотрудника, так о нем пекся, что предоставил в распоряжение Фондорина не только собственную лабораторию, но и любимую ассистентку, которая поначалу фыркала и щетинилась на юнца, но очень скоро зажила с ним душа в душу. Вдвоем они проводили целые дни, а нередко и ночи средь реторт, горелок, перегонных кубов, охваченные единым вдохновением и самозабвенным восторгом, который знаком лишь первооткрывателям. Им было о чем поговорить друг с другом. Даже молчалось бок о бок как-то необыкновенно приятно.

Однажды, когда Самсон Данилович объявил, что должен отправиться в Новый Свет за морскими жабами, у Киры Ивановны вдруг открылись глаза. Она представила себе, как будет долгие месяцы жить без своего товарища, и побледнела. Однако, будучи женщиной умной, ничего о том не сказала. Минутой позже та же мысль пришла в голову и Фондорину. Он нахмурил лоб и задумался.

Как мы знаем, спасительный выход сыскался в приуральских болотах, но, раз появившись, тревожная идея уж не могла исчезнуть из головы профессора. Он проанализировал ее и нашел отменно логичное решение задачи.

— Мне не нравится с вами расставаться, — сказал он с важным видом неделю спустя. — Даже ненадолго. Бывает, что я лежу ночью в постели, придет в голову какое-нибудь интересное умозаключение, а поделиться не с кем. Ах, думаю, сюда бы Киру Ивановну!

Барышня потупила взор, чего с ней, кажется, никогда раньше не случалось. Не обратив на это внимания, Самсон вел логическую линию дальше:

— И, представьте, я нашел способ, чтоб нам все время быть вместе. Не только в кабинете или лаборатории, но всегда! Мы можем стать мужем и женой! — Он горделиво взглянул на нее. — Сударыня, я предлагаю вам свою руку!

«А сердце?», — подумалось Кире.

Вздохнув, она молвила:

— Люди женятся по страсти. А мы с вами не любим друг друга... — На это он пожал плечами, желая что-то сказать, но Кире сей жест не понравился, и она не дала себя перебить. — Par ailleurs[1], Самсон Данилович, физиологические отношения, сопутствующие браку, слишком глупы и унизительны. Во всяком случае, ежели в них вступают *без сердца*.

— Вы ведь знаете, я всегда всё предвижу, — без ложной скромности ответствовал профессор. — Предвидел я и это возражение, друг мой. Будет у нас и сердце, и любовь.

— Неужто?

---

[1] Кроме того (*фр.*).

Кира Ивановна недоверчиво смотрела на соискателя ее руки.

— Уж можете мне верить. Я тут на досуге, от нечего делать, — он небрежно махнул, — занялся пресловутой Формулой Любви, которую всуе поминают сочинители романов. Попробовал представить, как бы она выглядела, если б существовала на самом деле.

— И что же?

— Извольте. «Любовный напиток» — не выдумка и не шарлатанство. Я вычислил его состав без большого труда.

Барышня слушала затаив дыхание, но был ли ее интерес сугубо научного свойства, бог весть.

— Продолжайте!

Ученый довольно улыбался.

— Что случается с человеком, чье сердце, как говорится, поразила стрела Амура? Кровь приливает к лицу, сердце учащенно бьется, беспричинная улыбка блуждает на лице. Всё это, разумеется, следствие внутренних процессов, происходящих в организме. Каких же именно? Я провел исследование крови у вашего кучера Серафимки, про которого известно, что он по уши влюблен в комнатную девушку Парашу. Оказалось, что у Серафимки концентрация нейрофора — белка, ответственного за рост нервов, в полтора раза выше нормы. Два дня спустя, когда Параша ответила кучеру согласием, отчего его страсть распалилась до наивысшей степени, я провел повторное исследование. Содержание нейрофора подскочило еще наполовину против прежнего! Логично предположить, что состояние влюбленности вызывает ускоренную генерацию нейрофора. А стало быть, резонно предположить и то, что...

Он сделал паузу, и умная ученица (была меж ними такая игра) закончила сама:

— ...Что искусственно вызванный выброс нейрофора повлечет распаление любовной страсти?

— Именно так. Вот оно, «приворотное зелье». — Профессор извлек из кармана довольно большую склянку, наполненную красноватой жидкостью. — Я добыл его, смешав отвары вот этих трав и корней, хорошо известных народным ворожеям.

Он положил перед своей избранницей листок с выписанными латинскими названиями и точным обозначением процентов. Кира Ивановна прочла и неуверенно сказала:

— Вы полагаете, мы должны попробовать?

— Непременно. Нынче же! Выпьем одновременно, разделив дозу пополам. Самое большее, чем мы рискуем — расстройством желудка из-за Cuscuta europaea, что присутствует в растворе.

Экспериментаторы заперли дверь, разлили напиток поровну и выпили...

Очнулись они только наутро, лежа на полу, совершенно раздетые. Оба залились краской и признались, что толком ничего не помнят кроме смутных, горячечных видений. Формула любви, составленная рукою химика, оказалась во много раз мощней «приворотных зелий», завариваемых деревенскими колдуньями.

После случившегося брак стал неизбежен, и вскоре, к неописуемому удовольствию добрейшего Ивана Андреевича, свершился в согласии с положенным церковным обрядом, только что без свадебного празднества, от которого молодые с негодованием отказались. Пустое времяпрепровождение — слушать глупые речи и поминутно целоваться под крики «горько»! Пришлось ректору и гостям пировать без молодых, на что почтенные академики нисколько не обиделись.

Поселились новобрачные рядом с лабораторией, в Ректории. Так Иван Андреевич, сын сельского пастора, в шутку прозвал казенный особняк в Университетском квартале, предназначавшийся для ректора. Сам родитель деликатно съехал в Профессорский дом, где пустовала одна из квартир. Господин Гольм пошел бы и не на такие жертвы, лишь бы ничто не мешало счастью молодой семьи. Ликование тестя не омрачилось, даже когда зять предупредил, что не получит никакого наследства, поскольку Фондорин-старший собирался завещать всё свое нешуточное состояние на прекраснодушные цели.

— Ну, может, ваш батюшка передумает, когда внуки пойдут, — лукаво отвечал Иван Андреевич. — Не передумает — тоже не беда. С вашими талантами, дружок, вы голодать не будете.

IV.

Муж с женой зажили душа в душу. Теперь они почти совсем не расставались. Вместе работали в лаборатории, вместе вели записи. Лишь по утрам, когда профессор читал лекции, новоиспеченная хозяйка постигала искусство управления домом. Эта наука, как все прочие, давалась Кире Ивановне легко и радостно.

По взаимной договоренности, достигнутой вскоре после начала совместного бытия, порешили принимать «любовный напиток» не чаще одного раза в неделю, иначе это сильное средство могло бы нарушить установленный ритм работы. Весь следующий день после принятия очередной дозы пропадал без пользы — Самсон Данилович бродил, как во сне, а его супруга сажала в научных записях кляксы и подолгу засматривалась в потолок.

Брак получился истинно гармоничным, как всякое начинание, основанное на доброй воле и точном расчете. Но несколько месяцев спустя покойная жизнь кончилась. На Русь двинулась армия всей объединенной Европы. Многие тысячи счастливых и несчастливых семей оказались затронуты этой бурей. Коснулась она и профессорской четы, произведя трещину в союзе, казавшемся самим совершенством.

Впервые супруги зассорились между собой, да так непримиримо, что образовавшаяся расщелина с каждым днем делалась все шире. Киру Ивановну беспокоило и сердило, что супругу пришла в голову блажь отправляться на театр военных действий, чтобы лично сразиться с неприятелями. Спор всякий раз начинался с теоретических аргументов.

— Что будет плохого, если Наполеон завоюет Россию вслед за прочими странами? — говорила Кира с не по-женски холодной рассудительностью. — Разве не сам ты говорил, что уровень развития страны определяется цивилизованностью населения, а цивилизованность населения — установленными порядками?

— Говорил...

— Разве европейское население не цивилизованнее нашего?

— Цивилизованнее...

— Разве законы и порядки, которые несет с собою французский император, не разумней и человечней нашего крепостничества и пьянства?

— Всё так, — отвечал Самсон. — Однако ж, когда чужой человек, даже самой приличной наружности, накидывается с кулаками на твою мать, пускай неряшливую и нетрезвую, разве не бросишься ты ее защищать?

— А ежели «чужой человек» — лекарь, который способен излечить твою несчастную родительницу от свинства?

— Лекаря вызывают. А коли он явился к тебе непрошеный пускать кровь и ставить клистир, то он не лекарь, а разбойник, и ему надобно побить морду! — воинственно восклицал профессор.

Жена поневоле начинала смеяться.

— Посмотри на себя, воитель. Воображаю, как ты станешь Бонапарту *бить морду*! Ты во всю жизнь сабли в руках не держал.

— А вот и держал. Я каждый день теперь упражняюсь. Меня отставной драгун учит! И не в сабле дело. Умный человек всегда сыщет себе оружие по способности.

Когда ж Кира Ивановна подступалась с расспросами, что за оружие он имеет в виду, Самсон Данилович ничего определенного сказать не хотел и лишь бормотал, что к любой запертой двери можно подобрать ключ, ежели знаешь, где замочная скважина.

Чем ближе французы подходили к Москве, тем холоднее и отчужденней делались отношения между супругами. Они решительно отказывались понимать друг дружку, каждый тревожился о своем и чувствовал себя покинутым.

А между тем древнюю столицу охватило патриотическое возбуждение, распространившееся и на все четыре университетских факультета. Студенты записывались добровольцами в ополчение — «Московскую военную силу», профессора собирали пожертвования. Ректор же, будучи математиком, давно уж со всей несомненностью рассчитал, что Москвы не удержать, и усердно готовил академическое достояние к эвакуации.

— Через несколько дней город падет. Папа с обозом отправляется завтра, — сказала Кира супругу. Лицо у нее было самое решительное, губы сурово подобраны. — Ты с нами?

В последнее время муж с женой почти не виделись. Она была занята сборами, он пропадал по каким-то таинственным делам.

— Нет, я зашел проститься. Сей же час отбываю с полком. Где я вас найду?

Профессорша сжала губы еще плотней, чтоб не задрожали.

— Ах, ты все-таки намерен меня искать? Спасибо и на том, — сказала она язвительно. — Что ж, я оставлю весточку. Загляни в глаза Ломоносову.

Фондорин смущенно кивнул, глядя в пол. В портупее, с зажатой под мышкою саблей он выглядел преглупо.

— Миронтон-миронтон-миронтен, — язвительно пропела жена на прощанье припев песенки про горе-вояку Мальбрука.

Отвернулась и, не поцеловав, быстро ушла прочь. Потом она смотрела из-за шторы, как муж, ссутулившись, бредет через двор со своей дурацкой саблей, и вся сотрясалась от сухой икоты. Плакать Кира совсем не умела, даже в бытность ребенком.

Она всегда была скрытна. В детстве обожала устраивать «секретики» — маленькие тайники, куда прятала кукол, флакончики из-под духов и прочие сокровища. Замужество не избавило Киру Ивановну от привычки иметь секреты. Раньше она таилась от отца и прислуги, теперь от супруга, который иногда казался ей всезнающим мудрецом, а иногда полнейшим несмышленышем, которого не стоит посвящать в некоторые сферы жизни.

Тайны, которыми госпожа Фондорина не делилась с мужем, бывали как маленькими, так и большими. Средь маленьких, например, была вот какая. Кира лишь делала вид, что выпивает «любовный напиток», а сама потихоньку его выплескивала. У нее не было нужды в приворотном зелье, чтобы забыться; она страстно любила Самсона и безо всякой химии.

Большая тайна появилась недавно. Кира Ивановна узнала, что беременна. Простая женщина, не наделенная столь высокой ученостью, обнаружила бы сии признаки много раньше, профессорша же слишком витала в облаках и очень нескоро поняла, чем вызваны ее утренние недомогания. Она давно уже уверилась, что детей у нее никогда не будет, и вдруг этакая неожиданность! Ежели родится сын, то впору, подобно престарелой Сарре, назвать его «Исаак», что по-еврейски означает «Смех да и только», думала будущая мать, не зная, горевать иль радоваться.

Всякая другая супруга обязательно воспользовалась бы таким могущественным аргументом, чтобы отговорить мужа от безрассудного геройства. Но не такова была Кира. Она рассуждала по-иному.

Во-первых, прибегать к подобному средству в споре было бы нечестно.

Во-вторых, бессмысленно. Если уж мужчина, подобный Самсону, решил подчиниться Идее, его ничто не остановит. Известие только прибавит ему чувства вины, но от цели не отвратит.

В-третьих, она еще сама не решила, оставлять ли плод или вытравить. Возраст для первых родов перезрелый, таз узкий, сердце нездоровое. И вообще — на что умному человеку ребенок?

Однако и Самсон самое главное от жены утаивал.

Он действительно не уповал на саблю, поскольку этим грубым оружием многого не достигнешь. Ну, причинишь какому-нибудь бедолаге рубленое либо колющее ранение. Разве это маленькое варварство спасет родину от нашествия?

К спасению России профессор отнесся как к любой другой задаче, требующей решения — то есть основательно и научно. Туманное высказывание о двери и скважине, оброненное в ходе спора с Кирой, имело для Фондорина особенный смысл.

Дело в том, что Самсон Данилович уже определил «замочную скважину» — или, если угодно, точку разлома, — при воздействии на которую вся задача могла решиться разом.

Ключевым пунктом проблемы под названием «Нашествие» был император Наполеон. Именно его воля, его стратегический гений воодушевляли и вели за собою силу, грозившую разрушением Самсоновой отчизне.

Не станет Бонапарта, и лавина растеряет momentum[1], остановится, а затем и растает. Своевременное хирургическое вмешательство — отсекновение источника болезни — приведет к исцелению. Избавившись от болезнетворной молекулы, отравляющей весь ее организм, Европа вздохнет с облегчением.

Стало быть, «скважина» определилась. Дело оставалось за ключом, которым можно было бы отворить «дверь». Как добраться до тирана, которого охраняют лучше, чем любого из жителей Земли?

Вот задачка, которая выглядела по-настоящему головоломной. Но Самсон ломать себе голову привык и в конце концов вывел решение. Оно было многоступенчатым, трудноосуществимым и очень опасным. Если кто-то и мог совершить все потребные для успеха действия, то лишь сам Фондорин. Так что права была Кира Ивановна, утаив от мужа свою беременность. Это ничего бы не изменило.

Первое звено в формуле, разработанной профессором, было очень простым. Он заручился поддержкой Алексея Кирилловича Разумовского, своего покровителя и товарища в ботанических изысканиях. Граф слыл утонченным цветоводом. Оранжереи в его подмосковной славились на всю Европу, и немалая часть заслуги принадлежала профессору Фондорину, выведшему в графских цветниках множество небывалых гибридов. В свободное от увлечения флорой время Алексей Кириллович состоял обер-камергером двора и министром просвещения. Рекомендательное письмо от блистательного вельможи обеспечило Самсону конфиденциальную аудиенцию у нового главнокомандующего.

---

[1] Побудительная сила (*лат.*).

Фельдмаршал Кутузов, занятый множеством дел, вначале слушал вполуха, однако скоро с его морщинистого лица сползла нейтрально-любезная улыбка. Князь хорошо знал людей, он сразу увидел, что перед ним не сумасшедший и не праздный болтун. И не тот человек граф Алексей Кириллович, чтоб попусту разбрасываться настоятельно-рекомендательными письмами.

Главнокомандующий прикрыл дверь плотнее, велел никого к нему не впускать и долго шушукался с мальчишкой. В конце по-стариковски прослезился, расцеловал профессора, перекрестил, помянул Давида с Голиафом, картинно поклонился в пояс. Не то чтоб светлейший так уж поверил диковинному рассказу, но человек он был основательный, ни от каких шансов не отказывался, даже самых мизерных. Когда юноша вышел, фельдмаршал покачал головой, вздохнул да снова уткнулся в важные бумаги. Об очкастом «Давиде» он немедленно позабыл. Но Самсон получил то, чего желал: собственноручное письменное указание светлейшего ко всем воинским и гражданским начальникам оказывать безусловное содействие предъявителю. Так в формуле образовалось второе звено.

Третий этап составленного плана сулился быть позамысловатей. Как ополченцу «Московской военной силы» оказаться подле Императора Всех Французов?

Здесь на помощь профессору пришла геометрия.

Человеческую жизнь можно представить в виде линии, пересекающей пространство (даже два пространства — временно́е и дистанционное). Как сделать, чтобы линия SF (Samson Fondorin) пересеклась с линией NB?

Что здесь самое главное?

Конечно же, правильно определить точку пересечения.

Итак, главный вопрос, стоявший перед Самсоном Фондориным в канун генерального сражения, звучал предельно коротко: ГДЕ?

LEVEL 2. РЕКТОРИЙ

ЛОГИКА РАССУЖДЕНИЙ

у Гальтона была такая.

Кто послал альбиноса и как его на самом деле зовут — это частности. Про подстерегающие в Германии опасности знать, конечно, не помешало бы, но эта информация не поможет в решении основной задачи. Главное — установить, где именно вести поиск. Все прочее второстепенно.

— Где ведутся разработки экстракта? — сказал он в самое ухо умирающему. — Место, назовите место!

— Еще громче! Четче! Повторяйте ключевое слово! — вцепился ему в локоть Айзенкопф.

Норд закричал:

— Экстракт гениальности! ГДЕ? МЕСТО! НАЗОВИ МЕСТО!

Веко чекиста дрогнуло, широко раскрылось. Прямо на доктора смотрел розовый глаз с крошечным черным зрачком. Второго глаза не было.

— Ре...кторий, — прошелестели сухие губы.

— Что?!

Рот оставался открытым, глаза тоже, но чекист больше не двигался.

— Кончился, — мрачно объявил немец, державший палец на артерии. — Он сказал «ректорий»? Я правильно расслышал?

Внезапно послышался тихий стук в дверь. Все замерли.

Биохимик выхватил из кармана свой «браунинг». Зоя подняла пистолет, выпавший из руки застреленного чекиста.

— Кто там? — спросил Гальтон, встав сбоку от двери.

— Прошу извинить, сэр... Это стюард. Меня вызвали звонком в соседнюю каюту. Там жалуются, что вы разбудили их криком. Все ли у вас в порядке, сэр?

— Все в порядке. Просто выпили лишнего. Приношу извинения, — настороженно ответил Гальтон.

— Спокойной ночи, сэр. Это вы меня извините, — прошелестел голос.

Еще несколько минут прошли в напряженном молчании. Норд тоже подобрал с пола оружие, приложил ухо к двери.

Но в коридоре было тихо. Кажется, стюард был настоящий.

— Отбой, — сказал доктор, оборачиваясь. — Что за «ректорий»?

Айзенкопф остановил его жестом.

— Обсудим позже. Сначала нужно избавиться от трупа.

Он открыл окно, высунулся, внимательно осмотрелся. Потом ловко вылез на палубу.

— Давайте!

Принял тяжелое тело, которое Гальтон с Зоей перевалили через подоконник. Ее упругое плечо коснулось плеча доктора, и он подумал: «Если наша любовь так начинается, чем же она закончится?» О чем сейчас думала девушка, по ее лицу догадаться было невозможно.

Доктор тоже выбрался на палубу. Вдвоем с немцем они бросили мертвеца в море. Айзенкопф сразу же отвернулся, Гальтон же с полминуты смотрел в черноту, проглотившую человека, который предпочел смерть участи идиота или предателя. На его месте Норд поступил бы так же.

Доктор поежился.

— Идемте, что вы застряли? — поторопил Айзенкопф. — В окно теперь лазить незачем. Можно нормальным манером, через дверь.

Обоим не терпелось обсудить странный ответ чекиста.

— «Ректорий»? — повторил Норд. — Я не знаю такого русского слова, а вы? Rectory — это ведь дом приходского священника?

— Только не по-русски. — Айзенкопф тяжело вздохнул. — Неужели это был бред? Эх, лучше бы вы спросили, кто нас встретит в Бремерсхавене...

К каюте они вернулись в скорбном унынии — как, впрочем, и подобает могильщикам. И удивленно переглянулись. Из-за двери доносился нежный голос, напевавший:

«Девицы, красавицы,
душеньки, подруженьки!
Разыграйтесь, девицы,
разгуляйтесь, милые!»

— Что это?! — поразился Гальтон.

— «Хор девушек» из оперы Чайковского «Евгений Онегин», — угрюмо объяснил Айзенкопф. — Финальная картина первого акта. Крестьянские девушки ищут в лесу ягоды и радуются жизни. Интересно только, чему это радуется ее сиятельство?

Зоя сидела на корточках, подпоясавшись вместо передника полотенцем, и затирала тряпкой следы крови на ковре. Она взглянула на вошедших с лучезарной улыбкой, будто они застали ее за приятнейшим и невиннейшим занятием. Перевернутый стул стоял на месте, разлитые по столу чернила прикрывала сложенная в несколько слоев салфетка.

«Удивительная, ни на кого не похожая», уже в который раз подумал Норд, но не с восхищением, а с тревогой.

Немец раздраженно заметил:

— Женский инстинкт всегда и всюду наводить уют по-своему прелестен. А на то, что мы остались с пустыми руками, вам наплевать. Глупые мужские заботы, да?

— Всё чудесно! — Она бросилась к Гальтону и звонко его поцеловала. — Ты гений! Как замечательно, что ты нас не послушал! Ты спросил именно то, что нужно!

— Ты поняла, что он ответил?!

— Не сразу. Но потом сообразила. «Ректорием» называется здание в московском университетском квартале. Когда-то там квартировали ректоры.

— Ну и что?

— А то, что теперь в этом доме находится Музей нового человечества и Пантеон Мозга! Это невероятно! Мы еще не добрались до советской границы, а уже знаем, где ведутся секретные работы! Не придется ехать в Ленинград, не придется проверять все научные институты подряд!

Она поцеловала Гальтона еще раз, теперь в губы.

— Ну не знаю, — проворчал биохимик. — Лучше было выяснить про Бремерсхавен. Раз нами занялись агенты Коминтерна, до Москвы мы можем и не добраться... Я ваших восторгов по поводу гениальности Норда не разделяю.

— И очень хорошо, что не разделяете, — весело ответил Гальтон, очень гордый собой. — Еще не хватало, чтобы вы кинулись меня целовать вашими синтетическими губами.

— Доктор Норд, что я слышу! — недоверчиво воскликнула княжна. — Вы *пошутили*?

Он расхохотался: смешно, у него получилось смешно! Глядя на него, рассмеялась и Зоя. Даже Айзенкопф фыркнул.

Ветерок шевелил занавесками открытого окна.

По ту сторону, на палубе, у самой стены, стоял мужчина со скуластым лицом. В руке он сжимал пистолет.

Мужчина прикидывал, сможет ли он через окно застрелить всех троих.

Во-первых, выходило, что не сможет. Одного — запросто. Если повезет — двоих. Но не троих, не троих!

А во-вторых, план «Б» предписывал другое.

Скуластый сопел от горя и бессильной ярости, беззвучно шепча: «Эх, товарищи, товарищи...» Потом прокусил себе до крови руку, чтобы не разрыдаться.

*

Последний день плавания члены группы провели не разлучаясь. Если выходили, то ненадолго и только вместе. Но предосторожности оказались излишними. Ничего угрожающего или подозрительного замечено не было.

А вечером пароход «Европа» вошел в устье реки Везер, где находился конечный пункт следования, порт Бремерсхавен.

Еще до того, как корабль пришвартовался, возникло ощущение, будто происходит нечто из ряда вон выходящее. По палубе бегали моряки, на капитанском мостике царила нервозная суета.

Всё разъяснилось за несколько минут до прибытия.

По корабельной трансляции, с тысячью извинений, объявили, что возникло непредвиденное осложнение. На берегу стачка докеров, заранее не объявленная и потому заставшая администрацию порта врасплох. Но беспокоиться абсолютно не о чем. Германия — цивилизованная страна, а немцы — законопослушный и дисциплинированный народ. Никакой опасности для господ пассажиров нет, на транспаранты и лозунги обижаться незачем, это обычная коммунистическая демагогия. Единственное неудобство состоит в том, что пока невозможно произвести выгрузку крупногабаритного багажа. Поэтому на берег могут сойти лишь те, у кого ручная кладь. Остальным, к сожалению, придется подождать, пока производственный конфликт будет улажен с представителями профсоюза.

Репродукторы еще стрекотали, рассыпаясь в извинениях, а причал надвигался все ближе и ближе. Он был двух цветов: серого и красного. Серыми были робы докеров, шумно и стройно что-то скандировавших. Яркими лоскутами над густой монохромной толпой алели знамена и транспаранты.

«Пароход жирных, проваливай обратно в свою Америку!», прочитал Норд. И еще: «Смерть мировой буржуазии!», «Да здравствует Коммунистический Интернационал!», «Пролетарии всех стран, соединяйтесь!»

— Из-за вашего гроба на колесах мы застрянем на борту и опоздаем на поезд, — с тревогой сказала Зоя биохимику.

Тот огрызнулся:

— О моем кофре не беспокойтесь, я отлично управлюсь с ним без носильщиков. А вот что будете делать вы с вашей дюжиной чемоданов, неизвестно.

— Я ведь говорила. В Советский Союз я возьму только один, вот этот.

Она показала на небольшой чемоданчик в парчовом чехле.

— Я тоже упаковал все в один чемодан. — Норд оглядывал многолюдное сборище: суровые лица, оскаленные рты, воздетые кулаки. — Будем прорываться.

Толпа пела какую-то угрожающую, маршеобразную песню. Из слов можно было разобрать лишь многократно повторяемый, молотобойный рефрен: «Форвертс унд нихт фергессен, форвертс унд нихт фергессен»[1] — а что «нихт фергессен», непонятно.

— Боюсь, это не случайное совпадение, — все больше мрачнел Гальтон. — У тех двоих, очевидно, был сообщник, который дал с борта радиограмму. Не из-за нас ли устроен этот спектакль?

Айзенкопф горько произнес:

— А я предупреждал! Нужно было спросить его о встрече в Бремерсхавене. Кабы знать заранее, можно было переправиться на берег с лоцманским катером. У вас же безлимитная чековая книжка! А про научное учреждение как-нибудь выяснили бы в России. Теперь до нее можем и не добраться... Ну ничего. Они хитры, а мы хитрее.

— Что вы предлагаете, Курт Карлович?

— Двинемся вразбивку. Сначала я. Вы поотстаньте. Она пусть идет третья.

Особенной хитрости в этом плане Гальтон не усмотрел, но ничего лучше предложить не мог.

Едва с парохода спустили трап, Айзенкопф шагнул на него одним из первых, катя за собой свой черный сундучище, похожий на поставленное ребром пианино.

Немного выждав, за биохимиком последовал Норд.

В самом центре людской массы, но отделенные от нее пустым пространством, стояли несколько человек — очевидно, руководители стачки. К ним постоянно кто-то подбегал, о чем-то докладывал, снова отбегал. Гальтон заметил, что все в этой маленькой кучке пристально смотрят в одну точку — на трап.

Вдали редкой цепочкой маячили полицейские в суживающихся кверху каскетках. Вид у шуцманов был спокойный, даже скучающий.

Внезапно из вереницы первых пассажиров, ступивших на причал, выскочил кто-то в светлом полотняном костюме и, расталкивая забастовщиков, кинулся к предводителям. Его пропустили.

---

[1] Вперед и не забыть! Вперед и не забыть! (*нем.*)

Он что-то говорил, махал руками. Потом обернулся. Норд узнал скуластого господина, что прошлой ночью дремал в салоне. Этот человек обшарил взглядом трап, ткнул пальцем в Айзенкопфа.

Биохимик тянул свой багаж, двигаясь спиной вперед, и не видел, что обнаружен.

— Курт! Назад! Назад! — закричал Норд, но его голос утонул в шуме и гаме.

Немец, всецело сосредоточенный на своем кофре, не поднял головы.

А полотняный уже тыкал пальцем в самого Гальтона. Его рука на миг опустилась и снова взметнулась вверх — теперь она указывала на Зою.

В центре толпы началось какое-то смутное, водоворотообразное движение.

Нужно было скорей возвращаться на корабль!

— Поднимайся! Поднимайся! — заорал Гальтон Зое.

Она смотрела на него, пожимала плечами, показывала на ухо — мол, не слышу.

Ладно, с ней успеется! Нужно вытаскивать Курта!

Толкаясь и бормоча извинения, Норд ринулся вниз. Оглянулся — и выругался. Зоя тоже перешла на бег, она грациозно скользила между людьми, причем гораздо быстрей, чем Гальтон.

А биохимик уже выкатывал чемодан на бетонный настил.

Один из предводителей стачки махнул красным платком. Это был условленный знак.

Духовой оркестр мощно заиграл «Интернационал», толпа подхватила в несколько тысяч глоток. Теперь было вообще ничего не слышно кроме истошного вопля «голодных и рабов».

Из-за пакгауза вынесся грузовик-фургон, резко затормозил, немного не доехав до сборища. Из машины проворно выскочили десятка полтора дюжих парней в спецовках и встали шеренгой.

— Да стойте же вы! — Гальтон наконец догнал Айзенкопфа. — Смотрите, нас уже ждут!

В толпе произошло шевеление, она вдруг расступилась, на первый взгляд вроде бы освобождая проход. Но проход этот вел прямиком к грузовику и поджидавшим возле него молодцам.

— Стреляйте в воздух! — приказал Норд. — Это привлечет внимание полиции!

Оружие, захваченное у чекистов, он велел выкинуть за борт, чтобы избавиться от улик, но у Айзенкопфа оставался его «браунинг».

Биохимик не послушался.

— Тут стреляй не стреляй — никто не услышит. И где вы видите полицию?

Приподнявшись на цыпочки, Гальтон обнаружил, что каскетки шуцманов уже не маячат на краю причала. Оцепление, как по мановению волшебной палочки, исчезло.

А Курт волочил свой багаж вперед, очень решительно и не оборачиваясь.

— Вы с ума сошли!

Норд догнал его, схватил за руку.

— Бросьте вы эту штуку! Нужно возвращаться на корабль!

Но Айзенкопфа было не остановить.

— Вперед, только вперед! Не отставайте! — пропыхтел он. — Главное сейчас — не терять темпа.

— Какого к черту темпа?!

— Вот я вас и догнала! — весело сообщила Зоя, размахивая своим чемоданчиком, золотое сияние которого сделалось еще ярче в окружении серых роб.

Рабочие провожали троицу «буржуев» тяжелыми взглядами, однако дорогу не преграждали. Но, обернувшись, Гальтон увидел, что сзади прохода уже нет, толпа сомкнулась. Двигаться теперь можно было лишь вперед — прямиком к зловещему грузовику.

— Что вы наделали, Курт, с вашим германским упрямством! — горько воскликнул он.

Даже остановиться было уже невозможно. Стоило Норду замедлить шаг, и толпа надавила сзади, словно подталкивая навстречу гибели. При этом лиц было не видно, одни серые спины. Всё это походило на вязкий, кошмарный сон.

До шеренги боевиков оставалось не больше тридцати шагов. Уже можно было разглядеть мрачные, решительные физиономии молодчиков, которые только ждали команды, чтобы кинуться на своих жертв.

Вот и Зоя, наконец, заметила угрозу.

— Кто эти люди? Они мне не нравятся!

— Это боевики из «Ротфронта». Будем прорываться, — бодрым голосом заявил Гальтон.

Ни малейшей надежды на успех не было. Скрутят, затолкают в кузов и поминай как звали.

Он вынул мундштук, спрятал обратно. Можно, конечно, усыпить одного-другого, да что толку?

Тупой Айзенкопф, кажется, сообразил наконец, что предстоит схватка. Сунул руку в карман.

Но вынул не «браунинг», а металлический свисток. Приложил к губам. Раздался тонкий, довольно противный, но зато пронзительнейший звук, который прорвался и через уханье труб, и через ор толпы.

В одном из портовых складов разъехались ворота. Из темного прямоугольника, рыча моторами, один за другим вылетели несколько автомобилей и небольших автобусов.

Они мчались к ротфронтовскому грузовику.

Дверцы разом распахнулись, из автомобилей прямо на ходу посыпались люди в одинаковых черных рубашках, с дубинками в руках. Действуя с поразительной слаженностью и что-то крича, они кинулись на коминтерновцев.

«Интернационал», всхлипнув, оборвался. Толпа рабочих зашумела, всколыхнулась, подалась назад.

Возле грузовика шла бешеная потасовка. Треск, хруст, вопли. Там падали, рычали, катались по земле, били наотмашь и рвали друг друга зубами.

— За мной, за мной! — прикрикнул на коллег Айзенкопф, таща чемодан в обход побоища, к одному из автобусов.

— Кто это, Курт? Что это?

— Я тоже умею посылать телеграммы! Неважно, кто это. Важно, что они не подвели. Быстрей, пока толпа не очухалась!

Шофер автобуса помог ему затащить внутрь кофр, поспешил сесть за руль.

— В Бремен, на вокзал! Живо! — велел Айзенкопф.

Машина с ревом набрала скорость.

Всё произошло так быстро, что Гальтон и Зоя не успели опомниться. Биохимик и теперь не дал им такой возможности.

— До Бремена 50 километров. Это значит, у нас есть минут сорок, чтобы порвать с прошлым. Наши паспорта теперь не понадобятся. Мы рассекречены. С легальными документами нас возьмут прямо на границе. Вступает в силу запасной вариант.

Зоя кивнула и, не задав ни одного вопроса, зачем-то начала стягивать с чемоданчика чудесный чехол.

Ах, как всё это не понравилось доктору Норду!

— Что за вариант?! Почему я о нем ничего не знаю?

— Вы — начальник. Ваше дело — стратегическое руководство. Я же отвечаю за техническое обеспечение экспедиции. Каждый из нас выполняет свою работу. Так распорядился мистер Ротвеллер, и это разумно. Запасной вариант всего лишь предполагает смену легенды еще по эту сторону границы. Нам ведь так или иначе пришлось бы перейти в СССР на нелегальное положение, верно? В нынешней ситуации придется сделать это прямо сейчас.

Всё это Айзенкопф объяснял, расстегивая замочки и ремни на своем пианино.

— Держите, это набор одежды для вас. Размеры подобраны точно. — Он извлек из недр кофра аккуратный сверток. — Отныне мы — члены советской профсоюзной делегации, которая посещала немецких товарищей для обмена большевистским опытом. Я — представитель передового колхозного крестьянства, ее сиятельство — рабфаковка, вы — РКИ, то есть рабоче-крестьянский интеллигент. Снимайте всю одежду, и нижнее белье тоже. У советских граждан оно не такое, как на Западе. Скорей, скорей! Сейчас не до стыдливости.

Зоя отшвырнула в сторону щегольской чехол. Под ним оказался простецкий фибровый чемоданчик с лиловым клеймом «Мосторг». Княжна стала доставать оттуда одежду: бумазейную юбку скучно-горчичного цвета, военного кроя блузку, грубые башмаки.

— Можно я хотя бы оставлю дессу и чулки? — сказал она, с тоской разглядывая квадратный лифчик. — Хоть я и рабфаковка, но все-таки из-за границы еду. Могла же я себя побаловать покупками?

Айзенкопф был непреклонен:

— Ни в коем случае. Это называется «буржуазные шмотки». Из-за какого-нибудь вашего шелкового чулка мы можем сгореть. Раздевайтесь!

— Тогда не пяльтесь!

Когда немец отвернулся, Зоя, хитро улыбнувшись и приложив палец к губам, вынула из кармана и спрятала в чемоданчик пудреницу «Лориган Коти».

Затем (Гальтона бросило в жар) моментально сбросила с себя всю одежду.

Автобус вильнул.

— На дорогу смотри, а не в зеркало, идиот!!! — крикнул Айзенкопф по-немецки шоферу. — Ты нас угробишь!

Он тоже разделся, обнажив поджарое, мускулистое тело. Но после этого начался стриптиз почище. Биохимик стянул с себя маску забияки-бурша, открыв свое настоящее лицо — вернее, полное его отсутствие.

Норд уже видел этот ужас раньше, а вот Зоя не удержалась, вскрикнула.

— Не нравится — не смотрите, — пробурчал Айзенкопф страшным безгубым ртом.

Норд переодевался в советского «инженерно-технического работника»: длинные синие трусы, обвислая нитяная майка, носки на застежках, сверху — белая рубашка с расшитым воротом и мешковатый костюм. Потрепанные круглоносые туфли белого цвета. На пиджаке два значка. Он перевернул их, прочитал: «ОСОВИАХИМ» и «МВТУ». Ага, первый — военно-патриотическое общество, второй — знак высшего инженерного образования.

Зоя повязывала голову красной косынкой.

— Эта блуза называется «юнгштурмовка», — с серьезным видом сказала она, направляя на себя карманное зеркальце. — Бедные русские девушки... Хотя по-своему даже стильно.

Пока она привыкала к новому облику, Курт надел синие в белую полоску портки, потрепанные сапоги, рубаху навыпуск, перепоясался ремешком, нахлобучил картуз и стал прилаживать новую маску. Коллеги старались на него не смотреть.

— Готово, — наконец объявил биохимик. — Ну как вам колхозник?

На них смотрел пожилой дядька, почти до самых глаз заросший дремучей бородой. Из-под полуседых кустистых бровей поблескивали спокойные глаза — единственное, что осталось во внешности немца неизменным.

— Зубы придется поджелтить. И еще надо обработать одежду и бороду ароматическими отдушками. Вот... — Он достал из кофра пузырек. — Махорка, эссенция пота, кислая капуста, чуть-чуть навоза...

Зоя наморщила нос:

— Не так густо, пожалуйста!

Доктора Норда занимало другое.

— А как вы собираетесь провезти через границу весь этот арсенал? — спросил он, разглядывая коробочки, баночки, мешочки, свертки, папки, аккуратно разложенные по многочисленным ячейкам и ячеечкам монументального чемодана.

— У меня приготовлены все бумаги. Для германских властей одни, для польских другие, для советских — третьи, из которых следует, что наша делегация сопровождает партию химикатов и приборов, подарок от немецких коммунистов молодой советской индустрии. Проблем на таможне не будет.

Предусмотрительность Айзенкопфа вызывала уважение. Гальтон подумал, что с помощником ему все-таки повезло. Ротвеллеровские специалисты по подбору кадров не зря едят свой хлеб.

Автобус уже подъезжал к величественному краснокирпичному зданию с вывеской «Bremer Hauptbahnhof»[1].

До отъезда берлинского поезда, к которому был прицеплен спальный вагон Бремен-Москва, оставалось вполне достаточно времени.

---

[1] Бременский главный вокзал (*нем.*).

«Советская профсоюзная делегация» шла по перрону, провожаемая брезгливыми или откровенно неприязненными взглядами приличной публики. Зато носильщик приветственно поднял сжатый кулак, сказал: «Rotfront, Kameraden!»[1] и чуть не силой отобрал у «колхозника» кофр.

— С комприветом, товарищ! — звонко поприветствовала пролетария княжна. — Даешь мировую революцию!

Расположились в четырехместном купе второго класса.

Зоя оживилась, с удовольствием вживаясь в роль.

— Товарищ проводник! — кричала она. — Три стакана чаю! Нет, шесть! С сахаром и с лимоном! Споем, товарищи?

И завела на весь вагон: *«Наш паровоз вперед летит, в Коммуне остановка!»*

— Что-то ее сиятельство расшалились, — пробурчал Айзенкопф, но подхватил басом: *«Иного нет у нас пути, в руках у нас винтовка!»*

---

[1] Ротфронт, товарищи! (*нем.*)

«ГЕЙ, ПО ДОРОГЕ!

По дороге войско красное идет. Гей, оно стройно! Оно стройно песню красную поет!», — выводил вместе с коллегами два дня спустя и доктор Норд.

За время пути он выучил немало советских песен: про красных кавалеристов, про колхозный трактор, про кузнецов-пролетариев, которые куют ключи народного счастья.

После пересечения советской границы в вагоне пели почти все, причем беспрестанно. Зоя объяснила, что это старинная дорожная традиция, восходящая к тем временам, когда ямщики везли седоков в санях по бескрайним просторам и заводили нескончаемую песню, чтоб не заснуть на облучке и не замерзнуть.

Непоющее купе выглядело бы просто подозрительно, вот члены экспедиции и упражнялись в освоении туземного фольклора. На территории России княжна оказалась в положении ведущего эксперта, мужчины слушались ее рекомендаций — Гальтон с удовольствием, Айзенкопф без. «Песенник молодого большевика», который Зоя везла с собой, разучили от корки до корки.

Как и обещал немец, государственную границу «профделегация» пересекла без осложнений. У биохимика была заготовлена целая стопка бумаг с внушительными печатями. Он продемонстрировал таможенникам склянки с разноцветными жидкостями, какие-то мудреные инструменты, а Зоя обозвала каждый из этих предметов каким-нибудь звучным термином собственного сочинения. «Это, товарищи, бульбоспектрохроматоскоп для определения урожайности пшеницы. Это копрофекалий натрия для удобрения чернозема. Это электротерминатор для развития социалистической индустрии», и так далее. «Даешь! — сказал старший таможенник. — Утрем нос чемберленам!». Проблем не возникло.

Страна была очень большая и мало понятная. Гальтон внимательно изучал ее из окна вагона.

Первое впечатление следовало сформулировать так: во всем наблюдалось какое-то несоответствие, одни фрагменты противоречили другим и не желали складываться в общую картину.

Пейзаж был довольно тоскливый: скверно вспаханные поля, полуразвалившиеся деревни, грязные города. Люди, которых Норд видел на станциях, производили впечатление бродяг и оборванцев. В целом возникало ощущение очень старой и очень больной, а возможно, и умирающей страны, силы которой окончательно подточены гражданской войной и разрухой. Но газеты, которые доктор исправно покупал на каждой станции, излучали мощный заряд неподдельного оптимизма, а пассажиры в поезде ехали сплошь веселые, энергичные и по преимуществу молодые.

Одно место в купе было свободным. От Варшавы до Минска его занимал работник Белорусшвейпрома, ездивший в Польшу для обмена портняжным опытом. Он оживленно рассказывал Зое о новейших веяниях в советской моде. Рисовал на краешке газеты блузон «коммунарка», кепи «тельмановка», куртку «безбожник»: всё сплошь прямоугольники, углы, квадраты, ничего округлого и плавного. Зоя смотрела и слушала с большим интересом.

В Минске сел директор станкостроительного завода, парень лет двадцати восьми. Этот сразу же присоединился к хору, а в промежутках между песнями говорил исключительно о перевыполнении промфинплана. Он ехал в московский главк «воевать с беспочвенными бумажными максималистами и правооппортунистическими минималистами». В вагоне-ресторане красный директор не питался, потому что дорого. Ел захваченную с собой вареную картошку и ливерную колбасу, угощая этой гадостью соседей. Директор был членом партии и жил на скудном «партмаксимуме» — оказывается, в СССР для коммунистов существовало ограничение по зарплате. Никто, даже самый большой начальник не мог получать больше, чем квалифицированный рабочий. Это поразило Гальтона сильней всего.

Оба случайных попутчика ему очень понравились. Людей такого сорта он нигде не видел — ни в Америке, ни в других странах. Может быть, большевикам в самом деле удастся вывести небывалую прежде породу homo sapiens,

превратив всю страну в своеобразный Музей нового человечества?

Чем меньше времени оставалось до прибытия в советскую столицу, тем больше Норд сосредоточивался на задании. Поговорить о деле с коллегами удавалось лишь урывка-
ми, когда попутчик выходил в уборную или на остановке от-
правлялся купить у торговок какой-нибудь снеди. Обстоя-
тельный разговор решили отложить до Москвы, когда группа
обзаведется собственной базой.

На эту тему состоялся короткий разговор, поставивший
Гальтона в тупик. Он спросил у Зои, где удобнее остановиться. В газете «Правда» рекламируют гостиницу «Дом Востока». А вот «Известия» зазывают в «Гранд-Отель».

— Знаешь, у нас говорят: в «Правде» мало известий, а в
«Известиях» мало правды, — рассмеялась княжна-рабфа-
ковка, до такой степени вжившаяся в свою роль, что Советский Союз уже стал для нее «у нас». — Нет в Москве
никаких гостиниц для случайных приезжих. Только для от-
ветственных работников, вызванных к начальству. А реклама
в СССР выполняет не ту функцию, что в капиталистических
странах. Она существует не чтобы продавать товар, а чтобы
обозначать его наличие. Даже если товара на самом деле нет.
Это род транспаранта.

Норд подумал-подумал, ничего не понял, но углубляться
не стал. Его интересовал практический вопрос.

— Где же мы остановимся?

— А где бы ты хотел?

— Желательно поближе к Ректорию, чтобы можно было
обходиться без транспорта. В месте, где нам никто бы не мешал и где бы мы не привлекали ненужного внимания.

— Сделаем, — уверенно сказала она, но как ей это удастся, объяснить не успела — в купе вернулся красный директор.

*

В столицу победившего пролетариата поезд прибыл фи-
олетовым утром. То есть, утро-то было нормального золо-

тистого цвета, как и полагается в ясный майский день, просто в СССР действовал особый революционный календарь, согласно которому неделя была не семи-, а пятидневной, и дни в ней обозначались разным цветом: жёлтый, розовый, красный, фиолетовый, зелёный. Каждому месяцу отводилось ровно по шесть пятидневок, так что Россия была единственной в мире страной, где существовало 30 февраля. Все излишки, прежние 31-е числа, объявлялись «безмесячными выходными». Новое общество требовало новизны во всем, в том числе и в отсчете времени. Зоя говорила, что ведутся дискуссии, не поменять ли, по примеру Французской революции, и летоисчисление — вести его с 1917 года, переломной вехи в истории человечества, или, если уж от рождества, то не какого-то выдуманного Христа, а Владимира Ильича Ленина.

Одно дело смотреть на инородный, почти инопланетный мир через окно вагона, и совсем другое — оказаться в самой его гуще.

Вблизи всё оказалось еще чуднее.

На площади, куда вышли члены ротвеллеровской экспедиции, там и сям виднелись следы недавних первомайских торжеств. В сквере уныло сидели огромные фигуры из фанеры: папа римский, буржуй в цилиндре, поп с огромным крестом на брюхе. Зоя сказала, что этих страшилищ во время манифестации катают по городу на грузовиках, а гигант-пролетарий лупит их картонным молотом.

В небе, рассыпая листовки, кружил аэроплан с подвешенным к нему красным полотнищем, на котором большими белыми буквами было написано «Советский энциклопедист».

— Что это? Реклама энциклопедии? — удивился Норд.

Зоя подобрала листовку.

— Нет. Авторы и редакторы «Советской энциклопедии» на полученный гонорар подарили государству аэроплан.

Доктор принял диковинную информацию к сведению, продолжая оглядываться.

Если на Белорусском вокзале было грязно, а публика преобладала самая простая — с мешками вместо чемоданов, многие в плетеных соломенных *лаптях*, — то город выглядел вполне урбанистически.

Дома небольшие, в три-четыре этажа, но сплошь каменные. Посреди площади превосходная триумфальная арка в классическом стиле. Транспорт на привокзальной стоянке преимущественно гужевой, но имелись и такси. Зоя без труда наняла приличный «рено».

Погрузились, поехали.

— Это главная улица, называется Тверская, — тоном экскурсовода объясняла княжна. — Она является продолжением Петербургского (теперь Ленинградского) шоссе и ведет прямо к Кремлю.

Норд вглядывался в прохожих.

Толпа была и похожа, и непохожа на западную. Мужчины одеты по-другому: очень мало шляп, преобладают картузы и кепки. Пиджаков тоже мало, в основном полувоенные френчи, гимнастерки, широкие рубахи навыпуск — так называемые «толстовки», введенные в моду еще писателем Львом Толстым, всё собрание сочинений которого осело в глубинах Гальтоновой подкорки. А вот женщины были одеты примерно так же, как в Америке или Германии.

— Надо же, сколько перемен за какие-то несколько месяцев! Шляпки, туфли на каблуке, зонтики от солнца. Я в своей юнгштурмовке выгляжу чучелом, — обеспокоилась Зоя. — В этой стране всё так быстро меняется!

Что город существует в неестественно убыстренном темпе, было заметно по многим приметам, прежде всего по походке людей. Норд был уверен, что быстрей всего по тротуарам передвигаются обитатели Манхеттена, но за москвичами им было не угнаться.

Казалось, все жители коммунистического Иерусалима куда-то торопятся или от чего-то убегают.

Мимо катились трамваи, обвешанные людьми, словно виноградинами на грозди. А кто-то еще бежал сзади, норовя повиснуть на буфере.

Возле магазинов вертелись стремительные водовороты, всасывая и выплевывая покупателей.

На перекрестке энергично отмахивал жезлом щеголеватый регулировщик в белом шлеме с большой красной звездой. Красный цвет тут вообще был повсюду — на флагах, транспарантах, плакатах.

Хоть Гальтон, благодаря самсонитам, и овладел русским языком в совершенстве, смысл многих вывесок, призывов и лозунгов был ему совершенно непонятен.

Переводчицей выступала Зоя (благо шофер был отделен от пассажиров стеклом и не мог слышать этого подозрительного толмачества).

— Что такое «За обрабочение госаппарата!»? — например, спрашивал доктор Норд.

Зоя охотно объясняла:

— В СССР регулярно проводят так называемые чистки государственных учреждений. Чтобы там не засели далекие от рабочего класса элементы.

— Кто проводит чистку? ГПУ?

— Нет, рабочие. Например, прокуратуру *чистили* труженики завода «Арматура». А пролетаризировать Московский мюзик-холл было доверено заводу «Авиаприбор», причем один из рабочих стал директором этого развлекательного учреждения.

— Бред, — буркнул колхозник Айзенкопф, смотревший на все вокруг с отвращением.

Княжна засмеялась.

— А меня это веселит. Разве вы не чувствуете, сколько здесь свежести, силы, нахальства?

— Наше задание состоит именно в том, чтобы поумерить у большевиков нахальства.

Норд уставился на красное полотнище, натянутое поперек улицы.

> ## ДАЕШЬ НЕДЕЛЮ СОВДЕТМУЗЫКИ!
> Музсовет Главсоцвоса, музсекция МОНО и Софил

Это загадочное заклинание не смогла расшифровать даже Зоя.

— А что такое «Апрельские талоны на выдачу яиц действительны до 1 июня»? — показал Гальтон на большущее объявление, украшавшее фудстор.

Оказалось, что с прошлого года, после того как в стране произошла массовая коллективизация сельского хозяйства, сразу начались перебои с продовольствием. Поэтому на основные продукты питания введены талоны, которые распределяются по предприятиям.

— Постойте, чем же тогда будем питаться мы? — забеспокоился биохимик. — Нужно поскорей раздобыть образцы этих самых талонов, чтобы я мог их подделать!

— В городе полно коммерческих магазинов, где продукты можно купить по повышенной цене.

Курт сразу успокоился.

— Глядите, здесь есть бойскауты! — обрадовался Гальтон, наконец увидев хоть что-то неинопланетное.

По тротуару, колотя в барабан и трубя в горн, шел отряд ребятишек в красных нашейных галстуках.

— Это не бойскауты, это пионеры.

— Неважно, слово все равно наше, американское.

В одном месте пришлось остановиться — улицу пересекал взвод солдат в островерхих кепи. Все красноармейцы были почему-то с тазиками и березовыми вениками под мышкой.

— В баню идут, — объяснила Зоя.

Солдаты подмигивали ей, кричали:

— Девка, давай с нами! Спинку потрешь!

Она улыбалась.

Но сержант свирепо рявкнул:

— Отставить разговорчики! — и взвод затопал дальше в молчании.

Все-таки новое человечество, пожалуй, здесь пока не выведено, пришел к заключению Гальтон. Дети играют в первооткрывателей Запада, солдаты пристают к девушкам, а уж сержанты вообще вряд ли подвержены мутации. От этой мысли доктору Норду почему-то стало спокойнее.

Тверская улица немного расширилась, дома стали повыше и понарядней, количество автомобилей увеличилось.

— Вон впереди кремлевские башни, — показала Зоя. — Нет, вы смотрите не туда, это башни Исторического музея. Кремлевские правее.

Норд немного удивился, увидев на высоком шпиле двуглавого орла, герб свергнутой царской династии. Очевидно, в погоне за будущим у большевиков за 13 лет не хватило времени снять со своего штаба символы прошлого.

— На Моховую! — крикнула княжна шоферу.

Машина провернула вправо, на неширокую улицу, по левой стороне которой тянулись маленькие невзрачные дома, зато справа показалось величественное здание с колоннами.

— Это Первый МГУ — бывший Московский императорский университет. Поворачивай на Герцена, товарищ!

— Здесь и находится старинный Университетский квартал. Ректорий, в котором расположен Музей нового человечества, отсюда не видно, он в глубине двора... Где бы нам высадиться? Пожалуй, вот здесь... Или нет, лучше здесь. — Зоя оценивающе приглядывалась к домам, будто все они являлись ее собственностью и надо было лишь выбрать, в котором лучше остановиться. — Приехали!

Пока мужчины выгружали багаж, барышня куда-то исчезла.

Гальтон заметил это, когда такси уже уехало.

— Где она?

— Обещала найти квартиру — пусть ищет. — Айзенкопф закурил отвратительно пахучую самокрутку. — Должна же от нее быть хоть какая-то польза. Кроме физиологической лично для вас, — едко прибавил он.

— Вы что-то нынче не в духе.

Немец передернулся.

— Не нравится мне эта страна. До революции я бывал в России. Но я ее не узнаю. Нищета, самомнение и агрессивность — именно на таких дрожжах вырастет тесто, которому тесно в кадушке. Лет через десять из этого хорька вымахает здоровенный медведь, от которого не поздоровится и нашей Европе, и вашей Америке.

Посторонний человек, верно, удивился бы, услышав подобные речи из уст бородатого крестьянина, дымящего махоркой, но Гальтон за время пути уже свыкся с новым обликом биохимика. Лицо, заросшее пегими волосами, нравилось ему больше, чем каменная тевтонская физиономия, рассеченная шрамом. В конце концов, под бородой можно было вообразить какую-то мимику, даже улыбку.

— Бросьте. Примерно то же самое говорил мне мистер Ротвеллер. Пока я не увидел Россию собственными глазами, в это можно было поверить. Но мы с вами проехали через половину страны. Это обломки державы, которая и в лучшие свои годы не числилась в лидерах. Вся экономическая мощь СССР сегодня меньше, чем у одного Чикаго. С тем же успехом можно считать опасной демилитаризованную и кастрированную Германию.

Айзенкопф не нашелся что ответить, а может быть, просто не успел, потому что показалась Зоя.

— Партия сказала «надо!» — комсомол ответил: «есть!» — бодро сообщила она. — Отдельная трехкомнатная квартира с ванной, газом и телефоном, да еще на верхнем этаже, откуда есть ход на чердак. Годится?

— Конечно! Это идеальный вариант. Платите любые деньги!

— Ничего платить не нужно. Идите за мной. Говорить буду я, а вы оба помалкивайте и делайте суровые лица. Колхозник, достаньте-ка из своего волшебного сундука папку с документами.

Она порылась в пачке бланков с печатями и удостоверений, отобрала книжечку с изображением щита и меча.

— Марш за мной!

— Куда?

— К управдому. В Москве жилищный кризис, люди живут в подвалах, делят на углы каждую комнату, а при этом много квартир стоят пустые.

— Но почему?

— Потому что хозяева посажены в тюрьму или высланы. Это так называемые «бывшие» — дворяне, интеллигенты, коммерсанты. Чуждый элемент, которому незачем жить в столице. В каждом доме обязательно найдется запертая квартира, где на входе прилеплена печать ГПУ.

Они поднялись по темной, грязной лестнице к двери с табличкой «Жилсектор». Перед дверью топталась очередь, но Зоя махнула своей книжечкой, и люди поспешно расступились.

В кабинет княжна вошла без стука.

— Который тут управдом?

— Я управдом, — с тревогой приподнялся над столом мужчинка со старательным зачесом на лысине. — А в чем, собственно...

— Остальные вышли, — приказала Зоя посетителям, и те безропотно ретировались.

Под нос лысому было сунуто грозное удостоверение.

— Квартира 18, на пятом этаже, будет временно занята для служебной надобности. Вот здесь распишитесь, что предупреждены об ответственности за разглашение.

На стол лег бланк, выуженный из кофра.

Норд стоял за спиной у Зои, поражаясь ее актерским талантам. Айзенкопф остался во дворе, около своего чемодана.

Всё шло на удивление гладко. Управдом расписался в бумаге, выдал ключ и лишь после этого, искательно улыбаясь, осмелился открыть рот.

— Меня хорошо знают в райотделе, я лично известен товарищу Петелису. Между прочим, это по моей наводочке элемент из восемнадцатой выявили. Бывший профессор богословия. Вычистили к черту в Нижкрай.

— Куда? — неосторожно переспросил Гальтон.

Зоя метнула на него красноречивый взгляд.

— В Нижегородский край, товарищ старший уполномоченный, я вам докладывала.

Провожая опасных гостей до двери, супервайзер задал вопрос, который, по-видимому, его очень занимал:

— Вы к нам, извиняюсь, надолго? А то, знаете ли, на восемнадцатую враз очередь выстроилась. Граждане волнуются...

— Кто будет очень сильно волноваться, сообщайте мне. Я их быстро успокою, — грозно сказал Норд, переживая из-за промаха с Киркраем.

— Само собой. — Человечек усмотрел через окно бородача с загадочным сундучищем и хитро прищурился. — Понимаю, всё понимаю. У нас тут рядом и самурайское посольство, и турецкое. Я слежу за новинками техники, у нас в Красном уголке и радиокружок есть. Это у вас секретная аппаратура?

— Следующий вопрос будешь задавать параше. В домзаке. Ясно? — сказала Зоя непонятную фразу, от которой осмелевший было управдом побледнел и затих.

Квартира членам экспедиции пришлась по вкусу. Там было три изолированных, чистых, хорошо обставленных комнаты и большая кухня со стеклянной дверью — совсем как в Америке. С фотографий на чужаков печально смотрели прежние обитатели этого уютного жилища. Лица у них были совсем не такие, как у москвичей, которых Гальтон видел на улицах и в жилконторской очереди: другие черты, иное выражение. Очевидно, так выглядело *старое человечество*, активно вытесняемое новым.

Пока новоселы втаскивали на пятый этаж кофр и осваивались в квартире, управдом сделал вот что: запер дверь на ключ и позвонил по некоему номеру. Разговаривал он шепотом, да еще прикрывал трубку ладошкой.

— Товарищ Петелис? Буйченко беспокоит, из дома 34 корпус 2. Я в порядке информации и, так сказать, проверочки...

На том конце «информацию» заинтересованно выслушали.

— Та-ак. По нашей линии к тебе никого не направляли. Проверим у смежников. А ты, товарищ, не отходи от аппарата.

Минут десять, а то и пятнадцать управдом Буйченко пребывал во взволнованно-воодушевленном состоянии. Его воображению рисовались картины одна великолепней другой, вплоть до того, что всесоюзный староста товарищ Калинин вручает ему похвальную грамоту за пролетарскую бдительность.

Когда в дверь постучала супруга и позвала обедать, он крикнул, что занят государственным делом, не до глупостей.

Наконец, телефон зазвонил.

— Что ж вы, гражданин, сами подписку о неразглашении давали, а сами через коммутатор названиваете? — сказал райуполномоченный ГПУ Петелис, уже не называя управдома «товарищем». — Ты, Буйченко, гляди у меня, не то...

И дальше последовала угроза, от которой у бдительного работника жилсектора на лысине выступили холодные капли.

МУЗЕЙ НОВОГО ЧЕЛОВЕЧЕСТВА

был открыт для посетителей до пяти часов, поэтому первую разведку решили произвести сегодня же, в качестве обычных экскурсантов. В путеводителе Мосрекламсправиздата особо оговаривалось, что Музей является научным учреждением и посещать его можно лишь централизованным порядком, по заявкам от организаций. Для Айзенкопфа это была не проблема. Он пошуровал в своем чудо-чемодане, пошуршал бумажками, потюкал на печатной мини-машинке, и через каких-нибудь десять минут появилась солиднейшая заявка на бланке «Общества воинствующих материалистов-диалектиков».

До места, где предположительно велись секретные разработки в области ингениологии, идти было совсем недалеко. Миновав арку Зоологического музея, трое разведчиков прошли через большой тенистый двор, где размещались научные и учебные корпуса университета.

Зоя показала на старинный трехэтажный дом с необычной коробчатой крышей:

— Это и есть Ректорий.

Норд был удивлен. Учреждение, где разрабатывают фантастическую формулу, он представлял себе совсем иначе: что-нибудь сверхсовременное, внушительное, строжайше охраняемое. А это здание выглядело очень скромно. От остальных университетских строений оно отличалось только одним — со всех сторон было окружено пустым пространством. Только с торца почти вплотную притулился невзрачный флигелек с облупившейся штукатуркой. И еще одна странность: по всему периметру с десятиметровым интервалом стояли фонари. Однако ни заборов, ни шлагбаумов, ни караулов.

Доктора охватили тягостные сомнения. Не произошло ли ошибки? Неужели таинственные экперименты ведутся именно здесь?

И внутри всё тоже выглядело простенько, по-домашнему.

— Товарищи материалисты-диалектики, вас только трое? — спросил добродушный седоусый администратор в белом халате. — Тогда, если не возражаете, я присоединю вас к экскурсии вузовцев-медиков.

Возражений не возникло. В толпе удобно затеряться и можно оглядеться получше, не привлекая к себе лишнего внимания.

Зоя ничем не отличалась от других студенток, Норд среди будущих представителей рабоче-крестьянской интеллигенции тоже смотрелся уместно. Вот на колхозника вузовцы вначале косились и даже отпускали в его адрес беззлобные шутки: «Что, дед, принес в Пантеон мозги сдавать?» «Нет, ему омолодиться надо, а то бабка жалуется». Но Айзенкопф на подначки не отвечал, и про него скоро забыли.

Экскурсовод был подтянутый, молодой. Его речь — вся из заученных фраз, с выверенными интонациями — звучала механически, будто с патефонной пластинки. Глаза беспрестанно скользили по группе. Хоть он тоже был в белом халате, но этот профессиональный взгляд и явно немузейная выправка заставили Норда насторожиться. Возможно, Музей не так прост, как кажется. А тут еще Курт шепнул:

— Смотрите. Сзади, справа.

Халат у экскурсовода на боку слегка оттопыривался. Кобура? Так-так, интересно!

Сначала Гальтон слушал рассказчика не очень внимательно. Во вступительной части было мало интересного, всё больше об истории дома: бывшие боярские палаты, прекрасный образец старинной гражданской архитектуры, перестроен в восемнадцатом веке, чудом уцелел во время пожара 1812 года, здесь квартировал ректор университета, потом находился филиал Зоологического музея, потом дом обветшал, в первые послереволюционные годы, несмотря на разруху, полностью отремонтирован советской властью, и прочее в том же духе.

Но вот экскурсовод сказал нечто такое, от чего Норд сразу навострил уши:

— Под зданием теперь располагаются подземные этажи, где находится Пантеон мозга, а также современнейшие научные лаборатории. Именно там хранится драгоценнейшее из сокровищ — мозг вождя мирового пролетариата Владимира Ильича Ленина.

Вдруг один из студентов громко спросил:

— А у нас на семинаре говорили, что там ведутся исследования гениальности. Это правда?

Гальтон вздрогнул и переглянулся с Зоей. Даже у Айзенкопфа от неожиданности дернулась голова.

Ну-ка, что ответит человек с кобурой?

Тот не удивился.

— Правда. Еще недавно эта информация считалась закрытой. Но теперь принято решение ее рассекретить, в духе общей линии партии: пусть народ знает о наших достижениях. В новейших подземных лабораториях трудятся ученые Института пролетарской ингениологии. Они далеко продвинулись в своих исследованиях, значительно опередив буржуазную науку. Скоро об их открытиях будет объявлено всему свету. Но не будем забегать вперед, товарищи. Наша экспозиция начинается вот с этой комнаты, где детально, по допожарным рисункам, воссоздана старинная ректорская библиотека. В нишах вы видите сохранившиеся барельефы гениальных ученых семнадцатого и восемнадцатого столетия: Исаака Ньютона, Леонарда Эйлера, Бенджамина Франклина и, конечно, гениального россиянина Михаила Васильевича Ломоносова...

Доктор Норд был потрясен легкостью, с которой подтвердилась информация о месте проведения исследований. Он стоял перед скульптурным изображением Ломоносова, вирши которого сразу же начали чугунными ядрами перекатываться в памяти, и пытался справиться с лихорадочным биением пульса. Зоя и Айзенкопф встали рядом, будто тоже залюбовавшись круглой бабьей физиономией «гениального россиянина». Княжна крепко стиснула Гальтону руку, немец прошептал: «Цель близка!»

— Товарищи, — позвал их экскурсовод, — не отставайте! Все должны держаться вместе!

Странный какой-то взгляд у господина Ломоносова, рассеянно подумал Норд, отворачиваясь. То ли ученый-поэт страдал косоглазием, то ли скульптор был нетрезв.

— ...Лучшие умы издавна мечтали избавить человечество от нравственных пороков и болезней, превратить каждого в истинно гармоническую личность. В прежние времена это казалось пустой фантазией. Но первое в истории государство, созданное людьми труда, поставило задачу преобразовать природу и исправить ее несовершенства. «Мы не можем ждать милостей от природы. Взять их наша задача». Эти слова принадлежат великому советскому селекционеру-кудеснику Ивану Мичурину, создателю теории об изменяемости генотипа под воздействием внешних условий. А что это значит на простом и понятном языке? Ну-ка, будущие медики!

— Это значит: на бога надейся, а сам не плошай! — звонко выкрикнула конопатая студентка.

Остальные засмеялись, и даже экскурсовод одобрительно улыбнулся.

— Правильно, товарищ. Вы молодые, задорные, вам и карты в руки. Изобретайте, открывайте, исследуйте. Партия вас поддержит.

— Откроем! У нас не заржавеет! — ответила веселая молодежь.

Некоторые из экспонатов музея были поистине удивительными. В Норде взыграла любознательность ученого, на время заслонив главную цель.

В разделе «Условность половых различий» посетителям показали петуха, превращенного в курицу, и курицу, превращенную в петуха. Бывшая самка кукарекала и наскакивала на бывшего петуха, тот безразлично клевал зерна.

Раздел «Эндокринология на службе социалистического животноводства» демонстрировал, как меняется цвет лисьего меха под влиянием манипуляций с щитовидной железой.

Любопытнейший раздел «Омоложение», посвященный пересадке семенных желез шимпанзе людям преклонного возраста, вузовцев не заинтересовал — им омолаживаться было незачем.

Зато раздел «Жизнь без души» вызвал целую бурю эмоций. Смысл этой экспозиции состоял в развенчании поповского мифа о том, что жизнь — это душа, вдыхаемая в тело Всевышним. Советские ученые взялись доказать, что не только тело, но и каждая его часть могут жить и функционировать сами по себе. Студентам показали работающее сердце кролика, отдельно существующий желудок, а эффектней всего выглядела живая голова собаки, снабжаемая кровью при помощи насоса. Голова бесшумно лаяла, вращала глазами и даже подняла уши торчком!

— Это сенсация! — взволнованно сказал Норд биохимику. — Просто фантастика! Почему об этом не сообщают американские научные журналы?

— Тсс! — зашипел Айзенкопф.

Верхний, третий этаж был целиком посвящен венцу эволюции — человеку.

— ...То, что вы видели до сих пор, не более чем предварительная подготовка к осуществлению главной задачи пролетарской генетики — тотальной евгенизации нашего биологического вида. Умом, волей и совестью человека управляет мозг, этот ЦК нашего сознания и тела. — Здесь экскурсовод сделал заученную паузу, чтобы слушатели почтительно посмеялись. — Но способности и возможности мозга у всех разные. Как говорится, на одного умного приходится десять дураков и сотня тупых. — Снова смех. — Вот почему, товарищи, важнейшая цель ученых — изучение энергии творчества и психофизиологических характеристик одаренности. Советской наукой доказано, что существует прямая связь между внутренней секрецией и специфическими функциями творчества. Центральная и симпатическая нервная система — это строго выверенный механизм, работу которого можно отлаживать и корректировать. Все эти открытия лишний раз доказывают правильность марксистско-ленинского, материалистического восприятия мира. Материальные условия формирования гениальности скоро будут точно высчитаны по всем параметрам нейрофизиологии и нейропсихологии. Тогда-то наша пролетарская наука вплотную приступит к созданию нового человека.

Вузовцы, да и члены ротвеллеровского десанта слушали эту высокопарную речь, затаив дыхание.

— В Пантеоне мозга, который передан в ведение Института пролетарской ингениологии, тщательно исследуется физиология мозга выдающихся людей современности, которые и после смерти продолжают вносить бесценный вклад в наше общее дело. Но главное, ни с чем не сравнимое достояние Пантеона... — Экскурсовод сделал торжественную паузу и повысил голос. — ...Это мозг величайшего гения всех времен товарища Ленина!

Наступило благоговейное молчание.

— Велико было горе советского народа, всего прогрессивного человечества, когда тело вождя под вагнеровский «Похоронный марш» было помещено в саркофаг мавзолея! По образному выражению товарища Бухарина, «разрушилась центральная станция пролетарского ума, воли, чувств, которые невидимыми токами переливались по миллионам проводов во все концы нашей планеты»! Но наши ученые, даже скорбя, на деле воплотили лозунг «Ленин всегда живой»! Они не позволили гениальному мозгу Ильича бесполезно истлеть!

Тон рассказчика изменился, из торжественно-приподнятого сделавшись деловитым и энергичным.

— Зафиксированный в спирте и формалине, он был подвергнут так называемому цитоархитектоническому исследованию. Чтобы изучить структуру и расположение нервных клеток, тело мозга было разрезано специальным прибором, супермикротомом, на 30 000 слоев. Результаты превзошли все ожидания! В третьем слое коры обнаружена беспрецедентно высокая концентрация пирамидальных клеток, что, по всей вероятности, и объясняет загадку ленинской гениальности. Но здесь мы с вами вторгаемся в сферу высокой науки, куда открыт доступ только посвященным. А вам, товарищи вузовцы, как завещал Ильич, пока еще нужно — что?

— «Учиться, учиться и учиться!», — нестройным хором ответили студенты.

Сопровождающий повел группу вниз по боковой лестнице.

— Здесь наша обзорная экскурсия заканчивается. Вон там, — он показал на ведущую в подвал лестницу, — находится вход в Институт, где советские ученые ведут борьбу за наше общее будущее. Чтобы попасть в эту святая святых пролетарской науки, нужен особый пропуск. Заканчивайте учебу, становитесь хорошими специалистами, и может быть, кто-то из вас внесет свой вклад в это великое дело. Работы много, хватит на всех.

С этими словами экскурсовод повел группу к выходу. Гальтон же, подав знак коллегам, отстал, спрятался за выступ стены и замер. Айзенкопф заслонил коллегу спиной, Зоя подошла к музейному работнику с каким-то вопросом.

А все дело в том, что в глубине идущей вниз лестницы виднелась конторка, за которой сидел вахтер. И не просто сидел — дремал, откинувшись на спинку стула. Разве можно было упускать столь удачное стечение обстоятельств?

Подождав, пока группа удалится, Норд снял ботинки и бесшумно сбежал по ступеням. Дежурный, мирного вида дедок в полотняной фуражечке, сладко посапывал. С охраной «святая святых» у большевиков дело обстояло как-то не очень, что вселяло надежду: задание могло оказаться более легким, чем представлялось из-за океана.

Гальтон проскользнул в дверь, за которой находился тесный и темный тамбур, снова обулся и чуть-чуть, на маленькую щелочку, приоткрыл створку.

Вот тебе раз!

По ту сторону оказался не коридор, не комната, а нечто вроде подземного гаража. Наверху горели яркие лампы. Справа круто вверх уходила бетонная полоса выезда, упиравшаяся в металлические ворота. Прямо напротив двери, из-за которой подсматривал Норд, виднелся вход в какое-то другое помещение, и весьма внушительный — на металлической поверхности поблескивали заклепки. Выходит, Институт пролетарской ингениологии размещается не прямо под Музеем, а немного сбоку? Как раз в том месте, где стоит скромненький обшарпанный флигель.

Через такую стальную дверь (на ней ни ручки, ни таблички) запросто не прорвешься. Мирный старичок за конторкой — не более чем декорация для посетителей Музея. На самом деле всё гораздо серьезней.

Доктор хотел уже возвращаться, но вдруг послышался скрежет. Створки ворот начали раздвигаться.

Из стальной двери, словно по команде, вышли двое мужчин в расстегнутых белых халатах, под которыми виднелась военная форма, и встали по обе стороны от входа.

В гараж один за другим спустились три автомобиля.

Первый проехал дальше, остановился, из него выскочили несколько человек в фуражках и кожаных куртках. Второй замер прямо у двери. Третий до нее не доехал и тоже изрыгнул проворных людей в черной коже.

Лишь после этого из центральной машины вышел сутулый человек в штатском костюме и металлическом мотоциклетном шлеме на голове. Он коротко обернулся что-то сказать шоферу. Гальтон мельком разглядел немолодое лицо: седая бородка клином, старомодное пенсне. Совсем не по-стариковски человек взбежал по ступенькам, нырнув в дверь, которую открыл перед ним один из охранников. Военные в халатах вошли следом. Люди в кожаном стали рассаживаться обратно по машинам.

— Товарищ, вы ошиблись, — раздался сзади недовольный голос. — Вам не сюда, а на выход.

Гальтон обернулся. Увлеченный загадочным зрелищем, он не слышал, как за его спиной открылась дверь Музея.

Старичок-вахтер сердито хмурил бровки и качал головой.

— Нехорошо, товарищ. Не положено.

Вид у него был немножко испуганный. Ага, сообразил Норд, дедушка боится, что получит нагоняй от начальства. А нечего дрыхнуть на посту.

— Извиняюсь, папаша, — включил доктор лексикон советского писателя Зощенко, — я в смысле уборной интересовался.

С места он, однако, не двинулся.

Старик нервно оглянулся через плечо.

— Уборная наверху, товарищ. Иди давай отсюда, пока нам обоим не влетело. Говорят тебе, не положено. Тут объект.

Но Гальтон не торопился.

— А кто это приехал? В шлеме? — спросил он, изображая простодушное любопытство.

— Кто-кто. Директор института товарищ Громов. Ступай, тебе говорят!

Вылазка, предпринятая наудачу, получилась результативной сверх всяких ожиданий.

Очень довольный, Норд быстро взбежал по ступенькам. На выходе сказал седоусому администратору:

— Извиняюсь, товарищ. Я в уборной был.

И выскочил на улицу, провожаемый прищуренным взглядом.

Через секунду у администратора под столом замигала лампочка. Их там было штук десять, все пронумерованные.

Седоусый встрепенулся, побежал мимо раздевалки, по коридору, потом вниз по лестнице.

— Что случилось, шестой? — крикнул он дедушке-вахтеру, поджидавшему его на середине лестницы. — Почему срочный вызов?

— Похоже, он! — взволнованно доложил шестой. — Словесный портрет совпадает!

— Который последним вышел? — Администратор хлопнул себя по лбу. — А ведь верно! Глаза, нос, рот, и башка под кепкой бритая! Молодец, Салько. Мы вблизи видели и то прохлопали, а ты снизу разглядел. Докладывай!

— Он спустился, товарищ начальник. Я, согласно инструкции, притворился, будто сплю. Когда сунулся в гараж, я его оттуда попросил. Одно плохо. Как раз шестнадцать ноль ноль, товарищ Громов подъехал, и этот его видел. «Кто это?» — спрашивает. Ну, я сказал. А то вышло бы подозрительно.

— Всё правильно, Салько. Название института и имя директора рассекречены. Скрывать нечего. Ну, бывай!

Еще быстрей, чем спускался, седоусый взлетел наверх. Некоторое время смотрел из окна вслед троице (двое мужчин и девушка в красной косынке), что неторопливо удалялась в направлении Моховой.

Палец администратора нажимал кнопку на столе так крепко, что аж побелел.

— Живей, черти, живей, не то уйдут! — шептал седоусый.

СТОПРОЦЕНТНЫЙ УСПЕХ

— так следует оценить итоги первого московского дня. К этому выводу единодушно пришла вся экспедиция.

Доктор Норд перечислил сегодняшние достижения.

Получено подтверждение, что биохимическое исследование гениальности ведется именно в ИПИ, Институте пролетарской ингениологии.

Установлено, где именно расположены лаборатории: в бункере, под флигелем Музея нового человечества.

Собраны первичные сведения о системе охраны. Проникнуть в ИПИ можно через подземный гараж и, вероятно, сверху, через флигель. Но это еще нужно уточнить.

Наконец, выяснилось, кто возглавляет зловещий институт — некий Громов.

— Разумеется, музей — прикрытие, надводная часть айсберга, — возбужденно ходя по комнате, размышлял вслух Норд. — Демагогическая имитация открытости перед народом при полной и абсолютной секретности.

Айзенкопф прибавил:

— Все сотрудники Музея — чекисты. Вы заметили, там в каждом зале дежурит по смотрителю, и все молодые, крепкие парни? К тому же вооруженные.

— А видели бы вы, как охраняют этого Громова! — Гальтон стал рисовать на листке. — Впереди и сзади по мощному новенькому «паккарду». В каждой машине по четыре охранника. У директора 341-й «кадиллак» — судя по толщине дверец, бронированный. Не всякого премьер-министра так оберегают... Кто такой этот Громов? Институтом подобного уровня должен руководить ученый с мировым именем, в Советском Союзе такие есть. Но ни о каком Громове я никогда не слышал. А вы?

Зоя и Курт покачали головами. Особенно странно было, что Айзенкопф, биохимик, слышал это имя впервые.

— Ни одной статьи, подписанной ученым по фамилии Громов, за последние десять, даже пятнадцать лет не публиковалось. Я стараюсь ничего важного не пропускать и внимательно просматриваю материалы всех нейрофизиологических и биохимических конференций, где бы они ни проводились.

— Поручите это мне, — сказала Зоя. — К вечеру я добуду о директоре ИПИ все сведения, какие можно найти в открытом доступе. До свидания, товарищи диверсанты.

Она помахала ручкой и упорхнула.

Айзенкопф заперся у себя в комнате, намереваясь произвести осмотр и, как он выразился, «инвентаризацию» своего кофра.

— А что делать мне? — растерянно спросил Гальтон, вдруг оставшийся в одиночестве.

— Дело начальства — думать. Вот и думайте себе, — донеслось из-за двери.

И Норд стал думать.

Он сидел у себя в комнате на подоконнике, сосредоточившись на поставленной задаче: как проникнуть в подземную лабораторию и нужно ли вообще в нее лезть? Не существует ли какого-нибудь менее рискованного способа добраться до таинственного Громова?

На улице не происходило ничего такого, что могло бы отвлечь доктора от размышлений.

Напротив дома у тротуара стоял синий фургон с рекламой «Пейте «Ижевский источник», самую радиоактивную из минеральных вод!»

Дворник лениво подбирал совком с мостовой конские яблоки.

В киоск Адресного бюро общества «Долой неграмотность» стояла терпеливая очередь.

День понемногу шел на убыль, но до вечера было еще далеко.

Вроде бы и многое удалось выяснить во время первой вылазки, а зацепиться пока не за что.

Зачем все-таки Ротвеллер велел запомнить имя «Ломоносов»? Что это значит: «загляните в Ломоносова?» Норд не только заглянул в него, а даже выучил наизусть все творения Михаила Васильевича, загрузив этим тяжелым грузом изрядную часть своего мозга. Но что толку?

Никакого отношения к проблематике гениальности сочинения Ломоносова не имеют. Чем он, собственно говоря, прославился? Ввел в употребление химические весы, заложил основы количественного анализа, подверг сомнению флогистонную теорию горения, сформулировал и доказал

Закон сохранения массы, основал Московский университет. Делал картины из стеклянной мозаики. Заложил основы российского стихосложения.

Выдрессированная самсонитом память немедленно поволокла из своих тайников громоздкие цитаты — ни к селу ни к городу: *«Неправо о вещах те думают, Шувалов, которые стекло чтут ниже минералов». «На запад смотрит грозным оком сквозь дверь небесну дух Петров»*. Чушь! Мысли о Ломоносове надо гнать прочь.

Как все-таки проникнуть в Институт? Давно известно, что самый лучший способ защитить секретный объект — упрятать его под землю. Через стену можно перелезть, над высокой горой — пролететь на аэроплане или дирижабле, но попасть или хотя бы заглянуть в хорошо охраняемый бункер невозможно.

В бесплодных терзаниях доктор провел остаток дня, так ничего и не придумав.

Айзенкопф долго возился у себя в комнате, потом появился, но тут же ушел, объявив, что отправляется на рекогносцировку окрестностей, а Норду следует оставаться и ждать «ее сиятельство».

Стемнело. Внизу зажглись нечастые, тусклые фонари. Улица Герцена опустела, автомобили по ней почти не ездили.

Зоя вернулась в половине девятого, совершенно преобразившаяся.

Красный платок, мешковатая юбка, юнгштурмовка и грубые башмаки исчезли. Перед Гальтоном стояла элегантная барышня-тростинка в чем-то переливчато-шуршащем, да на каблучках, да в затейливой шляпке.

— Вот теперь я выгляжу, как настоящая москвичка весенне-летнего сезона 1930 года. В Москве, в отличие от Минска, «комстиль» уже не в моде. Смотри, я настоящая «совмодница». — Ее лицо светилось, глаза блестели. — Прилично одеться здесь трудно, но можно. Я теперь всё-всё знаю. Зашла в бывший «Мюр-Мерилиз», но там ничего хорошего нет. Спасибо, женщины научили. На Петровке у спекулянта купила румынские туфли. Сарафан дионезовый, сделан в Одессе, меня честно предупредили, но очень милый. А маркизетовая блузка вообще прелесть, правда? Шляпка варшавская. Ах, какая я дура, что послушалась идиота Айзенкопфа и не взяла с собой шелковые чулки!

— Сомневаюсь, что на пароходе «Европа» ты вышла бы на палубу в румынских туфлях и шляпке из Варшавы, — сказал Гальтон, которому Зоя нравилась в любом наряде, а больше всего — вообще без наряда.

Он хотел обнять ее прямо здесь, в коридоре, но Зоя увернулась.

— Дурачок! Сейчас я гораздо шикарнее, чем на пароходе. Там было много дамочек, одетых не хуже меня. А сейчас шла по улице — многие оглядывались... Убери руки! Помнешь блузку!

— Ну так сними ее. Айзенкопфа нет, мы одни.

Сказал — и сглазил. Проклятый немец немедленно объявился, заскребся в дверь.

— Я вижу, вы не теряли времени даром, — сказал он, кинув взгляд на Зоины обновы. — Товарища Громова, вероятно, решили отложить на завтра?

— Почему же, я всё про него выяснила.

Гальтону стало стыдно. Вместо того, чтобы болтать о варшавских шляпках и приставать к коллеге с домогательствами, нужно было сразу спросить о главном.

— Мы решили дождаться вас, Курт, чтобы не повторять одно и то же дважды, — солидно сказал он. — Прошу всех в мою комнату.

Выяснилось, что Зоя прибегла к самому простому способу. Она отправилась в читальный зал главной московской библиотеки (бывшей графа Румянцева, а ныне, разумеется, носящей имя Ленина) и просмотрела каталог персоналий. Там есть сведения о мало-мальски заметных деятелях из всех сфер общественной, государственной, научной и художественной жизни: карточки с отсылками к книжным изданиям и статьям в периодике.

— Вот что я узнала о директоре Института пролетарской ингениологии. — Зоя смотрела в ученическую тетрадку, исписанную размашистым, совсем не дамским почерком. — Громов Петр Иванович, родился 12 (по новому стилю 24) февраля 1873 года, то есть сейчас ему 57 лет. Сын протоиерея. Окончил медицинский факультет Санкт-Петербургского университета, по специальности «физиология мозга». Блестяще проявил себя в начале научной карьеры. В 32 года был уже профессором, автором заметных работ в области нейрофизиологии. Однако последняя из них датирована 1910 годом, поэтому вам, товарищ колхозник, статьи Громова неизвестны. Вы ведь изучали биохимию гораздо позже.

Норд спросил:

— А что было с Громовым после 1910 года?

— Об этом в картотеке почти ничего нет. Единственное, что я нашла, — краткая биографическая справка в газете «Советская медицина» недельной давности, где напечатана статья (очевидно, первая после рассекречивания) о деятельности ИПИ и его директора. Газета пишет: *«В глухую пору столыпинской реакции молодому ученому, известному своими марксистскими взглядами, пришлось эмигрировать в Европу, где он встал в ряды борцов за дело социализма и был одним из близких соратников Ильича. После Великой Октябрьской революции тов. Громов вернулся к научной деятельности. Отмечен правительственными наградами».* Всё, больше никаких подробностей.

— А они нам очень нужны, — сварливо заметил Айзенкопф, почесывая свою дремучую бороду (хоть и непонятно, что там у него могло чесаться). — От вашей библиотеки немного прока.

Зоя жестом отличницы перевернула клетчатую страничку.

— А я не ограничилась библиотекой. С прошлого приезда у меня остались в Москве кое-какие знакомые. Я ведь сюда ездила не просто туристкой. — Она потупила глаза, не совсем убедительно изображая скромность. — Самое интересное, как это обычно бывает в закрытых обществах, газеты не пишут. Между тем не бог весть какая тайна, что Петр Иванович Громов — личный врач Сталина. А перед тем долгие годы, еще с эмигрантских времен, он был врачом Ленина. Положение лейб-медика большевистских вождей, очевидно, исключает какую-либо публичность, поэтому в мировых научных кругах имя этого ученого неизвестно.

Новости были очень важные, они требовали осмысления. После того как коллеги разошлись по своим комнатам, Норд

заново проанализировал ситуацию и был вынужден скорректировать предварительную оценку. Всё оказывалось гораздо
серьезней.

Громов — личный врач Ленина, а потом его наследника
Сталина? Вот почему институтский комплекс, состоящий из
секретного бункера, надземного флигеля и, в виде прикрытия, Музея, начали создавать еще во время гражданской войны, несмотря на разруху и кризис. У доверенного лица проле-
тарских вождей уже тогда были особые возможности. Это
значит, что работы по «формуле гениальности» ведутся давно, целое десятилетие. И вряд ли достижения экспериментаторов ограничиваются собачьей головой.

Впервые Норду стало по-настоящему тревожно. До сих
пор он не мог отделаться от мысли, что затея с экспедицией — блажь старика-миллиардера, который сам себя запу-
гал призраком всемогущего и вездесущего коммунизма. Но
подземную лабораторию построили не фантазеры, а практические и целеустремленные люди, не привыкшие попусту
разбазаривать средства, силы и время.

Гальтону захотелось поделиться своими соображениями с
Зоей. Бывшая рабфаковка, а теперь заправская *совмодница*
сидела перед зеркалом и старательно подводила ресницы
контрабандной тушью. Зрелище было прелестное, шея
княжны соблазнительно белела в свете лампы, и доктор как-
то позабыл о большевистских подземных тайнах.

— Зачем ты красишь ресницы? Они у тебя без того черные и пушистые, — сказал он, обнимая ее за плечи и целуя
пониже уха.

Зоя вздрогнула. От этого, в сущности, микроскопическо-
го движения по всему телу Норда прокатилась обжигающая
волна. Он развернул девушку к себе лицом, стал целовать ее
в губы, в горло, в обнажившуюся ключицу.

Но Зоя отворачивала лицо. То задыхаясь, то смеясь низ-
ким, грудным смехом, она шептала:

— Нет, нет, нет... Я не могу... Я не хочу... за стеной этот
кошмаренкопф. Я не хочу сдерживаться, начну орать, а он услышит. Ну его!

Раз девушка говорит «нет», значит «нет». Огромным напряжением воли Гальтон расцепил объятья и даже сделал шаг назад. Он смотрел на разгоряченное лицо Зои, тщетно пытался поймать ее ускользающий взгляд и думал, что женщины все-таки очень странные. Им достаточно сменить наряд, и они сразу меняются внутренне. Только что была совсем твоя — и вот уже немного другая, почти чужая.

А Зоя, приведя в порядок блузку, снова начала краситься.

— Боже, как мне было плохо все эти дни без косметики! — без умолку тараторила она, что тоже было непривычно. — Я никогда ею не злоупотребляла, мои данные это позволяют, но все-таки без хорошей пудры, без утреннего и вечернего крема никак нельзя. А уход за руками! А ногти! И помадой к вечеру мазнуть хоть чуть-чуть, но надо. Знаешь, что я тебе скажу? В этот раз Москва мне нравится гораздо больше, чем в прошлый. Тогда были еще двадцатые годы, а теперь уже тридцатые. Это чувствуется. Как будто другая эпоха началась. Верный признак — женщины хотят прилично выглядеть. Женщины всегда первыми улавливают аромат нового времени. И сразу большевизм перестал казаться таким уж бесчеловечным и страшным. Бояться надо системы, в которой женщины не красятся, не хотят нарядно одеваться, не следят за модой. Кстати говоря, здесь сейчас в моде оригинальный рисунок глаза. Он рисуется как бы наоборот, перевернутым: верхнее веко — как нижнее, нижнее — как верхнее. Получается интересный эффект. Взгляни, как тебе?

Ее стрекотню Гальтон слушал вполуха, но на «перевернутый» взгляд послушно посмотрел.

Да как стукнет себя по лбу.

— Мне нужно в Музей! Прямо сейчас!

— Но уже почти ночь!

— Вот и отлично.

*

Коллегам он решил ничего пока не объяснять. Гипотеза была диковатая. Не подтвердится — вновь, уже не в первый раз, попадешь в смешное положение. Поэтому Норд объявил, что хочет разведать, можно ли проникнуть в Институт через Музей ночью. Айзенкопф отнесся к идее скептически, но спорить не стал.

— Только модница пускай остается здесь, — сказал он. — Она нам будет мешать.

Доктор был уверен, что Зоя ответит резкостью и настоит на своем участии в операции, однако в поведении княжны действительно произошла перемена.

— Хорошо, — кротко согласилась Клинская. — Я буду сидеть дома и стеречь ваш чемодан.

Перед выходом немец предупредил:

— Только вот что: слушайтесь меня, я специалист. Действуем так. Вы говорите, что вам нужно. Я решаю, как этого достичь. Идет?

Поскольку Норд уже видел Айзенкопфа в действии, такое распределение обязанностей можно было счесть правильным.

— Первое: добираемся до Музея. Надеюсь, с этим простым заданием я смогу справиться, не прибегая к помощи специалиста? — все же позволил себе сыронизировать Гальтон, чтобы биохимик не очень заносился.

— Не сможете. Стойте и ждите.

Курт внимательно и долго рассматривал из окна темную улицу.

Там не было ни души. Киоск адресного бюро закрылся. Дворник исчез. Автофургон минеральных вод стоял на том же месте.

— Na ja[1], — протянул Айзенкопф и вышел из квартиры.

Доктор последовал за ним. Немец, приоткрыв лестничное окно, осторожно выглянул во двор.

У подъезда на скамейке сидели и о чем-то тихо переговаривались две старушки в платках. Больше никого не было.

Тем не менее специалист решил:

— Уйдем через чердак. Я тут разведал все входы и выходы. За мной!

---

[1] Так-так (нем.).

— Вы уверены, что это необходимо?

— До сих пор нам удивительно везло, но лучше переосторожничать, чем проявить неосмотрительность. Как говорят туземцы, «береженого Бог бережет».

Чердак был заперт, однако немца это задержало не больше, чем на десять секунд.

Он чем-то там скрипнул, хрустнул, и дверь отворилась.

— Отсюда можно перебраться на крышу соседнего дома, а там есть выход в другой переулок.

Идя по крыше, они старались поменьше шуметь, но жесть под ногами все же несколько раз громыхнула.

Во дворе этот звук был едва слышен, но старушки у подъезда разом задрали головы. Когда рокот повторился, одна вскочила и с поразительной резвостью взбежала на пятый этаж, ни чуточки не запыхавшись. На миг она остановилась у квартиры 18, приложила ухо к двери. Потом поднялась на чердак, подергала дверь. Та была закрыта. Удивительная пенсионерка почесала затылок под съехавшим набок платком и со всей мочи припустила вниз.

Вторая старушенция тоже без дела не сидела. Она успела выскочить на улицу, добежать до палатки «Долой неграмотность» и постучать в закрытое окошко.

— По крыше уходят, — тихо доложила пенсионерка.

— Все трое? — спросили из киоска.

Другой голос оттуда же ответил:

— Нет, только что тень мелькнула на занавеске. Кто-то остался.

Тогда киоск приказал старушке:

— Давай в объезд по переулкам! Только без самодеятельности.

— Есть!

Пожилая гражданка прытко подбежала к автофургону, рванула дверцу кабины.

— Гони в Брюсовский!

Машина, тихо заурчав мощным мотором, тронулась с места.

Она проехала через соседний переулок — тот самый, куда выходил подъезд смежного дома, но самую чуточку опоздала:

две тени уже проскользнули вдоль стены и свернули в подворотню, откуда дворами и закоулками можно было добраться до Университетского квартала.

*

Большие и малые корпуса главного учебного заведения страны в этот поздний час были погружены во мрак, лишь кое-где светились одно-два окна да подслеповато мерцали немногочисленные фонари. Тем разительней был контраст с Музеем, ярко освещенным со всех сторон. Снаружи охраны было не видно, но такую иллюминацию, конечно же, устроили неспроста — за подходами к зданию бдительно следили. Подобраться к нему незамеченным представлялось совершенно невозможным.

— Ну хорошо, товарищ специалист, — недовольно сказал Норд после того, как они обошли двор по всему периметру. — Вот вам задача: нужно попасть внутрь. Незаметно.

— Сейчас... Я еще днем взял на заметку трансформаторную будку. Уличные фонари наверняка подсоединены к ней. Оставайтесь здесь...

Айзенкопф исчез в темноте и отсутствовал минут десять. Когда вернулся, встал рядом и стал смотреть на циферблат своих часов. Свет вокруг Музея продолжал гореть как ни в чем не бывало.

— Через сто двадцать секунд фонари погаснут. Как только подам команду, бежим вперед и лезем в крайнее окно слева. Приготовьтесь. Десять секунд прошло... Двадцать... Тридцать...

Ровно на сто двадцатой секунде двор погрузился в кромешную тьму, только на крыльце Музея продолжала гореть лампа, очевидно, питавшаяся от внутренней системы электроснабжения.

Норд рванулся с места, но Айзенкопф его удержал.

— Я же сказал: по моей команде. Это был первый акт. Сейчас последует второй, с фейерверком.

На крыльце Музея появилась фигура, за ней вторая. Люди о чем-то озабоченно переговаривались, глядя на погасшие фонари.

— Але-оп! — уютно промурлыкал Курт.

Где-то за кустами раздался громкий треск, оттуда рассыпался ослепительно яркий фонтан брызг.

На крыльце крикнули:

— Это будка! Трансформаторная! Зови ребят!

Из Музея, будто по волшебству, начали выскакивать люди. Они рассыпа́лись от крыльца веером, быстро двигаясь в сторону обезумевшей будки. В руке у каждого было оружие.

— Ого, — заметил немец, — двенадцать человек. И наверняка внутри еще остались. Ничего себе музейчик... Вот теперь пора. Они смотрят на салют и ни черта не видят. За мной!

Преодолеть полсотни метров было делом нескольких секунд.

— Но окно закрыто! — прошипел Гальтон. — Как мы...

— Тсс! Упритесь руками в стену.

Биохимик бесцеремонно вскарабкался доктору на плечи, оттуда ступил на подоконник, покрутил по раме какой-то железкой в одном месте, в другом, толкнул форточку, и она открылась.

— Подтягивайтесь!

Он помог Гальтону тоже влезть на подоконный выступ. Потом ловко, по-змеиному втянулся в форточку — лишь ботинками махнул в воздухе. Гимнастический трюк был не из самых сложных. Норд легко его повторил.

Они оказались в темном зале — кажется, в том самом, где обитали поменявшиеся судьбой петух и курица, во всяком случае из угла донеслось недовольное квохтанье.

— Подождем немного...

Биохимик остался у окна, глядя во двор. Через минуту искры сыпаться перестали. А вскоре во дворе опять вспыхнули фонари. Кто-то из охранников разбирался в электрике.

— Ну хорошо. Попасть сюда мы попали. А как потом будем выбираться?

Айзенкопф отмахнулся.

— «Потом» будет потом. Пока же надо спрятаться. Они наверняка устроят обход, на всякий случай. Я вон в тот шкаф. Вы тоже куда-нибудь укройтесь.

Сейчас, когда двор был освещен, комната хорошо просматривалась, но кроме облюбованного биохимиком шкафа затаиться здесь было негде. Пришлось перебраться в соседний зал. Но он был пуст — только таблицы и графики на стенах. Норд перебежал к следующей двери. За ней находился вестибюль с раздевалкой.

Столик, где днем сидел администратор, пустовал. В проеме открытой входной двери виднелась спина в белом халате — дежурный стоял на крыльце, поджидая остальных.

Пригнувшись, Гальтон перебежал к раздевалке и спрятался за невысокой перегородкой, под пустыми вешалками.

Вскоре пол заскрипел под тяжелыми шагами вернувшихся чекистов. Они оживленно переговаривались между собой, шутили.

— Всё, хорош трепаться! — прикрикнул на них начальственный голос. — Марш по местам! Сельдереев, Зыков, обойдете территорию — и в дежурку.

— Есть, товарищ начальник.

— Живо, живо!

Разошлись все кроме двоих. Одним был человек, отдававший приказы. Второму, очевидно, полагалось неотступно находиться у входа.

Гальтон беззвучно выругался. Кажется, он угодил в ловушку, откуда черта с два выберешься. Как глупо! Сиди тут, пока не обнаружат.

Чуть не ползком он перебрался к окну, но оно выходило как раз на площадку перед входом. Ни одного шанса ретироваться этим путем, оставшись незамеченным.

— Музей. Это Железнов, — докладывал кому-то начальник по телефону. — Ерунда, замыкание в трансформаторной будке... Конечно, а то как же? Завтра техничку вызову, пускай проверят. Так что передайте: можно выезжать, всё в порядке.

Одна из бетонных плит, которыми было вымощено все пространство вокруг здания, вдруг стала опускаться, а потом отъехала в сторону, обнажив прямоугольную зияющую дыру. Гальтон приподнялся на цыпочки и разглядел спуск, идущий вниз под углом примерно в 45 градусов. Это, значит, и был въезд в подземный гараж, расположенный между Музеем и флигелем.

Изнутри заструился свет, и на поверхность выкатился «паккард», на крыше которого спереди горел прожектор. Потом выехал «кадиллак» директора. Замыкал процессию второй «паккард», тоже с прожектором, но только светившим назад. Автомобили прошелестели шинами через двор и исчезли.

— Ровно два пятнадцать, можно часы проверять, — сказал начальник.

— Это он домой, товарищ Железнов? — спросил молодой голос.

— Как же, «домой». Сегодня у нас чего? Фиолетовый день, по старому воскресенье. В Кремль поехал, к Самому. Через день ездеет. Порядок такой.

Подчиненный почтительно понизил голос:

— Не спит ночью Сам-то. О народе заботится.

— Товарищ Сталин никогда не спит. Особенный человек. Одно слово — гений. Только и у нас с тобой, Мишкин, служба важная. Вот ты парень молодой, малограмотный, по-прежнему сказать — лапоть деревенский, а уже по пятой категории оклад получаешь плюс карточки в распределитель. Доверяет тебе партия. И, главное, вся дорога перед тобой открыта, только старайся. Покажешь себя — можешь попасть в «нижние». А там, глядишь, и в личную охрану товарища Громова. Это, брат, не хухры-мухры.

— «Нижние», «личные» — это понятно. А еще я от ребят слыхал, будто некоторых в Заповедник какой-то берут?

Железнов рявкнул:

— От ребят? От каких это ребят? Фамилию назови!

— Я не помню... Сболтнул кто-то, — заблеял перетрусивший Мишкин.

— Говори фамилию, паскуда! Не то сам ответишь за разглашение, по всей строгости!

— Сельдереев говорил. Утром, в столовке...

— Сельдере-ев? — зловеще протянул начальник. — А ну марш за мной в дежурку. Чтоб не отперся, гнида!

Мимо раздевалки прогрохотали шаги: грозные — начальника, семенящие — подчиненного.

Повезло доктору Норду! Путь к отступлению был открыт. Но Гальтон и не взглянул в сторону выхода. Он спешил назад, к петуху и курице, где дожидался Айзенкопф.

*

— Что так долго? Обход давно закончился. — Биохимик был недоволен. — Теперь куда?

Норд стал припоминать, с какой стороны ректорская библиотека. Кажется, через анфиладу направо.

— Вон туда!

Полки с книгами, огромный глобус, витрина с минералами... Не то!

А, вот они где, барельефы выдающихся ученых.

Луч фонарика пробежал по лисьей физиономии Ньютона, по ехидной улыбочке Эйлера и остановился на щекастом, простецком лице русского полимата.

— Почему вы уставились на этого толстяка? — нетерпеливо сказал Айзенкопф. — И что это вы всё бормочете?

— Это стихотворение Ломоносова «Утреннее размышление о Божием Величестве», в котором дается рифмованное, но довольно точное описание солнца.

> *Когда бы смертным столь высоко*
> *Возможно было возлететь,*
> *Чтоб к солнцу бренно наше око*
> *Могло, приблизившись, воззреть,*
> *Тогда б со всех открылся стран*
> *Горящий вечно Океан.*

— Ну и что?

— «Око», а не «очи», заметьте.

Курт начал злиться.

— Вы с ума сошли, Норд? Мы залезли к черту в глотку только ради того, чтобы выслушивать ваши дурацкие мысли по поводу архаичного стихосложения?

— Смотрите: одно око у него смотрит вниз, а второе кверху, оно будто обращено к солнцу. Помню, я еще подумал —

что это Ломоносов какой-то косой. А это у него просто глаз перевернут.

Доктор потрогал выпуклый мрамор, надавил. Камень чуть подался — или показалось?

Он придвинул фонарик вплотную.

— Глядите, тут в выемке зрачка что-то вроде прорези. Есть у вас отвертка или хотя бы нож?

— Есть и то, и другое.

— Дайте, дайте!

Чуть подрагивающей от волнения рукой Норд вставил кончик отвертки в зрачок светочу русской науки.

Пришлось приложить значительное усилие, но глаз, поскрипывая, шевельнулся. Вероятно, его очень давно не поворачивали, и в резьбу забилась пыль. С каждой секундой дело шло легче.

Вот око, наконец, встало на свое место, Михаил Васильевич избавился от косоглазия. В то же мгновение что-то звякнуло, весь каменный медальон качнулся, а один его край отделился от стены.

— Это дверца! Тайник! — ахнул немец.

За мраморной крышкой открылась небольшая выемка. Там, выстроенные в ряд, стояли четыре небольших флакона старинного вида: круглый, квадратный, треугольный и фигурный — в виде амурчика с крылышками.

— Светите же!

Стерев со стекла пыль, Гальтон увидел, что в каждой из склянок налита жидкость. Возможно, одинаковая — во всяком случае, одного и того же желтого цвета.

Доктор отвернул одну крышечку, понюхал. Запах показался ему знакомым.

— Чем это пахнет?

Открыл второй пузырек, третий, четвертый — тот же аромат.

— Самсонитом! Этот запах ни с чем не спутаешь! — воскликнул Айзенкопф.

Он прав! Как можно было сразу не вспомнить кисловатый, немного терпкий аромат медиатора концентрированной информации!

— Как он мог сюда попасть? И что за сведения он содержит?

— Выпьем — узнаем. Закрывайте...

Вдруг биохимик глухо вскрикнул, светя на флаконы.

— Жидкость испаряется! Черт, черт, черт! Их нельзя было открывать! Существует способ защиты самсонита от несанкционированного употребления! Добавляется особый испаритель, и раствор улетучивается в течение одной минуты!

— Значит, нужно выпить их все, пока не поздно! Я два и вы два!

Доктор Норд схватил стеклянного амурчика и пирамидку.

— Взгляните!

Палец Айзенкопфа указывал туда же, куда светил фонарик, — вглубь ниши. На стене мелом было написано: «NE BUVEZ Q'UNE SEULE!»[1]

— Должно быть, информацией заряжена только одна бутылочка. В остальных может оказаться яд...

Гальтон быстро поставил пузырьки на место.

Уровень желтой жидкости в склянках таял на глазах. Хотя все пробки были снова завернуты, процесс не остановился и даже не замедлился.

— Что делать, Курт?

— Не знаю... Еще полминуты, и будет поздно.

— Я выпью! И будь что будет!

Но который?

Взгляд Норда скользил с флакона на флакон.

---

[1] Пейте только одну! (фр.)

CODE-2

I.

Корректно сформулированный вопрос — гарантия правильного ответа.

Жизненная линия SF неизбежно окажется в относительной близости от жизненной линии NB там и в тот момент, когда наконец сойдутся для судьбоносной схватки две армии. Этот логический вывод Самсон Данилович счел несомненным.

Отсюда вытекало, что надобно оказаться на самом переднем крае грядущего сражения, где дистанция между SF и NB сократится до нескольких кратких верст. После того как начнется баталия, свести к нулю сие малозначительное расстояние окажется невозможно, ибо оно заполнится десятками тысяч разгоряченных людей.

Следовательно что?

Verum![1] Нужно оказаться на той стороне непосредственно перед тем, как грянут пушки. Затесаться в расположение неприятельской армии накануне битвы, устроить так, чтоб линии пересеклись, а прочее предоставить Рассудку, Случаю и Химии.

Человеку обычному это предприятие показалось бы чистейшим сумасбродством, но профессор Фондорин не являлся человеком обычным и еще менее того мог почитаться сумасбродом. У него всё было точно рассчитано. Вероятность полного успеха затеи он расценивал приблизительно в 38 с половиною процентов (приблизительность объяснялась сложностью исчисления столь труднопредсказуемого фактора, как Случай). Для научного опыта, в ходе которого экспериментатор теоретически может погибнуть, это, конечно, маловато, но ради спасения отчизны можно было рискнуть.

К полку графа М. профессор прибился оттого, что ополченцы оказались геометрически ближе всего к расположению французов. Через Разумовских он был знаком с командиром,

---

[1] Правильно! (*лат.*)

поэтому даже не пришлось предъявлять сакраментальное письмо от главнокомандующего. Граф встретил Фондорина со всею сердечностью и радушно позвал присоединиться к обществу офицеров.

Пока всё шло превосходно.

Перед рассветом, когда тьма гуще всего, Самсон намеревался перебраться через поле к лесу, про который говорили, что он уж *не наш, а ихний*.

Сидя у костра, профессор мысленно рассчитывал дальнейшие свои действия и нетерпеливо ждал момента, когда можно будет к ним приступить. Оттого-то его сначала раздосадовал разговорчивый капитан, вздумавший завести с ним неторопливую беседу. Но первые же слова старого вояки заставили Фондорина насторожиться. Вычисленная формула требовала, чтоб он оказался в стане врага непосредственно в канун сражения, а не днем или двумя раньше. Это сильно повысило бы степень риска, а следовательно снизило бы вероятность успеха, как известно, без того не довольно отрадную.

Во всех делах, в которых Самсон не чувствовал себя знатоком, он привык обращаться за советом и помощью к специалистам в данной области. В вопросах, касавшихся войны, капитан вне сомнения являлся инстанцией авторитетной. Если он полагал, что завтра *большого дела* не будет, к этому стоило прислушаться.

Профессор стал со всей дотошностью расспрашивать, на каких основаниях сделано сие умозаключение. Офицер охотно и подробно отвечал, полагая, что оживление собеседника вызвано понятной радостью: человек, поди, уж с жизнью простился, а тут целый лишний день.

По всему выходило, что капитан прав. *Генерального* завтра быть никак не может.

Фондорин вздохнул, задумался. Значит, не в нынешнюю ночь, а в следующую?

— Как вы полагаете? — спросил он еще у капитана. — Что сражение? Чья возьмет?

— На всё воля Божья, а только верней всего быть нам битыми, — хладнокровно отвечал специалист, посасывая трубку. —

Судите сами. Я с французом сходился трижды: при Австерлице, при Фридланде, при Смоленске. Всякий раз задавал он нам перцу с солью. Очень уж хороша у Бонапарта армия. И сам он хват. Эхе-хе, сударь мой. Наш Михайла Ларионович, конечно, старый конь и борозды не испортит, да только где ему против Наполеона? Не тот аллюр.

Плечи у профессора поникли. Ответственность, которую он на себя возложил, придавила его еще сильней.

— Так что же делать? — потерянно молвил он, думая, что тридцать восемь с половиной процентов — это слишком мало.

— А ничего-с. Надобно биться.

II.

Пехотный капитан был хоть и опытен, но в своем прогнозе оказался прав только отчасти. 24-го августа *большого дела* не произошло, но случилось *среднее*.

Рано утром, едва рассеялся туман, император Наполеон, которому перед важным боем вечно не сиделось на месте, объезжал позиции и, разглядев у русских новый редут, вылезший за ночь впереди оборонительной линии, сразу понял, что сей прыщ необходимо поскорей выдавить. Это заставит фельдмаршала Кутузова перекособочить всё просчитанное расположение обороны, а смешать диспозицию неприятеля накануне сражения — половина победы.

От идеи до действия у Бонапарта дистанция была короткая. Он тут же отдал потребные распоряжения. Поскакали ординарцы, громоздкая махина задвигалась, одни колонны переместились вправо, другие влево, и вскоре после полудня завязалось сражение. Пехота из корпуса Даву при поддержке кавалерии Понятовского, всего тридцать пять тысяч человек, разом атаковала русское укрепление. Начался Шевардинский бой, увертюра к последовавшей двумя днями позднее Бородинской битве, которую в Европе знают как bataille de la Moscova[1].

---

[1] Московская баталия (*фр.*).

Великая историческая баталия почти совершенно вытеснила из памяти потомков кровавую схватку за Шевардинский редут. Что такое десять тысяч убитых по сравнению с побоищем, в котором полегло сто тысяч? Безделица, не о чем толковать.

А между тем *дело* вышло, пусть *среднее*, но жаркое.

Наступление врага застало гарнизон врасплох. Земляные работы продолжались всю первую половину дня и еще не были окончены. Ров едва начали рыть, контрэскарпы не достигли требуемой высоты, к возведению палисадов еще и не приступали.

Частая пальба, уже некоторое время доносившаяся из рощи, где находились передовые пикеты, постепенно приближалась. По полю к холму побежали фигурки в русских егерских мундирах. На редуте затрубили тревогу.

Пока артиллеристы готовили пушки, пехотное прикрытие рассыпалось вдоль бруствера. У старого капитана порядок в роте был образцовый. Всем распоряжался фельдфебель, который с командиром был еще при Измаиле, поэтому командир ни о чем не тревожился. Он только покрикивал на солдат, чтоб их подбодрить: «Айда, сыны, к куме на блины!». «Веселей, ребята! Кого убьют, каши в ужин не проси!». Или прохаживался вдоль строя, говоря: «Сидеть в обороне, ребята, дело легкое. Знай слушай команду. Заряжай да пали!»

Едва сделалось ясно, что французы наступают, начальствующий над редутом распорядился увести ополченцев назад, в поле. Меж брустверами и без мужичья было тесно. Но очкастый молодой человек со своими не ушел. Он ни на шаг не отставал от капитана и всё допытывался, *настоящее* ли это сражение или нет. Сколько ветеран его ни гнал, Фондорин не уходил.

Тогда старик решил, что этакого телятю лучше держать при себе.

— Коли вы такой упрямый, батюшка, то делайте, как я говорю. Целее будете.

И потом всё поглядывал на профессора — что́ он. Приметил, как тот вынул из сундучка две фляжки, золотистую и серебристую. Золотистую положил в карман, из серебристой налил себе полную крышечку, еще капнул туда бесцветной жидкости из маленького пузырька и залпом выпил.

— Вот это правильно, для бодрости духа, — одобрительно сказал старый вояка. — Что это у вас? Ром? Не угостите ли?

Статский покраснел и убрал фляжку.

— Там только на донышке оставалось...

— У вас ведь и вторая есть? Золотая-то?

— Ту я еще раньше осушил...

Молодой человек выглядел совсем смущенным.

Капитан добродушно заметил:

— Через меру-то не надо бы. Если много вина выпить, слух затрудняется. И сноровка слабеет. Сейчас *он* по нам начнет из орудий бить, так тут без чуткого слуха и быстроты пропадешь. Я вам сейчас объясню. Ядро, которое через голову летит, оно тонюсенько воет, потому что по вышине идет. Недолет — он шмелем гудит. А стеречься надо ядра, которое вот так ж-ж-ж-ж высвистывает. Тут уж не плошай. — Офицер с сомнением поглядел на нескладного профессора и оборвал лекцию. — Вы лучше вот что, голубчик. Глядите на меня и делайте так же. Я стою покойно, и вы стойте. Упаду — падайте. Скакну влево иль вправо — и вы за мной. Авось перетерпим канонаду, ну а уж дальше как Бог рассудит. Иль мы французу кишки на штык намотаем, иль он нам... Э, сударь, да на вас лица нет...

III.

У Фондорина действительно кровь отлила от щек. Но не от страха, как подумалось капитану, а по совсем другой причине. Ток крови устремился в верхнюю часть черепа — в ту область головного мозга, что ведает нервными и мышечными реакциями. Таков был первый этап воздействия препарата, принятого Самсоном минутой ранее.

Профессор обманул добрейшего капитана. Серебристая фляжка не была пуста, в ней оставалось еще две полноценных дозы берсеркита, сильнодействующего средства, которое Самсон разработал некоторое время назад, когда получил от одного фанфарона вызов на дуэль.

История глупейшая, стыдно вспоминать.

После свадьбы Кира Ивановна вдруг необычайно похорошела. Ее правильные, но суховатые черты словно наполнились солнечным светом. Незнакомые мужчины начали на нее заглядываться. Один гусарский офицер во время верховой прогулки вдоль берега Москвы-реки вздумал ее лорнировать, не смущаясь присутствием мужа. Приударить за хорошенькой женой *статского колпака* у военных считалось в порядке вещей, и *колпаки* были принуждены мириться с этим неприятным обычаем. Но Фондорин не терпел неучтивости и, пропустив жену вперед, задержался, дабы сделать невеже замечание. Слово за слово, дошло до картеля. Не имея опыта в подобных делах, Самсон повел себя так неловко, что по дуэльному статуту оказался оскорбившей стороной и, следовательно, не имел права выбирать оружие сам. Гусар же потребовал поединка холодным оружием, ибо не желал подставлять лоб под дуру-пулю. Он слыл бывалым рубакой. Риска от такой дуэли для мастера сабельного боя не было никакого.

Ссора приключилась в субботу. В воскресенье биться грех, и поединок был назначен на понедельник. Таким образом, у Фондорина имелось два дня на то, чтоб обучиться фехтованию.

Он поступил лучше. Заперся в лаборатории и принялся колдовать над своими склянками.

Некогда, еще в ранней юности, он прочитал, что древние норманны умели приводить себя в состояние «божественной ярости», так называемый Berserkergang, наглотавшись экстракта из пластинок мухомора Amanita muscaria. Варяг, отуманивший мозг этим напитком, не ведал страха, не чувствовал боли и обретал удесятеренную силу и скорость. Враги разбегались от берсерка во все стороны, союзники тоже боялись к нему приближаться, ибо в свирепом ослеплении он разил всех, кто оказывался рядом.

Аманит, то есть мухоморный экстракт, в коллекции Самсона Даниловича имелся. Однако вышло бы неловко, если б профессор императорского университета повел себя подобно дикому зверю, да еще, чего доброго, изрубил бы ни в чем не повинных секундантов. Требовалось подыскать для норманнского дурмана какой-нибудь разжижитель, который не ослабил бы действенности, но вместе с тем позволил бы сохранять контроль над своими поступками.

Задача оказалась интересной и после ряда экспериментов была блестяще разрешена.

Вот рецептура ингибитора, посредством которого Фондорин добился нужного эффекта.

Отвар каменной полыни (две части) кипятится с настоем травы "куустээх-от", что растет на алданском острове Елгянь (одна часть). После процеживания жидкость разводится в так называемом «евгеновом спирте» сугубой очистки (шесть частей) с одной частью гвоздичного масла, дабы уберечь слизистую поверхность желудка от воспаления.

Десять капель ингибитора, растворенные в аманите, многократно обостряли восприимчивость всех органов чувств, а также увеличивали физическую силу и подвижность, притом не ослабляя функций рассудка.

Дуэль завершилась, еще не начавшись. Секундант не успел договорить свое "Allez-y![1]", как сабля вырвалась из руки гусара, а сам он с криком ухватился за вывихнутое запястье.

Зато уж и досталось потом победителю от жены, которая узнала о дуэли позже всех. «Дурак несчастный» — вот самое мягкое из наименований, которыми наградила разгневанная Кира Ивановна непрошенного заступника ее чести.

Она, конечно, была совершенно права, но теперь Фондорину берсеркит пришелся очень кстати. В исполнении замысла, разработанного спасителем отчизны, этому химическому препарату отводилось очень важное место.

Когда по земляному пятиугольнику открыли пальбу французские пушки, защитникам показалось, что весь воздух наполнился ужасающим свистом, а ядра посыпались на редут смертоносным градом.

---

[1] Приступайте! (фр.)

Не так видел бомбардировку Самсон, зрение которого невероятно прояснилось. Очки молодой человек снял за ненадобностью.

Конечно, стреляющие враз две сотни орудий — это немало. Но Фондорину обстрел показался довольно вялым. Во всякую отдельную секунду в небе висело только три-четыре снаряда. Именно что «висело», ибо секунды вдруг сделались тягучи и длинны. Чтоб проверить, так ли это на самом деле, профессор достал брегет и убедился: пока стрелка перешла с одного деления на следующее, он мысленно успел досчитать до двадцати.

Люди вокруг тоже стали медлительны и неловки, словно двигались в воде. Просто жалко было наблюдать, как они беспомощно смотрят на черный мячик, летящий в самую их гущу и не делают никакой попытки уклониться или отбежать. Гранаты пробивали в рядах целые бреши; ядра проносились над головами, смертельно контузя бедных увальней в черных пехотных мундирах.

Для Самсона горошины, лениво перелетавшие через поле, ни малейшей опасности не представляли. Два раза, взяв капитана под руку, он отводил его в сторону — причем во второй раз довольно быстро, потому что немножко зазевался. Офицер не поспел переставить ноги, упал, и пришлось протащить его по земле. Хотел ветеран заругаться, но тут чугунный шар ударил ровнехонько в то место, откуда они только что убрались, и капитан перекрестился.

— Ох и силища у вас, голубчик, — пробормотал он, смотря на профессора с опасливым любопытством. — По виду не подумаешь. Как это вы догадались отбежать? Нет, право, объясните!

Объясняться с капитаном Фондорину было недосуг, а топтаться на месте, когда всё тело сотрясается от жажды немедленного действия, мучительно. Поэтому профессор нашел себе дело.

Поглядывая вверх, чтоб случайно не угодить под «горох», он сходил за своим сундучком, где среди прочего лежали медицинские инструменты, и занялся ранеными. К виду искромсанной плоти и потрохов Самсону, опытному анатому, было не привыкать. Его мозг, и всегда-то скорый, ныне работал вдесятеро быстрее обыкновенного; руки и того резвее. Одного взгляда профессору хватало, чтобы определить вид ранения и принять решение: чистить ли, брызгать ли спиртом, перевязывать, вправлять, зашивать либо класть шину.

Как раз настало затишье в канонаде. Теперь можно было посекундно не задирать голову.

Вокруг стонали и кричали раненые, командиры с руганью выравнивали потрепанные шеренги, с топотом и лязгом подбегало пополнение. Все эти шумы сливались для Фондорина в один невнятный гул.

— Рота-а, огонь! — густым голосом, очень протяжно (так показалось Самсону) закричал капитан.

Раскатистый долгий залп ружей заставил профессора выпрямиться с только что ампутированной стопой в руках и оглядеть поле.

Положение переменилось. Французы шли в атаку.

Прямо на редут, блестя штыками, двигалась плотная сине-белая масса. По-орлиному зоркие глаза профессора не только рассмотрели на развернутом трехцветном знамени цифру «61», но и прочли золотые буквы «Valeur et discipline»[1]. То шел знаменитый 61-й полк, один из лучших в наполеоновской армии, составленный из ветеранов Аустерлица, Иены, Экмюля и Ваграма. В сотне шагов от бруствера строй остановился. Сомкнулся плечо к плечу, закрыв образовавшиеся прорехи. Из идеально выровненных ружейных стволов выскочили облачка дыма.

Даже обостренному берсеркитом взгляду полет пуль был невидим, но пригнуться к земле Самсон, конечно же, успел. Над ним словно пронеслась стая жужжащих комаров. Там и сям закричали люди, многие упали.

Проворный лекарь со вздохом вернулся к своему занятию.

Французы вели пальбу по защитникам плутонгами: опорожнив ружья, шеренга отбегала назад, в хвост колонны, чтоб дать место следующей. Это профессору понравилось больше, чем ка-

---

[1] Достоинство и дисциплина (*фр.*).

нонада, когда орудия палили вразнобой, как черт на душу положит. Здесь же можно было отрываться от работы не ежесекундно, а всего четыре раза в минуту. Перед каждым следующим залпом Самсон Данилович ложился на землю и даже успевал подстелить полотенце, чтоб не слишком марать панталоны (манжеты и рукава у него были безнадежно запачканы кровью).

Так продолжалось довольно долго, но, увлеченный обработкой ран, Фондорин нисколько не скучал.

Вдруг капитан крикнул:

— Ребята, держись! Русский багинет французского длиннее! Неприятель пошел в штыковую.

Профессору работать стало труднее. Уже через минуту вкруг него началась беспорядочная суматоха, в которой русские перемешались с французами. Люди с выпученными глазами, хрипя и вопя, кололи и рубили друг дружку, катались по земле, неслись напролом не разбирая дороги. С травматической точки зрения рукопашный бой показался Самсону еще менее опасным, чем залповая стрельба. Замахи сражающихся были медленны, удары нисколько не грозны. Но попробуйте-ка аккуратно зашить рану или вправить кость, если раненый дергается и стонет, а откуда-нибудь сбоку еще и наползает болван, слепо тычущий перед собою колющим орудием!

Справедливости ради следует сказать, что *злонамеренно* на лекаря, занимающегося своим милосердным делом, никто не нападал. Когда Фондорин бродил среди схватки в поисках очередного мученика — неважно, русского или француза, — на него несколько раз наскакивали чужие и свои. Очумело таращились на статского, восклицали: «Ты кто?». Самсон Данилович правдиво отвечал: «Я человек» или «Je suis un homme»[1] — и его оставляли в покое.

Медику, который желает хорошо выполнять свою кровавую работу, необходимо сохранять полное хладнокровие, если не сказать бесчувствие. Поэтому профессор приглушил в сердце голос сострадания. К врачуемой им плоти и ее несчастным

---

[1] Я человек (*фр.*).

обладателям он относился с совершенным бесстрастием. Но настал момент, когда в этой броне образовалась трещина. Пред Фондориным на земле лежал его знакомец, его добрый попечитель — пехотный капитан, пронзенный несколькими штыками. Бедняга был еще жив и пытался спрятать обратно в живот вывалившиеся внутренности.

— Пустите руки! — со слезами воскликнул профессор. — Дайте я!

Офицер пробовал улыбнуться и всё повторял:

— Что уж... Мне конец. Вы, голубчик, бегите. Редут взят... А я потерплю. Иль кто сжалится, добьет...

Фондорин ткнул ему в нос тряпицу, обильно смоченную метиловым эфиром. Раненый закатил глаза и умолк.

Роясь в раскромсанной брюшной полости, профессор видел, что сделать ничего нельзя. Дышать капитану оставалось не более десяти минут.

— Voilà un chirurgien![1] — закричали сзади.

Чьи-то руки схватили Самсона за плечи.

— Вы из наших? — взволнованно спросил по-французски молодой человек в синем мундире. — Ах, неважно! Хватит возиться с этим русским! Chef-de-battalion[2] ранен! Скорее! Да берите же его, ребята!

С обеих сторон профессора подцепили солдаты и бегом поволокли куда-то. Вокруг были одни синие мундиры. Черные и зеленые если и попадались, то лишь под ногами. Редут действительно был взят.

IV.

У майора пулей была разможжена лодыжка. Наложив выше раны жгут, Фондорин объяснил столпившимся вокруг офицерам и солдатам, что нужно поскорей нести раненого на стол и делать ампутацию, не то будет поздно.

---

[1] Вот хирург! (*фр.*)
[2] Майор (*фр.*).

Старший из офицеров сказал:

— Будьте при командире неотлучно. Черт побери, если он умрет, вы ответите головой! Эй, носилки сюда!

Вот простейший способ безо всякого риска оказаться во французском лагере, мгновенно подсказала Самсону форсированная берсеркитом мыслительная функция. Всё выходило как нельзя к лучшему.

Он сопроводил носилки на полковой операционный пункт, расположившийся в большом амбаре на окраине близлежащей деревеньки.

Там повсюду — на полу, снаружи и даже на улице — лежали десятки раненых, а от редута всё подносили новых. 61-й потерял при штурме больше трети своего состава. Санитарные повозки, так называемые «амбулансы», перевозили самых тяжелых в дивизионный лазарет, но майора, любимца всего полка, штаб-лекарь решил оперировать сам, благо тот находился в милосердном бесчувствии.

Полковой врач (его звали Демулен) с похвалой отозвался о наложенном жгуте и спросил у коллеги имя.

— Фон Дорен? — переспросил он. — Вы, должно быть, из вюртембержских конных егерей, что стояли по соседству? Ваш полк и весь корпус Монбрена переведены в резерв, вы отстали от своих. Послушайте, мсье фон Дорен, ваши егеря в бою не были, а у меня, сами видите, сущий ад. Не согласитесь ли остаться, по-товарищески?

Самсон охотно согласился.

Весь остаток дня и половину ночи он провел у стола, орудуя то пилой, то иглой, то пулевыми щипцами. Он работал так быстро, что санитар едва успевал подносить льняную корпию, Argentum nitricum для прижигания ран и Sphagnum fuscum, целебный мох для компрессов.

К полуночи действие берсеркита начало выветриваться, профессора заклонило в сон.

Врачи вышли за околицу подышать свежим воздухом. Голова у Самсона кружилась, в висках стучало.

— Мне нужно возвращаться в полк, — сказал он французу. — Я падаю с ног. Вам больше не будет от меня прока.

Демулен с чувством приобнял его.

— Еще бы! Вы сделали впятеро больше меня! Ложитесь спать. У меня отличная раскладная кровать.

— Нет, я должен идти, — стал отказываться Фондорин, думая, что еще придется искать в огромном французском лагере ставку императора.

Следующая реплика лекаря заставила Самсона встрепенуться.

— Я не отпущу вас! Вы заслуживаете награды, и вы ее получите, не будь я Анри-Ипполит Демулен! Видите вон тот холм, где горят факелы? — Француз показал в поле. — Там поставили шатер для Маленького Капрала. Ему угодно назначить этот пункт своею ставкой на время грядущего сражения.

— Неужто? — прошептал профессор. «Маленьким Капралом» во французской армии любовно называли Бонапарта.

— Это решено. Император наблюдал оттуда за нашей атакой. Эта позиция ему понравилась. Я знаю привычки Великого Человека. Он обязательно придет проведать раненых. И тогда, слово чести, я расскажу о вашей заслуге. Оставайтесь, вы не пожалеете!

— Хорошо, я останусь...

Но я не готов, совершенно не готов, пронеслось в голове у Фондорина. Его план выглядел совсем иначе. С другой стороны, глупо было отказываться от случая пусть не *удалить опухоль*, но хотя бы рассмотреть ее вблизи.

— И правильно сделаете! — Демулен дружески хлопнул коллегу по плечу. — Но только советую переодеться. Император не любит, когда военный чиновник или наш брат лекарь расхаживает в партикулярном платье. Ваши вещи, верно, остались в полку? Не беда. Я одолжу вам мой запасной мундир.

В палатке профессор из последних сил облачился в форму армейского хирурга: синий сюртук с белыми отворотами, красный жилет, синие панталоны, а затем повалился на полотняное ложе и заснул мертвецким сном. Демулен бережно укрыл его своею шинелью.

V.

Толком выспаться не довелось.

Рано утром Фондорина с трудом растолкал его новый товарищ, во всю ночь так и не сомкнувший глаз. С минуты на минуту ожидалось явление императора.

Амбар был сколько возможно вычищен. Пол устлали новой соломой, раненых разложили поровней, кровавые обрывки корпии и древесной ваты убрали. Уцелевшие офицеры полка во главе с командиром стояли во дворе. Оба врача поместились во второй шеренге.

В последний миг славный Демулен повесил на «вюртембержца» положенную по уставу полусаблю, и у профессора возникла идея: не переменить ли план? Уж не сама ли Фортуна подсказывает самый простой выход?

Чего легче: выпить снова берсеркита, и когда покажется мучитель отчизны, изрубить его на куски, а там будь что будет.

Но лекарская полусабля, судя по клинку, вовсе не знавала точила. Ею, пожалуй, можно было набить тирану славную шишку, ежели со всей силы стукнуть по башке, но зарубить насмерть — навряд ли. Кроме того, план есть план. Он составлялся на холодную голову и с верным расчетом. Самсон постановил отвергнуть заигрывания неверной Фортуны и покамест ограничиться осмотром будущего *пациента* — именно так профессор предпочитал мысленно называть великого завоевателя.

Ожидали довольно долго. К полковым офицерам и лекарям присоединилось дивизионное начальство, встав впереди, отчего Фондорин оказался в третьем ряду. Потом прибыл взвод конных лейб-жандармов. Рослые молодцы в высоких медвежьих шапках спешились и образовали род коридора. Командир личной охраны императора, пучеглазый майор с бакенбардами небывалой кустистости, оглядел двор и лазарет, после чего занял пост возле двери.

Лишь затем от холма, где расположилась ставка, съехал Бонапартов кортеж. Все тянули шеи, тщась разглядеть средь сия-

ющей золотым шитьем свиты и красномундирного конно-
егерского эскорта императора, но его было не видно.

Вдруг Демулен взволнованно схватил Самсона за локоть:

— Вон он!

Низенький полный человек в затрапезном сюртуке, в большой шляпе без плюмажа, ссутулясь ехал шагом, с двух сторон
заслоняемый телохранителями. Его прекрасного арабского коня вел под уздцы слуга в восточном одеянии.

— Кто это? — прошептал Самсон.

— Рустам, личный мамелюк.

— Он араб?

— Тифлисский армянин. Это один из двух слуг, неразлучных
с императором днем и ночью.

— А кто второй? — спросил профессор, которому эти сведения были очень нужны.

— Камер-лакей Констан. Видите его? Плотный господин с
провизионной корзиной у седла. — Демулен показал на всадни-
ка в затканной золотыми пчелами ливрее и умильно прибавил. — Перед большой битвой у Гения всегда зверский аппетит.
Смотрите, смотрите! Констан подает ему что-то! Кажется, цып-
лячью ножку, обернутую салфеткой! И наливает из фляги! А слева от его величества сам маршал Даву, князь Экмюльский...

Он принялся называть прославленных военачальников, ок-
ружавших Наполеона, но Фондорин больше не слушал и всё
смотрел на камер-лакея. Он даже проглядел, как Бонапарт
спешился, и вновь перевел взгляд на *гения*, когда тот уже шел
мимо строя офицеров.

Вблизи стало видно, что восторженный врач не преувеличил:
этот человек с внешностью булочника — безусловный genius[1]
войны, то есть само воплощение ее алчного, неукротимого духа.
От всей неказистой фигуры Маленького Капрала, от его одутло-
ватой физиономии исходили физически ощутимые волны могу-
чей силы и неколебимой уверенности. Он медленно шагал вдоль
шеренги, и люди будто заряжались частицей этой мощи; их плечи распрямлялись, глаза зажигались экстатическим огнем.

---

[1] Дух (*лат.*).

Взгляд императора обладал поразительной особенностью: будучи устремлен на людей гораздо более рослых, он производил впечатление света, лучившегося откуда-то сверху, с недостижимой высоты. Или, наоборот, из бездонной глубины, из непостижимой бездны? Штандарты Наполеона были украшены пчелами, на древках сияли имперские орлы, но сам властитель напомнил Фондорину не крылатое созданье, а скорей подводную тварь — белую акулу или касатку. В движениях Бонапарта чувствовалась та же ленивая неторопливость, в любое мгновение грозящая обратиться смертоносным рывком.

Даже сам профессор, которого никак нельзя было причислить к сонму обожателей диктатора, поневоле испытал род особенного трепетания, когда быстрый, всепроницающий взор скользнул по заднему ряду. Это, безусловно, тоже было свойством природного вождя — создавать у массы впечатление, будто он разглядел и отметил каждого.

Спокойно, велел себе Фондорин. Не будем поддаваться стадному помешательству, оно заразительно. Оценим сего субъекта с физиологической точки зрения, как подобает врачу и ученому.

Рост? Пожалуй, два аршина и два вершка, то есть, по принятой у французов метрической системе, около ста пятидесяти сантиметров. Туловище довольно длинное, а ноги коротки. Цвет лица выдает склонность к желудочным коликам и печеночную недостаточность. Голова мезоцефального типа с вдавленными висками, борода редкая. Эта совокупность черт предполагает сверхчувствительность к запахам и зависимость от метеорологических условий. В сырые дни у этого человека могут быть невыносимые мигрени, даже судороги. Да-да, судороги непременно. Возможно, эпилептического свойства...

Завершить диагноз он не успел, потому что император вошел в амбар.

Дивизионный генерал подал знак полковнику, тот шикнул Демулену. Лекари присоединились к свите на случай, если у венценосца будут замечания или вопросы.

Но Бонапарта занимали не врачи, а раненые. Их было не менее двух сотен; император не пропустил ни одного. Кому-то молвил слово, кому-то просто кивнул. И снова Фондорин поразился власти этого толстячка над людьми. Тяжко изувеченные солдаты, кто, казалось, был неспособен даже пошевелиться, приподнимались со своего ложа, бодро отвечали, даже улыбались! Пораженный профессор подумал: если б Наполеон задержался в этой обители страданий на полчаса или на час, многие из безнадежных, возможно, воскресли бы к жизни.

Но император спешил. Обходя раненых, он не прекращал беседы с князем Экмюльским, который, судя по доносившимся до Самсона обрывкам фраз, докладывал подробности вчерашнего боя.

— Как это «ни одного пленного?» — сердито воскликнул Бонапарт. — Этого не может быть!

— Русские бились как никогда прежде, сир. Завтра нам предстоит очень тяжелый бой, — с озабоченным видом отвечал Даву.

Наполеон со смехом дернул маршала за ухо.

— Вечно вы каркаете, унылый ворон. Я приготовил на завтра кушанье, которого русские еще не пробовали! Это будет новое слово в тактике, господа.

Что он говорил дальше, Самсон не услышал — его оттерли назад. Мысль у профессора сейчас была только одна: эта бацилла смертельно опасна, ее нужно обезвредить до начала баталии. Иначе России конец...

Подле батальонного командира, лежавшего отдельно от остальных раненых, полководец остановился.

— Мой бедный Пикар, — молвил он, наклоняясь. — Что я вижу? Тебе отрезали ногу! Но ты ведь послужишь мне и на деревяшке, старый черт? Тебе рано на тот свет, ты нужен мне здесь.

Бедный майор, которого не спасла и ампутация (он уже трясся в предсмертном ознобе), все-таки нашел в себе силы улыбнуться посинелыми губами, но говорить не мог.

Лицо императора сделалось недовольным.

— Пикар был со мной еще при Маренго. Я не желаю его терять. Юван, подите сюда! Вылечите мне этого человека!

Из свиты вышел важный господин в таком же, как у полковых лекарей, мундире, только с золотом на вороте и обшлагах.

— Это лейб-хирург барон Юван, — почтительно шепнул Демулен.

Осмотрев раненого, мэтр лишь развел руками и покачал головой.

— Анкр, взгляните вы! — еще сердитей позвал Наполеон.

Подошел еще один врач, тоже с золотыми позументами, но цвет форменного жилета у него был зеленый.

Демулен сообщил:

— А это барон Анкр, собственный фармацевт его величества. Настоящий волшебник!

Лейб-аптекарь едва посмотрел на умирающего и повернул к императору морщинистое малоподвижное лицо.

— Я попробую, сир.

Этот человек был стар, но еще сохранял молодую быстроту в движениях. Волосы припудрены на старомодный манер — возможно, чтобы скрыть седину. Глаза закрыты очками с зелеными стеклами, какие обычно носят страдающие глаукомой.

— То-то же, — проворчал властелин, успокаиваясь, и двинулся дальше.

Демулен тихо говорил на ухо своему молодому спутнику:

— Вот что значит умный человек. Император, может быть, про майора потом и не вспомнит, а досада на Ювана останется. Должность у него звучная, зато у Анкра больше влияния. Последний раз услуги хирурга понадобились его величеству три года назад, во время несчастного сражения при Ратисбоне, а барон Анкр подает его величеству порошки и снадобья каждый день. Нет уж, если бы мне дали выбирать, я бы пост придворного аптекаря ни на что не променял. Ответственности почти никакой, а все время на виду, — с важностью заключил полковой лекарь, как будто ему и в самом деле кто-то предлагал на выбор, кем стать — лейб-хирургом или лейб-фармацевтом.

— Кто заведует лазаретом? Где старший врач? — как раз зашумели в свите. — Государь спрашивает!

Побледнев, Демулен кинулся вперед, расталкивая генералов и адъютантов.

— Это я, сир! Штаб-лекарь Демулен!

— Ну-ну, — обронил великий человек, смерив его взглядом, да так и не вспомнил, что хотел спросить. — Где мой Констан? — сказал он вместо того. — Скажите ему, что у вице-короля я выпью шоколаду с бриошами. Пусть скачет вперед и распорядится.

Все вышли из амбара во двор, остались только лазаретные врачи.

— Я говорил с Маленьким Капралом! — лепетал счастливый Демулен. — Будет что рассказать детям и внукам! Как он сказал, мсье фон Дорен? «У вице-короля я выпью шоколаду с бриошами»? Надо записать всё, не упустив ни слова. А с каким выражением он обратил ко мне свое знаменитое «Ну-ну»!

VI.

До конца дня Фондорин изучал подходы к командному пункту *пациента*.

Ставка располагалась на холме, соседствующем с Шевардинским. В нескольких шатрах и палатках помещались штаб и императорская квартира. Подойти к возвышенности обычному человеку было невозможно. Великого Человека оберегала двойная охрана. Подножие холма было оцеплено конноегерями, непосредственно вокруг императорского шатра стоял плотный караул лейб-жандармов.

Эти преграды, однако, мало беспокоили профессора. В главный шатер, опекаемый с особенной строгостью, попасть он не стремился — довольно проникнуть за первое оцепление. С этой задачей справиться нетрудно. Тому порукой темная ночь да серебристая фляга. Целью Фондорина являлась небольшая палатка, поставленная позади бонапартовой квартиры. Эту-то палатку Самсон в основном и разглядывал в 12-кратную оптическую трубку собственной конструкции, забравшись на крышу самой крайней из деревенских изб.

Старший лекарь был счастлив, что расторопный «вюртембержец» не спешит вернуться в расположение своего полка. Возни с ранеными хватало и на следующий день после боя, а завтра предстояло новое, еще более кровопролитное сражение, к которому тоже надлежало приготовиться.

Вечером Фондорин увидел, что над землей начинает собираться туман. Это облегчало предстоящую задачу.

Часа через три после полуночи туман достиг наибольшей плотности. Из серой мглы чернели самые верхушки крыш с печными трубами; на земле в пятнадцати шагах было ничего не видно. Пора, решил профессор.

Он прошел деревней, где не только все избы и дворы были заняты солдатами, но на улице повсюду горели костры. То же было и в поле за околицей. Там стояла бивакой Старая гвардия. Никто не обращал внимания на военного хирурга, идущего куда-то по своим делам.

Ближе к холму костры кончились. Шум лагеря не должен был мешать сну императора. Ставку окружала почтительная пустота шириной в полсотни саженей, сокрытая плотным туманом, в котором перекликались невидимые часовые.

Настало время прибегнуть к помощи берсеркита.

Фондорин налил чудесного снадобья, стал капать разжижитель, да в темноте половину пролил мимо, экая незадача! В серебристой фляге берсеркиту оставалось еще на одну дозу, но разбавлять ее теперь стало нечем. Последнюю треть спасительного средства профессор предполагал использовать для того, чтоб, осуществив замысел, благополучно перебраться к своим. Собственная неловкость лишила его этой возможности, существенно сократив шансы выйти из переделки живым. Но досадная оплошность не могла помешать главному делу.

Берсеркит уже начал действовать. Очки стали не нужны. Взгляд проникал сквозь пелену, различая силуэты дозорных. Обострившийся слух отчетливо разбирал голоса, даже шепот. Ноздри профессора раздувались, атакованные сотней самых разнообразных запахов.

Пригнувшись, Самсон упругой волчьей побежкой помчался к смутно прорисовывавшемуся впереди холму. Шагах в двадцати перед оцеплением упал на четвереньки, затем вовсе лег на живот. Движения его были скоры и уверенны. Шуму он производил не больше, чем струящаяся по земле змея.

Расстояние между часовыми из-за тумана было сокращено до «пяти багинетов», то есть до дистанции в пять ружей с примкнутым штыком. Конноегеря несли службу исправно, пристально вглядываясь в мглу. И все же двое часовых, меж которыми проползла распластанная фигура, ничего не заметили. Рискованный маневр был осуществлен проворно и беззвучно.

На склоне Фондорин взял вправо. Он заранее присмотрел удобную позицию — расщепленный ядром тополь, на который и взобрался с ловкостью лесной рыси. Удобным этот возвышенный пункт был не в смысле комфорта (вот уж нет), а по своей близости к занимавшей профессора палатке.

Вернее сказать, то был полотняный навес на шестах, с трех сторон прикрытый пологом, а с одной — как раз выходившей к тополю — совершенно открытый. Такое устройство, очевидно, объяснялось необходимостью постоянного проветривания. В палатке находилась походная кухня, или вернее род буфета. Собственно кухня не могла располагаться в такой близи от императорской квартиры. Днем профессор видел в подзорную трубу, как человек в белом колпаке дважды приносил в палатку металлические судки. Их принимал камер-лакей и расставлял на поднос. Когда требовалось, Констан носил еду в шатер, разогревая ее на походной горелке. Здесь же слуга варил кофе. Перед входом прохаживался богатырского роста гвардеец с ружьем на плече.

Про то, что великий полководец перед сражением всегда просыпается до рассвета и с неизменным аппетитом завтракает, знала вся Европа. На этой привычке *пациента* был теперь выстроен весь план Самсона Даниловича, уточнявшийся и изменявшийся вплоть до самого последнего часа.

Всем был хорош превосходный берсеркит кроме одного. Усидеть на месте, да таком неудобном, настоящее мучение, если кровь алчными толчками пульсирует в жилах, а тело переполнено жаждой действия. И время, будь оно неладно, волоклось гораздо медленнее обычного. Фондорин весь извертелся на суку, обхватывая шершавый ствол левой рукой и сжимая оптическую трубку в правой.

Хорошо, макушка холма находилась над верхней границей тумана, а в палатке горела масляная лампа. Внутренность буфета отлично просматривалась в кружок окуляра.

В половине четвертого показался заспанный Констан. Он подкрутил фитиль лампы, начал протирать серебряный поднос, а тут явился и повар.

С расстояния в сорок шагов, да еще в трубу Фондорин разглядел, что каждый из судков закупорен печатью. Лакей внимательно осмотрел пломбы, снял их. Приподнял крышки, понюхал.

— Котлетки вряд ли, — сказал он, отодвигая кастрюльки одну за другой. — Фрикасе точно не будет. А вот чашку бульона обязательно выпьет. И суфле на всякий случай разогрею.

Чуткое ухо профессора улавливало каждое слово отчетливо, будто подзорная труба приближала не только предметы, но и звуки.

— За пятнадцать минут до того, как подавать, поставьте бульон на медленный огонь, — наставлял Констана повар. — Я добавил для запаха щепотку сушеного тимьяна. Надеюсь, ему понравится. А для суфле включите горелку посильнее, но не более, чем на три минуты, иначе вкус пропадет.

— Не учите ученого, дружище, — важно отвечал валет и жестом отослал кухонного служителя.

По тому, как неспешно Констан раскладывал столовое серебро, как он потягивался и зевал, Самсон понял, что время еще есть. Но все равно заволновался. Для успеха предприятия было необходимо, чтобы слуга хотя бы ненадолго удалился. Должен же он присутствовать при утреннем туалете императора. Или Наполеону одеться-умыться подает кто-то другой? Но Демулен говорил, что полководцу прислуживают всего двое: мамелюк Рустам и камер-лакей.

Ошибался ли полковой врач иль говорил правду, Фандорин так и не узнал. На счастье, Констан отлучился из палатки еще до пробуждения своего господина.

Подозвав часового, лакей сказал:

— Я должен выйти, Жанно. Зов природы.

Сивоусый гвардеец шутливо отсалютовал ружьем. Когда Констан удалился, часовой принялся размеренной поступью прохаживаться вокруг палатки — наверное, так предписывала инструкция.

Фондорин решил, что иной оказии может не представиться.

Он проворно спустился с дерева и вскоре уже лежал в траве неподалеку от палатки. Дал часовому пройти мимо, проскользнул внутрь, спрятался за полог. Мимо опять протопали сапоги. Профессор шагнул к кастрюльке, в которой хранился бульон. Поднял крышку, плеснул в жидкость из своей золотистой фляжки. Закрыл. Снова спрятался.

Всё это не заняло и пяти секунд — до того точны и стремительны были движения заряженного берсеркитом тела.

Гвардеец Жанно на миг остановился у входа, потянув носом воздух. Вероятно, почуял запах бульона.

Самсон стоял, отделенный от дозорного лишь тонкой завесой из полотна, и старался не дышать.

Но лейб-жандарм сглотнул слюну и прошествовал дальше.

Легчайший шорох — и Фондорин снова оказался в траве.

Дальнейшее было просто: сбежать с холма, просочиться между конноегерями, раствориться в тумане.

Дело, почти невероятное по сложности, было исполнено на славу. Больше от Самсона Фондорина ничего не зависело.

Самое разумное теперь было бы, пользуясь ночным покровом и еще не исчерпавшимся действием препарата, перебраться в расположение русских войск, а Бонапарта предоставить его судьбе. Но ни один истинно ответственный ученый ни за что не покинет места испытаний, пока не убедится в успехе либо неудаче произведенного опыта. Посему профессор повернул не в чернеющее слева ничейное поле, а направо, где в сером мраке светились огни недальних костров.

В золотистой фляжке, содержимое которой перелилось в августейший бульон, был отнюдь не яд, как вообразил бы всякий, кто по воле случая стал бы свидетелем сцены в буфетной палатке.

Таинственный декокт, который покорителю Европы предстояло отведать на завтрак, являл собою отвар чернобыльника, белены и сулемы, смешанный с настоем из красных дождевых червей. Это неаппетитное, но почти лишенное вкуса и запаха зелье издавна применялось на Руси для облегчения корч бесноватых и кликуш. По своему обычаю, профессор обогатил старинный рецепт некоторыми добавками, многократно усилившими требуемый эффект.

Человек, испивший сего препарата, по внешней видимости оставался совершенно здоров и разумен, но вся его умственная и волевая деятельность отуплялась почти до полного замирания. Мысли начинали ворочаться в голове еле-еле, пропадала всякая охота к поступкам. Будучи оглушен этим дурманом, бесноватый сразу успокаивался, терял счет времени и мог с глубоким интересом целый час разглядывать, как по небу плывут облака или по земле ползет гусеница. Здоровый же впадал в уныние и отрешенность, раздражаясь на всякого, кто попытается вывести его из этого состояния.

Расчет профессора Фондорина был безупречен. Армия, обученная слепо повиноваться чудесным способностям одного человека, крайне уязвима. Если бы император скончался либо лишился чувств, его маршалы, конечно, взяли бы управление сражением на себя, и тогда исход баталии оставался бы сомнителен. Но с Бонапартом по внешней видимости всё будет в порядке. Что странного, если Великий Человек погрузился в длительные раздумья? Даже в самый разгар схватки никто не посмеет подгонять грозного повелителя, требовать от него незамедлительных решений. Все приближенные привыкли полагаться на чутье и волю непобедимого полководца. Им будет невдомек, что гений войны никак не может собрать воедино обрывки разрозненных, непослушных мыслей. А битва ждать не станет, в ней всё решают мгновения!

Предприятие, успех которого осторожный Самсон Данилович определял в скромные тридцать восемь с половиной процентов, можно было почитать удавшимся.

Уж камер-лакею ли не знать привычек своего хозяина? Констан выразил уверенность, что император обязательно выпьет бульону.

Bon appétit, sire![1]

VII.

Император Всех Французов ночь провел плохо, его мучили почечные колики, но проснулся бодрым, в прекрасном настроении. Он всегда говорил, что лучшее лекарство от болезней — душ из ядер и картечи. Близость сражения пьянила его и заряжала бодростью.

Открыв глаза, он вспомнил, какой сегодня день, улыбнулся и крикнул: «Рустам, умываться!»

Было еще темно, четыре часа, но в ставке никто не спал. И свитские, и штабные хорошо изучили привычки монарха.

Пока мамелюк брил полководца, дежурный генерал докладывал о свершившемся ночью последнем перемещении войск и о расположении противника.

Первую часть рапорта Наполеон выслушал внимательно, на второй начал насвистывать «Марсельезу», чудовищно фальшивя. Это, однако, была единственная мелодия, которую он мог худо-бедно воспроизвести. Расположение русских войск императора не занимало. И так понятно, что Кутузов закопался в землю и приготовился к обороне, то есть полностью отказался от всякой инициативы. Так обычно и вели себя вражеские армии с тех пор, как Маленький Капрал прослыл непредсказуемым и непобедимым.

Камер-лакей уже ждал у сервированного походного стола.

— Только кофе, — сказал император. — Бульон потом.

Сначала нужно запустить в действие машину, потом можно и позавтракать.

Он вышел к штабу, все так же улыбаясь и потирая руки. Голоса в штабном шатре умолкли. Все глядели на довольное лицо

---

[1] Приятного аппетита, сир! (*фр.*)

полководца и чувствовали одно и то же: радостное предвкушение то ли празднества, то ли чуда.

Очень хорошо зная, какой эффект он производит на окружающих, Наполеон засмеялся. Ему хотелось шутить.

— Какой нынче день?

— Понедельник, седьмое сентября, сир.

— А у русских?

— По их календарю двадцать шестое августа.

— До чего ж они медлительны! Не поспевают за временем.

Все охотно засмеялись этому немудрящему mot[1], а император продолжил:

— На том я и построил свой план. Мы не дадим Кутузову опомниться. Никогда еще сражение такого размаха не начиналось так быстро, вдруг. Эжен, ты готов? — спросил он пасынка. — Немедленно всеми силами, не дожидаясь, пока поднимется туман, и без артиллерийской подготовки удар по центру их позиции. Пушки подтянуты к нашему правому флангу, как я велел? Отлично! Одновременно с атакой вице-короля осыпать ядрами русские флеши и марш-марш, вперед! Мы начнем ровно в шесть, а к семи противник дрогнет. Его правый фланг не тронется с места из-за канонады. Резервы будут брошены к центру, а мы скатаем его оборону с левого фланга, как ковер! Кавалерия довершит разгром. Это будет самая быстрая из моих побед!

Диспозиция не представляла собою ничего особенного. По сути дела, она была очень проста, но император и не верил в сложные диспозиции. Главное, что маршалам и генералам она показалась совершенно гениальной. Те военачальники, кому предстояло участвовать в наступлении, рысцой побежали к лошадям. Девиз нынешнего дня был «быстрота».

— Констан, давайте ваш бульон! — велел монарх, садясь к столу и вытягивая шею, чтоб ему повязали салфетку. — Что вы еле шевелитесь, будто сонная муха? Живей, живей! Какой странный вкус, — сказал он после первой ложки. — Вы пробовали?

---

[1] Здесь: острота (*фр.*).

Лакей наморщил лоб, будто смысл этого простого вопроса дошел до него не сразу.

— Да, сир. Разумеется, сир. Вы ведь знаете, сир, что я пробую всякое кушанье, прежде чем...

Он не договорил, забыв, с чего начал фразу.

— Что за привкус у бульона, я спрашиваю?

— Привкус? — Валет сделал усилие, чтобы собраться с мыслями. — Ах да, сир. Это повар добавил тимьяна. Для аромата.

— Уйдите к черту, Констан! Вы заражаете меня вашей сонливостью.

Великий человек допил бульон.

На холм поминутно взлетали конные ординарцы, докладывая о том, как идет подготовка к атаке. Подготовка шла превосходно.

Ровно в шесть, согласно приказу, корпус итальянского вице-короля ударил по деревне Бородино и, смяв русских гвардейских егерей, захватил этот центральный пункт позиции. Маршалу Даву, который атаковал земляные укрепления, обороняемые опытным генералом Багратионом, повезло меньше. Флеши ответили плотным огнем, прорваться через который оказалось невозможно.

От Даву прислали сказать, что штурм в лоб обойдется слишком дорого и разумнее предпринять маневр в обход русских силами корпуса Понятовского.

Наполеон сидел на походном стуле, погруженный в глубокую задумчивость. Адъютанту пришлось повторить вопрос дважды.

— Что? — Великий Человек поднял тяжелый взгляд. — Им мало? Так дайте им еще.

Атака повторилась и была отбита с еще большими потерями. Тем временем русские, оправившись, взяли деревню Бородино обратно, отбросили вице-короля за речку и сожгли мост.

В ставку прибыл сам Даву, контуженный во время неудачного штурма, и стал убеждать императора отказаться от фронтального наступления на флеши.

— Дайте им еще, — хмуро сказал полководец, потирая лоб.

— Сир, по крайней мере прикажите совместить штурм с демонстрацией на фланге у Багратиона! Это заставит его отвести часть сил!

И вновь было повторено:

— Дайте им еще.

Третья попытка закончилась ничем. За нею последовали четвертая и пятая. Все поле перед проклятыми Багратионовыми флешами было завалено трупами. Из строя выбыли почти все дивизионные и бригадные генералы. Но император твердил одно и то же: «Дайте им еще!».

Радостное возбуждение, первоначально царившее на холме, давно уже сменилось тревогой и растерянностью. Никогда еще свита не видела, чтобы их кумир в разгар битвы был так угрюм и неподвижен.

Сражение затягивалось. Лучшие полки, прошедшие всю Европу, истекали кровью в бессмысленных штыковых ударах. Опасней всего было то, что русские с каждым часом укреплялись духом, видя, какой урон их залпы и контратаки наносят грозному врагу.

К полудню, то есть на шестой час боя французам, несмотря на чудеса доблести и самоотвержения, не удалось добиться успеха ни в одном из пунктов.

Когда император повелел готовиться к наступлению на флеши в восьмой раз, соответствующие распоряжения были отданы, свежие силы подтянуты, но в штабе приказ был встречен гробовым молчанием.

Счастливая случайность — смертельное ранение генерала Багратиона — вызвала замешательство в рядах противника и позволила обессилевшим гренадерам наконец взять заколдованные укрепления.

На холме наступило ликование. Не из-за того, что ценой тысяч жизней удалось захватить несчастную земляную насыпь, а из-за воскресшей веры в гений великого человека. Они все сомневались, а он настоял на своем и оказался прав!

После падения русского левого фланга, согласно диспозиции, составленной самим Наполеоном, успех должна была развить Молодая гвардия. Косой удар этих отборных дивизий обеспечил бы «скатывание ковра» русской обороны слева направо. Скверно начавшаяся баталия была почти выиграна за счет одного только упорства солдат армии, которую не зря прозвали Великой.

Гвардейцы уже тронулись, на ходу перестраиваясь в штурмовые колонны, но их командиру вздумалось покрасоваться перед императором. Лихо поднявшись на холм, он картинно соскочил с седла перед Наполеоном и спросил, угодно ль его величеству, чтобы Молодая гвардия довершила разгром неприятеля?

— Не нужно, — вяло ответил Бонапарт. — Ничего не нужно...

— Я должен остановить полки?! — пролепетал сраженный генерал.

Монарх устало повторил:

— Ничего не нужно...

Далее в Бородинском сражении произошел двухчасовой перерыв, по поводу которого долго потом спорили историки, так и не сойдясь во мнениях. Невозможно объяснить, почему гениальный полководец в самый разгар битвы вдруг ослабил натиск и дал русским оправиться. Причины этого загадочного промедления называют самые разные: тыловой рейд казаков, якобы испугавший Наполеона; необходимость перегруппировки; усталость французов.

На самом же деле случилось другое.

VIII.

Во все время, пока французские полки с фаталистским упрямством морских валов вновь и вновь обрушивались на неприступные брустверы и, разлетевшись брызгами, откатывались назад, профессор Фондорин находился в нескольких сотнях шагов от Бонапартовой квартиры. Ближе подойти было невозможно. На поле, разбившись на роты, сидели правильными квадратами ветераны Старой гвардии. Бродящий без дела лекарь вызвал бы подозрение.

В лазарет Самсон не вернулся. Ему хотелось понять, возымел ли действие препарат, влитый в императорский бульон.

Однако узнать это не было никакой возможности. Чем больше проходило времени, тем горше делалось у Фондорина на сердце. Бойни, развернувшейся возле флешей, он видеть не мог. О смятении, охватившем свиту императора, не догадывался.

С места, где мучился неизвестностью профессор, казалось, что французская армия управляется единой стальной волей. На поле брани один за другим с барабанным треском и развернутыми знаменами шли новые и новые полки. Сумасшедшим галопом проносились гонцы — то на холм, то с холма.

К полудню Самсон окончательно уверился, что его затея провалилась. То ли Бонапарт не захотел бульону, то ли треклятый Констан по оплошности перевернул тарелку, или же (с отчаяния профессор был уже готов поверить чему угодно) правы Наполеоновы обожатели: их идол — не живой человек, а неуязвимое божество.

Вскоре после полудня по лагерю проскакал адъютант, размахивая кивером и крича: «Победа! Редуты пали! Победа!»

Солдаты зашумели, стали кричать «Vive l'empereur!», а Фондорин проклял свою никчемность и, кажется, впервые в жизни совершил поступок, в котором нисколько не участвовал разум.

Порыв был безусловно бессмысленным, самоубийственным, однако даже самый рациональный человек не всегда способен преодолеть свои чувства.

Шаря в кармане, Самсон побежал между гвардейцев к холму.

Сначала ликующие и голосящие солдаты не обращали внимания на бегущего человека, который жадно пил на бегу из серебристой фляжки. Но один из офицеров, командовавших конноегерским оцеплением, заступил чудаку дорогу.

— Куда вы? Предъявите пропуск! — потребовал он.

От неразбавленного берсеркита взгляд профессора замутился, как если бы мир вокруг завесился прозрачной красной пеленой.

Одной рукой Фондорин схватил офицера за горло (треснули хрящи), вторая, будто действуя по собственной воле, вырвала из ножен конноегеря остро наточенную саблю.

— Держи его! Держи! — закричали со всех сторон.

Обезумевший профессор с рычанием бежал вверх по склону, размахивая клинком. Иногда сталь наталкивалась на какие-то препятствия, но они были мягки и податливы. От соприкосновения с клинком они взрывались красными брызгами.

В ту самую минуту, когда разум покинул отчаявшегося Самсона Даниловича, на вершине холма произошло движение.

Император, только что остановивший наступление Молодой гвардии, вдруг со стоном сжал виски и проговорил очень тихо — услышали лишь стоявшие непосредственно за его спиной:

— Что со мной? Что со мной? Где Анкр? Анкр!

«Барона Анкра к его величеству! Государь зовет своего аптекаря! Государю нездоровится!» — пронесся средь приближенных взволнованный гомон.

Лейб-фармацевт появился сразу же. Поблескивая своими зелеными очками, он быстро прошел через толпу.

— Господа, господа, позвольте, — приговаривал он ровным, глуховатым голосом.

Вот он оказался у стульчика, на котором сидел сгорбленный завоеватель.

— Прошу отодвинуться, господа!

Все отошли на почтительное расстояние.

Кажется, император на что-то сетовал. Возможно, даже бранился на медика. Тот нахмурясь слушал, но при этом не бездействовал. Пощупал пульс своего августейшего подопечного, приподнял ему веко.

— Приготовить кровать! — крикнул барон, помогая императору подняться. — Его величество нездоров, я им займусь. Прошу полной тишины!

Просить тишины, да еще полной, когда с поля доносился грохот семисот пушек, было довольно странно, но разговоры и перешептывания в свите немедленно прекратились.

Анкр отвел государя в шатер и задернул за собой полотняную дверцу. Никто из генералов и офицеров больше не смотрел в сторону сражения. Все глядели на покачивающийся полог, боясь пошевелиться.

Прошло минут пять, и тишина, воцарившаяся на холме, вдруг нарушилась. В цепи охранения раздались громкие крики и лязг железа. Это было событие чрезвычайное, совершенно необъяснимое. Свитские возмущенно заоборачивались и увидели, что к шатру бежит пучеглазый майор, командир эскадрона личных телохранителей императора. Его не пропускали; он горячился и доказывал, что обязан немедленно доложить его величеству о происшествии. На майора шикали, прижимали пальцы к губам: тише, тише! Но вояка не унимался.

Тогда из шатра выглянул лейб-фармацевт. Он был без сюртука, рукава рубашки закатаны.

— Я ведь просил полного покоя! — недовольно сказал Анкр. — В чем дело?

Начальник охраны кинулся к нему.

— Сударь, скажите государю! По инструкции я обязан докладывать о подобных вещах лично его величеству! Без малейшей задержки! Под угрозой военного суда! А меня не пропускают! Это неслыханно! Мои люди только что предотвратили покушение на особу императора! Какой-то безумец в лекарском мундире бросился с саблей на конноегерей и лейб-жандармов. Это настоящий дьявол! Он прорвался почти к самым палаткам! Уложил шесть человек! Слава богу, один из моих ребят оглушил его прикладом!

— Император нездоров, — перебил майора врач. — Ему сейчас не до пустяков. Покушение не удалось, и превосходно. Доклад может подождать.

Барон было отвернулся, но быстро оборотился к офицеру вновь.

— В лекарском мундире, сказали вы?

— Так точно!

— Где задержанный? Я должен его видеть.

На траве лежал молодой человек вполне мирной наружности, очень бледный, с закрытыми глазами. Голова его была окрованлена. Злодея, осмелившегося напасть на ставку императора, уже обшарили. Из всех предметов, обнаруженных в карманах неизвестного, Анкра больше всего заинтересовали две фляжки, одна золотого цвета, другая серебряного. Фармацевт открыл их, понюхал, намочил палец и осторожно лизнул.

Седые брови над зелеными очками сдвинулись.

— Ах вот оно что, — пробормотал барон. — Поразительно...

— Это вражеский лазутчик, — сказал офицер, руководивший обыском. — Смотрите, мы нашли у него на груди письмо на русском языке.

— Дайте.

Анкр развернул листок и прочел его, приспустив очки на кончик носа. Взгляд у лейб-аптекаря был быстрый и острый, нисколько не глаукомный.

— Глупости. Это не русские буквы, а греческие. Медицинский рецепт. У бедняги случился припадок delirium tremens. Видите, в углах рта выступила пена? Он не понимал, что творит. Пускай его отнесут в мою палатку. Я займусь им после.

Майор не поверил своим ушам.

— Вы шутите, сударь? Припадок или нет, но этот субъект накинулся с оружием на охрану его величества! Я лишился шестерых человек! Его нужно поместить под крепкий караул, а когда очухается, допросить!

Спорить аптекарь не стал. Спросил:

— Вы знаете, с кем говорите?

— Конечно. Вы — барон Анкр, фармацевт его величества.

— Ну так вы знаете недостаточно. Прочтите.

Старик вынул какую-то бумагу и сунул майору под нос. Прочтя несколько строк, написанных летящим почерком, и увидев подпись, офицер вытянулся и отсалютовал.

— Где моя палатка, вам известно. Пускай этого человека передадут моим слугам.

Серебряную флягу барон спрятал в карман, золотую же не выпускал из рук.

— Дорогу, дорогу! — повелительно прикрикнул он на свиту, идя назад в шатер. — С императором всё в порядке. Скоро он вернется на командный пункт!

В третьем часу пополудни Наполеон вышел к генералам бледный и покрытый испариной, но зато сам, без посторонней помощи. Кулаки за спиной императора были судорожно сжаты.

Военачальники бросились к нему.

— Вы отдохнули, сир? Какие будут распоряжения?

Не отвечая, полководец протянул руку за подзорной трубой. Оглядел затянутое дымом поле и злобно воскликнул:

— Как, центр еще не взят!? Почему артиллерия еле стреляет? Мы теряем время!

Сражение возобновилось с новым жаром и не утихало до самого вечера.

IX.

И предстал Самсон перед Сфинксом, что дает ответ на главный вопрос, занимающий всякого смертного человека: может он жить дальше или же настало ему время умереть.

Умирать не хотелось. Из-за тайн бытия, остающихся необъясненными. Из-за Киры Ивановны. Из-за того, что Самсон был еще так молод. Вообще — из-за всего на свете! Не существовало ни одной причины, которая побуждала бы Фондорина окончить свои земные дни.

Проще всего было бы спросить грозного Сфинкса напрямую, кончена жизнь иль нет. Но чувство достоинства не позволяло унижаться пред истуканом. Да и страшновато было спрашивать, если уж честно. Вдруг идол покачает своею каменной башкой, и тогда не останется никакой надежды.

Тут важно знать, что Сфинкс был не ассирийский, с бородой, и не греческий с головою женщины, а египетский, то есть с ликом скуластым и совершенно непроницаемым.

Сколько Самсон ни пробовал прочесть свою судьбу по этим мертвенным чертам, ничего не выходило. Двигаться было очень трудно, тело отяжелело и почти не повиновалось, но Фондорин всё-таки пытался заглянуть в глаза чудищу.

Увы, это было невозможно. Сфинкс парил на недосягаемой высоте. Взор его узких, прищуренных глаз был неуловим; впалые глазницы озарялись то сиянием дня, то мерцанием луны, то загадочным багровым пламенем.

Самсон чувствовал, что плывет куда-то, покачиваясь на волнах. Ощущение это было бы не бесприятным, если б не нависающий сверху Сфинкс, загораживающий собою половину неба. Спастись от этого неотступного видения профессор мог, закрыв глаза и опустившись в черноту сна, но стоило ему пробудиться, и египетское страшилище оказывалось тут как тут.

Наконец эта мука Фондорину надоела. В очередной раз проснувшись и увидев над собою Сфинкса, Самсон прошептал (а самому ему показалось — крикнул):

— Иль сгинь иль отвечай! Я тебя не боюсь!

Красноватый огонек вспыхнул ярче, по лицу Сфинкса колыхнулись тени, но само лицо осталось неподвижным, а взгляд так и не обратился на лежащего.

Зато с другой стороны раздался вполне обычный, человеческий голос, который сказал:

— Tiens! Il s'est éveillé[1].

Профессор задрал голову. Зрение его понемногу начинало проясняться.

Он не плыл по волнам. Он лежал на дне отменно покойной коляски, с хорошим рессорным ходом. На облучке сидел возница в шинели и вязаной шапке — он-то и сказал «Tiens!». Судя по цвету неба, время было вечернее, вскоре после заката. Погода сырая и холодная.

Лоб у Фондорина был обвязан тряпкой — в этом он убедился, ощупав себя рукой. Сфинкс же несомненно был порождением беспамятства.

Но когда Самсон опустился на мягкое ложе и поглядел назад, то вновь увидел скуластое лицо, зловеще обагряемое снизу.

Сознание окончательно вернулось к профессору, и он понял: это не сфинкс, а очень смуглый человек со странно застыв-

---

[1] Гляди-ка! Очнулся (*фр.*).

шим лицом сидит и курит медную трубку, из которой при каждом вдохе вылетают красные искорки.

Тот, кого Самсон в бреду принимал за истукана, очевидно, находился на одном и том же месте безотлучно днем и ночью. Вот почему казалось, что лик освещаем то луной, то солнцем.

— Qui êtes vous?[1] — спросил Фондорин — все же не без боязни.

Ответа не было.

— Этот не услышит, — сказал кучер и сам засмеялся — видно, соскучился молчать. — Вы его толкните ногой, я уж сам с ним объяснюсь.

Фондорин с опаской дотронулся носком сапога до щиколотки сидящего.

Египтянин (так профессор теперь переименовал Сфинкса) шевельнулся и наконец удостоил воззреть на простертого Самсона сверху вниз.

— Видишь ты, он очнулся! — очень громко и помогая себе жестами заговорил возница. — Надо сказать господину барону! Понял ты, арапская морда?

Не издав ни звука, Египтянин очень ловко, прямо на ходу, спрыгнул с сиденья наземь и исчез. Приподнявшись на локте, Фондорин его уже не увидел. Зато теперь он мог оглядеть дорогу.

Она была полна людей, лошадей, повозок. Вся эта масса двигалась в одном направлении. Слева от дороги чернел лес, справа серело поле.

«Это обоз. Французский обоз. Я в плену», сказал себе профессор, обессиленно откидываясь на подстилку. Последнее, что он мог вспомнить из своего дообморочного состояния — как бежал к холму, глотая из фляги напиток варяжских головорезов. Но отчего тупо ноет голова и плохо слушаются члены, Самсону было непонятно. Симптомы похмелья после принятия большой дозы неразбавленного мухоморного экстракта выглядели бы совсем иначе: тремор, потливость, сухость во рту.

---

[1] Кто вы? (фр.)

Профессора же, наоборот, знобило без дрожи и поминутно приходилось сглатывать обильную слюну. Очень странно.

Кажется, сильно упало давление в кровеносных сосудах. Явственно понижен биологический тонус. Мышцы неестественно задеревенели. Все нервные рефлексы притуплены...

Самодиагноз не был доведен до конца, потому что к коляске подъехал верховой в высокой двухуголке и черном плаще. Откуда-то вынырнул молчаливый Египтянин, взял коня под уздцы и помог всаднику спешиться. Кучер придержал лошадей.

— Вы очнулись, — сказал незнакомец, поднимаясь в экипаж и усаживаясь на сиденье. — Вы ведь понимаете по-французски? Если угодно, я могу изъясняться и по-русски, но, сколько мне известно, среди людей вашего круга французская речь распространена более, чем родная.

Последний отблеск ушедшего дня пал на сухое, с резкими чертами лицо, и Фондорин не без удивления понял, что прежде уже видел этого человека и, следовательно, тот не может почитаться незнакомцем. Возможно, Самсон и не узнал бы его, если б не очки с зелеными стеклами. Личный аптекарь Наполеона. Барон, кажется, Анкр — вот кто это такой.

Отвечать Самсон не торопился. Судя по словам француза, тот знал, что Фондорин, во-первых, русский, а во-вторых, принадлежит к определенному «кругу». Откуда? «Вероятно, находясь в беспамятстве, я бредил», предположил профессор.

— Будучи без сознания, вы говорили по-русски и по-французски, часто повторяя: *«Ваша светлость, я сделал всё, что мог»*, — подтвердил его догадку француз, произнеся последнюю фразу по-русски — с легким акцентом, но без ошибок. — Сколько мне известно, подобным титулом в России именуют только светлейших князей, каковых очень немного. Одним из них является князь Кутузов, подпись которого стоит вот на этом документе... — Он протянул Самсону письмо фельдмаршала. — Берите и впредь прячьте получше. Из-за этой бумажки вас могли расстрелять безо всякого разбирательства... Вам не в чем оправдываться перед мсье Кутузовым. Вы действительно сделали всё, что могли. Примите мое искреннее восхищение, коллега.

Барон поклонился, причем, кажется, без малейшей иронии. Всё это было в высшей степени непонятно и тревожно.

— Что со мной? Почему я едва шевелюсь?

— У вас было сотрясение мозга. Я дал вам лекарство, чтобы избежать нежелательных последствий, однако для быстрого исцеления требуется полный покой. Чтоб вы не метались и не ворочались, я добавил в вашу кровь смесь снотворного и успокоительного. Вас не слишком трясло? Я распорядился отвезти вам самую удобную из моих колясок и положить на дно пуховую перину.

— Кто этот сфинкс, что сторожил меня? — спросил тогда Самсон, подумав, что находится с собеседником в слишком неравных условиях. Тот знает очень многое, Фондорин же не знает почти ничего. Нужно было хоть до некоторой степени выправить эту несправедливость.

Фармацевт оглянулся на Египтянина, который сел на коня и ехал рядом с экипажем.

— Сфинкс? Действительно, похож. Неудивительно. В жилах Атона течет кровь древних египтян. Он мой помощник, по происхождению копт. Глух и нем с рождения.

Деланно небрежным тоном, словно о маловажном пустяке, профессор спросил о том, что более всего его занимало:

— А что битва? Кто взял верх? Куда движется ваше войско — наступает или отступает?

Однако барону и самому не терпелось расспросить своего визави. На профессора посыпался целый дождь из вопросов:

— Кто вы такой? Кто дал вам парализатор воли? Заметьте, меня не интересует, кто и как влил его в бульон. Я не собираюсь учинять следствие. Поверьте, вам ничто не грозит. Однако я должен знать, кто изготовил этот препарат? Неужто вы сами? Но вы так молоды!

Не дождавшись ответа, Анкр зажег лампу, прикрепленную к заднику коляски. Уже подступала настоящая темнота. Огонек, усиленный зеркальными рефлекторами, ярко вспыхнул. Француз поднес свет к самому лицу Самсона, наклонился и снял очки. Глаза у барона мерцали, будто ночные звезды. Раз посмотрев в них, было невозможно отвести взор.

— Да, сами. Вижу... Невероятный уровень мастерства! В ваши годы! Меня трудно чем-либо удивить, но это поразительно. Лишь получив флягу с остатками парализатора, я понял, чем можно нейтрализовать его действие.

— Что битва? — упрямо повторил Самсон. Всё прочее сейчас не имело значения.

— Можете торжествовать. Вы украли у императора победу.

— Так ваша армия отступает?

— Нет, мы приближаемся к Москве.

— Как так?! Вы же сказали...

Фармацевт всё всматривался в Фондорина своими горящими глазами. Неудивительно, что этот человек обычно ходил в очках — мало кто мог бы выносить такой взгляд.

— Вы украли у императора победу, но я не дал свершиться поражению. Мы с вами квиты. А теперь извольте отвечать на мои вопросы. Кто вы такой? Какова формула препарата?

— Уберите от моего лица ваш зеркальный фонарь. Я устал, глазам больно. И перестаньте меня месмеризовать. Я знаком с методой «животного магнетизирования» и знаю, как противостоять гипнотическому воздействию.

Барон убрал лампу и отодвинулся.

— Вы удивительный юноша. Что ж, отдыхайте. Мы поговорим с вами позже, мой интригующий гость.

Он сделал рукою движение, будто развернул и быстро сложил невидимый веер. Сон утянул Фондорина в свою темную пещеру.

X.

Все же не гость, а пленник.

В этом Самсон убедился, когда проснулся утром и увидел Египтянина на том же самом месте. Из-за широкого пояса у Атона торчали рукояти кинжалов, к ноге было прислонено длинноствольное ружье с узорным прикладом.

При свете дня профессор смог как следует разглядеть глухонемого.

Как известно, египетские копты являются одной из старейших народностей Земли, живущей на плодоносных берегах Нила в течение тысячелетий. Продолговатой формой черепа, разрезом глаз, необычайно длинной шеей Атон напоминал фараона или жреца с древнего папируса. Неподвижность смуглого лица заставляла вспомнить погребенную в саркофаге мумию. Одет он был по-восточному: в шальвары, белую рубаху и безрукавный камзол; макушку прикрывала красная войлочная шапочка, обшитая по краю золотой канителью.

Сегодня Самсон чувствовал себя почти совсем здоровым. Тело затекло от долгого лежания и требовало движения, но молодой человек нарочно не шевелился, изображая слабость. Он и повздыхал, и постонал, жалким голосом попросил у возницы воды и с благодарностью принял помощь, когда тот приподнял ему голову.

Копт не шелохнулся, его немигающие глаза смотрели не на профессора, а вдаль.

— Помогите, приятель. Я хочу опереться на локоть, — попросил кучера Фондорин.

Он огляделся. Местность была ему знакома: Старый Калужский тракт, по которому он не раз езживал в подмосковную усадьбу Гольмов. Вдали виднелась речка Вяземка с мостом, по нему двигалась артиллерия. За рекой горбилась плавными холмами широкая долина, потом начинался Сидоровский лес.

Профессор сказал вслух:

— Мне лучше. Пожалуй, сяду.

— Вы можете устроиться рядом с арапом, — любезно предложил возница.

Но это не совпадало с намерениями Фондорина.

— Боюсь подниматься. Закружится голова...

Он распахнул дверцы экипажа и сел на пол, свесив ноги.

Конвоир не повернул головы. Превосходно! Очень возможно, что африканец дремал с открытыми глазами.

Дело представлялось Самсону нетрудным и нисколько не опасным. Когда к тракту с двух сторон вплотную подступит чаща, нужно спрыгнуть на дорогу и нырнуть в кусты. Если повезет, глухонемой страж этого вообще не заметит. Пускай и заметил бы. Пока слезет, Фондорина след простынет. Русский лес надежно укроет соотечественника.

Но по ту сторону моста случилось происшествие, понудившее профессора отказаться от простого, легкоисполнимого плана.

На одном из холмов, находившемся шагах в трехстах от дороги, показался всадник. Судя по шапке с султаном, то был русский казачий офицер. На виду у французов он с прекрасной невозмутимостью закинул ногу на ногу и, положив на колено планшет, принялся делать пометки. Кавалеристов в колонне на ту пору не случилось, прогнать лазутчика было некому. Обозники и артиллеристы открыли пальбу из карабинов, но с такого расстояния попасть не могли.

Фондорин засмеялся, гордясь бравадой соотечественника.

Услышать стрельбу копт не мог, но, должно быть, заметил начавшуюся вокруг суету. Соизволил повернуть свою древнеегипетскую голову, некоторое время понаблюдал за происходящим. Потом без единого звука поднял свое экзотическое ружье, взвел курок, приложился к прикладу не больше, чем на секунду, и выстрелил. Казачий офицер, перевернувшись, пал из седла на землю.

Вокруг закричали, захлопали, но Атону это было все равно. Он перезарядил оружие, принял прежнюю позу и прикрыл свои коричневые веки.

Бегать от такого стрелка профессор передумал. Во всяком случае средь бела дня. Совершить побег под покровом ночи гораздо безопаснее.

На привале перед Самсоном вновь предстал лейб-фармацевт.

— Вставайте, сударь. Вы достаточно окрепли. Маленький моцион будет вам на пользу.

— Куда вы меня ведете? — насторожился профессор.

— Всего лишь обедать.

Они отошли от дороги на лужайку, где была разостлана скатерть. Атон, который вроде бы остался сидеть в коляске, каким-то чудом уже оказался здесь и даже успел нарезать сыр, ветчину и хлеб.

— Предлагаю честную сделку, — сказал барон, когда Фондорин поел и выпил вина, по привычке разбавив его водой. Сам фармацевт ничего не ел и лишь катал в ладонях хлебный шарик. — Я отвечу на любой ваш вопрос, а вы взамен расскажете о себе.

Профессор немного подумал, но подвоха в этом предложении не нашел.

— Хорошо. Как вы нейтрализовали действие средства, которое вы называете «парализатором»?

— Вы имеете в виду смесь сулемы, чернобыльника и белены с добавлением настоя красных дождевых червей? — Анкр слегка улыбнулся, видя выражение лица собеседника. — Не удивляйтесь, я произвел анализ капель, оставшихся на дне фляжки. Устраивайтесь поудобней, сударь. Вежливость требует от меня обстоятельного ответа... — Он тронул слугу за плечо, тот понял без слов и налил хозяину вина. — Я состою при императоре с тех пор, когда он был еще просто генералом Бонапартом. Мы встретились в Египте. Я занимался там некоторыми изысканиями, когда в Александрии высадился экспедиционный корпус. После того как я вылечил генерала от лихорадки, он сделал меня своим личным фармацевтом. Иногда я действительно приготовляю ему лекарства, но главная моя обязанность заключаются вовсе не в том, чтобы следить за здоровьем великого человека. На то в Париже есть лейб-медик Корвизар, а в походе лейб-хирург Юван. Видите ли, сударь... — Барон огляделся. На траве вокруг сидело еще несколько компаний, и он понизил голос. — ...Я готовлю некое снадобье, которому император придает особенное значение. От природы Наполеон обладает выдающимися качествами полководца и правителя, но мой эликсир многократно усиливает эти таланты. Особенно если принять это средство перед битвой или важным решением. Разумеется, перед сражением 7 сентября я тоже подал императору порцию эликсира. Если бы не это, ваша смесь подействовала бы еще сильней и управление боем было бы совершенно парализовано. Вы очень верно рассчитали свой удар. Примите мои комплименты. Только заполучив вашу золотую флягу, я догадался, чем вызван загадочный ступор государя. И это позволило мне приготовить противоядие. Вторая ваша фляга, серебряная, меня заинтересовала меньше. Это ведь экстракт из спор норманнского Amanita muscaria? Ужасная дрянь! Ею вы могли испортить себе желудок. Не говоря о прочих неприятностях.

Фондорин затруднился бы сказать, что потрясло его больше: точность произведенного Анкром анализа, поразительное известие о снадобье, питающем гений Наполеона, либо же простота, с которой фармацевт выдал чужому человеку эту сокровенную тайну.

— Что случится, ежели он перестанет пить ваш эликсир? — воскликнул Самсон, пропустив мимо ушей многозначительное поминание «неприятностей».

Под зелеными стеклами блеснули искорки.

— Это уже второй вопрос, но я, так и быть, на него отвечу, рассчитывая на подобную же любезность с вашей стороны... Генерал Бонапарт вначале был мне благодарен, ибо снадобье принесло ему несколько блестящих побед. Однако затем эта зависимость начала его угнетать. Дважды пробовал он отказаться от моих услуг. Первый раз еще в бытность консулом, перед сражением при Маренго. Битву Наполеон в конце концов выиграл, но исход ее висел на волоске. Армию спас лишь нежданный приход подкреплений, французские потери были ужасны. Это надолго отбило у Великого Человека охоту к самостоятельности.

Самсону показалось, что слова 'le Grand Homme', давно ставшие нарицательным прозванием Бонапарта, фармацевт произнес иронически. Однако поручиться в том было нельзя — узкий, почти безгубый рот барона всё время кривился в легкой усмешке.

— ...Однако всеобщая лесть и громкие победы пьянят крепче любого вина. Настал день, когда мой подопечный, без пяти минут повелитель Европы, вновь объявил, что не нуждается в моих каплях. Случилось это в мае восемьсот девятого года, перед решительной баталией с эрцгерцогом Карлом, которого он уже бивал прежде. Но не чувствуя того особенного одухотворения, к которому его приучил мой эликсир, Наполеон растерялся. Эсслинг — единственная битва, проигранная императором. Она разрушила легенду о его непобедимости. К тому же он потерял тогда своего единственного друга герцога Монтебелло. У смертного ложа маршала его величество поклялся, что впредь не даст ни одного большого сражения, не примет ни одного важного решения без моего лекарства. Вот ответ на ваш вопрос. И знайте: вы — единственный человек на свете кроме меня и Наполеона, кто посвящен в этот секрет.

На устах у Самсона уж был новый вопрос: «Чем вызвано такое доверие?», однако резонно было предположить, что Анкр со временем сам разъяснит эту загадку.

Мысль профессора приняла иное направление.

Стало быть, Бонапарт зависим от некоего сильнодействующего препарата? Принял эликсир — гений, не принял — обыкновенный человек? Иными словами, властитель Европы мало чем отличается от заядлого опиомана, который не может обходиться без дурманящего зелья?

Эта весть имела огромное значение. О ней нужно было как можно быстрее известить князя Кутузова!

Бежать, скорее бежать к своим. Нынче же ночью, без отлагательства!

Фармацевт прервал ход его мыслей.

— Я жду. Рассказывайте про себя, мой юный друг. Меня интересует всё. Происхождение, детство, юность, круг интересов, вкусы. Одним словом, любые сведения, которые вы сочтете возможным мне сообщить.

На лбу у барона проступила глубокая морщина, он весь подобрался, словно приготовился услышать нечто очень важное.

Рассказ о детстве, юности и прочей чепухе казался малой платой за головокружительное известие о природе Наполеонова величия. В биографии профессора имелись кое-какие закоулки, о которых постороннему знать было ни к чему, и Самсон их не коснулся. В прочем же постарался быть сколь можно откровенным. Вначале он говорил скупо, без лишних подробностей, но Анкр с неподдельной заинтересованностью выспрашивал все новые и новые детали: о детских болезнях, о родителях, о странствиях, о жене и тесте, о сфере научных интересов «юного друга» — и Фондорин отвечал, не видя в том ничего дурного. Он всё ждал, что француз как-нибудь неприметно вывернет на письмо Кутузова и начнет допытываться о связях пленника с русским штабом. Этого, однако, не произошло.

Но вот беседа коснулась науки, и прочие предметы были оставлены. Никогда прежде Самсону не доводилось разговаривать на медицинские темы со столь образованным и оригинально мыслящим собеседником.

В бароне он нашел полного единомышленника по вопросу о будущем хирургии. Обычно врачи ожесточенно спорили и даже смеялись, когда Фондорин садился на своего конька и начинал доказывать, что хирургия — не более чем свидетельство неразвитости медицинской науки. К помощи скальпеля приходится прибегать, когда бессильны фармакология и терапия. Единственная сфера, где хирургия действительно необходима, — это война и прочие травмоопасные занятия. Но по мере совершенствования общества воинственность народов будет умиряться, и тогда главнейшей из лекарских специальностей станут диагностика и фармацевтика.

— С одной поправкой, — заметил Анкр. — Хирургия будет нужна для замены изношенных органов тела на более молодые.

— Ну, это дело очень далекого будущего.

— Насколько оно будет далеким, зависит от людей вроде нас с вами, — спокойно молвил барон. Ремарка пришлась Фондорину по нраву.

Одним словом, разговор вышел содержательный, славный. Жаль было прерываться, когда настало время продолжить путь.

XI.

Поздно вечером коренник начал прихрамывать. Пока кучер возился, осматривая копыта, пока менял лошадей местами, обоз ушел далеко вперед. Коляска осталась на дороге одна.

Самсону это было кстати. Он выжидал удобного момента, чтобы совершить задуманное. Атон сидел на обычном месте, потягивая трубку, и на пленника не глядел. Возница тянул упряжку за поводья — пристяжная, вдруг оказавшаяся на месте коренника, нервничала и не хотела идти быстро.

Всего-то и нужно было — дождаться, когда копт нагнется, чтобы раскурить погасшую трубку. От близости огня его глаза на время утратят зоркость, шума он не услышит. А когда поднимет голову, Фондорина простынет след.

Из-за того что лошадь капризничала, ехали очень медленно. Дорога повернула в лес, и профессор изготовился. Табак в трубке у Атона уже не тлел. Решительная минута приближалась.

Вдруг копт быстро повернул голову и стал вглядываться во тьму. Там не было заметно никакого движенья, не доносилось ни звука, но рука стража отложила трубку и легла на пояс.

Через короткое время Самсон услышал хруст ветки. Потом раздались мягкие шаги, какие обычно производят лапти, ступая по мху, и с обочины на дорогу вышли несколько человек. В руках у них были топоры и вилы, один держал большую суковатую дубину.

— Стой! Куды? Что за люди?

Наши, крестьяне! Фондорин обрадовался — сама судьба ему благоволила.

— Ce sont des *moujiks*! Les partisans russes! — закричал кучер. — Oh mon Dieu! Ils vont nous tuer![1]

Предположение немедленно подтвердилось.

— Хранцузы! Бей их, робята!

Двое бородачей — один с топором, другой с дубиной — выбежали вперед. Возница присел и закрыл голову руками, Самсон приподнялся, чтобы крикнуть «Я свой, русский!» — да не успел. Оставшийся на месте Атон слегка приподнялся, сделал правой рукой от пояса быстрый жест в сторону (таким обычно сопровождают возглас «брысь!»), произвел такое

---

[1] Это *мужики*! Русские партизаны! О боже! Они нас убьют! (*фр.*)

же движение левой рукой. Что-то со свистом мелькнуло в воздухе раз, еще раз, и оба крестьянина рухнули в придорожную канаву.

Оттуда не слышалось ни криков, ни стонов, лишь сипенье и бульканье. Негромкий этот звук был ужасен.

— А-а! Братцы! Смертью бьют! — заголосили оставшиеся мужики. Повернулись и с треском, с шумом кинулись наутек.

На дороге снова стало тихо. Напуганные лошади стояли не двигаясь, кучер шепотом молился, Самсон пытался зажечь фонарь, но никак не мог высечь кремнем искру, у него тряслись руки.

Место, где только что сидел Атон, опустело. Профессор и не заметил, как Египтянин покинул коляску.

Куда мог подеваться этот дьявол? Растаял в ночи, как и подобает чертям?

Наконец лампа загорелась, и Самсон увидел своего охранника. Тот сидел на корточках над канавой и ощупывал трупы. Оба мужика лежали недвижные, из середины горла у каждого торчало по кинжалу. Атон выдернул из раны клинок, потом второй. Неспешно вытер сталь об одежду мертвецов, спрятал кинжалы обратно за пояс и выпрямился.

— Vas! Vas![1] — прикрикнул он на возницу странным гортанным голосом.

Вот тебе и немой — разговаривает!

И не глухой — услышал, что в чаще кто-то прячется, да пораньше, чем Самсон.

Зачем же Анкр обманывал? Если он солгал про слугу, то скорее всего остальное — тоже ложь?

Профессор перестал что-либо понимать.

Пристяжная больше не дурила. Видно, ей хотелось поскорей выбраться из зловещего леса. Экипаж покатился быстро и вскоре выехал на поле, где расположились на ночлег повозки обоза.

---

[1] Езжай! Езжай! (фр.)

XII.

Барон поджидал их у разожженного костра.

— Вы отстали? Я начал тревожиться, — сказал он, внимательно оглядывая Фондорина.

Тот не без язвительности ответил:

— С таким охранителем можно не страшиться опасностей. Стреляет без промаху, мечет ножи и для глухого очень недурно слышит.

— Да-да, — кивнул Анкр, кажется, не расслышав сарказма или не придав ему значения. — Я беру в помощники только самых лучших. Однако мне не терпится продолжить наш ученый разговор. Я очень давно не получал такого удовольствия. На чем мы остановились, когда прозвучал сигнал трубы?

— Я спросил, как воздействует ваш эликсир на мозг. И вы произнесли слово, которого я не расслышал. Переспросил, но вы не успели ответить...

Фондорин говорил еще с некоторой обидой и посматривал на фармацевта с недоверием, но, правду сказать, молодому человеку тоже очень хотелось продолжить захватывающую беседу.

— Слово? Вероятно, «гипермнезия»?

— Да. Что это такое?

— Особенное состояние, при котором невероятно обостряются возможности памяти, рассудка и наития. У художников оно называется вдохновением, у исследователей озарением. Известно, что есть особый разряд людей, с кем это чудесное превращение случается более или менее часто. Такого человека называют гением, если гипермнезия выливается в некие ценные для общества действия, будь то создание картины или симфонии, открытие закона природы, религиозное прозрение либо выигранное наперекор обстоятельствам сражение. Как бы вы определили гениальность последнего типа (назовем ее «стратегической гениальностью») в научных терминах?

Немного подумав, Самсон предложил:

— Сверхвозможность мозга видеть всю палитру осуществимых решений и выбирать наилучшее из них за предельно короткий отрезок времени?

— Браво, отличная формулировка! Точно так же, как есть люди, от рождения имеющие склонность к занятиям музыкой или живописью, являются на свет и таланты, в ком зреют ростки «стратегической гениальности». Я говорю «зреют», ибо гениальность — это проявление прирожденного таланта в момент гипермнезии. Одного таланта недостаточно, нужно еще, чтобы мозг оказался в некоем особенном режиме, позволяющем полностью раскрыть все потаенные возможности.

— И ваш эликсир переводит мозг в нужный режим?

— Именно так. Но средство это воздействует не на всякого человека. И даже не на всякого, кто от природы имеет «стратегический талант». Вернее сказать, эффект снадобья проявляется сильнее всего у талантливых людей определенного психического склада.

— У кого же?

— У эпилептоидов, — ответил Анкр, оглянувшись вокруг. — Эпилептический припадок, точнее, начальная его фаза на короткое время переводит мозг в то самое *озаренное* состояние, которое тождественно гипермнезии. Но у людей больных потом начинаются судороги и помрачение рассудка. Эликсир же, действуя на мозг эпилептоида, самой натурой подготовленный к гипермнезическому состоянию, словно бы подбрасывает сознание на более высокую ступень, где разум не замутняется, но обретает сверхчеловеческую ясность. Таящаяся в недрах мозга эпилептоидность подобна натянутой струне, которая все время вибрирует, но в обычных обстоятельствах издаваемый ею звук не слышен. Когда же она звенит во всю силу, эта мощная волна подхватывает окружающих и влечет их за собой. Эпилептоидами были многие, если не все, великие вожди человечества: Александр Македонский, Цезарь, пророк Магомет, Ришелье, ваш Петр Великий.

— Я, напротив, читал, что кардинал Ришелье был самим воплощением трезвости рассудка, — возразил Фондорин.

Барон рассмеялся.

— Верьте больше мемуаристам! Его высокопреосвященство впадал в припадки настоящего безумия. Просто слуги, умея заранее распознавать симптомы, вовремя запирали своего господина. Никто кроме них не видал, как он корчился в судорогах или бегал по кабинету с громким ржанием, воображая себя лошадью.

«Откуда вы-то об этом знаете?» — хотел поинтересоваться профессор, однако воздержался от скептического замечания, потому что разговор повернул в еще более интересную сторону.

— Тем же недугом страдает и наш император. Психическое нездоровье свойственно всему роду Буонапарте. Отец Наполеона отличался чудовищной безнравственностью и умер от пьянства. Сестры государя страдают истерическими конвульсиями. Сам он подвержен припадкам с судорогами и обмороками. Об этом знает вся Европа. Но никому не известно, что, не будь у Великого Человека этой болезни, он не стал бы великим.

— Не так, не так, — медленно проговорил Самсон. — Наполеон не стал бы великим, если б не вы с вашим эликсиром. Это ведь снадобье превращает обычную эпилептоидность в гениальность...

Тут лейб-фармацевт лишь скромно развел руками, а профессор отвел глаза — ему в голову пришла простая, логически безупречная мысль, тоже в своем роде озарение.

Чтобы остановить вражеское нашествие и спасти Родину, целить нужно вовсе не в Бонапарта. Что он без эликсира? Всего лишь талантливый полководец, какие найдутся и у нас. Отними у Наполеона гипермнетическое снадобье *или химика, который оное изготовляет,* и злые чары, окутавшие Европу, рассеются!

Нужно уничтожить Анкра — вот что подсказывала неумолимая логика. Сделать это гораздо проще, чем убить императора, а результат получится верней. Даже издохни Наполеон, кто помешает барону выбрать себе другого восприемника? Мало ли во французской армии блестящих военачальников! Тот же король неаполитанский Мюрат. Или Евгений Богарне, который мало того что хороший генерал, но еще и, говорят, подвержен каким-то припадкам.

Нет, бить нужно не по царю Кащею, а по ворону, что сидит на яйце, в котором спрятана кащеева тайна.

Как же было Самсону с такими мыслями в голове не отвести взгляда?

По сравнению с невообразимо рискованным, многоступенчатым предприятием, в которое пустился Фондорин, чтоб попасть из Москвы в ставку Бонапарта, дело казалось сущим пустяком. Чего бы проще? Ворон сидит рядом, не ожидает дурного. Схвати любой тяжелый предмет, хоть бы вон камень, да стукни в висок.

Но даже ради избавления Отечества невозможно взять и хладнокровно умертвить вежливого, просвещенного собеседника, который именно что *не ожидает от тебя дурного*. Возможно, кто-нибудь другой, с более патриотичной душой, и совершил бы это достохвальное деяние, но только не Самсон Данилович. Он всегда полагал, что на свете не существует ничего настолько ценного, чтобы ради сего сокровища было бы извинительно убить приличного человека (а барон Анкр производил именно такое впечатление).

Не то чтоб профессор так уж держался заповеди «не убий». Ученому нельзя быть сентиментальным, а всякий естественник хорошо знает: природа построена на смерти и убийстве; все друг друга пожирают и только тем живы бывают. Прежде чем давать Моисею миролюбивое наставление, Господу следовало бы припомнить, каково Он Сам-то устроил Свой мир.

Если б на Фондорина напали разбойники, он защищался бы до последнего и не считал бы грехом, доведись ему уложить наповал хоть десяток злодеев. Или вот взять засохшие пятна крови, которые Самсон обнаружил на рукавах своего лекарского мундира, когда очнулся. Эти следы означали, что, находясь в мухоморном ослеплении, он, вероятно, умертвил или изувечил каких-то гвардейцев, среди которых могли оказаться вполне приличные люди. Но одно дело убийство для самозащиты или в крайнем возбуждении, и совсем другое — хорошенько всё рассчитав, стукнуть камнем в висок. Нет, это совершенно невозможно.

Да и жалко было бы проломить такую светлую голову, подумал профессор, вновь посмотрев на барона. Ведь это выдающийся ученый, каких, наверное, больше нет на всем белом свете.

Эврика!

Удалить Анкра от Наполеона — вот что. *Выкрасть*. Это единственно правильное решение.

То, что решение это, выражаясь мягко, трудноосуществимо, не смутило Фондорина. Всякий человек, обладающий научным складом ума, знает: ежели правильный ответ известен, то найти к нему путь — дело относительно несложное.

И путь немедленно отыскался.

Чтоб преодолеть сопротивление барона (а он, конечно же, не пожелает быть украденным), нужно обладать превосходной силой и ловкостью. Для этого достаточно принять новую порцию берсеркита. Но запас препарата иссяк. Чтобы изготовить новый, нужно попасть к себе в лабораторию. А это означает, что бежать от французов еще рано. Они идут на Москву, и Фондорину надо туда же.

— Что говорят в ставке? — спросил профессор. — Будет ли новый бой или Москву сдадут без боя?

— Император желал бы довершить разгром неприятеля, но ваш Кутузов слишком хитер. К Мюрату были от него парламентеры. Они просили день перемирия, чтобы очистить город. Завтра мы стоим на месте. Войска будут готовиться к торжественному въезду. А послезавтра его величество рассчитывает получить ключи от вашей древней столицы.

XIII.

В день передышки, когда Великая Армия наводила лоск перед триумфальным вступлением в павший город, Самсон размышлял над вроде бы несложной, а вместе с тем не такой простой задачей — как в Москве ускользнуть от Атона.

Охранник следовал за молодым человеком повсюду безгласной тенью. Ночью Фондорин проснется — копт сидит над ним и курит трубку. Днем пойдет прогуляться — Атон держится в пяти шагах. Видимо, такой приказ африканец получил от своего хозяина. Докучного надзора, конечно же, не удастся избежать и в Москве. Скрыться от могучего джинна невозможно, сражаться с ним бесполезно. Один такой конвоир стоит целого взвода.

Попробовал профессор завязать с Атоном разговор, но басурман упорно прикидывался глухим, хотя случай в лесу продемонстрировал, что он отлично всё слышит и даже говорит по-французски.

Несколько раз Самсон видел копта жующим, однако никогда спящим. Но с физиологической точки зрения невозможно, чтобы живой человек совсем не спал. Изредка встречаются уникумы, которые могут обходиться четырьмя или даже двумя часами сна в сутки, но бодрствовать беспрерывно не дано никому. А между тем железный Египтянин, похоже, вовсе не смыкал глаз. Удивительное явление!

Фондорина заинтересовало, могут ли в принципе существовать сомноиммунные люди, органически не нуждающиеся в сонном отдохновении. Если могут, то их мозговая кора должна быть необычайно восприимчива ко всякого рода снотворным — как раз из-за своей девственной нетронутости.

От этого предположения до решения задачи оставался всего один шаг.

Что может быть невиннее собирания цветочков на лугу? Фондорин меланхолично прогуливался по траве, набирая скромный букетик. Копт невозмутимо топал вослед. Возможно, ему казалось странным, что пленник выбирает не самые красивые из растений, иные вовсе без соцветий. Хотя кто их знает, жителей Египта, каковы их представления о красивости?

Вот беленькие колокольчики Physalis alkekengi из семейства пасленовых. Собою неказисты, но это ведь дело вкуса, не правда ли? В народе их зовут «сонной травой».

К ним в тон отлично легли крохотные розовые гвоздички дремы-травы.

Вернувшись на бивуак, профессор небрежно воткнул чахлый бело-розовый султанчик в борт коляски — будто для украшения. Пускай подсушится.

Сам тоже разлегся на солнышке, подложил руки под голову и стал думать о Кире Ивановне, печально напевая арию Орфея из оперы славного Глюка.

> J'ai perdu mon Euridice
> rien n'égale mon malheur
> sort cruel! quelle rigueur!
> rien n'égale mon malheur![1]

Ах... Ах...

XIV.

Наутро войска, выстроенные для парадного входа в Москву, долго стояли без движения в батальонных, эскадронных и батарейных колоннах. Завоеватель смотрел с Поклонной горы на огромный город, сверкающий тысячью золотых колоколен, ждал депутации с ключами и всё не мог поверить, что торжественной сдачи не будет.

Обоз императорской квартиры находился чуть не в самом хвосте многоцветной змеи, сверкавшей своею медной чешуёю от Драгомиловской заставы до самых Филей.

---

[1] Потерял я Эвридику,
Нежный свет души моей!
Рок суровый, беспощадный!
Скорби сердца нет сильней! (*фр.*)

Самсон Фондорин сидел в коляске рядом со своим стражем, искоса поглядывая на табачный кисет, лежавший между ними. Не так давно профессор незаметно подсыпал туда высушенную и измельченную смесь сонной травы и дремной гвоздики.

Вот Атон величаво вытряс из трубки сожженный табак, насыпал нового, выпустил струйку дыма.

Гипотеза о сугубой предрасположенности сомноиммунных субъектов к воздействию снотворного нашла самое блестящее подтверждение. Уже на второй затяжке Атон начал клевать носом. После пятой свесил голову на грудь и всхрапнул. Рука с курящейся трубкой опустилась. Дрема-трава, смешанная с сонной травой, обеспечивала не двойной, а удесятеренный эффект.

— Поспи, дружок, поспи. Тебе понравится, — прошептал Фондорин.

Он пригнулся и очень тихо, чтоб не обернулся кучер, спустился на землю.

Сначала Самсон ступал медленным шагом, будто вышел размять ноги. Никто не обращал на военного лекаря внимания. Он свернул в придорожные кусты. Сделал вид, что мочится. Оглянулся через плечо. На него по-прежнему не смотрели.

Отбежать на десяток саженей, повернуть за угол дома.

Всё! Свобода!

Профессор быстро пошел через ямскую слободу в сторону Москвы. Пересечь реку он намеревался вдали от французской переправы, у Пресни.

Вокруг не было ни души, во дворах даже не лаяли собаки.

Неудивительно, что вблизи от неприятельского войска все жители попрятались. Но и когда Самсон оказался в самом городе, даже в центральной его части, окрест по-прежнему было тихо и безлюдно. Словно некий злой чародей мановением рукава выдул из Москвы весь людской род, оставив одни пустые дома. Идя по длинной-предлинной Никитской улице, всегда такой оживленной, профессор не встретил ни единого человека. Это среди белого-то дня! Несколько раз мелькали какие-то вороватые тени, но исчезали еще до того, как Фондорин успевал их окликнуть. Верно, пугались синего мундира.

Мысленно произнося слово «Москва», Самсон всегда видел пред собой нечто шумное, растрепанное, бурлящее жизнью. И вдруг мертвая недвижность, кладбищенское молчание, лишь ветер гонит над мостовой облачка пыли. Невообразимо!

Невероятней всего было видеть тихим и опустевшим Университетский квартал, вечно наполненный гомоном студенческой братии. Повсюду виднелись следы сумбурных сборов и спешного отъезда: рассыпавшиеся бумаги, осколки разбитого стекла, оброненная профессорская треуголка.

Тесть давно готовился к эвакуации, намереваясь увезти из обреченного города всех наличных преподавателей и казеннокоштных студентов. С отцом, конечно же, уехала и Кира. Поэтому в дом, где были проведены счастливейшие месяцы жизни, Фондорин вошел хоть и печально, но без сердечного трепета.

Профессора сюда привела не сентиментальность, а насущная надобность. Он сразу прошел в свою лабораторию, открыл шкаф, где хранились реактивы, — и вскрикнул. Банки и коробки с самыми ценными материалами исчезли!

Ну разумеется, сказал он себе. Их увезла с собою Кира. Не могла же она допустить, чтобы коллекция, собранная мужем по всему миру, пропала.

Кира Ивановна поступила осмотрительно и мудро, но теперь весь план похищения бонапартова чародея нарушился. Профессор схватился за голову.

Сзади послышался шорох. Повернувшись, Самсон увидел Ерошку-дворника. Тот хлопал красными глазами и покачивался — был крепко навеселе.

— Эге, — сказал он. — Никак молодой барин.

— Где все? Уехали?

— Эге, уехали.

— А ты что же?

— Спал я...

Ерошка спустил с плеч какой-то мешок, ногой задвинул его за створку двери, но неловко — мешок скособочился, из него со звоном высунулся серебряный канделябр.

— Хожу вот... Прибираю... Чтоб супостату не досталось, — мямлил дворник, опустив глаза.

— Молодец. Правильно, — рассеянно пробормотал Фондорин.

Ах, Кира, Кира, что же ты натворила! Конечно, трудно было предположить, что муж появится в брошенном доме и что ему зачем-то понадобятся химикаты, но ты же всегда отличалась прозорливостью и предусмотрительностью!

Сразила, погубила...

Он уныло побрёл через анфиладу. В библиотеке, где половина полок стояла пустая, взглянул на барельеф Ломоносова. Кира обещала оставить весточку. Но успела ли?

Профессор встрепенулся, даже вскрикнул от радости.

Один глаз Михайлы Васильевича смотрел вверх!

Меж Самсоном Даниловичем и его супругой существовало что-то вроде игры, которой оба предавались с изобретательностью и удовольствием. Супруги обожали устраивать тайники, о существовании которых знали только они двое. К этой забаве мужа приохотила Кира Ивановна, которая, как уже говорилось, с детства любила потаённые укрытия и секретные хранилища. Иные из них она придумывала и обустраивала сама, проявляя недюжинные способности к слесарному и ключарному мастерству.

Склонный во всём находить причину, Самсон объяснял взаимное это увлечение сходством характеров. Учёной чете нравилось сознавать, что есть тайны, которыми владеют только они двое. Ниши с секретами служили вещественным залогом сокровенности их союза.

Тайник в библиотеке Кира показала Самсону, когда он ещё не был её мужем. Там они прятали разные препараты, о которых папеньке, в ту пору ещё проживавшему в Ректории, знать было незачем. А в юности Кира укрывала внутри барельефа немецкие романы и французские стишки. Почтеннейший Иван Андреевич не одобрял бесполезного чтения. Он говорил, что, ежели уж читать поэзию, так на то есть великий Ломоносов, который умел рифмованно описывать природные и научные явления. Например, в стихотворении «Утреннее размышление о Божием Величестве» образно и точно описано строение Солнца. В отместку юная Кира устроила хранилище легкомысленных книжек именно под Михайлой Васильевичем. «Секрет» отпирался и запирался поворотом одного из глаз ученого. Если око повернуто кверху, значит, внутри что-то лежит. Постороннему человеку разница была почти незаметна, ибо глаза у отца российской науки отрадно круглы.

В тайнике профессор нашел большую кожаную сумку, на которой сверху лежала записка.

«Вы живы. Тем лучше, — писала по-французски скупая на сантименты Кира. — Наигрались в дон Кишота? Пора образумиться. Помните, я вас полюбила за ум. Мы едем в Нижний».

Как это было похоже на нее! Ничего лишнего.

Раз он читает записку — стало быть, жив. Затем насмешливый упрек. Напоминание о том, что самое важное в человеке — ум. И указание, где искать жену: в Нижнем Новгороде. Разве что слово «полюбила» было совсем не из лексикона Киры Ивановны, но именно оно-то и растрогало Самсона больше всего. Он даже поцеловал листок, пахнущий не духами, а химикатами.

Еще больше Фондорина восхитило содержимое сака. Жена уложила туда всё, что могло профессору понадобиться, ничего не забыла!

Он умилился чистой смене белья, едва не прослезился на завернутый в хрустящую бумажку марципан (самый его любимый, клюквенный!), но нетерпеливей всего оглядел аккуратно уложенные баночки и бутылочки.

Умница Кира подобрала целую походную аптечку-лабораторию. Были там и главные ингредиенты, потребные для приготовления берсеркита: аманит, а к нему отвар каменной полыни с настоем якутской травы для ингибитора. Не хватало лишь евгенового спирта да гвоздичного масла. Сии субстанции редкостью не являются, вот жена их и не положила. Как быть?

А вот как, сказал себе Самсон. В Китай-городе на Никольской улице есть химическая лавка Шульца. Сейчас она, конечно, заперта, но можно вскрыть дверь и взять то, что нужно, а плату оставить в каком-нибудь укромном месте.

После этого остается найти лабораторию, самую немудрящую. Лишь бы там были реторта, перегонный куб и угольный фильтр для процеживания. И чтоб никто не мешал.

Легко сказать! В город с минуты на минуту войдет неприятельское войско. Сейчас же начнутся грабежи, вандальство. Можно не сомневаться, что доберутся и до Ректория...

Но по недолгом размышлении профессор вспомнил одно чудесное местечко, где его уж точно никто не побеспокоит. И замурлыкал песенку — так был доволен своей сообразительностью.

Итак, последующие действия более или менее определились. Очень скоро Фондорин будет готов к схватке с сильным противником. Когда-нибудь века спустя, войны (если они вообще не исчезнут) станут именно такими. Сражаться будут не две грубые силы посредством сабель и ружей, а разум с разумом, создавая свое оружие в научных лабораториях. Кто образованней и талантливей, тот и победит.

Дело было исполнено, пора бы бежать в Китай-город, пока не нагрянули передовые разъезды неприятеля, но Самсон всё медлил, глядя в раскрытый зев тайника.

Профессору пришла на ум одна мысль и уже не отпускала. Что ежели в поединке победит Анкр? Это ведь вполне возможно. Тогда ничто не спасет бедную отчизну. С помощью великого ученого и его чудесного эликсира завоеватель преодолеет любые препятствия. России больше не будет. Наполеон переименует ее в Московию или какую-нибудь Трансвислию, посадит на престол одного из своих многочисленных родствен-

ников, и закончится история тысячелетней державы, создан-
ной трудом и кровью многих поколений.

Наполеона должен кто-то остановить. Если не Самсон Фондорин, то иной избранник.

На всем свете существовал только один человек, который
мог справиться с этой миссией, поскольку обладал достаточ-
ными научными знаниями, твердостью и умом: Кира Ивановна. Достойно ли взваливать на женские плечи столь ужасное
бремя?

Профессор тяжко вздохнул. Ответ на этот вопрос был
очевиден. Но разве не к прекрасному полу принадлежала
Орлеанская Дева, некогда спасшая Францию от иноземного
нашествия? Кира мудра, решительна и высокоучена. Если
она захочет пройти путем своего мужа, ничто ее не остановит.

Патриотический долг велел оставить ей весточку, приот-
крыть краешек великой тайны.

Проще и быстрее всего было бы написать письмо, но это
слишком рискованно. Скоро в этот дом нагрянут мародеры.
Они перевернут всё вверх дном, простукают стены в поисках
спрятанных сокровищ и очень возможно, что обнаружат нишу. Нельзя, чтобы чужой человек узнал лишнее.

Профессор вновь раскрыл сак и принялся перебирать
склянки и коробочки. Очень скоро он нашел искомое.

Молодец Кира! Она предусмотрела и это!

XV.

Пришло время описать еще одно изобретение Самсона
Фондорина, как и многие другие, сокрытое им от общества,
ибо, оказавшись в недобросовестных руках, открытие это, пожалуй, могло быть обращено во вред.

Подобно большинству чудесных измышлений человеческого ума, первоначально оно не предназначалось для какой-нибудь практической пользы, а возникло из отвлеченной научной
любознательности.

Исследуя устройство и работу мозга, Самсон заинтересовался темою сна — особенного состояния рассудка, которое хорошо знакомо каждому, но всегда казалось людям непостижимой тайной и порождало множество домыслов. Человек проводит треть земного существования, не владея своей волей, мыслями и чувствами. Кто же или что же управляет ими в периоды забытья?

На первом этапе изысканий ученого просто занимали процессы, происходящие в мозгу спящего. Потом профессор попробовал выяснить, нельзя ли направить сии явления в ту или иную сторону. Ведь от того, какой ты видел сон — страшный или радостный, приятный или мучительный — зависит, в каком состоянии ты наутро проснешься.

Оказалось, что сонными видениями вполне возможно управлять. Более того, способы управления сном известны с незапамятных пор у самых разных, не связанных между собою народов.

Чуть не во всякой русской деревне, например, найдется бабушка-ведунья, которая умеет насылать те или иные сны.

Известно также, что есть люди, умеющие видеть так называемые «вещие сны» — более или менее внятные послания, адресуемые прямо в спящий мозг некоей Надсилой. (Сим термином Самсон решил пока обозначить ноцию Бога — чрезвычайно сложный параметр, к которому он подступиться еще не успел, оставив задачку на будущее.) Самый величественный пример таких посланий — Коран, надиктованный Магомету в виде готовой книги, которую оставалось лишь записать на бумаге.

Если такое в принципе возможно, то как может быть устроена подобная передача сведений? (Еще раз повторим, что понятие Сверхъестественного профессор решил не рассматривать до тех пор, пока не разочаровался в науке и логике.)

Первую подсказку Фондорин обнаружил во время странствий по Сибири.

Некоторые шаманы умели создавать у внимающих камланию единоплеменников стойкие галлюцинации. Притом Самсон, находившийся в том же чуме, но не знавший местного наречия, ничего особенного не наблюдал: лишь бьющего в бубен и бормочущего колдуна да ритмически покачивающихся туземцев с полузакрытыми глазами. Они даже не были погружены в сон! Расспрашивая их через толмача, молодой человек убеждался, что все они видели и слышали одно и то же, до мельчайших деталей.

Как шаман управляет зрением своей паствы, Фондорин так и не установил, ибо природа визуальных галлюцинаций слишком тонка. Было ясно лишь, что колдун каким-то образом воздействует на зрительные нервы публики, которая готова повиноваться его воле. Это сочетание *эмиссии,* то есть активного действия, и *рецепции,* сиречь пассивной готовности, порождает фантомные видения.

Зато механизм слуховой передачи оказался относительно немудрящ, со временем Самсон его вычислил.

Всё дело тут было в бубне и камлании. Это высочайшее искусство, отточенное многими поколениями шаманов до ювелирного совершенства. Удары определенной силы, наполненности и частоты порождают у слушателей особую вибрацию барабанных перепонок, благодаря которой произнесенные слова проникают в самую глубину мозга и звучат будто из самых его недр. Речь, произведенная внешним источником, воспринимается как голос, идущий изнутри слушателя.

Уяснив самый принцип, молодой ученый приступил к созданию хитроумного аппарата, который мог бы вводить information прямо в кору мозга, минуя обычное посредство речи и слуха — звено, на котором, как хорошо известно всякому преподавателю, теряется бо́льшая часть передаваемых сведений.

Так появилось небывалое приспособление, которое Фондорин назвал «физико-химическим конвертером», ибо оно действительно преобразовывало физическую энергию в химическую.

Устройство конвертера в самых общих чертах было следующее.

По виду прибор напоминал обыкновенную банку, затянутую утоньшенной и специально обработанной кожей, которую Самсон позаимствовал у шаманского бубна. Внутри сосуда помещалась жидкость, составленная из нескольких элементов. Главнейшим из них был настой хайаха — таинственного вещества, которое колдуны соскребают со стен некоей пещеры. Место это хранится в строгой тайне, однако произведенный анализ позволил заключить, что желтоватая накипь взята с каменного плитняка очень древней геологической формации. Точную формулу хайаха из-за несовершенства оборудования Фондорин определить не сумел.

В ходе опытов выяснилось, что в магнетизированном виде настой приобретает удивительную особенность: его химический состав под воздействием вибрации меняется и затем сохраняет обретенную структуру. Если произнести не слишком длинную речь, приставив банку к самым губам, жидкость «запоминает» сказанное звук в звук. У человека, выпившего это снадобье, кровь приливает к барабанным перепонкам, понуждая их сокращаться совершенно определенным образом. В результате возникает ощущение, будто где-то внутри черепа заговаривает голос.

Препарат получил название «теле-фон», то есть «удаленное слушанье». Большой полезности от него Самсон не ожидал — очень уж короток был запас «памяти» у прибора, который мог сохранить и передать всего несколько фраз. Работу над занятной игрушкой он производил в тайне от всех, даже от своей невесты Киры. Хотел сделать ей сюрприз к свадьбе.

Фокус удался на славу.

Как уже поминалось, свадебного пира не устраивали. Единственной уступкой ректору Ивану Андреевичу был праздничный завтрак. Жених потихоньку заменил шампанское в бокале своей суженой теле-фоном, в котором содержалось стихотворное послание, не предназначенное для посторонних ушей.

Когда под крики гостей молодая выпила, ее лицо сначала побледнело, потом залилось счастливым румянцем, а Самсон довольно расхохотался. Поразить уравновешенную Киру ему удавалось нечасто.

Теперь профессор употребил прибор не для игры, а для важного дела. Тщательно продумав каждое слово, он проговорил в банку несколько фраз. Многого сказать было нельзя, но Фондорин оставил Кире указание, где искать следующее послание. Посторонний человек не понял бы, а Кира догадается.

Из прибора Самсон перелил содержимое в пустой флакон и на всякий случай принял кое-какие меры предосторожности.

Опасаться надо было не только мародеров, но и того же дворника Ерошку, шарившего по дому в поисках добычи или просто выпивки. Этот дурень мог обнаружить тайник и, недолго думая, залить драгоценный напиток в свою бездонную глотку.

Во-первых, Самсон приготовил ложные склянки. В одну налил рвотное, в другую слабительное, в третью раздражитель слизистой оболочки носа — всё мгновенного действия. Если кто выпьет, дальше пробовать не захочет. Капнул чуточку хайаха, для цвета и чтобы одинаково пахло.

Во-вторых, прибавил испарителя. Если кто чужой откроет герметичную пробку и станет раздумывать, приглядываться да принюхиваться, жидкость быстро испарится.

Для жены Самсон написал внутри ниши по-французски, что пить следует всего один теле-фон, а какой именно, она догадается сама. Слава богу, не дура. В стеклянном амурчике он дарил ей духи «Notre mystère»[1], собственного изготовления.

Вот теперь можно было уходить.

Самсон в последний раз окинул взглядом свой дом (доведется ли увидеть вновь?), вздохнул и пошел вон, крепко сжимая в руке кожаную сумку.

Во дворе, оказывается, уже стемнело. Он и не думал, что провел в Ректории столько времени!

С беспокойством профессор услышал, что со стороны Моховой улицы доносится топот множества копыт, а по Тверской грохочут не то повозки, не то орудия.

---

[1] «Наша тайна» (фр.).

Французы вошли в город!

Ну и пусть. Военный врач с аптечной сумкой в руке вряд ли вызовет подозрение у марширующих войск. Только бы попасть на Никольскую улицу прежде, чем туда доберутся любители наживы. Правда, можно надеяться, что их не заинтересует магазин с ретортами в витрине и скучной вывеской «Химические товары». Вокруг полно лавок позавлекательней.

Ободрившись, Фондорин спустился по ступенькам и думал уж повернуть к воротам, но из тени навстречу ему поднялась худая фигура в широких шальварах, с двумя кинжалами за поясом.

Атон! Откуда он взялся?! Как отыскал?! Почему не дрыхнет?! Снотворное могло бы даже слона усыпить дня на три!

Копт смотрел не на профессора, а в небо и не проявлял никакой враждебности.

— Maître dire accompagner, — сказал он остолбеневшему Фондорину своим гортанным голосом. — Seul dangereux[1].

Самсон попятился от ужасающего призрака. Повернулся, побежал.

Когда выскочил на Моховую, оглянулся — не привиделось ли.

Увы, Египтянин размеренно, без особенной спешки трусил сзади, не приближаясь и не отставая.

Это было страшно, словно в дурном сне.

Вскрикнув, профессор запустил по мостовой во всю прыть.

---

[1] Господин говорить сопровождать. Один опасно. (*фр.*).

LEVEL 3. АНГЛИЙСКИЙ КЛУБ

ТРИДЦАТЬ СЕКУНД

— срок слишком маленький, чтобы логически обосновать решение. В таких случаях — Норд знал по опыту — остается полагаться на интуицию. Уровень желтой влаги в бутылочках уменьшался с одинаковой скоростью.

Все пузырьки были старинными, толстого, чуть мутноватого стекла. Но между ними имелась разница. Три флакона геометрической формы походили на аптекарские или химические емкости. Четвертый, изображавший купидона, скорей подошел бы для чего-нибудь парфюмерного. Если пить нужно лишь из одной бутылочки, то выбирать, наверное, следует эту. Она явно отличается от прочих.

Или это ловушка для дураков?

«Была не была», вспомнилась Гальтону труднопереводимая, но энергичная русская поговорка. Он открутил пробку, запрокинул голову и до дна, как рюмку водки, опрокинул содержимое флакона в рот. Вкус был знакомый, самсонитный.

Миновала секунда, другая, третья. Сердце учащенно колотилось, во рту от волнения стало сухо. Больше пока ничего не происходило.

Айзенкопф не терял времени. Не обращая внимания на коллегу, который, возможно, доживал свои последние секунды, биохимик хладнокровно смочил платок с трех концов жидкостью из остальных пузырьков. Едва успел — там было уже почти пусто.

— Попробую сделать анализ. Какие-то микрочастицы все равно останутся.

Доктор кивнул. У него в висках слышалось странное тиканье. Может быть, пульсация крови?

А что если он сейчас уснет мертвым сном, как это всегда происходило после доз самсонита? Айзенкопфу его отсюда не унести...

— Чувствуете что-нибудь? — с любопытством спросил бессердечный немец. — Если начинают холодеть пальцы или вдруг щекотание в области желудка — это скорее всего яд.

Гальтон отошел к окну, чтобы сосредоточиться на своих ощущениях.

Только никаких ощущений не было. Но почему? В чем же тут дело?

— *Ключ в фармацевте Великого Человека. Ищите омниа-экспланаре-у-мари-гри*, — отчетливо и раздельно произнося каждое слово, сказал по-французски молодой голос.

— Что искать? У кого? — удивился Норд, оборачиваясь к биохимику. — И что у вас с голосом?

— Ничего. Я рта не раскрывал. Вы что-то услышали? Скорей записывайте!

Совет был дельный. Норд вытащил блокнот и слово в слово записал странную фразу, причем последнюю, невразумительную ее часть — фонетически, по звукам. Напрягать память не пришлось, она цепко сохранила услышанное, вплоть до интонаций. Наверное, записывать было необязательно. Фраза не забудется, как не забылись собрания сочинений классиков.

Итак, в пузырьке содержался именно самсонит.

— *«Le clé est le pharmacien du Grand Homme. Cherchez omnia-eksplanare-chez-mari-gri»* — вот что было сказано. Вы понимаете смысл?

— Нет, не понимаю. Ломать голову будем потом. Сейчас пора уносить ноги. Ровно три часа ночи. Слышите шаги? Боюсь, что инструкция предписывает охране делать обход каждый час. Снова прятаться — лишний раз рисковать. Пора запускать повторный фейерверк.

Айзенкопф достал из внутреннего кармана плоскую металлическую коробочку, напоминавшую портсигар. На ней мерцал зеленоватый огонек.

— Это дистанционный радиопрерыватель. Смотрите в окно.

Коробочка пискнула, и фонари снова погасли, а за кустами, в прежнем месте, ожил фонтан из искр.

В доме раздались сердитые голоса. Хлопнула дверь, с крыльца спустились люди, но, судя по шагам, уже без опаски, да и было их только двое или трое.

— Оставайся у трансформатора, Павлов! — крикнул вслед им начальник.

Немец лез на подоконник.

— Пора!

Когда двор снова осветился, они были уже за углом.

Норд размышлял вслух:

— Чей это был голос? С чего он взялся нам подсказывать? Почему он говорил по-французски? Ведь надпись мелом тоже была на этом языке! Не меньше загадок в самом послании. «Фармацевт Великого Человека» — понятно. Это Громов. Что «ключ» именно в нем, мы уже знаем. Всё остальное неясно, сплошные вопросы. Вероятно, "Omnia eksplanare" — это латинское "Omnia explanare", «всё объяснить». Только что «всё»? Тут какая-то грамматическая несостыковка. И что за белиберда "chez-mari-gri"? «У мари-гри» — это где?

— Может быть, это звукосочетание вы трактуете неверно? Что если это одно слово: «шемаригри»?

— Нет. Произнесено было раздельно: сначала «chez», потом с меньшим интервалом «мари-гри». Я и сейчас очень явственно это слышу... Погодите-погодите...

Доктор остановился и нахмурился.

— Про то, что я должен «заглянуть в Ломоносова», мне сказал мистер Ротвеллер. Разработка самсонитов, один из которых был спрятан за барельефом Ломоносова, тоже ведется в ротвеллеровской лаборатории... Всё это напоминает игру в кошки-мышки. Причем, похоже, глаза завязаны у меня одного. — Он схватил Айзенкопфа за локоть. — А ну выкладывайте, что вам известно! След безусловно тянется из вашей лаборатории! Кто-то из ваших коллег к этому причастен!

— Никто, — твердо ответил немец. — Уверяю вас. Препарат, который вы выпили, по всем признакам обладает сходным действием с самсонитами нашей разработки. Но никому из наших не пришло бы в голову тратить столько усилий ради одной-единственной фразы. Это все равно что выковать на крупповском заводе «Большую Берту» и застрелить из нее воробья. Наверное, в пузырьке был какой-то прототип или дальний родственник наших самсонитов. Поверьте специалисту, это не наша продукция. Нужно скорей возвращаться на квартиру, мне не терпится взять вашу кровь на анализ. Идемте!

Непохоже было, что Айзенкопф темнит. Казалось, он озадачен и обеспокоен еще больше, чем сам Гальтон.

— Я пошлю Ротвеллеру телеграмму! — сердито воскликнул Норд. — Пусть объяснит, откуда он знал про барельеф и почему не рассказал всё напрямую!

— С московского центрального телеграфа прямиком в Нью-Йорк? Тут-то нас ГПУ сразу и зацапает... Послушайте, а вы уверены, что ваш голос — не галлюцинация?

Вопрос был задан очень странным тоном, чуть ли не жалобно. Почему-то эта мелочь окончательно убедила Гальтона, что биохимик тоже ничего не понимает.

— Абсолютно уверен.

Дальнейший путь они проделали молча, каждый держал свои мысли при себе.

На скамейке никакие старушки, конечно, уже не сидели — четвертый час ночи.

— Погодите-ка, — сказал осторожный Айзенкопф.

Прежде чем войти в подъезд, он сначала повел Норда на улицу и долго смотрел на окна последнего этажа.

Там горел свет. Зоя дожидалась возвращения коллег. Что ж, ей предстояло узнать много интересного.

— Фургон переместился.

— Что вы сказали, Курт?

— Вон тот грузовик с рекламой минеральной воды стоял несколькими метрами левее. Зачем отъехал?

— Черт его знает. Мало ли. Идемте, нам есть, что обсудить!

Немец помедлил, но все-таки последовал за доктором.

На лестничной клетке, где и вечером горела одна-единственная лампочка, теперь было совсем темно. Должно быть, из экономии свет выключили на ночь. А может быть, лампочка просто перегорела.

Пришлось достать фонарик.

Оказавшись у квартиры 18, Гальтон поднял руку, чтобы постучать, но дверь вдруг открылась безо всякого стука, и очень резко.

На пороге стоял мужчина в гимнастерке. В руке он держал пистолет. Пистолет был направлен в грудь доктору Норду.

Гальтон инстинктивно отшатнулся, но сзади из темноты налетели еще люди и крепко взяли его за плечи.

Рядом хрипел Айзенкопф. Он попробовал сопротивляться, и его очень ловко, профессионально взяли в залом.

— Заводи! — приказал человек с пистолетом. — Сначала главного.

Норда полуповели-полуповолокли по коридору.

Дверь в комнату Зои была открыта, и он увидел, что княжна сидит спиной ко входу на стуле, а по обе стороны от нее стоят мужчина и женщина в военной форме. В следующую секунду дверь будто сама собой захлопнулась. Нарочно показали, что Зоя тоже взята, понял он.

Гальтона втолкнули в его собственную комнату. Айзенкопфа, кажется, тоже провели к себе.

Эти люди отлично знают, как размещены члены группы. Может быть, от Зои?

Но задумываться над этим было некогда.

Навстречу арестованному доктору поднялся невысокий человек классической интеллигентской наружности: чеховская бородка, мягкий прищур проницательных глаз, скромный пиджак.

— Ну вот и мистер Норд. Вам к лицу украинская рубашка и советские значки. — Незнакомец весело рассмеялся, чуть распустив узел галстука.

Говорил он по-английски без акцента, но очень пресно, как изъясняются хорошо образованные европейцы континентального происхождения.

Тем временем кто-то сзади очень быстро, но дотошно обшарил одежду Гальтона. Всё найденное — в том числе мундштук и коробочка с иголками — было выложено на стол.

— Кто вы такой? — спросил доктор.

— Разве я не представился? Прошу извинить.

НАЧАЛЬНИК ОТДЕЛА КОНТРРАЗВЕДКИ ОГПУ

Картусов, Ян Христофорович. Вот и познакомились.

Лицо странного человека — неанглийского англичанина, русского с нерусским именем — перестало улыбаться. Улыбка исчезла не мгновенно, а постепенно, словно сползла. Вернее, лицо само выползло из нее, как змея из старой кожи.

Появилось новое лицо товарища Картусова. Оно было жестким и отсвечивало сталью, будто Антон Чехов скинул пенсне и оборотился Железным Феликсом (так называли в России Феликса Дзержинского, основателя большевистской тайной полиции). Превращение впечатляло.

— Я-то про вас, доктор Норд, уже многое знаю. И, честно сказать, пребываю в недоумении. — По губам начальника контрразведки скользнула гадливая улыбка. — Вы — ученый, с именем. Что же вы, шер мсье, ввязались в такую грязную историю? С уголовщиной и шпионажем, с трупами! Желтый дьявол попутал? — Он выразительно покосился на чековую книжку, что лежала перед ним на столе среди прочих бумаг. — Оно конечно, золота у дьявола много, *безлимитно* много. Только мы, большевики, ротвеллеров не боимся и в их всевластие не верим. Чары золотого дьявола в стране большевиков бессильны.

Лицо продемонстрировало еще одну трансмутацию: из стального сделалось каменно-глухим, как могильная плита.

«Сейчас пугать станет», подумал Норд. И в ожиданиях не обманулся.

— Во-первых, уясните: *мы можем с вами сделать всё, что захотим.* Например, выдать немецкой полиции по обвинению в двух убийствах на пароходе. Хозяин от вас, конечно, откажется. Сядете в германскую тюрьму, жевать кислую капусту, на много-много лет. — Ян Христофорович подергал свою дон-кихотовскую бородку, развел руками и вдруг опять превратился в симпатичного, конфузливого интеллигента. — Я вижу, вас это не испугало? Ну прямо даже не знаю... — Он сделал вид, что задумался. — Можем поступить еще проще.

Вы ведь официально в СССР не въезжали? Стало быть, и выезжать будет некому. Например, я могу вас застрелить прямо сейчас. Могу напилить ломтями. В фигуральном, конечно, смысле.

Он добродушно рассмеялся, но глаза сверкнули таким льдом, что стало понятно: ни в каком не фигуральном.

«Настоящий артист», подумалось Гальтону.

Контрразведчик провел рукой по лбу усталым жестом и продолжил суховато, спокойно, будто ему вдруг надоело метать бисер перед свиньями.

— Мы не кровожадные выродки, какими нас изображает буржуазная пресса, но мы не сентиментальны и не боимся испачкать рук. Рождение нового мира — дело грязное и кровавое, как всякие роды. Тут и зловоние, и утробные воды, а также послед, обрезки пуповины и прочая дрянь, идущая в мусор.

«Дрянь — это про меня». Норд усмехнулся. В глазах чекиста мелькнуло любопытство. То был, несомненно, ас психологического допроса: за несколько минут он испробовал уже несколько разных подходов. Сразу видно, что человек любит свою работу и получает истинное удовольствие, когда сталкивается с нестандартным противником.

— Ночью возле Института ни с того ни с сего два раза отключалось электричество. Ваша работа? — Картусов подмигнул. — Днем наведались в Музей, принюхались. Теперь решили в темноте попробовать?

И опять не дождался ответа. Гальтон молчал, прикидывая, что будет, если резко развернуться и нокаутировать стоящего за спиной охранника. Вряд ли получится. А, главное, что потом? В коридоре и на лестнице другие чекисты. В окно с пятого этажа не выпрыгнешь. Взять в заложники начальника?

Он оценивающе посмотрел на товарища Картусова с этой точки зрения. Отметил широкие плечи, упрямую линию губ. Этот легко не дастся.

— Только, пожалуйста, без глупостей, — улыбнулся Ян Христофорович, словно подслушав его мысли. — Вы думаете, я почему на вас наручники не надел? Потому что вижу:

передо мной человек умный, не истерик. Сначала взвешивает все «за», все «против», и лишь после этого действует. Вырваться отсюда невозможно, поверьте профессионалу. Ни одного шанса. А главное — незачем. Я ведь вас не допрашивать собираюсь. Я хочу сделать вам очень интересное предложение.

Он поставил перед собой стул спинкой вперед, оседлал его и дружелюбно воззрился на американца.

— Знаете, доктор, вы мне нравитесь. Не люблю работать с трусами, им нельзя доверять... Что вы морщитесь? Подумали, собираюсь вас вербовать в агенты? Нет-нет! Мое предложение куда заманчивей. Я предлагаю вам работать по вашей специальности, решая самую важную, самую честолюбивую научную задачу в истории. Полагаю, вам уже кое-что известно о разработках профессора Громова, но вы вряд ли себе представляете их масштаб. Мы на пороге открытия, которое способно перевернуть мир! Человечество совершит грандиозный рывок вперед!

— Вы сделаете всех поголовно гениями при помощи этой вашей сыворотки?

Ян Христофорович, запрокинув голову, заразительно расхохотался.

— Нашелся! Нашелся ключик! Молчальник отворил уста! Ученый есть ученый. Ах, как вы мне нравитесь, Гальтон! Становитесь скорей нашим товарищем, будем вместе решать великие задачи!

— Это какие же?

Норд поневоле втягивался в несуразный разговор.

— Самые благородные. — Картусов негромко, с чувством пропел: — «Мы наш, мы новый мир построим. Кто был ничем, тот станет всем!». Мир без нищеты и эксплуатации. Мир, где у каждого человека будут все возможности прожить полноценную, счастливую жизнь. Поверьте, строить новый мир куда увлекательнее и достойнее, чем служить желтому дьяволу. Вот в чем коренное отличие пролетарской науки от буржуазной.

Сказано было без пафоса. Так говорит человек, абсолютно уверенный в своей правде.

— Чушь! — воскликнул Норд. — Демагогия! Наука есть наука, она занята поиском истины. Она не бывает ни пролетарской, ни буржуазной!

— Еще как бывает. Пролетарская наука работает на пролетариев. На бедных и угнетенных, которые составляют 90% человечества и за чей счет ваши мистеры ротвеллеры богатеют и тешат себя игрой в благотворительность... Знаете что, давайте я выстрою элементарную логическую цепочку. А вы просто говорите, согласны вы с каждым следующим тезисом или нет.

Начальник советской контрразведки был истинным мастером полемики и диалектики. Начал он с вопросов, ответ на которые мог быть только утвердительным.

— Правильно устроенное общество — это общество, где правит справедливость. Да или нет?

— Да.

— Справедливость — это когда у всех, кто рождается на свет, равные шансы и возможности. Нет?

— Да

— Мы, коммунисты, пытаемся построить именно такое общество. Насколько хватает нашего ума, сил, способностей. Вы не смотрите на наши ошибки — не ошибается тот, кто ничего не делает. Оценивайте наши идеалы, нашу цель. Разве она не благородна?

— ...Пожалуй.

— Ваш работодатель пытается достижению этой цели помешать. Ведь пытается?

— Да.

— Значит, объективно рассуждая, гадкие большевики на стороне Правды, а ваш обожаемый Ротвеллер на стороне Кривды. Так?

— Не так! Просто он идет к истине другим путем.

На лице Яна Христофоровича читалось живейшее удовольствие, беседа его несомненно забавляла.

— Ах, так он, стало быть, взыскует истины? Будучи самым богатым человеком планеты? Получая прибавочную стоимость от труда сотен тысяч людей? Действуя в союзе с германскими фашистами?

— С чего вы взяли? — удивился доктор.

— А кто, по-вашему, выручил вас в Бремерсхавенском порту? Эсэсманы Гиммлера.

Это словосочетание Гальтон слышал впервые.

— Кто?

Картусов только махнул рукой, не стал тратить время на объяснения.

— Не обманывайте себя... Вы умный человек и, кажется, честный. Думайте головой и прислушивайтесь к голосу сердца. Я уверен, что вы станете нашим. Все порядочные люди Земли рано или поздно встанут на нашу сторону, и тогда мир превратится в Союз Советских Социалистических Республик. Или, если вам так больше нравится, в Соединенные Коммунистические Штаты Земли.

Он посмотрел на часы и поднялся.

— Договорим завтра. Мне сегодня не спать. Дел полно. — Его тон стал простым, доверительным, будто американец уже сделался для него товарищем. — Я задам вам вопросы, вы мне на них честно ответите. После этого я отвезу вас к товарищу Громову, и он тоже ответит на все ваши вопросы. Это так интересно — забудете обо всем на свете, обещаю.

— Нас доставят на Лубянку?

На этой улице, чье название было известно всей стране, находились штаб ОГПУ и внутренняя тюрьма для государственных преступников.

Гальтон обернулся к охраннику, заранее протягивая руки для наручников.

Охранника сзади не оказалось. В какой-то момент беседы он беззвучно удалился, прикрыв за собой дверь.

— Не вижу смысла. — Ян Христофорович рассеянно пожал доктору вытянутую правую руку. — Оставайтесь здесь. Только, пожалуйста, каждый в своей комнате. С Зоей Константиновной я уже поговорил и буду говорить еще. Очень интересная женщина. Настоящий омут. Знаете русскую пословицу «V tikhom omute cherti vodyatsa»?

Он улыбнулся, а Гальтон не ответил. Зоя совсем не казалась ему похожей на тихий омут, да и чертей в ней он как-то не замечал. Но больше всего доктора почему-то поразило, что он впервые услышал, как Зоино отчество, от чекистского начальника.

— С третьим вашим товарищем потолкую завтра. Кстати, откуда он взялся? На пароходе его не было. Там вас сопровождал человек со шрамом. — Картусов хитро прищурился. — Отличный, между прочим, фокус. Надо будет взять на вооружение. Вводить в компактную группу нелегалов человека с особыми приметами, чтобы они фигурировали во всех ориентировках. Агенты противной стороны концентрируют внимание на розыске субъекта с шрамами, потому что по нему легче обнаружить всю группу. А вы его — хлоп! — заменяете на другого. Незатейливо, но эффективно. В вашем случае почти сработало.

Он подождал, не скажет ли что-нибудь американец. Доктор молчал.

— Ну, хорошо. Отдыхайте, думайте. Завтра поедем к Громову. — Он изобразил на лице строгость, но не вполне настоящую, а как бы напускную. — Из комнаты ни ногой. Считайте, что вы пока под домашним арестом. Если что понадобится, скажите товарищу Иванову. Он останется с вами.

По-дружески кивнул и вышел, а в комнату из коридора немедленно шагнул охранник, встал у стены и впился в Норда неподвижным взглядом. Руки «товарищ Иванов» держал так: правая все время на расстегнутой кобуре, левая на свисающем с шеи свистке. Дверь при этом осталась открытой. Арест был хоть и «домашний», но сочетался с самым неотступным присмотром.

*

Прежде всего следовало разобраться, насколько арестованный свободен в своих действиях и перемещениях.

Гальтон сел на стул. Чекист ничего не сказал.

Доктор прилег на диван. Запрета опять не последовало.

Встал, подошел к окну.

— К подоконнику не приближаться, — сразу же раздалось сзади.

«Ага, опасаются, не выпрыгну ли».

Следующий эксперимент, существенный:

— Я покурю?

Он неторопливо направился к столику, на котором лежали вещи, изъятые во время обыска. В том числе «мундштук» и коробочка с иглами.

— Ничего не трогать. Курите эти.

Иванов вынул из кармана нераспечатанную пачку папирос, бросил американцу.

Покурив, Норд сказал:

— Мне нужно в уборную.

Охранник громко крикнул:

— Выход!

Где-то стукнула дверь.

— Руки за спину.

Из кобуры был извлечен наган, щелкнул взведенный курок. Чекист сделал два шага в сторону.

— Идите.

Оказавшись в коридоре, Норд увидел, что двери в остальные комнаты закрыты. Из кухни вышли двое людей в форме, впились глазами в арестованного.

За их спинами, сквозь стеклянную дверь, было видно, что за столом сидят и курят еще двое.

Запереться в туалете ему не позволили. Всё до мелочей здесь было регламентировано, всё предусмотрено инструкцией.

— Я так не привык, — сказал Гальтон. — Ведите обратно.

Он увидел достаточно. По одному чекисту в каждой комнате, четверо на кухне. Всего семеро. По взгляду, по всей повадке ясно, что это профессионалы высшей пробы. Товарищ Картусов прав: ни одного шанса.

Раз о побеге думать не приходится, нужно оценить ситуацию в целом.

Тем более, еще вопрос, нужно ли вообще убегать?

Короткая беседа с Яном Христофоровичем, что скрывать, произвела на Гальтона сильное впечатление. Он впервые имел возможность поговорить с убежденным большевиком такого уровня. Теперь стало понятно, почему коммунистическая идея за короткий срок увлекла столько жителей планеты, в том числе мыслителей, философов и художников. Образ Нового Мира — это красиво. Особенно после краха Старого Мира, задохнувшегося в ядовитых газах ужасной войны. Жить по-прежнему, как в девятнадцатом веке, больше нельзя. Люди, подобные мистеру Ротвеллеру, пытаются спасти обветшавшую постройку при помощи ремонта. Картусов и его единомышленники хотят возвести новое здание и поселить в нем новое человечество. Чтобы успешно выполнить задание Ротвеллера, нужно быть стопроцентно убежденным в его правоте и в неправоте Картусова. А после недавнего разговора эта уверенность несколько поколебалась...

— Выход! — крикнул грубый женский голос.

Иванов немедленно прикрыл дверь в коридор и прислонился к ней спиной.

Из коридора раздались шаги. Доктор напряг слух.

Узнал легкую поступь Зои. За ней шел кто-то еще. Кажется, тоже женщина, но в сапогах.

Очевидно, Зоя тоже попросилась в туалет, ее сопровождает охранница.

— Сначала на кухню, — донесся голос княжны. — Я забыла там свои таблетки. В туалет потом.

Задребезжала стеклянная дверь.

Доктор насторожился. Какие еще таблетки? Зоя никогда не жаловалась на здоровье.

Послышался звук льющейся воды, снова легкое дребезжание.

— Сидите, товарищи, я сама. — Это был голос охранницы.

Зою они опасаются меньше, чем меня, догадался Норд. Никто из кухни в коридор не вышел. А может быть, по чекистской инструкции не положено, чтобы арестованная справляла нужду на глазах у мужчин.

Спустили воду.

Гальтон напряженно вслушивался. Вдруг Зоя произнесет что-нибудь, предназначенное для него? Он поймал на себе внимательный взгляд Иванова. Тот был начеку.

Вдруг за стеной что-то громко хлопнуло — будто лопнул большой воздушный шарик.

Охранник дернулся, но глаз от Норда не отвел.

Послышался неясный шум, возня.

— На помощь! — пронзительно вскрикнула княжна. — Гальтон! Курт!

Чекист рывком повернулся к двери. Даже профессионалы высшей пробы иногда совершают ошибки. Подхлестнутый криком, доктор, не раздумывая, со всего маху налетел на охранника, буквально вмазав его в створку. Схватил обеими руками за голову, несколько раз ударил: бум, бум, бум! — отшвырнул бесчувственное тело на середину комнаты и вывалился в коридор.

Зоя в опасности! Ей нужна помощь!

Но помощь, как оказалось, требовалась охраннице. Она лежала на полу лицом вниз, воя от боли, а княжна сидела на ней верхом, выкручивала руку. Обрушила отлично нацеленный удар на шейные позвонки. Вой оборвался.

А где четверо, что сидели на кухне?

Там клубился зеленоватый туман, и ничего не было видно. Даже четыре папиросы не могли создать такой дымовой завесы!

— Беги туда! — показала Зоя на комнату Айзенкопфа, где что-то рушилось и грохотало.

Ворвавшись к немцу, Гальтон увидел, что биохимик и его конвоир, сцепившись, катятся по полу. Опрокинулось кресло, с буфета рухнула и разлетелась ваза.

Доктор потоптался вокруг дерущихся, примериваясь, и нанес отличный удар носком ботинка в стриженый затылок. Чертыхаясь и отплевываясь, Айзенкопф выпрямился.

— Что за экспромты? Предупреждать нужно! Этот болван меня чуть не застрелил! Еле успел выбить у него пистолет... Где он, кстати? Ага!

Немец поднял оружие, проверил, дослан ли патрон.

— Что остальные?

— Спят.

В проеме стояла Зоя, поправляя блузку.

— На кухне осталась моя пудреница. «Лориган Коти». — Она невинно покосилась на Гальтона, и он вспомнил, как, переодеваясь в автобусе, княжна припрятала маленькую коробочку. — Очень полезная вещица. Нажимаешь пружинку — ровно через минуту выстреливает капсула с газом.

— А-а, знаю. Видел такие штуковины. Только не в пуднице, а в портсигаре или в карманных часах. — Айзенкопф потянул носом. — Нужно побыстрей проветрить, а то нас тоже в сон заклонит.

Он вдохнул поглубже и побежал в сторону кухни.

Норд только теперь начинал приходить в себя. Всё случилось слишком неожиданно и быстро. После того как Зоя позвала на помощь, прошло, наверное, меньше минуты.

— Зачем ты это сделала? — спросил он, тяжело дыша.

Она удивилась.

— Как это «зачем»? Время шло, а ты ничего не предпринимал. Завтра нас наверняка перевезли бы в Лубянскую тюрьму, а оттуда не выберешься... Что с тобой, Гальтон? Почему ты трешь лоб?

С одной стороны, Зоя была совершенно права. С другой, теперь утрачена возможность вступить с Картусовым в рискованную, но увлекательную игру. Можно было бы рассказать ему часть правды о задании, полученном от Ротвеллера, — всё равно это уже никакой не секрет. Взамен удалось бы попасть в Институт пролетарской ингениологии и получить ценнейшие сведения, прямо из первоисточника. А тогда уже решить — прежде всего для самого себя — на чьей тут стороне истина.

— Нужно уносить ноги, — сказал вернувшийся в комнату Айзенкопф. — Я открыл окна на кухне. Товарищи чекисты крепко спят. Стрелять опасно, придется их удавить. Но сначала троих конвоиров, а то очнутся.

— Ни в коем случае! — Доктор был возмущен. — Наоборот, нужно оказать им первую медицинскую помощь.

Он осмотрел охранника, которого сам же оглушил ударом в затылок.

Сотрясение мозга. Тяжелое. Но опасности для жизни нет.

— Этот очнется нескоро.

Женщина, лежащая в коридоре, кажется, получила перелом позвонков.

— Зоя, нужно ее осторожно перевернуть и зафиксировать голову.

Меньше всего Гальтону понравился товарищ Иванов. Испугавшись за княжну, Норд стучал беднягу о дверь слишком сильно и, кажется, проломил ему череп.

— Дышит, но очень плох...

— Вы еще «скорую помощь» вызовите! — Биохимик покрутил пальцем у виска. — Их всех нужно прикончить! Они знают нас в лицо. А так останется только начальник. Вряд ли он станет лично шнырять по улицам, чтобы нас разыскать.

— Нет, — твёрдо сказал Норд. — Больше никаких убийств.

Зоя его поддержала:

— Эти люди всего лишь выполняли свою работу. И вели себя вполне корректно.

— Чистоплюйка! А вы слюнтяй! Мне-то что! Я лицо могу и поменять...

Но спорить немец перестал. Должно быть, вспомнил, что из семерых чекистов «чистоплюйка» нейтрализовала пятерых, «слюнтяй» двоих, а он сам ни одного.

— Давайте вооружимся, захватим самое необходимое и будем *сматываться*. — Гальтон очень к месту ввернул хорошее жаргонное слово, да еще и прибавил уместную поговорку. — Скорому зайцу и волк нипочем.

Каждый выбрал себе оружие по вкусу. Доктор взял «кольт» одного из усыпленных. Зоя — «браунинг» охранницы. Айзенкопф, поколебавшись между «маузером» и «вальтером», предпочел последний.

— Уходить будем через чердак, по крышам. Во дворе и на улице, возможно, дежурят. Придется оставить мой кофр здесь...

С тяжелым вздохом биохимик стал рыться в своем гигантском чемодане. Вынет что-нибудь, покачает головой, положит обратно. Потом снова.

— Всё, пора! — поторопил его Норд. — Что если у них предусмотрена смена караула? Уходим, уходим!

Жалобно простонав, Айзенкопф оторвался от своей сокровищницы.

— Возьмите вот это, — стал он совать доктору небольшой, но ужасно тяжелый металлический ящик с ручкой.

— Вы с ума сошли! Здесь полсотни фунтов!

— Вы ничего не понимаете! Это же универсальный конструктор! Без него нельзя!

— Вот сами его и тащите.

— Я беру переносную лабораторию. А Зоенька возьмет вот эту сумку, она легкая!

Но ласковое обращение не растрогало жестокосердную барышню.

— Идите к черту, Курт. Мне хватит своего багажа.

— А мне моего саквояжа, — отрезал Гальтон. — Вперед! Уже светает! Из-за ваших железок и склянок мы все пропадем!

Пришлось биохимику ограничиться «универсальным конструктором», да еще парой свертков, которые он запихнул себе за пазуху.

— Пожалеете потом, да поздно будет... Не говорите, что я вас не предупреждал... Боже, сколько драгоценностей я оставляю чекистским шакалам!

Под ворчание и брюзжание Айзенкопфа они поднялись на чердак, оттуда вылезли на крышу. Потом перебрались на соседнюю. Спустились по трубе на двухэтажную пристройку, по пожарной лестнице вскарабкались на высокий кирпичный дом. Здесь пришлось сделать привал, потому что тяжело нагруженный немец выбился из сил.

Группа расположилась между двумя кирпичными трубами, согнав с них стайку облезлых молчаливых кошек.

По железной кромке крыши пролегла розовая полоска.

Над Москвой вставало солнце.

СТРАННОЕ ЗРЕЛИЩЕ

открылось бы взору человека, случайно заглянувшего на крышу шестиэтажного жилого дома по улице Герцена, бывшей Большой Никитской, ранним утром 5 мая 1930 года, в день рождения основоположника пролетарской идеи Карла Маркса.

Двое мужчин и женщина вели оживленный разговор, сидя спиной друг к другу. При этом женщина приводила в порядок лицо и прическу после бессонной и явно бурной ночи; один из мужчин яростно тер себе лоб и щеки (это был африканский массаж для стимуляции мыслительного процесса); у другого мужчины лица вообще не было. Вернее, их было два. Он стянул с себя одно, заросшее сивой бородищей, аккуратно упаковал в мешочек и стал прилаживать другое, желтоватого цвета.

За удивительным спектаклем наблюдали несколько бездомных кошек, время от времени отвратительно поскрипывавших когтями о металлическую поверхность крыши. Тогда женщина морщилась и говорила «Кыш!», но кошки не убегали. Это было их место, они ждали, пока чужаки уйдут.

— ...Сначала я хочу услышать ваше мнение. Ситуация стала слишком опасной, — говорил адепт африканского массажа, закончив с лицом и приступая к обработке своего бритого скальпа, отсвечивающего красками восхода. — Теперь на нас будет охотиться вся тайная полиция России. Мы прерываем миссию?

— Нет.

— Ни в коем случае!

Бритый кивнул. Другого ответа он не ждал. Если бы коллеги выразили желание отступиться, он продолжил бы дело в одиночку. Распаленный интерес ученого — сила, не знающая преград и не подвластная инстинкту самосохранения.

— Тогда начну с технического вопроса. Мы не можем все время сидеть на крыше. Нужно найти новую базу... — Гальтон раздраженно дернул головой. — Послушайте, так невозможно разговаривать! Я уже могу обернуться?

— Да ради бога, — пожал плечами Айзенкопф, хотя вместо лица у него пока еще висело нечто морщинистое, невообразимое.

— Нет, — сказала княжна. — Еще рано. Кыш вы, проклятые! ...Найти базу нетрудно. Почти в каждом доме есть пустые квартиры с печатью ГПУ на двери.

Немец мстительно заявил:

— Теперь не получится. Бланки и документы остались в кофре. Я взял только удостоверение для своей новой маски. И не говорите, что вас не предупреждали!

— Ну, удостоверение есть и у меня. — Зоя вынула из кармана красную книжечку. — Махоркина Клавдия Фоминишна, агент 3 разряда ОГПУ. Взяла у своей подружки. Как она там, бедная, со сломанной шеей? Фотография мало похожа, но вряд ли управдом станет вглядываться. Ему корочки хватит.

— А я теперь товарищ Сяо Линь, слушатель Университета трудящихся Китая имени Сунь Ятсена, — объявил Айзенкопф, наконец завершив свое превращение.

Морщины на его маске разгладились, пузыри и вмятины выровнялись. Теперь на крыше сидел пожилой китаец с узкими глазами, совершенно бесстрастным лицом, куцей седой бороденкой и жидкими, но длинными усами.

— *Ни хао*, — поклонился он ошеломленному Норду. — Что означает «здравствуйте»...

Наконец обернулась и Зоя. Скептически поглядела на преобразившегося биохимика.

— Даже не знаю, какая из ваших физиономий противней. Неужели нет ничего посимпатичней?

— Другие остались в чемодане, — печально молвил Айзенкопф. — Теперь я обречен быть китайцем, пока не вернусь к себе в лабораторию.

— Не расстраивайтесь. Шансов вернуться у вас немного. Кыш! Кыш! — Она снова замахнулась на беспокойных кошек. — ...Проблема не в квартире. Как выбраться из этого района? Он наверняка уже наводнен агентами. Мы правильно сделали, что не стали шататься по пустым улицам на рассвете. Но не вечно же нам сидеть на крыше. Предлагаю вот что. Мы с Гальтоном спуститься вниз не можем — нас опознают. Но...

— А я говорил: надо всех прикончить, — все тем же сварливым тоном вставил германокитаец.

— ...Но герра Сяо опознать невозможно. Недалеко отсюда, на площади Революции, находится «Гранд-отель», там стоянка такси. Вы отправитесь туда, возьмете машину, въедете во двор. Такси проклаксонит, мы быстро сойдем вниз и сядем. Всё очень просто.

Биохимик подергал мочалкообразную бороденку, покряхтел, но, кажется, не нашел, к чему можно придраться в этом простом и легко осуществимом плане.

— Если только на гостиничной стоянке в этот ранний час найдется такси... Как я заметил, в Москве их и днем-то немного.

— Найдется. В «Гранд-отеле» единственный на весь город ресторан, работающий до утра.

— Отличное решение. Молодец! — похвалил Гальтон. — Ты у нас вообще сегодня героиня. Курт сделает, как ты предлагаешь, но чуть позже, когда на улицах будет побольше народа. А теперь давайте обсудим главное. У нас ведь еще не было возможности рассказать тебе о том, что случилось в музее...

*

— ... «*Le clé est le pharmacien du Grand Homme. Cherchez Omnia-eksplanare-chez-mari-gri*», — медленно повторила княжна. — Да, вторая фраза — то ли шифр, то ли просто абракадабра. Зато первая предельно ясна. Загадочный советчик недвусмысленно рекомендует нам заняться фармацевтом великого человека, то есть личным фармацевтом советского вождя товарищем Громовым. Иными словами: ключ не в Институте пролетарской ингениологии, а в его директоре. Это очень важная подсказка. Но возникает столько вопросов...

Айзенкопф нюхал вынутый из кармана платок.

— Эх, я взял на пробу жидкость из остальных флаконов, но сделать анализ теперь не сумею. Все нужные реактивы остались в чемодане, который вы мне...

— Перестаньте ныть про свой чемодан! — отмахнулась от него Зоя. — Если можете прибавить что-нибудь существенное к рассказу Гальтона, говорите. Не можете — помалкивайте.

— Я могу кое-что прибавить. Насколько это существенно, не знаю. Однако я обратил внимание вот на какую странность: тайник закрывался очень плотно, почти герметично, а на всех поверхностях и на самих флаконах скопился слой пыли. Это значит, что пузырьки были поставлены туда очень давно. Может быть, не один год назад.

— Он прав! — воскликнул Норд. — Из этого закутка на меня дохнуло... как бы это сказать... запахом *другого времени*.

Доктор смутился и замолчал, понимая, что его слова прозвучали ненаучно, даже глупо.

— Что это значит, Гальтон?

— Сам не знаю. Тут всё непонятно. Одни сплошные вопросы. Кто оставил послание? Почему этот человек владеет технологией изготовления самсонита? Откуда он знал *годы назад*, что мы или вообще кто-то заглянет в тайник? А главная тайна — подсказка про Громова. Это уж вообще необъяснимо! Мистер Ротвеллер не сообщил мне чего-то очень важного. Это с его стороны нечестно!

— Все перечисленные тобой вопросы интересны, но второстепенны, — спокойно заметила Зоя. — Я думаю, со временем мы получим на них ответы. Пока же мы знаем главное: нужно сосредоточиться на Громове, не отвлекаясь ни на что другое. Этот совет мы получили из тайника, на который тебя вывел Ротвеллер своим упоминанием о Ломоносове. Если старик больше ничего тебе не сказал, значит, у него были на то веские причины. Давайте действовать. Дедушка Сяо, отправляйтесь-ка за таксомотором. Слышите шум улицы? Москва уже проснулась.

Кажется, лидерство в команде сменилось. Зоя подводит итоги обсуждения, отдает приказы и самое удивительное, что женоненавистник Айзенкопф их выполняет. Вот о чем не без оторопелости думал Норд, когда липовый китаец отправился за машиной.

Гальтон сидел на краю крыши, слушая звуки утреннего города. На девушку не смотрел, чтобы не выдать своих колебаний.

Двух командиров в экипаже не бывает. Сейчас, когда Курта нет, самое время объяснить это княжне. Если бы не *особенные отношения*, в которые Гальтон вступил с ней на пароходе, разговор было бы провести гораздо легче. Непростительная слабость и хуже того — безответственность смешивать рабочие отношения с интимными. Зоя удивительная девушка, которая поставила под серьезное сомнение Правило № 5, гласящее, что самозабвенной любви на свете не существует. Но безумие страсти, подобно опасному зверю, следует дрессировать и держать в вольере, иначе этот хищник оставит от тебя одни обглоданные кости. Об этом и нужно поговорить с Зоей. Во-первых, она умный человек и врач. Во-вторых, предана делу не меньше, чем он. В-третьих, по самому ее поведению видно, что она тоже решила оставить любовные утехи на потом. Например, минувшим вечером она повела себя очень разумно, уклонившись от близости. Гораздо разумнее, чем руководитель экспедиции.

И всё-таки необходимо расставить точки над i. *Особенные отношения* замораживаются до окончания миссии. Командир группы — доктор Норд. Он выслушивает мнения и советы коллег, но принимает решения единолично. Анархия и разброд исключаются.

Гальтон постарался как можно правильнее сформулировать фразу, с которой приступит к непростому объяснению. Он скажет мягко, но не допускающим возражений тоном: «Я хочу тебя кое о чем попросить. То, что между нами произошло в небе и потом в каюте, было чудесно. Но мы оба ответственные люди...». Дальше — в зависимости от ее реакции.

Решительно повернувшись, он начал:

— Я хочу тебя... — И запнулся, увидев выражение ее лица.

Зоя сидела по-турецки, вся освещенная утренним солнцем. То ли от его лучей, то ли от чего-то еще щеки раскраснелись, глаза пылали, а губы были приоткрыты и сияли влажным, жарким блеском.

— Я тебя тоже! — прошептала она. — Просто с ума схожу! Всё к черту... К черту, к черту! Только ты! Ты!

Наклонившись, она схватила его за руки и с силой потянула, так что он опрокинулся на нее. Заготовленная фраза и все правильные мысли вылетели у доктора из головы, будто их там никогда не бывало. Он мял и комкал ее юбку, Зоя тоже расстегивала его одежду. Они мешали друг другу, и оба постанывали от нетерпения и голода.

Загрохотала, задребезжала железная крыша.

Кошки оживились, задвигались. Сначала раздалось деловитое мяуканье, потом истошный, сладострастный вой.

— Кыш, кыш, кыш, кыш, кыш, кыш... — хрипло повторяла княжна, жмурясь от ослепительного сияния, лившегося с неба.

Способность рационально мыслить вернулась к Гальтону благодаря двум обстоятельствам. Первое — гудение автомобильного клаксона — не смогло прорваться в нирвану, где пребывал доктор Норд. Второе оказалось более чувствительным. Ноготки, самозабвенно царапавшие ему спину, вдруг впились в нее что-то очень уж яростно.

— Нопеу, — растроганно прошептал Гальтон.

Вместо стона наслаждения Зоя сказала:

— Прости, но это приехало такси. Нам пора!

И колдовство сразу кончилось. Норд встрепенулся.

Сколько времени сигналит машина? Наверное, жильцы уже высовываются из окон. Скорее вниз!

Зоя приводила в порядок растерзанную одежду, наскоро приглаживала волосы. В ее глазах поблескивали слезы — похоже, что от злости.

— Чертов Айзенкопф! Бегом он, что ли, несся? Он это сделал нарочно!

— Нет, прошло больше получаса... — удивился Норд, посмотрев на часы. Ему казалось, что безумие не длилось и минуты.

Что ж, один из первых симптомов сумасшествия — неадекватное восприятие времени.

Княжна, очевидно, подумала о том же, но выразилась более изысканно:

— The time is out of joint[1].

— Метко сказано, — похвалил Гальтон.

Она засмеялась, потрепала его по макушке.

— Вперед, Колобок. Серый волк близко!

*

Захватив металлический чемоданчик с «универсальным конструктором», они поскорей спустились во двор, где продолжала клаксонить машина.

Норд осторожно выглянул из подъезда.

За рулем черного фордовского фаэтона, облокотясь о дверцу, сидел смуглый парень, у которого из-под кепки высовывался лихой черный чуб.

— Ты к каким, милок? — крикнул из окна старушечий голос.

Другой, помоложе, визгливо пригрозил:

— Перестань дудеть, ирод! Милицию вызову!

— Не иначе к Абрамовичам, у их денег куры не клюют, — предположили где-то поблизости — видимо, на первом этаже. — Кажный день на таксях ездеют.

Шофер скалил зубы (ослепительно белые, но с золотой фиксой), отвечал всем подряд:

— Я за тобой, бабка! Из крематория!

— Не трясите прической, гражданка, папильотки порастеряете!

— Не на «таксях», а на таксомоторе, лапоть!

Айзенкопф сидел на заднем сиденье, не высовывался.

— Идем!

С независимым видом, рука об руку, Гальтон с Зоей дошли от подъезда до машины.

Дом обсудил и их:

---

[1] Распалась связь времен (*англ.*).

— Чьи это? Из двадцать второй, что ли, которые новые?

— ...Нет, тот плешивый, а этот бритый.

— Тоща-то, тоща!

Водитель выскочил, помог уложить вещи в багажник.

— Чемодан, саквояж, сумка. По таксе полагается пятьдесят копеечек за место, но дедок сказал — платит вдвое. Значит, выйдет по рублику. Подтверждаете?

— Само собой.

Гальтон залез в машину, ему хотелось побыстрей отсюда уехать.

— Повезло, — шепнул Айзенкопф по-английски. — Нормальный парень, не коммунистический. Любит деньги. За двойную почасовую будет нас возить хоть круглые сутки.

— Браво, Курт! Свои колеса — это здорово.

— Моя звать Сяо Линь, — певуче ответил биохимик.

Разбитной таксист сел на место, обернулся, обшарив клиентов взглядом сметливых маслянистых глаз.

— Витёк, — представился он новым пассажиром. — Я чё хочу предложить, граждане. Если желаете, я с напарником договорюсь, буду вас хоть неделю катать. Ему десятку за смену в зубы — доволен будет. А мне сотенную, и я весь ваш, хошь днем, хошь ночью. Плюс бензин, конечно.

Предложение, вероятно, было жульническим, но Гальтона идеально устраивало. С этим плутом экспедиции, действительно, повезло. Наверное, до революции в Москве, как во всяком большом городе, водилось множество пройдох, умевших легко зашибать деньгу. Ян Христофорович гордо сказал, что «золотой дьявол» в стране большевиков растерял свои чары, но, оказывается, не для всех. Товарищам Картусову и Громову предстоит еще немало потрудиться, чтобы селекционировать новое человечество.

Доктор открыл рот, чтобы согласиться с предложенными условиями, но биохимик толкнул его коленом.

— Сьто люблей — сибко много, — строго пропищал он. — Моя плати писят, а бензина пловеляй.

Он, конечно, был прав. Следовало поторговаться, чрезмерная уступчивость выглядела бы подозрительно.

Стороны сошлись на семидесяти пяти и остались полностью довольны друг другом.

Выруливая из двора, Витек поинтересовался:

— А вы, извиняюсь, кто будете? Откуда? К нам в Москву надолго? Я тут всякое-разное знаю. Могу и рассказать, и показать, отвезти куда надо, с кем надо познакомить. Если гражданочка насчет хороших духов или шмоток интересуется — организуем. Ресторан знаю, где собачатину жарят... Куда доставить прикажете?

Шоферу было ужасно любопытно, что за люди такие. Он всё поглядывал в зеркало то на хорошенькую «гражданочку», то на китайца, которому и была адресована реплика про собачатину. Гальтон на Витька большого впечатления не произвел.

— He's too nosy. I'll shut him up[1], — краешком рта шепнула Зоя и мрачно заметила. — Много болтаешь, парень. Увянь. Двигай пока по Тверской.

Грубость подействовала благотворно. Водитель нисколько не обиделся, а молоть языком перестал:

— Усек. Никаких вопросов.

Что именно он «усек», выяснилось минуту спустя, когда такси повернуло на улицу Герцена. Возле дома 18 стояло несколько автомобилей, на тротуаре белели гимнастерки милицейского оцепления. Мимо такси, требовательно гудя, пронесся автобус синего цвета с надписью «Спецтранспорт».

Пассажиры таксомотора, не сговариваясь, пригнулись.

— Фартовые? — не спросил, а скорее констатировал Витек. — Ясно. Будь спок, граждане блатные, я болтливый, но не трепливый. Только уговор: если чего — мое дело сторона. Вы взяли такси, я отвез. Лады?

— Лады, — ответила Зоя и тихо, по-английски, объяснила коллегам, что водитель принял их за бандитов и лучше его не переубеждать. В России преступный мир традиционно окружен ореолом романтики и даже почтения.

---

[1] Он слишком любопытен. Я его заткну (*англ.*).

— По-китайски шлепаешь? — с уважением спросил наостривший уши Витек. — Я заметил, ваш пахан по-русски не сильно рубит. Вы, братва, с Дальнего Востока? Я слыхал, там среди «деловых» много китайцев, корейцев. Слышь, а пускай пахан мне чё-нибудь закорючками китайскими накаляет, а? — Он сунул назад листок и карандаш. — Буду девчонкам показывать.

Айзенкопф с невозмутимостью Будды накарябал столбиком какие-то каракули.

— Класс!

Шофёр бережно сложил листок, для чего ему пришлось выпустить руль. «Форд» завилял по булыжной мостовой, чуть не въехал в пролетку, но в последний миг Витек успел-таки вывернуть, да еще сердито обдудел ни в чем не повинного извозчика.

— Что вы ему нацарапали? Какую-нибудь белиберду? — спросил Норд по-английски, раз уж этот язык сходил у Витька за китайский.

— Изречение Лаоцзы: «Путь Истины широк и прям, но все предпочитают кривые тропинки». — Айзенкопф погладил бороденку. — Я владею языком Поднебесной Империи. Пришлось принять двенадцать порций самсонита. Очень трудная фонетика.

Последнюю фразу ("Ит хаз э вери трики фонетикс") Витек интерпретировал по-своему.

— Насчет хазы интересуется? Могу устроить. То, что вам надо. Чужие не ходят, легавые не сунутся. От центра, правда, неблизко. Но на машине какая разница? Верно, папаша? Десять минут, и ты хошь в ГУМе, хошь в ЦУМе.

— «Хаза» это квартира? — спросил Гальтон у Зои. — Может быть, воспользуемся?

Она кивнула. Наклонилась к шоферу.

— Что за место?

— У наших.

— У каких у «наших»? Где?

— В Цыганском Уголке, за стадионом «Динамо». Я — цыган, не видно, что ли? Поговорю с бароном, скажу, хорошие люди, кореша мои, он недорого возьмет. А хоть бы и дорого! — Витек оглянулся и подмигнул. — Я так понимаю, гро́ши у вас имеются. И еще будут. Вы ж в столицу, поди, приехали не в планетарии ходить. — Он хохотнул. — Заметьте: вопросов не задаю. Не мое дело. Только соображайте сами. Наши мусорам не выдадут. Это во-первых. А во-вторых, коли будет хабар, барон хорошую цену даст.

Гальтон старательно вслушивался, но многого не понимал.

— Барон? — тихо спросил он по-английски у Айзенкопфа. — Разве в СССР сохранились титулы? Или это кличка?

— Речь наверняка идет о Zigeunerbaron[1], — ответил немец, истинный кладезь познаний в самых неожиданных областях. — По цыгански «ром-баро», то есть «цыганский вожак».

Оказалось, что ушлый Витек умеет говорить и подслушивать одновременно. Уловив знакомое слово, он повернул голову.

— Правильно. Ром-баро Цыганского Уголка — это наш хоревод.

— Кто?

— По-теперешнему «худрук песенно-танцевального хора». Большой человек.

— Ты таксист или ты в хоре поешь? — запутался Гальтон.

Цыган охотно объяснил:

— Дорога, по которой мы едем, ведет в Ленинград, по-старому Питер. Сначала она называется Тверская улица, ее мы уже проехали. Сейчас гоним по Первой Тверской-Ямской. Вон Белорусский вокзал. — Доктор узнал площадь, на которую они вчера попали, сойдя с поезда. — Тут самый главный тракт проходил. По нему цари в Москву въезжали, и вся чистая публика шастала, из одной столицы в другую. А это что значит? Кого-то встречают, кого-то провожают. По русскому обычаю надо выпить, закусить. Тут были все самые разгульные рестораны: «Яр», «Стрельна», «Мавритания». А какая выпивка-закуска

---

[1] Цыганский барон (*нем.*).

без цыганской песни? Наши уже больше ста лет живут за Петровским дворцом, потому место и называется Цыганский Уголок. Но мое семейство не пело, не плясало. Мы всегда ресторанные извозчики были. Эх, какую тройку держали! Не кони — еропланы! Какие чаевые получали! Русский человек, когда выпивши, быструю езду любит, денег не считает. Батю моего или деда послушаешь — завидки берут. Сейчас не то и не так. Трудовое перевоспитание придумали. Паспорта какие-то хотят завести. Тогда все наши поднимутся, и поминай, как звали. Что за ром с паспортом?... Одно время петь запретили. Сейчас снова можно, но только советские песни. Ре-пер-туарная комиссия. А кому они нужны, репертуары ихние? Рестораны теперь не те, публика — дрянь. Коней у бати еще во время Гражданки в Красную Армию забрали. Вот и кручу баранку.

Сетуя на плохие времена, Витек не забывал указывать и на достопримечательности.

— Триумфальная арка, — показывал он на помпезное сооружение, стоявшее у вокзальной площади. — Построена в честь победы над империалистом Наполеоном, давно ещё... Стадион «Динамо». Тридцать тыщ народу зараз садится футбол смотреть. Если московская команда побеждает, нашему брату таксисту лафа. Многие в ресторан едут, обмывать. А если проиграли, лучше сразу сваливать — звереют люди, могут в машине стекла побить... Это вон Петровский дворец. — Справа за деревьями показалось изящное краснокирпичное здание в мавританско-готическом стиле. — Там царь Николашка перед въездом в Москву марафет наводил. Наполеон там тоже живал. А сейчас воздушная академия, красных военлетов учат...

Автомобиль ехал по широкому загородному шоссе, с двух сторон обсаженному старыми деревьями. Каменных домов стало мало, преобладали деревянные особнячки дачного вида.

— Почти приехали. Сейчас повернем в Стрельнинский переулок, а там и Эльдорадовский тупик.

Гальтон удивился странному названию:

— Эльдорадовский?

— Ресторан раньше был, «Эльдорадо». Золотое место!

Проехали фабричку, ряд двухэтажных домов, знавав-ших лучшие времена, свернули в немощеный двор. «Форд» запрыгал по ухабам, по лужам и остановился пе-ред бараком, который некогда, видимо, был оштукатурен и даже украшен лепниной, но облупился почти догола — до бревен. Над входом висела вывеска КЛУБ «КРАСНЫЙ ЦЫГАН».

— Посидите пока, пошуршу с бароном.

Витек взбежал на крылечко и шмыгнул в дверь, оставив ее нараспашку.

Норд вылез из автомобиля, чтобы разглядеть предполага-емую базу повнимательней.

Из клуба доносилась музыка. Звенели колокольцы, бренча-ли гитарные струны, многоголосый хор с уханьем, с под-взвизгом пел:

> *Комиссар ты мой червовый, червоненький,*
> *Ты купи мне платок, платок новенький!*
> *А я девчоночка, да несмышленная,*
> *Эх, жизнь бубновая, да забубенная!*

У пыльного окна мелькнула чья-то фигура. Звонкий крик «Гадже!»[1] оборвал пение, и с крыльца во двор высыпала ту-ча ребятишек и цыганок в разноцветных платьях. Звеня мо-нистами, орава облепила машину.

Старуха с трубкой в зубах схватила Норда за руку, едва взглянула на ладонь и заголосила:

— Ай, беда, кучерявый! Любимая изменит! Друг предаст! Руки на себя наложишь! Сглазили тебя! Черный глаз отвес-ти нужно! Я знаю, как! Пойдем со мной!

— Я не кучерявый. — Гальтон приподнял кепку, демонс-трируя бритый скальп. — Вы меня с кем-то перепутали, граж-данка.

---

[1] Чужие! (*цыг.*)

Зое гадала вертлявая де́вка, ввинтившаяся в окно таксомотора. Айзенкопф отбивался от мальчишек, пытавшихся потянуть его за длинную китайскую бородку.

Но вот из дома вышел Витек, рявкнул по-цыгански, и вакханалия закончилась. Потеряв интерес к приезжим, хор гуськом потянулся назад в клуб.

— Барон сказал: «Пятьсот рублей платят — неделю живут».

— А где?

— В номерах. — Таксист показал на окна второго этажа. — Барон сказал: «Платят тысячу — живут одни, без соседей».

— Пойду посмотрю, — с сомнением сказал Норд.

Всю нижнюю часть дома занимало одно большое помещение, украшенное кумачовыми транспарантами и потретами коммунистических вождей: Маркс, Энгельс, Ленин, Сталин, все цыганистого вида, особенно основоположник научного коммунизма, которому не хватало только золотой серьги в ухе, чтобы смотреться главным ром-баро всемирного пролетарского табора.

В зале было полно народу. В центре стояли скамьи для участников хора. В углу пили чай старики, на полу возились детишки, несколько чернобородых мужчин, собравшись в кучку, что-то сосредоточенно обсуждали.

На Гальтона подчеркнуто не обратили внимания. Очевидно, так предписывалось этикетом.

— Продолжим репетицию, товарищи! — объявил солидный мужчина в костюме и галстуке (уж не сам ли барон?). — «Цыганская колхозная». Сначала запев, потом Миша соло. Три-четыре!

Хор грянул — задрожали стекла:

> *Ехали цыга-а-ане*
> *На тракторе домой, да эх домой,*
> *На сто пейсят на про́центов, да эх,*
> *Сполняли план свой трудовой!*

Дальше повел одинокий голос невыносимо пронзительной фистулой:

Эх, пере-перевыполнял, выполнял
Парнишка план да посевной, посевной!
В красной рубашоночике
Хорошенькай такой!

У Гальтона заныли барабанные перепонки.

— Ну и квартирка, — сказал он Витьку. — Как мы будем жить над этим содомом?

— Ничего это не сумдом, — обиделся цыган. — Малость шумно, зато спокойно. В вашем деле главное что? Чтоб легавые не зашухерили. А через клуб им втихую никак не пройти. Такое начнется! Сиганете через окошко, ищи потом ветра в поле. Ну чего, по рукам? Или пойдешь пахана спрашивать?

Довод был существенный, он положил конец сомнениям Норда. Кроме того не терпелось поскорей вернуться к делу, ради которого экспедиция прибыла в Москву. Возникли новые обстоятельства: самсонитовое послание и товарищ Картусов. Это требовало корректировки планов.

— По рукам.

КАКОЙ К ЧЕРТУ ПЛАН

, однако, могут разработать люди, перенесшие нешуточный стресс и проведшие бессонную ночь? Всякий врач знает: депривация сна влечет за собой нарушение мышления и восприятия, а положение требовало мобилизации всех интеллектуальных ресурсов. Поэтому, едва разместив группу на новом месте, командир экспедиции приказал всем спать, а сбор назначил на семнадцать ноль ноль.

Железный человек Айзенкопф отдыхать не желал, да и Зоя удивилась, но Гальтон был непреклонен. «Утро вечера мудренее», козырнул он русской пословицей, хотя в данном случае получалось наоборот.

За тысячу рублей в распоряжении экспедиции оказался весь второй этаж бывшего ресторана «Эльдорадо», в прежние времена, видимо, отведенный под отдельные кабинеты. В комнате, которую выбрал себе Норд, от былой игривости уцелела лишь потолочная живопись, изображавшая мясистых вакханок и булочкообразных купидонов. Под прицелом их стрел уставший Гальтон лег на пружинную кровать и немедленно уснул. Сон у доктора был идеально здоровый, можно сказать классический: стадия засыпания почти мгновенно перешла в медленный сон, с постепенным углублением.

В какой-то момент спящий чуть не пробудился от бешеного топота — это хор внизу репетировал танец «Цыганские проводы в Красную Армию». Весь дом трясся, будто тоже рвался в пляс. Но мозг Норда, даже во сне не утративший дисциплинированности, внес должную поправку в список внешних раздражителей, которые следовало игнорировать, и в дальнейшем вопли, хоровое и сольное пение, даже дружное «Пей до дна!» отдыху Гальтона не мешали.

Без четверти пять он проснулся. Ровно в пять совещание, начавшееся на крыше и прерванное последующим переездом, возобновилось.

Руководитель был свеж, бодр, энергичен. Остальные участники экспедиции выглядели хуже. Репетиция хора не позволила им расслабиться до благословенной стадии глубокого сна.

— Обсудим фактор, усложняющий выполнение миссии, — начал Гальтон. — Я имею в виду ГПУ и лично товарища Картусова. Разговор с ним произвел на меня сильное впечатление. Это опасный противник...

Он пересказал как можно подробнее свою беседу с начальником контрразведывательного департамента, не утаив от коллег и своих колебаний.

— ...А о чем Картусов говорил с тобой? — спросил он княжну.

— О, со мной этот тип держался по-другому. — Зоя саркастически улыбнулась. — Психолог! Очевидно, он считает, что женщины невосприимчивыми к абстрактным идеям. (Между прочим, правильно считает.) Поэтому для начала он как следует меня припугнул. Поосновательней, чем тебя. Например, подземной тюрьмой, от сидения в которой навсегда портится цвет лица, проступают морщины и крошатся зубы. Я, действительно, испугалась. Потом милейший Ян Христофорович перешел от кнута к прянику. Про Истину и светлое будущее человечества рассказывать не стал, нечего перед бабой бисер метать. Вместо этого подробно остановился на животном начале в человеческой природе. Мол, общество подобно стаду. Во главе всегда один вожак, он же самец-лидер. Вся общественная система его поддерживает и на него работает, а взамен питается его силой. От вождя зависит не только благополучие, но и выживание стада. Это символ всесоздающей и всесокрушающей энергии. Советским людям несказанно повезло с вождями. Сначала великий Ленин, теперь великий Сталин. Но бремя вождя невыносимо тяжело, оно чревато сверхъестественными нагрузками. Ильич не выдержал такого нечеловеческого стресса, потому что наука была еще не готова решить эту физиологическую задачу. Но с тех пор советская медицина продвинулась далеко вперед. Нынешний вождь товарищ Сталин получает от нее всю необходимую помощь. Именно поэтому СССР шагает вперед семимильными шагами. Большевистское государство представляет собой идеальную пирамиду власти, увенчанную стальным навершием — Сталиным. Еще-де древние египтяне установили, что пирамида — самая устойчивая из геометрических фигур. Пускай сегодня Советский Союз в военном и индустриальном отношении отстает от буржуазных держав, но они рыхлее и слабее. Через пятнадцать—двадцать лет государство победившего пролетариата станет флагманом земной цивилизации... Предъявил он мне, значит, эту картину фаллической мощи. Должно быть, в книжках по фрейдизму прочел, что бабы млеют от демонстрации мужской силы. Ну а дальше, в полном соответствии с физиопсихологией, начал меня размягчать и увлажнять. Всё-де они в ГПУ про меня знают — и про мою трудную судьбу, и про мои выдающиеся научные способности. Льстил умно, даже красиво. Я и вправду увлажнилась. Про то, что я могу стать для них «ценным товарищем» тоже говорил. Буду работать в институте, помогать великому ученому Громову. Специалисты высокого уровня, вроде меня, на вес золота. И отношение ко мне будет соответствующее. Товарищ Сталин сказал: «У нас бедная страна, но на то, чтобы обеспечить ценным кадрам достойное существование, средств хватит».

Тон Зои был насмешлив, но взгляд серьезен. Видно, и на нее речи Картусова произвели впечатление.

— Слушаю я вас двоих, и даже завидно становится, — проворчал биохимик. — Перед вами этот большевистский генерал вон как распинался, а меня не удостоил.

Норд задумчиво произнес:

— Зоя права. Этот человек — психолог. Он предпочитает вступать в контакт с людьми, о которых уже что-то знает. О непонятно откуда взявшемся бородаче Картусов не имел никакой информации. Он пытался, очень осторожно, выведать хоть что-то у меня.

— И у меня, — вспомнила княжна. — Небрежно так спросил: «А откуда взялся этот кулак?».

— Ну тогда ладно.

Самолюбие Айзенкопфа было удовлетворено.

Зато Гальтон остался собой недоволен. Получалось, что он все-таки клюнул на крючок «психолога». Зоя оказалась умней.

— Почему ты ему не поверила?

Она блеснула глазами:

— Потому что их главный самец совершенно не в моем вкусе. Рябой носатый коротышка с нечистыми усами. Нам, женщинам, угодить трудней, чем воображает товарищ Картусов. — И добавила уже не шутливо, а зло. — Кроме того, меня с души воротит от большевиков и их Нового Мира. Но знаете, что я вам скажу? — Зоя поежилась. — Картусов искренне верит в то, что говорит. Он, может, фанатик, но не сумасшедший. Институт Громова действительно работает исключительно на Сталина. Препарат, который мы называем «экстракт гениальности» или «сыворотка гениальности», безусловно существует. Смысл самсонитного послания, спрятанного за Ломоносовым, нужно трактовать так: без Громова не было бы никакого «великого человека». Сверхмощный двигатель, именуемый «товарищем Сталиным», не будет работать без горючего, которое поставляет бензозаправщик-фармацевт.

Гипотеза показалась Норду чересчур смелой.

— Мне кажется, ты преувеличиваешь мощность этого усатого «двигателя». Обыкновенный диктатор, одержимый манией величия. Только и всего.

— Видно, ты недостаточно знаком с биографией Иосифа Виссарионовича. Этот человек не получил почти никакого образования. До революции он состоял в партии большевиков на третьих ролях и входил в Центральный Комитет всего лишь с правом совещательного голоса. Во время революции Сталин ничем себя не проявил. В первом ленинском правительстве он получил самый незначительный из портфелей — народного комиссара по делам национальностей. В Гражданской войне не командовал армиями, не поднимался выше роли политического советника, а когда пытался вмешиваться в стратегическое управление войсками, это обычно заканчивалось катастрофой. Еще 10 лет назад имя Сталина народу ничего не говорило. Ко времени, когда Ленин, этот действительно гениальный организатор, заболел и отошел от дел, Сталин состоял на второстепенной, сугубо канцелярской должности партийного секретаря. В ленинском окружении хватало ярких личностей, каждая из которых могла претендовать на роль преемника. Военный руководитель Троцкий, предводитель Коминтерна Зиновьев, главный идеолог Бухарин, председатель Совета труда и обороны Каменев, начальник тайной полиции Дзержинский, премьер-министр Рыков и еще с десяток вождей, по сравнению с которыми Сталин был пешкой. Но пешка вдруг начала очень быстро двигаться вперед и в считанные годы превратилась в ферзя. Когда в 1924 году умер Ленин, этот грузин уже стал важной фигурой, с которой приходилось считаться. В человека, которого привыкли считать посредственностью, будто вселилась какая-то неисчерпаемая сила. Оказалось, что он обладает феноменальной памятью, сверхъестественной работоспособностью, поразительной расчетливостью, умеет очаровывать одних и подавлять других. Он не спит по ночам, делает тысячу дел одновременно и *почти никогда не допускает ошибок*. При этом не болеет, не проявляет признаков усталости. Ни в одной стране современного мира нет такого сильного лидера. Муссолини по сравнению с ним просто фигляр. Это магическое превращение случилось со Сталиным поздно, на пятом десятке жизни. Так не бывает. Если человек феноменально одарен в какой-то области от природы, это начинает проявляться гораздо раньше. Можете вы представить себе художника, который двадцать лет малевал бездарные картины, а потом из-под его кисти вдруг стали появляться сплошь одни шедевры?

— Нет, — сказал Айзенкопф. — Это невозможно.

— Я понимаю, о чем вы говорите. Робеспьер или Кромвель проявили свои таланты вскоре после того, как пришли в политику. Сталин же двадцать лет делал революцию, оставаясь мелкой сошкой. И вдруг этот воробьишка за короткий срок превратился в царя пернатых. Да, случай беспрецедентный.

Доктор Норд задумался. Еще две недели назад он счел бы подобную гипотезу бредом, не заслуживающим внимания серьезного человека. Но выстроилась целая цепочка фактов, каждый из которых косвенно подтверждал допустимость этой гипотезы, а в своей совокупности факты делали ее почти неспоримой. Сведения о грандиозных способностях большевистского вождя, предположим, можно отнести к области пропагандистского мифотворчества.

Но:

1) Мистер Ротвеллер не затеял бы рискованную экспедицию, не имея на то веских причин.

2) ГПУ не стало бы так нервничать, если б речь шла об обычных исследованиях в области евгеники. Мало ли в мире лабораторий, занимающихся вопросами антропогенетики?

3) Институт пролетарской ингениологии и его директор не были бы окружены такой таинственностью и такой многослойной охраной.

4) Наконец, самый непонятный и тревожный факт — мессидж, содержавшийся в тайнике. Кто бы ни оставил это послание, смысл его очевиден. Во всяком случае, в той части, где прямо говорится о «фармацевте великого человека», то есть профессоре Громове.

Повторив все эти соображения вслух, Гальтон задал коллегам главный вопрос:

— Сформулируем цель. Теперь, когда мы знаем то, что мы знаем, в чем состоит наша задача?

Айзенкопф ответил без колебаний:

— Громова уничтожить. Сыворотку гениальности изъять для дальнейшего изучения.

— Абсолютно согласна, — поддержала своего вечного оппонента княжна. — Прибавлю одно: нужно лишить большевиков возможности продолжать исследования в этой сфере.

Доктор не ожидал такого спонтанного и незыблемого единодушия.

— Речь идет не об опасном маньяке, не о гангстере. Убить ученого? И, судя по всему, незаурядного? Извините, но это противоречит моим правилам.

— Громов опаснее любого гангстера, — с глубокой убежденностью сказал биохимик. — Если мы отступимся и предоставим большевикам свободу действий, через пару лет вы сами проклянете ваши чистоплюйские правила и застрелитесь от раскаяния, да будет поздно. Неужели вы не видите? В мире идет свирепая война на выживание. Естественный отбор, джунгли. Кто мягкотел, сентиментален, медлителен, того сожрут. Вот, например, вы не дали мне прикончить чекистов. Это была ошибка, слабость, из-за которой наша экспедиция, и без того рискованная, подвергается еще большей опасности.

Видя, что брутальные аргументы Айзенкопфа не действуют, в разговор вступила Зоя:

— Боюсь, Гальтон, что он прав. Не будем забывать, что мы с тобой врачи. Здесь, в Советской России, зреет злокачественная опухоль. Ее нужно как можно скорей вырезать. Если мы протянем, операция будет гораздо более тяжелой. А может быть, оперировать окажется поздно. Думай, Гальтон. Ты же умный!

И Норд последовал этому совету.

Он поднял глаза к потолку, где румяная сильфида тщетно пыталась выдернуть из груди стрелу купидона, и честно попробовал найти какое-нибудь другое, более гуманное решение.

Не нашел.

Когда-нибудь мир несомненно станет более цивилизованным и научится избавляться от назревающих угроз без хирургического вмешательства — при помощи мудрой профилактики или медикаментозно. Но не в первой половине буйного двадцатого века...

Члены экспедиции терпеливо ждали, чем закончатся раздумья руководителя. Наконец он со вздохом произнес:

— Что ж, цели обозначены: первая — Громов, вторая — экстракт, третья — прекращение разработок. Переходим к следующему этапу. Как этих целей достичь? Слушаю ваши предложения.

Немец с княжной переглянулись.

— Это мы ждем ваших указаний. — Айзенкопф покачал головой, точь-в-точь как китайский болванчик. — Когда я спросил мистера Ротвеллера, почему начальником экспедиции назначают не меня, а какого-то этноботаника без опыта подобных операций, Джей-Пи ответил: «У Норда выше коэффициент си-ди-эм».

— Мне было сказано то же самое, — кивнула Зоя.

Биохимик уставился на нее с недоверием:

— Вы... вы имели наглость претендовать на руководство экспедицией?! Невероятно!

— Что же здесь такого невероятного, китайский вы индюк! — вспыхнула Зоя. — От меня в Москве куда больше пользы, чем от вас вместе взятых!

— Погодите! — вмешался в их перебранку Гальтон. — Что это за коэффициент такой — CDM?

— Creative decision making[1]. Ваш показатель якобы 94. — Айзенкопф с сомнением осмотрел руководителя.

— Понятно, — протянул Норд, впервые слышавший этот термин. — А ваш?

— Откуда мне знать? Максимум 93, иначе экспедицией руководил бы я.

— Полагаю, не больше сорока. Вы, Айзенкопф, слишком квадратный, — уязвила биохимика Зоя.

— А у женщин, чтоб вы знали, CDM вообще выше 30 не бывает!

— Врете! Вы это только что выдумали!

Гальтон вышел в коридор, сосредоточенно потирая макушку. Где-то под этой колючей (надо бы побриться) поверхностью таился пресловутый коэффициент. Как бы только его оттуда извлечь?

Доктор спустился по лестнице, прошел через клуб.

Репетиция хора, слава богу, закончилась, но народу в помещении все равно было много. Старая цыганка, напророчившая Гальтону гадостей, сидела в окружении стайки девочек и учила их гадать по картам. У другого стола толпились мальчишки, разглядывая какие-то блестящие безделушки, разложенные на скатерти. Группа подростков старшего возраста занималась странным делом: танцевала без музыки. Девочки сосредоточенно трясли плечами, мальчики, без сапог, но в толстых шерстяных носках, истово отбивали чечетку. За плясунами присматривал тот самый мужчина в костюме, что накануне руководил хором. Очевидно, по вечерам бывший ресторан превращался во что-то вроде школы цыганских ремесел.

---

[1] Креативное принятие решений (*англ.*).

На Гальтона никто не посмотрел, он не поймал на себе ни единого вскользь брошенного взгляда.

Потихоньку, чтобы не мешать, вышел наружу.

«Форд» стоял неподалеку от крыльца. На водительском месте, сдвинув на лицо кепку, спал Витек. Однако стоило Норду сделать несколько шагов в сторону автомобиля, как шофер вскинулся.

— Весь день продрых, — сказал он, широко улыбаясь, и потянулся. — Батя научил. Могу сутки ухо давить, могу неделю вообще не спать. Это зверь такой есть, верблюд называется, слыхал? Надуется воды по самый горб и прет себе через пустыню, все ему нипочем. Поедем куда или как? Мне-то все равно. Плата идет. А все ж таки скучно. Хошь, я тебя просто так взад-вперед покатаю?

Тут-то коэффициент себя и проявил.

— Спи пока. Ночью не придется.

Когда Норд поднялся к себе, его подчиненные все еще выясняли, кто тупее — мужчины или женщины. Руководитель отсутствовал не долее пяти минут.

Его словно подменили. Исчезла вялость, пропала нерешительность.

— Хватит ругаться, коллеги. Начнем с задачи номер один, то есть с Громова. Что мы знаем о распорядке дня директора? Из подслушанного разговора охранников известно, что он очень пунктуален. Прибывает на работу в шестнадцать ноль ноль, уезжает в два пятнадцать ночи. Подобраться к нему в Институте очень трудно. Это настоящая крепость. По дороге с работы и на работу Громова сопровождает сильный эскорт. Следовательно что?

— Что? — спросил Айзенкопф, покосившись на Зою.

— Что? — повторила она. — Ну говори, умник, не томи.

— Да очень просто. Надо выяснить, где Громов живет и не проще ли будет взять его там.

Сяо Линь подергал себя за бороду.

— Легко сказать — «выяснить». Вряд ли эту справку нам дадут в справочном бюро общества «Долой неграмотность».

— Я могу расспросить моих московских знакомых, — предложила Зоя. — Завтра же этим займусь. Вдруг удастся?

Норд заявил:

— Где живет Громов, я установлю нынче же ночью.

— Но как?

Обладатель феноменального CDM снисходительно улыбнулся.

— Предоставьте это мне.

«НОЧЬЮ ВСЕ КОШКИ СЕРЫ»

, гласит пословица. А всё черное становится невидимым. Например, черный «форд»-фаэтон, припаркованный между двумя мусорными баками на улице Белинского, куда выходит некая малоприметная арка. Именно из нее в два пятнадцать или минутой позже должен выехать кортеж директора Института пролетарской ингениологии.

Вчера вечером начальник музейной охраны сказал новичку, что директор «ездеет к Самому» через день. Значит, сегодня Громов поедет не в Кремль, а домой. Всего-то и нужно — проследить за кортежем, не привлекая к себе внимания.

Последнее условие являлось обязательным, но трудно выполнимым, учитывая пустынность ночных улиц. Центральная Москва не Манхэттен, где траффик не замирает даже в самое глухое время суток. Может быть, и стоило послушаться Айзенкопфа, который предлагал нанять еще два автомобиля и вести слежку втроем. Витек говорил, что за хорошее *лаве* запросто *надыбает пару верных корешей* из таксомоторного парка. Гальтон от идеи отказался якобы из осторожности — мол, слишком рискованно привлекать к участию в операции лишних людей. На самом деле доктора уязвила реплика Айзенкопфа о неопытном этноботанике, а еще больнее — слова Зои о том, что она принесла делу больше пользы, чем оба мужчины вместе взятые. Настало время продемонстрировать коллегам, что их командир тоже кое на что способен.

Доктор обстоятельно экипировался, предусмотрев любые возможные неожиданности, и разъяснил шоферу всю сложность задачи. Витька она не смутила.

— Фигня, — сказал он. — Ты говоришь, у них на задней машине прожектор светит? Лафа! Издалека видно.

Его больше озаботило другое.

— Слышь, Котовский, — (такую кличку он придумал для Гальтона — в честь какого-то знаменитого большевистского полководца, тоже бравшегося под ноль), — а чё у вас затевается? Кого пасти будем? Что за человек?

— Директор.

— Банка? — оживился Витек. — Жучила какой-нибудь? Тогда так. Если будете бомбить его квартиру или дачу, это одно. Если госимущество, то без меня. Теперь за это, сам знаешь, можно вышак получить.

— Квартиру или дачу, — пообещал Гальтон.

Водитель повеселел.

— Лады. Чур я в доле. Договорись с Китайцем, мне десять процентов от хабара. Все равно через меня скидывать будете.

— Сделаешь все, как надо — не обидим.

— Дай честное воровское. Я знаю, у вас так говорят.

— Честное слово. А вот тебе расчет за минувший день.

После этого Витек окончательно успокоился и приступил к делу со сноровкой заправской ищейки. Замазал грязью номера, отрегулировал работу двигателя до ровного пчелиного жужжания, присыпал лакированные бока таксомотора пылью — чтоб не бликовали от электрического света. Отличную позицию между мусорными баками тоже выбрал Витек. «Форд» расположился там ровно в два часа ночи.

Удивительней всего, что за все время ожидания болтун не произнес ни слова, лишь тихонько насвистывал какую-то лихую мелодию да постукивал в такт пальцами по рулю.

Он первым заметил, что по стенам и своду арки поползли черно-желтые пятна.

— Кажись, едут. Пригнись, Котовский, на всякий пожарный.

Гальтон наклонился, не забыв посмотреть на часы.

Два шестнадцать. Товарищ Громов, действительно, пунктуален — похвальное качество для ученого. И для мишени.

Прожектор головного автомобиля мазнул по домам, по железным бакам, в тени которых утонул тусклый силуэт «форда». Мощный «паккард» с тошнотворным скрежетом тормозов повернул в сторону Тверской, за ним бесшумно вылетел директорский «кадиллак» и снова заскрежетало — это было замыкающее авто эскорта.

Луч, сиявший с его крыши, озарил улицу Белинского во всю ее длину.

Секунда, другая, и кортеж скрылся за поворотом.

Не дожидаясь команды, Витек включил мотор, вывернул руль, дал полный газ. До поворота на Тверскую домчался в считанные мгновения, а вот выехал на широкую улицу не сразу. Чуть высунул нос, остановился. Фар не включал.

— Ты что?! Уйдут!

— Не пыли, Котовский. За рулем я пахан, а ты шестерка, — не оборачиваясь, спокойно обронил Витек. Он производил впечатление человека, попавшего в свою стихию. «Несколько поколений ночных лихачей не могли не сказаться на наследственности», подумал доктор и решил довериться специалисту узкого профиля.

К тому же Витек объяснил свой маневр:

— Резону нет раньше времени высовываться. Мне бы только не проглядеть, если они с Тверской свернут.

Но яркое пятно света не колыхалось ни вправо, ни влево — лишь постепенно уменьшалось в размере.

— Газую до Пушкинской, там они могут на Бульварное кольцо уйти...

Такси рыкнуло, вылетело на середину улицы, свернуло влево.

Электрическое пятно перестало уменьшаться. Идя на восьмидесяти в час, Витек удерживал дистанцию.

— На Ленинградское шоссе катят, не иначе. Может, в Серебряный Бор?

— Куда?

— Дачное место. Шишаки все живут, если не в центре, то в Серебряном. Или во Внукове. Но во Внуково он бы от Страстной площади влево пошел... Ладно, поглядим.

Хоть Гальтон еще и не успел толком изучить Москву, но этот маршрут был ему уже хорошо знаком.

Снова проехали мимо Белорусского вокзала, мимо Триумфальной арки, мимо стадиона «Динамо». Справа, в глухих, темных переулках, остался бывший ресторан «Эльдорадо», где, конечно же, не спали и волновались коллеги доктора Норда. Во всяком случае, *одна* из них...

— Теперь, за городом, легче будет. Не оторвутся, — довольно заметил Витек и вдруг разразился целым потоком слов, которых не было ни в одной из принятых Гальтоном доз лингвосамсонита. Судя по тону, это была брань, предельно экспрессивная.

Из-под фонаря, дуя в свисток, наперерез машине бежал милиционер в белом шлеме.

— Не останавливайся! — крикнул Норд.

— Ага, чтоб он мне из нагана по скатам залудил? У легавых не заржавеет!

Скрипнув зубами, Витек затормозил. У Гальтона вырвался стон. Он знал, каково это — объясняться с дорожным копом, да еще ночью, когда служивому скучно и некуда торопиться. А тут тебе целый букет нарушений: и невключенные фары, и превышение скорости.

Увы, слежка была провалена! Завтра Громов поедет в Кремль, там его не выследишь. Как минимум двое суток, выражаясь по-русски, *псу под хвост*.

Милиционер неторопливо приблизился к машине, потребовал предъявить документы. Сейчас начнется! Педагогическая беседа, потом составление протокола...

Витек молча сунул ему какие-то бумажки. Коп посветил на них фонариком. Взял под козырек.

— Валяй, ехай. Фары только включи.

«Форд» так взял с места, что чуть не подпрыгнул.

— Что ты ему дал?!

— Сунул в лапу. Ночной тариф, — ухмыльнулся цыган. — С тебя, Котовский, три червонца.

Доктор Норд не мог придти в себя от изумления. Воистину всё гениальное просто! Оказывается, советскому копу можно просто *сунуть в лапу*! И никаких проблем! Нет, определенно Картусову с Громовым предстоит гигантская работа по превращению местного населения в Новое Человечество.

Задержка длилась максимум полминуты, но этого было достаточно, чтобы директорский кортеж оторвался. Сколько

Витек ни жал на акселеретор, прожектора впереди было не видно.

— Куда рулить? — забормотал шофер, адресуясь не к Гальтону, а к самому себе. — Если они в Серебряный Бор, надо дальше гнать по Ленинградскому... Если они в «Сокол», надо сворачивать на Пески. А, где цыгана удача не подводила!

Он вывернул руль. Машину тряхнуло, она оторвалась правыми колесами от мостовой и погнала по грунтовой дороге, которую Гальтон в темноте и не разглядел.

Непонятно, как Витек умудрялся мчаться на такой скорости в полном мраке. По сторонам мелькали деревья, деревенские дома, склады, запертые лавки.

Еще один резкий поворот. Такси запрыгало по булыжнику какого-то двора, въехало в подворотню, остановилось. Впереди виднелась дорога, тускло освещенная фонарями.

— Ну, или пан, или пропал, — азартно прошептал Витек, блеснув золотым зубом.

Справа вспыхнула яркая точка, быстро увеличиваясь в размере. Над дорогой протянулся луч света. Это был кортеж Громова! Каким-то чудом Витек сумел угадать путь его движения!

— Не в Серебряный, в «Сокол», — довольно объявил цыган и ткнул пальцем куда-то вдаль, где помигивали редкие огоньки.

— Что это такое?

Три длинных авто пронеслись мимо, но метров через триста свернули с дороги вправо. Витек пристроился сзади.

— Кооперативный поселок «Сокол». Большие люди проживают: народные художники, профессора, академики. У каждого свой дом с садом. Местечко — шик. Говорят, при коммунизме все так жить будут.

Как всё было перемешано в голове у этого пройдошистого парня! Казалось бы, что ему коммунизм, но это слово он произнес с истинным благоговением.

Впереди виднелась длинная прямая улица. Кортеж проехал ее насквозь, не останавливаясь. Огни исчезли.

— Наддай!

Норд заволновался — вдруг Громов опять оторвется — и оттого толком не рассмотрел чудесный поселок. По виду это был обычный американский suburb[1]: аккуратные домики с палисадниками, расходящиеся в стороны переулки. Для директора Института пролетарской ингениологии, пожалуй, простовато.

— А, я знаю. Там за рощей еще чего-то построили, — припомнил Витек.

Он сбросил газ. Вдоль дороги сомкнулись деревья. Должно быть, та самая роща.

— Я лучше тут встану, а то дальше открытое место. Засекут.

«Форд» въехал задом в кусты, и как раз вовремя.

Из темноты раздалось рычание моторов, и в следующую секунду по дороге пронеслись в обратном направлении три знакомых автомобиля. Прожектора на них были выключены, горели только фары. Внутри кроме водителей никто не сидел. Значит, директор и охранники вышли. Громов, действительно, живет здесь!

— Будь в машине. Я на разведку.

Гальтон вышел из машины и с нарочитой неторопливостью потянулся. От предвкушения интересного и опасного дела пульс бился часто и сильно. Жизнь была прекрасна.

— Чего мне тут сидеть? Возьми меня, Котовский, с собой. Может, сгожусь.

— Нет, я сам.

— Ну гляди ...

За рощей, как и сказал цыган, начиналось поле, а в сотне футов от опушки темнел высокий забор, там был огороженный участок. Дорога упиралась в ворота, у которых темнели силуэты двух охранников.

Доктор достал из внутреннего кармана (левого верхнего) монокуляр ночного видения. Покрутил настройку. Так-так. Один с винтовкой. У другого на поясе большая деревянная

---

[1] Пригород (*англ.*).

кобура с «маузером». Первый не движется — часовой. Второй в вольной позе и курит — начальник.

Вот человек с «маузером» отшвырнул окурок, посмотрел время. Гальтон последовал его примеру: ровно три часа ночи.

Начальник двинулся вдоль забора. Норд тоже, параллельным курсом. На фоне деревьев разглядеть его было невозможно.

Wow! Едва обходящий дошел до угла, из-под забора ему навстречу кто-то поднялся. Окуляр позволил разглядеть фигуру в кожаной куртке и фуражке. Еще один часовой! Он коротко сказал что-то. Начальник похлопал его по плечу, и кожаный снова сел в траву, скрывшись из виду, а человек с маузером повернул за угол.

По углам забора посты. Очень интересно!

Пришлось покинуть укрытие. Гальтон отбежал в сторону и, описав широкий круг, двинулся по открытому месту — низко пригнувшись. Ночь, слава богу, выдалась безлунная и беззвездная.

Резиденция Громова (теперь это было видно) представляла собой правильный квадрат со стороной футов в триста, то есть общей площадью два-три акра.

Доктор очень внимательно наблюдал за начальником караула. Тот прошел до следующего угла, не останавливаясь. Из травы опять поднялся человек в кожанке. Перебросившись с ним парой слов, старшой завернул и, видимо, зашагал дальше по периметру ограды. Гальтон за ним не пошел, а вернулся на исходную точку.

Схема расположения внешней охраны была ясна: начальник и часовой стоят у ворот; у каждого из четырех углов скрытно дежурит по одному наблюдающему. Солидно.

Обход продолжался чуть больше десяти минут. Командир вернулся к воротам в 3.11. Поболтал с часовым. Закурил, время от времени посматривая на часы.

Ну-ка, какой у них интервал?

Оказалось, всего получасовой. В 3.30 начальник повторил свой маршрут, вернувшись к воротам в 3.40.

Чтоб окончательно удостовериться, Норд решил дождаться четырех ноль ноль, но к этому времени уже был наготове: занял исходную позицию и приготовил оружие.

Он лежал в траве, напротив самого дальнего от ворот угла. Чтобы подобраться к невидимому часовому на минимальное расстояние, Гальтону пришлось ползти по-пластунски. Когда до сидящего в укрытии чекиста оставалось шагов десять, Норд замер и стал ждать.

Духовая трубка была у него в руке, жало усыпляющей иголки наполовину обломано. При такой дозе человек проваливается в сон на 15—20 минут. Как раз к следующему обходу очнется. Решит, что его просто сморило.

Ждать пришлось совсем недолго. В 4.02 из-за угла показался обходящий. В 4.04 приблизился к часовому. Охранник поднялся, поправил фуражку.

Теперь можно было расслышать каждое слово.

— Порядок? — сказал старшой. — Носом не клюй. В шесть сменю.

— Да я нормально, товарищ начальник. Курить только охота.

— В шесть покуришь. Ну давай.

И скрылся за углом забора.

Сразу же, пока часовой снова не сел, Гальтон дунул в трубку. Попасть нужно было в лицо или в шею. Лучшие охотники племени чоко сшибают летящую птицу с тридцати шагов, а тут втрое ближе.

Дозорный хлопнул себя по шее.

— У, зараза!

Вообразил, что комар. Хотя какие в начале мае комары?

Задуматься над загадкой природы у чекиста времени не хватило. Он покачнулся, осел, рухнул на бок. Вполне тихо, без лишнего шума.

Задачу Норд себе поставил такую: заглянуть через забор, чтобы оценить сложность предстоящей операции.

Как выглядит обиталище Громова? Какова система охраны внутри? Нет ли непреодолимых препятствий?

Удар силами всей группы надо будет нанести послезавтра — в ночь, когда директор не едет в Кремль. Любая дополнительная информация увеличит шансы на успех.

Из правого нижнего кармана доктор извлек туго скрученное лассо, оно было прихвачено специально для подобного случая.

Оглядел забор.

Высота — футов двенадцать–пятнадцать. Верх деревянный, металлом не окован. Колючей проволоки нет. Прекрасно.

Норд отцепил от пояса алюминиевый крюк, пристегнул к концу лассо.

Короткий бросок, негромкий стук.

Зацепило.

Быстро и легко Гальтон вскарабкался по отвесной плоскости. Жаль, Айзенкопф не видел. Отправить бы его в джунгли, к охотникам за головами — узнал бы, что такое экстремальная этноботаника.

Садиться на ограду доктор поостерегся, ограничился тем, что перекинул локти, и повис на подмышках.

Посередине участка стоял двухэтажный бревенчатый дом с башенкой, увенчанной флюгером. Внизу темно, наверху светятся два окна. По занавеске мелькнула тень, потом снова. Кто-то топтался там с телефонной трубкой в руке — Гальтон разглядел через окуляр контур провода.

А что с охраной?

Так, на крыльце часовой.

Еще один прохаживается вокруг дома. Больше никого не видно.

Но у противоположного забора еще один коттедж, одноэтажный. Нужно выяснить, где остальные охранники — там или же в главном доме. Без этого уходить нельзя.

Ужаленный южноамериканским комаром чекист спал всего две минуты. Времени оставалось вполне достаточно.

Дождавшись, пока «мобильный» охранник скроется из виду, а «стационарный» отвернется, Гальтон перекинул веревку на ту сторону и мягко соскользнул вниз.

Распластался по земле. Выждал.

Не заметили! Можно двигаться дальше.

Не отрываясь от темной поверхности забора, он прокрался к одноэтажному дому. Близко прошел часовой — доктор на несколько секунд прижался к доскам и замер. Потом движение было продолжено.

Оказавшись близ предполагаемой караульной, Норд спрятался за выступ стены. Теперь дозорные увидеть его не могли.

Свет не горел. Однако, прижав окуляр к оконному стеклу, Гальтон без труда рассмотрел, чтó внутри коттеджа.

Два ряда железных коек. На них спят люди — в форме, сняты только сапоги и кожаные куртки. На спинках кроватей висят портупеи.

Раз, два, три, четыре, пять, шесть, семь, восемь. В автомобилях сопровождения у Громова было по четыре охранника. Значит, все здесь.

Разведку можно было считать завершенной и стопроцентно успешной.

Подзаборный чекист дрых уже восемь с половиной минут. Самое время пускаться в обратный путь.

Норд перебежал к забору и упал в траву, чтоб пропустить часового.

Когда тот поровнялся с крыльцом, «стационарный» вдруг сказал:

— Вань, я до ветру сбегаю, а? Приперло. Будь другом, постой тут.

— Давай, Костя, только живо.

Костя побежал в дальний конец участка, к дощатой будке. Второй поднялся на крыльцо и встал перед входом.

Удобнейший момент, чтобы спокойно, безо всякого риска ретироваться к свисающей с забора веревке.

Гальтон приподнялся, готовый к рывку. И заколебался.

Ему в глаза бросилась деталь, которую он не мог разглядеть с забора: одно из окон первого этажа в главном доме было слегка приоткрыто.

Даже не думай, приказал себе доктор. Разведка окончена, нужно уходить.

Никаких авантюр!

ПЕТР ИВАНОВИЧ ГРОМОВ

беседовал по телефону с умным человеком Яном Христофоровичем. Они частенько перезванивались перед сном. Верней сказать, это Петр Иванович после разговора ложился спать, а у Яна Христофоровича был самый разгар работы. Бедняга совсем не щадил себя и полностью разрушил навыки нормального сна, но таковы реалии нашего сурового времени. Все ответственные работники, начиная с самого Рамзеса, по ночам не спят. Хотя Рамзес, конечно, случай особенный. Ему долго спать незачем.

Именно с Рамзеса беседа и началась — как обычно. День нынче был недежурный (по терминологии Петра Ивановича «постный»), поэтому со своим великим пациентом профессор не виделся, но у него были тревожные новости, которыми следовало поделиться с почтеннейшим Яном Христофоровичем.

— Ресурсы суррогата тают день ото дня, — с тревогой говорил Громов. — К тому же, сами понимаете: суррогат есть суррогат. Вторичный продукт. Отсюда и побочные эффекты. Раздражительность, неадекватная подозрительность, головные боли. Замечаю я также усугубление параноидальности, присущей нашему дорогому другу от природы. Нехорошо, батенька, очень нехорошо. Приходится держать реципиента на голодном пайке, но даже при самом экономном расходовании суррогата хватит максимум на пять лет.

— А что потом? — с тяжелым вздохом спросила телефонная трубка. — Зачахнет, как Старик?

— Нет, быстротечного высыхания мозга не будет. Суррогат успешно купирует этот процесс. Однако абстиненция усугубит все акцентуации характера. Возможны вспышки маниакальной агрессии, спорадические отрывы от реальности, квазиаутическое самозамыкание. Самое опасное — возможны ошибки в принятии решений... Голубчик Ян Христофорович, пусть уж ваши люди в Заповеднике поскорее решат нашу проблемку.

— Стараются. Однако ваш Мафусаил — крепкий орешек.

— Ничего не поделаешь, батенька. Осколок старого мира. Но вы с ним, ради бога, поделикатней. Я к нему очень привязан. И потом, сами знаете, без Мафусаила настоящего прорыва не будет.

— Знаю, вы это тысячу раз говорили. Можете не беспокоиться: пылинки с него сдуваем.

Во время разговора профессор, с его вечной неусидчивостью, всё прохаживался вдоль письменного стола. Свободная левая рука ни секунды не оставалась без дела: то тронет пенсне, то поковыряет в ухе, то поправит скособочившуюся крышечку на чернильнице, то снимет пылинку с картинной рамы.

На стене, близ стола, висела любимая картина Петра Ивановича — вольная фантазия прославленного советского художника на тему босховского «Сада земных наслаждений». Левую часть триптиха, где Эдемский сад, живописец скопировал без каких-либо изменений; на центральной изобразил земной Рай — торжество всемирного Интернационала; справа — черно-красный пролетарский ад, где черти в кожаных тужурках расстреливали и жгли в огне буржуев, попов и прочую нечисть. Задорное, остроумное полотно, с сумасшедшинкой — совершенно в духе современной эпохи.

У Петра Ивановича насчет духа эпохи существовала целая теория, нейрофизиологического толка. Что будто бы купный организм человечества устроен по тому же принципу, что и организм одного отдельного взятого человека. Есть страны, выполняющие роль скелета, есть страны-мышцы, страны-нервы, страны-гениталии и так далее, и так далее. Мозг современного человечества — это государства, расположенные по берегам северной Атлантики, то есть Европа и Соединенные Штаты. С началом двадцатого века мозг этот воспалился, что привело к эпилептическому припадку, выразившемуся в виде всемирной войны и череды революций. А когда заболевает мозг, начинает страдать всё тело: тут конвульсии, там паралич. После тяжкого приступа психической болезни планета напоминает сумасшедший дом, поделенный на палаты для больных разного типа. Страны бывшей Антанты находятся в депрессивной стадии и подвержены унылым суицидальным настроениям. В германском отделении буйные прячут под матрасом бритву. А Россия переживает маниакально-эйфорический подъем со всеми сопутствующими симптомами: немотивированным весельем, ажитацией, ослабленной чувствительностью к боли и т.п. вплоть до характерной патологической элизии, то есть проглатывания слогов вследствие чрезмерной торопливости речи. Чего стоят все эти «пролеткульты», «совсоцбыты», «главсевморы» и «желдорвоки»! Над советскими неологизмами и аббревиатурами Петр Иванович мог издеваться до бесконечности, развлекая своих могущественных знакомых. Например, слово «СССР», по мнению профессора, следовало расшифровывать «Страна свихнувшихся с рассудка». Ян Христофорович, член коллегии ОГПУ, очень смеялся, узнав, что его грозная организация, оказывается, «Общество гуманистов полу-умных». Даже сам Рамзес однажды повторил на заседании Политбюро шутку профессора, что ВКП(б) означает: «Все кроме партийцев — б....».

Под настроение Рамзес любил послушать болтовню своего эскулапа, в которой нет-нет, да проскакивали любопытные, а то и дельные мысли. Скажем, о том, что медицина, как и политика, не признает понятия «грязь». То, что для профанов — г...., для специалиста — ценнейший диагностический материал. Или еще: в операционной частенько стоит скверный запах, и вообще это зрелище не для слабонервных, но люди в белых халатах забрызгивают себя кровью, чтобы спасать человеческие жизни.

Были у Петра Ивановича метафоры и поприятней, которыми он тоже охотно делился. Ученый-большевик (понимай шире — вообще Большевик) подобен садовнику, который только-только приступил к благоустройству крайне запущенного сада. Сначала предстоит выполнить тяжелую, малоприятную работу: выкорчевать мертвые корни, прополоть сорняки, убрать сухостой и валежник, обработать почву инсектицидами. Аллейки-цветочки и прочие икебаны будут потом.

Заговорив о каком-то Мафусаиле, «осколке старого мира», профессор не удержался, оседлал своего любимого конька — антропоселекцию.

— Эх, голубчик вы мой, отлично понимаю железную логику ваших «полу-умных гуманистов». — Палец Петра Ивановича меланхолично провел по изображению утраченного Эдемского сада. — Разумеется, ошметки царского режима подлежат полному искоренению. А все же мне как генетику их жаль. Общество было эксплуататорским, несправедливым, всё верно. Но за века в нем сформировалась своя элита, продукт естественного евгенического развития. Посмотрите, кто нас теперь окружает! Не лица, а рожи. Жаль, безумно жаль бесценного генофонда, истребленного революцией.

— А вы не жалейте, — отрезал Ян Христофорович. — В природе и в истории случайностей не бывает. Раз ваша элита дала себя уничтожить, значит, она была слаба и нежизнеспособна. Дайте срок. С вашей помощью мы вырастим новую элиту — нашу советскую интеллигенцию. Вырастим научным методом, то есть быстро, эффективно и обильно. Пройдет двадцать, максимум сорок лет, сменится одно-два поколения...

— И на просторах Родины будут проживать сплошные швейцарцы, — подхватил профессор, смеясь. — Разумные, ответственные и дисциплинированные, как боги.

Дело в том, что умнейший Ян Христофорович по происхождению был именно швейцарцем — из старой, ленинской гвардии. Громов познакомился с ним в Цюрихе, еще до мировой войны.

Тоже посмеявшись, Картусов откашлялся. Это ритуальное поперхивание означало, что грядет главное — то самое, ради чего начальник контрразведки позвонил. Он знал, что после рабочего дня (вернее, вечера), проведенного в лаборатории, в полном одиночестве, профессору нужно дать немного поболтать, а потом уже можно говорить с ним о важном.

Директор Института пролетарской ингениологии вздохнул.

— Слышу по кашлю, что хотите сообщить мне какую-то очередную гадость. Ну, как теперь говорят, *валяйте*. Я весь внимание.

— Профессор, вам угрожает опасность. Серьезная.

— Опять «пруссаки»? — застонал Громов. — Mundus idioticus! Неужели вы не можете с ними справиться! Это очень мешает работе!

— Нет, не «пруссаки». В Москву прибыла американская диверсионная группа. Их мишень — Институт, а еще вернее — лично вы.

— Американская? Польщен, польщен, — пробормотал Петр Иванович. — А я говорил вам, не надо меня рассекречивать!

— Это ничего бы не изменило. Ваши исследования и наша деятельность по добыванию Материала уже стали секретом Полишинеля.

— Хорошо-хорошо. Ловите своих американцев. Это ваша забота!

— Уже.

— Что «уже»?

Картусов виновато покряхтел.

— Уже поймали... Но мои ребята совершили оплошность. И я тоже отличился, недооценил противника. В общем, диверсантам удалось бежать. Это чрезвычайно опасные люди. Я вынужден просить вас дать согласие на ужесточение режима охраны вашей дачи...

— Нет, нет и тысячу раз нет! — визгливо закричал директор, стукнув кулаком по столу. — Это и так уже не дача, а какой-то Порт-Артур! Невозможно нормально отдыхать! Из-за каждого куста торчит какая-нибудь морда!

— Успокойтесь, успокойтесь! Разволнуетесь — не сможете уснуть. Я что-нибудь придумаю. Например, удвою или утрою «нулевку». Вы и не заметите.

— Что такое «нулевка»? — подозрительно сощурился Громов.

Чекист объяснил, что «нулевка» — это охрана внешнего периметра.

— Ах да, вы уже объясняли. Столько, знаете ли, всяких условных обозначений. Не упомнишь.

Таковы были правила телефонного общения. Нарушать их не мог даже вольнолюбивый Петр Иванович. Трудно было вообразить, что сверхнадежную спецлинию осмелится кто-то прослушивать, но если б и посмел, то мало что понял бы из закодированной беседы. Нечего и говорить, что под «пруссаками» подразумевались отнюдь не германцы, «Мафусаил» был не библейским старцем, а «Рамзес» не фараоном. Во всяком случае, не египетским.

Вскоре прозвучало еще одно кодовое слово, причем не в первый раз.

— Доставили отчет из Заповедника? — спросил Картусов. — Ведь сегодня, то есть уже вчера, было пятое.

— Доставили, во втором часу ночи.

— Опять бред? Такое ощущение, что он над нами издевается!

Петр Иванович наматывал телефонный провод на палец.

— Я, голубчик, вначале тоже так думал. Но в этом состоянии лукавить невозможно. Там какая-то система. И к ней ключи.

— То есть? Какие ключи?

— От дверей.

— Петр Иванович, вы можете без поэтических метафор?

— А это не метафора. Я предполагаю, что там намеренно установленные блокаторы. Вроде запертых дверей. И к каждой ключи. Мы их постепенно подбираем, один за другим. Загвоздка в том, что мы не знаем, как ими пользоваться... Принцип непонятен, вот что.

Вместо ответа Ян Христофорович, даром что ответственный работник, по-мальчишечьи присвистнул.

— Так-так-так... Шевелите мозгами, товарищ профессор. Думайте. Вы с ним, можно сказать, сроднились. Никто кроме вас его шарад не разгадает. А почему вы проводите сеанс всего раз в трое суток?

— Чаще нельзя. Может наступить привыкание. А то и отторжение. Не забывайте, это организм, так сказать, особенной пропитки.

— Вам, конечно, виднее. И что в отчете?

Профессор взял со стола портфель, попробовал расстегнуть замок. Одной рукой было неудобно.

— Еще не распечатывал. Говорю же, доставили перед самым моим отъездом. Сейчас посмотрю.

— Не буду мешать. Отдыхайте, а у меня тут еще полно дел...

Попрощавшись с сердечным другом Яном Христофоровичем, директор не замолчал, а продолжал разговаривать с самим собой — эта привычка возникла от еженощной уединенной работы в наглухо закупоренной лаборатории. Ассистентов Петр Иванович не держал, они бы ему только мешали.

Из портфеля был извлечен запечатанный сургучом пакет со штампом «Строго секретно»; из пакета — листок бумаги.

— Нуте-с, поглядим...

На листке было всего несколько строк, под ними число, время, подпись. Одна из строчек напечатана заглавными буквами и подчеркнута красным карандашом.

Проведя по ней пальцем, Громов взволнованно заерошил эспаньолку.

— Разумовская? Что-то новенькое! В каком смысле Разумовская?

Он задрал голову, прищурился на абажур. Запел: «Тореадор, смелее в бой! Тореадор, тореадор, траам-пара-папам-пара-папам...»

Потянул «Сад земных наслаждений» за раму. Оказалось, что картина непростая, с секретом. Пискнув потайными петлями, она отделилась от стены на манер ставни. За ней открылась стальная дверца с кнопками. Петр Иванович быстро натыкал пальцами комбинацию, известную ему одному, и сейф открылся.

Ничего особенно интересного внутри не было, лишь тощая канцелярская папка с надписью «ОТВЕТЫ». Ниже помечено: «Начата 11 апреля 1930 г.».

В папке сиротливо лежала одна-единственная страничка, на ней всего восемь строчек, аккуратно выведенных лично Петром Ивановичем.

Сейчас он присовокупил к ним девятую, скопировав из отчета то, что было подчеркнуто красным.

— Чем дальше в лес, тем больше дров, — сказал профессор, завязывая тесемочки.

Листок, вынутый из сургучного пакета, он сжег в пепельнице. Папку положил обратно в сейф, однако запереть не успел. За спиной Петра Ивановича ни с того ни с сего скрипнула дверь.

Директор быстро захлопнул сейф, прикрыл его картиной, с сердитым возгласом обернулся:

— Какого черта! Я строго-настро...

И заморгал.

Из темной дверной щели высовывалась рука, в ней поблескивал «кольт».

Дверь открылась шире, в кабинет бесшумно шагнул какой-то человек.

Свет лампы пустил блик от бритой макушки. Петр Иванович непроизвольно вскрикнул:

— Вы?!

Но в следующее мгновение человек вышел из полумрака и оказался каким-то совершенно незнакомым субъектом. Статный молодец довольно приятной наружности с упрямым подбородком и чуть вздернутым носом. Взгляд прямой, по сторонам не шарит. Очень кстати. Петр Иванович в молодости увлекался передовыми методами психотерапии и очень недурно владел техникой гипноза.

Как бы в порыве нервозности (совершенно естественной, когда в тебя целятся из такого большого револьвера), он сдернул с носа пенсне. Стеклышки ослабляли магнетическую силу взгляда.

Бритый, умничка, подошел ближе.

Теперь Петр Иванович увидел, что глаза у него черные. Взгляд внимательный, серьезный, сопротивляющийся проникновению. Ну-ка, что там у нас на уме?

— Вы грабитель? — сказал Громов дрожащим голосом, чтобы установить первичный контакт и услышать голос объекта. — Берите, что хотите, только не убивайте! Я известный ученый, академик, хорошо зарабатываю. Есть дензнаки, драгоценности покойной жены, золотые вещи...

Всю эту чушь он нес автоматически. Слова не имели значения.

Главное было понять — станет бритый стрелять или нет. Не выстрелил сразу — уже неплохо. Но это могло означать всего лишь, что агрессор хочет сначала задать какие-то вопросы. В черных глазах матово светилось жадное любопытство. Но проглядывало и опасное мерцание — *намерение убить*. Впрочем, не фиксированное, а с переменной амплитудой, колеблющееся. Значит, надежда оставалась.

Не переставая бормотать жалкие слова, профессор потихоньку пятился к стулу, на котором оставил защитный шлем.

— Вы отлично знаете, что я не грабитель, — прервал лепет Петра Ивановича незнакомец. — Мне нужна сыворотка.

— Гениальности? — услужливо подсказал директор, делая шажок, еще шажок. — Но я храню ее не здесь. Что вы! Это вам в институт надо!

— Ворованные мозги тоже там? Бальфура, Уильяма Говарда Тафта и прочих?

Американец, догадался Громов. Из тех диверсантов, о которых предупреждал Ян Христофорович. Наш нипочем бы не сказал «Уильям Говард».

— Хотите получить назад мозги вашего президента? Ради бога. Все равно мне от них нет никакого прока, — осторожно попробовал пошутить Петр Иванович.

Но ответной реакции в глазах американца не было. Диверсант обладал нулевым чувством юмора.

— Зачем понадобилось воровать мозги?

— Идея была не моя, — очень серьезно стал объяснять профессор. — Инициатива руководства. Беспокоятся, что будет, когда закончится Суррогат.

— Суррогат?

— Ну да. Экстракт из мозгового вещества Владимира Ильича Ленина. Для получения Суррогата годится лишь мозг настоящего гения.

По взгляду бритого было видно, что эта информация для него внове. Очень хорошо. До тех пор, пока американец рассчитывает выудить что-то полезное, стрелять он не станет. А до шлема оставалось метра два.

Вопрос: слышал ли диверсант телефонный разговор? Если слышал, наверняка станет допытываться про «Заповедник» и «Мафусаила». Нужно всё время говорить, не упускать инициативы. Подбрасывать сведения по кусочку, как хищному зверю, чтоб не накинулся.

— Из срезов ленинского мозга экстрагируется два-три миллиграмма Суррогата в сутки. Это очень мало, а пополнить запас негде, — рассказывал Петр Иванович, роясь в сознании убийцы и пробуя подобрать код доминирования. Голос профессора больше не дрожал. Он стал звучным, ровным, уютным — почти убаюкивающим.

— Перестаньте сверлить меня глазами, — сказал внезапно бритый, морщась. — Ничего у вас не получится. Я тоже владею техникой гипноза. Скажите лучше, что означает напряжение в левом секторе вашего периферийного зрения? Где-нибудь в той части комнаты находится тайник? Или что-то, чего я не должен видеть?

«Тревога!», — мелькнуло в мозгу Петра Ивановича, и чертов американец, конечно же, считал этот панический импульс. Скосил глаза на отстающую от стены картину.

— А-а, понятно. Там сейф?

«Скверно! Придется рисковать! О, mundus idioticus!»

Вслух профессор, однако, продолжал валять ваньку.

— Ай-я-яй! — вскричал он. — Какой ужас! От вас надо защищать подкорку!

Он схватил шлем — по виду обычный мотоциклетный (на самом деле внутри слой легированной, пуленепробиваемой стали) — и нахлобучил себе на голову.

— Не позволю сканировать мой мозг!

— Так это вы из-за боязни гипновоздействия в шлеме разъезжаете? — удивился американец, а во взгляде прочиталось: «Э-э, приятель, да ты псих».

Громов ему подыграл — с хитрым видом подмигнул:

— А вы думали, на дурачка напали? Парапсихология, внушение, зомбирование. Слышали, читали. Я знаю, кто вы. Вы американский шпион. Мне товарищ Картусов рассказывал. Ваши ученые вовсю исследуют нооизлучение подкорки.

Но диверсанта было не сбить. Он по-прежнему наводил оружие на профессора, но сам уже смотрел только в сторону сейфа. Быстро переместился к картине.

Тогда — больше ничего не оставалось — Петр Иванович с криком ринулся к открытой двери.

Расстояние было ерундовское, шагов пять. Не хватило доли секунды.

Громов уже выскочил в коридор, когда его догнала пуля 45 калибра и швырнула на пол, словно тряпичную куклу.

НЕТ, Я НЕ СМОГУ УБИТЬ ЭТОГО ЧЕЛОВЕКА

, думал Гальтон на протяжении всего сумбурного разговора. Даже ради спасения демократии и нейтрализации большевистской угрозы. Сама мысль о том, что можно выстрелить в человека с таким умным, острым, живым взглядом, была невообразима. Норд не считал себя слюнтяем, он бывал в разных передрягах, где приходилось убивать, чтобы не быть убитым, но есть вещи, которых уважающий себя индивидуум не может совершить ни при каких обстоятельствах. Вот если бы Громов сам набросился или сделал нечто, представляющее прямую и непосредственную угрозу, — тогда другое дело.

И провидение, благоволящее принципиальным людям, словно подслушало эту мольбу. Всё произошло легко и быстро, будто само собой.

Директор сорвался с места, стал звать охрану, и рука Гальтона выполнила всю работу без участия рассудка, рефлекторно. Кисть дернулась в нужном направлении, указательный палец нажал на спуск.

Когда Гальтон склонился над телом, всё было уже кончено. Пуля угодила под левую лопатку, точнехонько в сердце. С такой раной смерть наступает в течение одной, максимум двух минут.

Внизу хлопнула дверь, загрохотали сапоги.

— Тревога! — орали во дворе.

Хоть каждая секунда была на счету, доктор всё же сделал главное: вернулся к картине и заглянул в незапертый сейф. Увы, ничего похожего на сыворотку там не было, лишь тоненький файл. Может быть, там записана химическая формула?

Сунув папку под рубашку, Норд распахнул окно и прыгнул со второго этажа. Приземлился удачно, на корточки.

Из дома охраны выбегали люди в гимнастерках. У ворот кто-то выстрелил — кажется, в воздух.

Чужого заметили, когда Гальтон был уже возле забора.

— Сектор восемь! Вон он! Огонь!

Прыжок — и Норд ухватился за веревку. Несколько мощных рывков — оседлал забор.

Ударили выстрелы — частые, меткие. Воздух вокруг наполнился визгом и свистом, но беглец перекувырнулся и свалился на ту сторону.

Усыпленный чекист еще не очнулся, с этим Гальтону повезло. Иначе он несомненно нарвался бы на пулю. Но от соседнего угла, ближе всего расположенного к роще, стреляя с локтя, бежал другой дозорный. Этого так или иначе требовалось нейтрализовать, он загораживал единственный путь отхода.

Стрелять по силуэту, плюющемуся огненными искрами, это вам не в безоружного. Доктор опустился на колено, взял упор, прицелился.

"Boom! Boom!" — рявкнул «кольт». Силуэт исчез.

Теперь вперед, к роще.

Норд был уверен, что, услышав пальбу, Витек немедленно смылся и придется удирать на своих двоих, но впереди зафырчал мотор, и на дорогу из кустов выехал «форд», болтая распахнутой дверцей.

— Запрыгивай, Котовский!

С разбегу доктор упал на мягкое сиденье. Такси подпрыгнуло на обочине и начало набирать скорость.

— Запалился? — возбужденно кричал Витек. — Это ты шмалял? Или в тебя?

— По-всякому. Гони!

Сзади снова грянули выстрелы — чекисты тоже добежали до рощи и, наверное, увидели в темноте габаритные огни машины.

От крыши жахнул рикошет. С треском разлетелось заднее стекло.

— Давай газ! Газ!

Мотор заревел что было мочи. Но еще яростней взревело в голове у Норда. Она мотнулась в сторону, и доктор кулем вывалился в незакрытую дверцу автомобиля. Он несколько раз перевернулся, но удара о землю не почувствовал.

*

В себя Гальтон приходил, как после мучительного, неотвязного сна. Долго не мог разлепить глаза, потом хлопал ими и щурился, не в силах уразуметь, где он и что с ним. Вроде темно, но воздух прогрет солнцем. Почему-то пахнет сыростью, затхлой водой. И кто-то монотонно мурлычет песню на непонятном языке:

> *Сыр баро рай кэ мэ ли подгыйа,*
> *И о лыла йов мандыр отлыйа...*

— What the hell... Что за бред? — пробормотал доктор, протирая глаза.

— Песня такая, цыганская. По-русски тоже есть: *«Тут подвалил ко мне легавый, на муху взял и ксиву отобрал».* Не слыхал?

— Нет...

Обстановка была такая: Гальтон лежал в узкой земляной щели, края которой поросли травой; наверху синело небо, позолоченное солнцем; рядом сидел Витек и жевал соломинку.

— Где мы? — спросил Норд. Вся левая часть головы будто онемела.

— В канаве. Отремался? Тебя пулей по башке вжикнуло. Метко стреляют начальники.

— В какой канаве?

Доктор привстал. Его сразу замутило, пришлось опереться о стенку.

— Не высовывайся!

— Почему?

Он плюхнулся обратно на дно канавы, но все же кое-что разглядеть успел. Канава оказалась кюветом, вырытым вдоль дороги. По краям дороги зеленели деревья и кусты.

— Куда ты меня отвез?

— Никуда. — Цыган сплюнул. — Хорошо начальники не заметили, что ты из машины вывалился. Я ее подальше отогнал, потом вернулся, подобрал тебя.

— Значит, мы все еще в роще?!

— Ага.

Норд снова высунулся, уже осторожнее. Голова кружилась, земля противоестественно раскачивалась, но теперь удалось сориентироваться. Слева за деревьями угадывался просвет — там находилось поле, где стояла громовская дача. До нее было, наверное, метров двести.

— Почему мы так близко? Почему ты вообще вернулся, а не *дал деру?*

Контуженный мозг доктора потихоньку возвращался в режим более или менее нормального функционирования, даже подсказал подходящее выражение из глоссария современного литератора.

— Правило конокрада, — ухмыльнулся Витек. — Прячься там, где искать не будут. А вернулся, потому что у нас своих не бросают. Ты, Котовский, хоть и *гаджо*, а вел себя со мной по-честному. Наши говорят: *«Кон ромэскэ допатяла, долэс ром крэпкос уважинэ».* «Кто к цыгану по-хорошему, того цыган крепко уважает».

— Неужели нас не искали?

— Еще как искали! Понаехало начальников — машин, наверно, тридцать. Галдят, бегают, руками машут, туда-сюда швондрают. Не роща, а улица Тверская, ей-богу. Но потом мотоциклист приканал. Доложил, что таксюху мою нашли. Все туда рванули, а здесь тихо стало.

— Они моментально найдут тебя через таксопарк!

— Кого? Я, когда устраивался, «Виктором Цыгановым» записался. У нас, цыган, фамилиев нету и доку́ментов мы не признаем. Есть у меня в таксопарке кореша, но они все *гадже*, а я *гадже* домой не зову. *Гадже* — это нецыгане по-нашему, — объяснил Витек. — Вроде как гои у евреев. Не, Котовский, сыскать меня начальникам будет трудно. А начнут по цыганским слободам шукать — свои меня не выдадут. Ты лучше расскажи, чё ты там натворил? Грохнул директора банка, да?

Вопрос был задан с боязливым почтением. Глаза таксиста горели жадным любопытством.

Соврать человеку, который тебя спас, невозможно.

— ...Так вышло.

— Может, не наповал?

— Наповал.

— Дела-а... — протянул Витек. Тряхнул черным чубом. — Эх, пропадай моя головушка! Всё одно сгорел я с тобой.

Возьмите меня к себе в банду, а? Нецыганская это работа, но мне, чую, понравится. Потолкуй с Китайцем. Ей-богу, пригожусь!

— Потолкую.

Нужно было определить, насколько серьезна травма. Хоть ранение и касательное, но голова есть голова, с ней шутки плохи. Может быть сотрясение, а в перспективе отек мозга.

В одном из карманов у Гальтона имелась экспресс-аптечка. Он промыл руки дезинфектантом, дотронулся до виска и обнаружил, что царапина замазана какой-то липкой дрянью.

— Это я подорожника нажевал, а то из тебя кровища лила.

Подорожник? А, Plantago major. Что ж, листья этого растения содержат фитонциды и обладают отличными кровоостанавливающими свойствами, в сочетании же с ферментами слюны антисептическое воздействие должно усиливаться.

— Молодец, — похвалил доктор, мысленно ставя диагноз: легкая контузия, умеренная кровопотеря, симптомов сотрясения, кажется, нет. В общем, легко отделался.

— Я могу идти. *Башка* уже не кружится. *Мотаем* отсюда, а то мои кореша, поди... — он не сразу вспомнил нужный термин, — *стремаются.*

— Куда мы пойдем? — Витек покрутил пальцем у виска. — Ты погляди на себя и на меня. Будто мясники с бойни.

Он был прав. Поверхностные ранения головы всегда очень сильно кровоточат. Левое плечо, рукав, даже воротник у Гальтона были сплошь в пятнах крови. Цыган, пока тащил раненого в канаву, тоже изрядно перемазался. Этаких пешеходов в два счета заберут в милицию.

— Темна надо ждать, Котовский.

Опять прав. Гальтон разлегся на дне канавы, пристроил локоть под правое ухо.

— Ну, тогда спать.

На боку было неудобно, доктор осторожно перевернулся на живот. В грудь кольнуло что-то острое. Потрогал — угол картонной папки.

Как же он мог забыть?!

— Хабар? — оживился цыган, видя, что «налетчик» полез за пазуху. — Ценное что?

— Сейчас поглядим.

«**ОТВЕТЫ. Начато 11 апреля 1930 г.**», прочел Норд надпись на обложке. Открыл — расстроился: всего одна страничка, и на ней никаких химических формул, только в столбик несколько коротких строчек, судя по цвету чернил, написанных в разное время.

Но стал вчитываться — ахнул. Возбужденно потер висок — вскрикнул еще раз, уже от боли. Однако был так увлечен, что не заметил, как по пальцам снова заструилась кровь.

*

В «Эльдорадо» подельники вернулись вечером, когда вдоль Ленинградского шоссе давно уже горели редкие фонари. Особенно прятаться по дороге не понадобилось, потому что улицы на этой дальней окраине были темные, а прохожих встречалось мало.

Днем доктору выспаться не довелось, очень уж он разволновался. Из придорожной канавы беглецы перебрались в глубину рощи и просидели там до глубоких сумерек, благо в одном из карманов нордовской куртки имелся спецпаек: плитка кокагематина, которую честно поделили пополам. Этот чудесный концентрат, авторская разработка д-ра Г.Л.Норда, изготавливается из экстракта бычьей крови с добавлением сухого спирта, меда и кокаина. Не только питателен, но укрепляет силы и начисто отбивает чувство голода.

Скучать было некогда. Гальтон раз за разом перечитывал записи покойного профессора и пытался вникнуть в их смысл. Напряженная умственная работа заставляет забыть обо всем на свете, тем более о течении времени. Когда Витек толкнул «Котовского» и сказал: «Вроде темнеет. Пойдем, что ли?» — доктор очень удивился. Ему казалось, что еще утро.

Шли быстро — вдоль заборов, через пустыри и дворы. Путь занял не больше часа.

На первом этаже клуба, как обычно, было множество цыган. Правда, всё взрослые, для детей поздновато.

— Как я войду в таком виде? — спросил Гальтон перед крыльцом.

— Если не здороваешься, тебя не замечают. Не хочет человек, чтоб его видели — значит, нет человека.

И действительно, если кто-то и удивился появлению двух пугал, залепленных грязью и забрызганных кровью, то не подал виду. Гальтон прошел через зал, чувствуя себя невидимкой.

Он знал, что коллеги дома — на втором этаже горели окна.

Но оказалось, что Зоя сидела на лестнице, в темноте.

— Господи, живой! — закричала она.

Бросилась ему на шею, но не заплакала. Только всхлипнула, всего один раз. Характер у Зои был железный.

— Ты ранен? Я должна тебя осмотреть.

— Я в порядке. Оцарапан скальп. Крови много, но ничего серьезного. Это потом, потом. Идем наверх, я должен вам столько всего рассказать.

Коллеги выслушали рассказ в полном молчании. И у княжны, и у биохимика было одинаковое выражение на лицах: сосредоточенное и несколько недоумевающее. Ну, для китайской маски это неудивительно, но Зоя-то, Зоя? Чем объяснить ее реакцию? Не понравилось Гальтону и то, что коллеги как-то странно переглядывались, будто сомневались в правдивости его истории. Разве так встречают героя, который в одиночку (Витек не в счет) выполнил самую трудную часть задания?

Чтобы эта мысль наконец дошла до членов группы, доктор повторил главное еще раз:

— Директор уничтожен, то есть первая задача миссии успешно выполнена. Сыворотку, правда, добыть не удалось, но теперь нам доподлинно известно, что исходного материала — мозга Ленина — большевикам надолго не хватит. Другого источника получения экстракта у них нет. Да и этот представляется мне сомнительным. Подумаешь, Ленин. Тоже мне Спиноза! — Он позволил себе улыбнуться — честное слово, сказано было неплохо. Но коллеги смотрели на него все так же кисло, и Гальтон посерьезнел. — Не говоря уж о том, что без Громова работы над «сывороткой гениальности», скорее всего, невозможны. Он произвел на меня впечатление чрезвычайно замкнутого господина, который всегда работает в одиночку и не любит делиться секретами... Итак, формулирую вопрос для обсуждения: можем ли мы возвращаться, считая нашу миссию в целом исполненной? Или же следует задержаться и предпринять попытку добыть сыворотку?

Информацию о папке Норд приберег на десерт. Пусть сначала выскажутся. Заранее ясно, что они выступят за возвращение. Гальтон побился бы об заклад, что почтенный Сяо Линь непременно приплетет китайскую пословицу о том, что трудно найти черного кота в темной комнате, особенно если его там нет. Тут с триумфом и будет извлечен листок, свидетельствующий, что комната не совсем уж темная и кот в ней, вероятно, все-таки есть.

Хорошо, что пари не состоялось — Гальтон бы его проиграл. Зоя с Куртом снова переглянулись — и промолчали.

— Да что с вами? — рассердился доктор. — Вы что, транквилизаторов наглотались, от нервов? Я вас понимаю — просидеть почти сутки без дела!

— Мы не сидели без дела... — начала Зоя. — Нет, Айзенкопф, лучше вы.

Немец-китаец скрипнул стулом, закинул ногу на ногу.

— Когда вы не вернулись из рекогносцировки, мы не знали, что думать. Вернее, у нас имелось две версии. Я полагал, что вас засекли во время слежки и арестовали или застрелили на месте. — Он сказал это очень спокойно, а Зоя (доктор заметил) при этих словах вздрогнула. — Мисс Клински придерживалась иного мнения: что вы обнаружили место жительства Громова, попробовали проникнуть туда и с вами что-то случилось. Констатирую, что мисс Клински знает вас лучше, чем я. Впрочем, это неудивительно...

— Дальше, дальше, — поморщившись на бестактность, поторопил его Норд.

— У нас был только один способ получить хоть какую-то информацию — проверить, явится ли Громов на работу. Мисс Клински, разумеется, принять участие в этой вылазке не могла. Ее бы опознали. Поэтому она осталась дома ждать вас. А я отправился в Музей нового человечества договариваться об экскурсии для Университета трудящихся Китая имени товарища Сунь Ятсена. Подгадал, чтобы к шестнадцати ноль ноль оказаться в подземном гараже.

— Что, вахтер опять спал?

Сяо Линь молитвенно сложил руки ковшиком:

— У охранника, который изображает вахтера, внезапно случился инфаркт. Помните японскую банщицу? Не одни чекисты владеют техникой летальной инъекции.

— И когда директор не приехал на работу, вы всё поняли, — кивнул Гальтон, которому наконец стало понятно, почему его рассказ не особенно удивил коллег.

— А он приехал, — ровным голосом заявил Айзенкопф. — Ровно в шестнадцать ноль ноль.

– ШУТИТЕ?!

— Нисколько. Только директорский кортеж состоял не из трех машин, как раньше, а из бронеавтомобиля и эскорта мотоциклистов.

— Это был не Громов, а кто-то другой. Вы же не видели его собственными глазами?

— Не только видел, но и сфотографировал. Я прихватил из кофра мини-камеру для секретной съемки. Сверхчувствительная пленка способна делать снимки при минимальном освещении. Вот, полюбуйтесь. У меня в универсальном конструкторе есть и мини-аппарат для фотопечати.

На стол легли несколько снимков: человек в шлеме выходит из броневика; человек оборачивается; лицо крупным планом.

Это вне всякого сомнения был Петр Иванович Громов!

И все же поверить было невозможно. Гальтон не проверял у застреленного директора пульс, но этому человеку в сердце попала пуля 45 калибра! В пиджаке зияла дыра! Пуленепробиваемый жилет исключался — из раны обильно лилась кровь густого венозного оттенка, а это верный признак поражения правых отделов сердца!

— Двойник, — сказал Норд, разглядывая снимок. — У Громова есть двойник. Вопрос лишь, кого я застрелил — настоящего профессора или фальшивого.

— У меня другая версия. — Айзенкопф похлопал узкими глазками. — Человек, которого я видел, шел с трудом и опирался на палку. Посмотрите на фотографию получше — видите, как он бледен? Думаю, никакого двойника нет. Вы стреляли в подлинного Громова, просто рана оказалась нетяжелой. Настолько, что директор смог в тот же день выйти на работу.

— Нет! Говорю вам — нет! — вышел из себя доктор. — Я стрелял с пяти метров! Он был убит наповал!

Коллеги молча глядели на его побагровевшее, растерянное лицо. Нет, лицо было не растерянное, а *потерянное*. Начальник экспедиции потерял лицо, окончательно и бесповоротно. На Зою он старался не смотреть. Его акции обвалились сокрушительней, чем на Нью-Йоркской бирже в «черный вторник».

И все же, как такое могло произойти? Мистика!

Нужно было спасать остатки репутации.

— Взгляните вот на это. Изъято из сейфа в кабинете Громова, — сдавленным голосом произнес Гальтон, выкладывая на стол свой последний козырь — похищенную папку.

Княжна и биохимик склонились над листком, а доктор отвернулся. Он выучил текст наизусть, вплоть до каждой скобки и запятой.

В папке «Ответы», начатой за 11 дней до разговора Норда с Ротвеллером, содержались вот какие сведения:

---

1) 11.04 ЛОМОНОСОВ

2) 14.04 Я ЖЕ ГОВОРЮ: ЛОМОНОСОВ

3) 17.04 ЧЕРНЫЙ ПОПОЛОН (*второе слово неразборчиво*)

4) 20.04 ПОПРОБУЙ У МАРИГРИ (*«УМАРИГРИ»? Нет, все-таки «У МАРИГРИ»*)

5) 23.04 КАК? ОЧЕНЬ ПРОСТО! ЗАГОРЬЕ, ГДЕ КОЛЬЦА

6) 26.04 ДА ОКО ЖЕ, ОКО!

7) 29.04 ПРОЩЕ ВСЕГО ЧЕРЕЗ ЗАГОРЬЕ. СПАС ПРЕОБРАЖЕНСКИЙ.

8) 02.05 ГДЕ КОЛЬЦА. НЕ ПОМНИШЬ? ТРЕТЬЯ СТУПЕНЬКА.

9) 05.05 МАРИГРИ? КАК ЭТО КАКАЯ? РАЗУМОВСКАЯ

Здесь, наконец, коллеги пришли в волнение. Пока они обменивались первыми впечатлениями и сбивчивыми вопросами («Ломоносов! Смотрите, упоминается Ломоносов!» «И Маригри!» «А это что?» «Что означают числа?» «Кто дает эти ответы?» «Ничего не понимаю!»), Норд выжидал. Этот этап для него остался позади. Целый день дедукции давал ему фору перед товарищами. О, как бы он сейчас блеснул перед ними интеллектом, если б не конфуз с Громовым...

— Что ты молчишь? — наконец, воззвала к нему Зоя. — Я ничего не понимаю! Тут упоминаются и Ломоносов, и Маригри! Но всё остальное — полная бессмыслица!

Айзенкопф присовокупил:

— Валяйте, Норд, проявите свой хваленый коэффициент! Хватит интересничать! У вас, в отличие от меня, было достаточно времени проанализировать эту криптограмму.

Интересничать Гальтон не собирался — не то у него было настроение.

— Как вы могли заметить, интервал между «ответами» составляет три дня, — начал он. — Чем это объясняется, не знаю, но какой-то смысл тут наверняка есть. Кто задает вопросы, мы не знаем, но можно предположить, что Громов либо его сотрудники. Кому задает? Опять загадка, к которой у нас нет ключа. Поэтому давайте опираться на фрагменты, которые нам более или менее ясны. Это кочки, по которым мы будем прыгать через болото.

— Очень поэтичная метафора, но давайте ближе к делу, — буркнул Айзенкопф.

— Попытаюсь. В документе девять пунктов. Первый и второй явно указывают на тайник в Музее нового человечества. Это указание Громов и его люди не поняли, но оно каким-то образом дошло до мистера Ротвеллера. Он передал слово «Ломоносов» мне, надеясь, что эта подсказка поможет. Что и произошло. Здесь мы оказались сообразительней большевиков, — сказал Гальтон, из скромности употребив местоимение множественного числа. — К Ломоносову относится и запись номер 6 от 26 апреля про око. Таким образом, пункты 1, 2 и 6 нас не интересуют, это для нас пройденный этап. Пункты 3, 5, 7 и 8 я бы сейчас тоже трогать не стал. «Загорье», «кольцо», «Спас Преображенский», «черный пополон» со знаком вопроса, какая-то «третья ступенька» — всё это сплошные неизвестные величины. Мы не знаем, что обозначено этими иксами, поэтому предлагаю пока убрать их в резервный отсек памяти, чтобы они не затемняли нам картину больше нужного.

— Остаются пункты 4 и 9. — Зоя смотрела на листок. — Я понимаю твою логику. Они несомненно связаны с посланием, которое содержалось в самсоните.

— И кое в чем дополняют его. — Норд поднял палец. — Голос сказал мне: «*Ключ в фармацевте Великого Человека. Ищите омниа-експланаре-у-мари-гри*». Мы поняли первую часть, но ничего не поняли во второй. Особенно озадачило нас слово или словосочетание «chez marigri». Теперь мы, во-первых, точно знаем, что это два слова: предлог и существительное. Во-вторых, из ответа № 9 явствует, что это не просто существительное, а имя собственное. В третьих, имя «Маригри» имеет фамилию или топографическую привязку «Разумовская». Что она означает, мне неизвестно.

Княжна быстро сказала:

— Разумовские — известная аристократическая фамилия. Ее родоначальник был тайным супругом императрицы Елизаветы, которая имела от него детей. Но ты прав, производные от этой фамилии часто встречаются в топонимике. К примеру, недалеко отсюда находится Петровское-Разумовское, где сохранился парк и дворец. И это не единственное подобное место. Разумовские были богатым, разветвленным родом, они владели множеством поместий в обеих столицах... Вот что я вам скажу, представители непрекрасного пола. — Она энергично взмахнула кулачком. — Все, что касается аристократии, это по моей части. Я извелась без дела! Завтра вы будете сидеть дома и томиться, а я займусь работой! Только попробуйте спорить! Убью обоих!

*

Утром Гальтон спустился проводить Зою до крыльца — и не дальше. Таково было ее условие.

В зале опять бушевал хор — с визгом и топотом репетировал «Советскую величальную».

Вспомнив вчерашние слова Витька, Норд вежливо поклонился и пробормотал «здравствуйте», уверенный, что никто не обратит на него внимание. Но пляски, как по мановению волшебной палочки, оборвались. Полсотни белозубых улыбок приветствовали доктора и его спутницу. Им дали выйти наружу, после этого репетиция продолжилась.

Во дворе с щенячьим задором резвилось лёгкое майское солнце, блестела свежая листва, сверкали лужи.

Но самый чудесный дар поднесла не природа.

Неподалеку от крыльца, точь-в-точь на том же месте, что прежде черный «форд», стоял серый «рено» с белыми шашечками и надписью «Мосавтотранс». За рулем, прикрыв лицо ворсистой кепкой, дремал Витек.

— Где ты раздобыл такси?! — бросился к нему Норд.

Цыган сдвинул кепку на затылок, сладко потянулся.

— Где-где, на работе.

— Как на работе? Ты не собирался туда возвращаться! Тебя ГПУ ищет!

— Это на старой работе, в «Госавтотрансе». А я поступил в «Мосавтотранс». У них, между прочим, километражные повыше. — Витек подмигнул. — Там один из наших диспетчером служит. Записал меня Ивановым Виктором Иванычем. Я как рассудил? Сейчас не старые времена. Приличной банде без своего авто нельзя. Ты, Котовский, про меня с паханом побалакал?

Доктора встревожило такое легкомыслие.

— Не считай чекистов идиотами. Можешь не сомневаться, они составили твой словесный портрет и разослали по всем отделениям дорожной милиции! Сколько в Москве шоферов со смуглой рожей, черным чубом и золотой фиксой? У вас тут вообще машин не шибко много.

— Можно подумать, у вас на Дальнем Востоке больше, — обиделся за столицу Витек. — И учти, Котовский, я тоже не идиот. Где она, фикса? — Он оскалился — золотого зуба не было. — А чуб где?

Сдернул кепку — под ней блестел свежебритый череп.

— Сделал прическу под тебя. Нормально, башка дышит.

Зоя, которая слушала этот обмен репликами молча, хлопнула Витька по плеши.

— Годишься. Я сама о тебе с паханом пошуршу. Хватит языки чесать, поехали. Не дрейфь, Котовский, — с удовольствием подхватила она придуманную шофером кличку. — С таким ухарем я не пропаду.

Цыган просиял.

— Прошу в карету, мадам.

Оказаться в положении домохозяйки, супруг которой уехал на работу, было странно. «Домохозяек» было аж две — если считать Айзенкопфа. Но в комнате биохимика было тихо, то ли он возился со своим универсальным конструктором, то ли просто спал. Гальтон решил сделать то же самое: отоспаться впрок. Грядущая ночь скорей всего окажется бессонной.

Он лег в кровать и немедленно отключился. Старый дом содрогался от цыганского пляса и пения, но здоровому сну доктора это не мешало. Он глубоко, со вкусом спал и очень приятно проснулся.

Тонкая, нежная рука чесала ему кончик носа.

Открыв глаза, Гальтон увидел склонившуюся над кроватью Зою и, еще не разобравшись, явь это или, как пишет Пушкин, «мимолетное виденье» (какая в сущности разница?), попробовал утянуть прелестницу в кровать. Но пальцы утратили ласковость и больно щелкнули его.

— Просыпайся! Не до глупостей! У меня важные новости.

Это было не мимолетное виденье. Это была настоящая Зоя. У нее были важные новости.

Доктор вскочил с кровати и встряхнулся, словно вылезший из воды лабрадор. Сон слетел с него брызгами, голова прояснилась.

— Сполосну лицо, а ты зови Курта.

Часы показывали половину четвертого.

— ...Сначала я отправилась в Румянцевскую библиотеку. Там много материалов по истории Разумовских. За двести лет своего существования этот род произвел на свет черт знает сколько государственных деятелей, сумасбродов и прожигателей жизни, но я не буду тратить время на генеалогические подробности. Для нас представляет интерес всего одна особа, ничем особенным себя не отличившая, но... Впрочем, я лучше прочту биографическую справку.

Княжна вынула ученическую тетрадку — ту самую, с которой ходила в библиотеку добывать сведения о директоре Института пролетарской ингениологии. Перелистнула страничку.

— Это из книги середины прошлого века, посвященной известным москвичам екатерининской и александровской эпохи, то есть рубежа 18 и 19 столетия. Слушайте. «*Одною из примечательнейших дам своего времени была графиня Разумовская, урожденная княжна Вяземская. Отличаясь непосредственным характером, а также неутомимым пристрастием ко всякого рода причудам, она на протяжении всей своей долгой, более чем девяностолетней жизни постоянно служила причиною пересудов и сплетен, самою пикантною из коих, вне всякого сомнения, была история ее второго замужества, пересказываемая многими как достоверный факт. Будущая светская львица еще девочкой была выдана за князя Голицына, отчаянного игрока, спустившего всё свое немалое состояние в карты. Первый богач и кутила Москвы Лев Кириллович Разумовский давно сох по молодой красавице княгине и однажды, воспользовавшись азартностью проигравшегося в пух Голицына, предложил сему последнему поставить на кон жену. Ставка была якобы сделана и проиграна. Бывшая княгиня стала графинею Разумовской, что служило темою сплетен на протяжении первых годов царствования Александра. Хлебосольство Льва Разумовского, несравненное обаяние его милой супруги, а более всего снисходительное отношение императора к сей скандальной истории заставили фраппированных поначалу москвичей вновь принять эксцентрическую пару в свой круг. Великолепный дворец на Тверской, купленный графом для своей супруги накануне Наполеонова нашествия и чудом уцелевший в пожаре, долгие годы был одним из гостеприимнейших домов, где собирался самый цвет московского высшего общества, так что позднейшая передача графинею сего здания в ведение Английского Клуба была воспринята москвичами как нечто отрадное и естественное...*»

Терпение Айзенкопфа иссякло.

— Ваше сиятельство, на кой черт нам все эти аристократические ветхости? Вы обещали выяснить, что такое «Маригри»! При чем здесь какой-то Английский клуб, какая-то дура-графиня?!

— А при том, что «дуру-графиню» звали Марией Григорьевной. Вы не дали мне дочитать выписку до конца, а там приводится следующий анекдот... Вот, послушайте. «...*За глаза веселую парочку никто по имени-отчеству не называл. Граф Лев Кириллович был известен всей Москве как comte Léon[1], а за Марией Григорьевной утвердилось прозванье Мари-Гри, возникшее после одного бала в Дворянском собрании, где она произвела фурор, явившись средь белоснежных, розовых и палевых платьев в наряде эпатирующего серого цвета. Шутники немедленно обозвали ее Marie Grise[2], что со временем преобразовалось в Mari-Gri, от «Мария Григорьевна», на каковое обращение сама графиня отнюдь не обижалась*».

— «Chez Mari-Gri» означает «у графини Разумовской»! — воскликнул Гальтон. — Ответ из папки от 5 мая: *«Маригри? Как это какая? Разумовская»*. Но позвольте, она ведь давным-давно умерла...

— В 1861 году, — подтвердила Зоя. — Поразительная женщина! В девяносто лет собралась на Парижскую выставку за новыми нарядами, да простудилась.

Неромантичный биохимик скрипучим голосом вернул беседу в деловое русло:

— Не понимаю, какое отношение старуха, умершая 70 лет назад, может иметь к Музею нового человечества и профессору Громову?

Зоя не ответила и заговорила о другом — во всяком случае, такое впечатление возникло вначале:

— В Румянцевской библиотеке сохранилась совершенно чудесная атмосфера, какой в нынешней России уже не найдешь. Пролетарские «чистки» до тамошнего *коллекти-*

---

[1] Граф Леон (*фр.*).
[2] Серая Мари (*фр.*).

ва, — это слово княжна произнесла с отвращением, — еще не добрались. Средь шкафов с книгами и каталожных ящиков затаился кусочек прежней жизни. Сотрудники почти сплошь из *бывших*. Среди них есть и знакомые: баронесса Гильдебранд была подругой матери. Представляете, она меня узнала! Не беспокойтесь, это надежный человек, старой закалки. Она в девичестве звалась Лили Ухтомская, это очень древний род, который...

— Мне надоели ваши великосветские реминисценции! — взорвался Айзенкопф. — Будете говорить о деле или нет?

— Я и говорю о деле. Не вдаваясь в подробности, я задала баронессе мучивший меня вопрос. Не связывает ли что-нибудь Марию Григорьевну Разумовскую с сегодняшним днем? Лили — дама педантичная. В библиотеке она ведает систематическим каталогом, где у нее царит идеальный порядок. «Если связывает, — сказала она, — это должно было найти отражение в прессе». И отвела меня в зал периодики, где имеется каталог персоналий. Ах, что за славное, ностальгическое место Румянцевская библиотека! — с чувством воскликнула княжна. — Если отвернуться от портретов Ленина и Сталина, кажется, будто ты вернулась в прежнюю Россию. Конечно, со временем всех *бывших* вычистят, заменят пролетариями, и всё развалится...

— Не отвлекайся, — попросил теперь уже Гальтон. — Ты что-нибудь нашла в картотеке?

— Да. В каталог персоналий включают людей, чье имя встречается в прессе более пяти раз в течение одного года. О нашей Мари-Гри в советских газетах нет ничего вплоть до 1927 года, зато в тот год графиня Мария Разумовская упомянута одиннадцать раз в июньских и пять раз в декабрьских номерах разных изданий. Повод один и тот же — открытие нового зала в Музее Революции.

— Какая связь между графиней и революцией? — удивился Норд.

— Музею Революции досталось здание Английского Клуба, в свое время перестроенное и украшенное Марией Григорьевной. Три года назад при ремонте очага в большой каминной рабочие обнаружили потайную комнату, которой нет ни на одном чертеже. У газетчиков возникли разнообразные предположения, в основном игривого свойства. Одни были уверены, что в этом помещении члены Клуба предавались разврату. Другие, более осведомленные о нравах чопорного англоманского учреждения, стали копать глубже. Припомнили, что обустройством дворца занималась Мария Разумовская, раскопали пикантную историю ее второго замужества и как дважды два вывели: это тайное место легкомысленная красотка обустроила специально для интимных утех. Дирекции музея пришла в голову блестящая идея: подсластить свой кислый революционный реквизит «клубничкой», на которую так падка публика. В результате возникла постоянно действующая экспозиция «Тайные утехи буржуазии». Об ее открытии в декабре того же 1927 года советские газеты пишут подробно и с удовольствием, не скупясь на сочные эпитеты в адрес графини Разумовской. Экспозиция действует и поныне.

— Надо отправляться туда! — вскричали мужчины.

Княжна засмеялась, видя, что оба вскочили, готовые немедленно нестись в музей.

— Неужели вы думаете, я там не побывала? Понеслась прямо из библиотеки, как на пожар. Осмотрела экспозицию, поболтала с экскурсоводом. Очень милая дама, наверняка тоже из бывших. Она старалась изъясняться по-революционному, но когда поняла, что мы с ней из одного круга, сразу заговорила на человеческом языке. Это только кажется, что СССР населен сплошь хамами-пролетариями. Если присмотреться получше, оказывается, что всюду есть нормальные люди. Просто они затаились.

Поразительный талант коммуникабельности, думал Норд, любуясь рассказчицей. А какая оперативность! Надо отдать должное психологам Ротвеллера, состав группы они подобрали безукоризненно.

— От дамы-экскурсовода я узнала некоторые дополнительные сведения. О существовании тайной комнаты никто в Английском клубе не имел понятия. В музее осталось несколько человек из прежнего персонала, в том числе старый истопник, тысячу раз разжигавший и чистивший тот самый камин. Милая дама сообщила мне, что именно в той части дворца когда-то находились покои графини Марии Григорьевны. Тайник наверняка был устроен одновременно с каминной, то есть по указанию нашей Мари-Гри. Передавая свой дом Клубу, старуха почему-то не сообщила новым хозяевам о секретной комнате. Может быть, просто забыла...

— Так что там, в комнате? — нетерпеливо спросил Курт.

— Ничего интересного. Какие-то глупые экспонаты, свезенные из других мест. Сколько я ни смотрела, ничего интересного не обнаружила. Будет лучше, если ты, Гальтон, съездишь туда сам. Вдруг у тебя снова будет озарение, как с Ломоносовым?

Норд и так уже решил, что поедет.

— До скольких работает музей?

— До пяти, а впускать перестают за полчаса. Сейчас почти четыре. У тебя будет слишком мало времени, лучше отложить на завтра.

— Наоборот! Сейчас идеальный момент для посещения! Ты, Зоя, остаешься. Нельзя появляться там второй раз за день, это может показаться подозрительным. Курт, мне нужно три минуты на сборы, и едем!

МУЗЕЙ РЕВОЛЮЦИИ

располагался в помпезном здании совсем не революционного вида — с колоннами, геральдическими львами, чугунными вратами, кокетливыми флигелями и прочими старорежимными атрибутами. Палаццо со всех сторон понавешал на себя красных флагов и лозунгов, но эти лоскуты напоминали фиговый листок, не способный укрыть от взглядов пышно-античные формы. Казалось, дунь ветер посильней — и вся кумачовая косметика слетит невесомым прахом.

Заплатив 20 копеек, Гальтон и Курт бодро прошагали через залы, посвященные истокам русского революционного движения, злодействам мирового капитала и достижениям Коминтерна. Каминная, куда они держали путь, находилась на втором этаже.

Но в зале, посвященном Китайской революции, экспедиционный отряд понес потери. Пионеры в красных галстуках, слушавшие рассказ о свержении реакционного режима маньчжурских императоров, вдруг увидели перед собой живого китайца и облепили его со всех сторон. На фальшивого слушателя Суньятсеновского университета обрушился поток вопросов. Почему рабочий класс северного Китая не свергнет клику Чжан Цзолина? Когда на всей территории Китая наконец установится власть Советов и почему компартия не примет меры? Есть ли в Китае пионерская организация? Зачем девочкам бинтовать ноги? Как можно запомнить столько иероглифов?

Попробовал Айзенкопф прикинуться, что не понимает по-русски, но это его не спасло. Настырные дети перешли на жестикуляцию. Например, словосочетание «китайский пролетариат» изображалось посредством растягивания краешков глаз с последующим маханием воображаемым молотом.

Минут пять Норд ждал, но потом понял, что биохимик застрял надолго. Его цепко держали за полы пиджака, за руки, даже за брюки.

— Не бросайте меня! — крикнул бедняга по-английски, но Гальтон выразительно показал на часы и двинулся дальше один. До закрытия оставалось четверть часа.

Вот и каминная: просторная зала с дорическими колоннами. От камина остался только мраморный зев, над которым красовалась вывеска: мясистая девка в неглиже и мерзкий толстяк в цилиндре, а внизу жирными, плотоядными буквами написано «Постоянная экспозиция ТАЙНЫЕ УТЕХИ БУРЖУАЗИИ». Чтоб войти в помещение, Норду пришлось слегка нагнуться.

Он оказался в глухой комнате площадью футов в триста. Рассматривать экспонаты было некогда. Доктора сейчас занимало одно: где бы спрятаться.

По счастью, рядом не было ни души. Наскоро оглядевшись, Гальтон влез под кровать с балдахином (на табличке значилось «Ложе разврата»). Там было пыльновато и душно, зато кружевное покрывало свешивалось до самого пола.

До пяти часов никто в потайную комнату так и не заглянул. В начале шестого, гремя ведрами, зашла уборщица. Кое-как пошуровала щеткой, выключила электричество и вышла.

Теперь можно было, никуда не торопясь, приступать к обстоятельному осмотру. Айзенкопфа, очевидно, выставили за дверь вместе с его юными друзьями, но доктор мог вполне обойтись и собственными силами. Дедуктировать в ночной тиши одному даже лучше.

Он дождался, пока здание полностью опустеет: закончится уборка, разойдутся дневные служители. Наконец, все звуки замерли. Тогда он выбрался из своего укрытия и принялся медленно, со вкусом осматриваться.

В помещении было не совсем темно. Когда глаза свыклись с полумраком, стало видно, что существуют два источника, откуда сочится тусклый свет. Первый — понятно: щели по краям двери, вмонтированной в бывший камин. Но свет проникал и с противоположной стороны, из угла. Заинтригованный, Норд подошел ближе.

За массивной прямоугольной колонной в стенной нише было узкое, бойницеобразное оконце, прикрытое пыльным-препыльным стеклом. Ленивые музейные уборщицы сюда не добирались. Очень вероятно, что оконце не мыли со времен графини Марии Григорьевны. Сквозь мутную поверхность проглядывала Тверская улица, доносился приглушенный шум. Сбоку темнело что-то замысловатое, с загогулинами. Гальтон потер стекло и увидел гипсовые завитушки барельефа, украшавшего фасад. Должно быть, они прикрывали потайное окошко снаружи. Зачем оно вообще понадобилось? Скорее всего, для доступа воздуха, предположил доктор.

С этой точки он и приступил к методичному осмотру. Начал с мебели и экспонатов.

Для выставки, посвященной порокам загнивающей буржуазии, откуда-то (вероятно, из закрытых большевиками борделей) понавезли всякой пошлой чепухи: козеток с пикантным рисунком на обивке, игривых литографий, дамских корсетов пылающего цвета, страусиных перьев, кружевного белья, бронзовых вакханок. Очень возможно, что свой взнос в экспозицию внесли и номера бывшего ресторана «Эльдорадо». Во всяком случае, вакханки выглядели родными сестрами тех, что были изображены на потолке в комнате доктора Норда.

Через некоторое время пришлось включить фонарик. Свет из-за колонны сочился все скуднее. Снаружи начинало темнеть.

Исследование реквизита ничего не дало. Диванчики, козетки и «ложе разврата» были тщательно прощупаны, картинки осмотрены.

Далее Норд занялся простукиванием стен, уделяя особенное внимание лепнине. На это ушло часа два. Вместо лесенки он использовал два стула, при необходимости ставя их один на другой.

«Омниа экспланаре, омниа экспланаре», — бормотал Гальтон загадочную фразу из послания. Чутье подсказывало, что фокус именно в ней. Однако задачка оказалась потрудней, чем предыдущая, с Ломоносовым. Ни статуй, ни барельефов — ничего такого, где можно устроить тайник — в комнате не было.

Покончив со стенами, Норд стал светить на потолок. В круг желтого цвета попала люстра. Не осмотреть ли гипсовую розетку вокруг крюка?

Для этого пришлось соорудить целый зиккурат: поставить рядом три стула, на них два, сверху еще один. Гальтон чуть не сверзся с этой ненадежной конструкции, но ничего путного на потолке не обнаружил.

Оставался пол. Он был деревянный, из шашечного паркета старинной работы. Предстояло исследовать каждую плашку.

Дело было кропотливое, скучное. Сначала доктор освещал каждый квадрат фонариком, потом ощупывал на предмет подвижности, потом простукивал. По очень приблизительному счету плашек здесь было что-нибудь под тысячу. Какой-то революционный идиот (наверное, во время ремонта 1927 года) покрыл чудесный старый дуб толстым слоем дешевого лака, почти полностью закрывшего любовно составленный узор.

Через некоторое время движения доктора достигли полного автоматизма, мысли начали уплывать.

А если никакого тайника здесь нет? Может быть, указание «ищите omnia explanare» означает что-то иное? Например, кличку какого-то человека, так или иначе связанного с Музеем революции?

Ломоносов был в одном музее, здесь тоже музей. Где Новое Человечество, там и Революция, это логично.

Интересно, как зовут директора здешнего Музея революции? Вдруг это женщина по имени Мария Григорьевна?

От усталости, напряжения и монотонной работы у доктора уже начинал ум заходить за разум. Пройдя очередной ряд паркетин от стены до стены, Гальтон собирался перейти к следующему, как вдруг на самой крайней плашке под слоем лака прорисовалась едва различимая тень — от царапины или от трещины. Все предыдущие плашки были идеально гладкими и чистыми. До того как паркет залили лаком, по нему, должно быть, очень мало ходили, он сохранил девственную нетронутость.

Гальтон поднес фонарик поближе. Не трещина, царапина. Овальной формы, что само по себе странно. Кружок или буква «О»?

Он чуть не прижался лбом к полу, меняя угол зрения.

Не просто царапина. Кружок явно прорезан острым предметом.

А что это рядом, чуть выше? Тоже нацарапано кончиком ножа или гвоздем. Это уже несомненно была буква — «Ш».

Итак, кто-то вырезал на паркетине две литеры: «Ш» над «О». Что это может значить?

Норд озадаченно наклонил голову — и вскрикнул.

Если смотреть на буквы слева, получалось не «Ш» над «О», а «OE»! OMNIA EXPLANARE!

Хорошо, никто посторонний не видел, как доктор медицины и лауреат Малой золотой медали Фармацевтического общества отплясывал на паркете что-то среднее между джигой и брачным танцем африканских пигмеев.

— Ты гений, Гальтон! Ты гений! — приговаривал триумфатор, и был абсолютно прав.

После первого взрыва радости доктором овладела тревога. Буквы буквами, но где тайник?

Он упал на колени, вытащил из кармана набор портативных инструментов.

Крррррк! — отвратительно проскрежетала стамеска, прорезая лак.

Тук-тук! Тук-тук! — застучал по резиновой рукоятке молоток. Плашка заерзала, один ее край приподнялся.

Гальтон сунул кончик стамески в щель, поддел паркетину и вынул.

Луч осветил квадратную ячею — паркет лежал на решетке из дубовых досок.

В ячее, алмазно посверкивая пылью, стояли четыре пузырька.

Yess!!!

На этот раз склянки были совершенно идентичными: аптекарские бутылочки прозрачного стекла, плотно заткнутые каучуковыми пробками. Внутри плескалась жидкость желтого цвета. На каждом пузырьке была бумажная наклейка с надписью «ЯДЪ».

Но даже не зловещая надпись остановила доктора. Наученный опытом, он знал, что, если раскупорить склянку, немедленно начнется неостановимый процесс испарения. Сначала нужно вычислить, в каком из флаконов содержится послание, а потом уж открывать. Что в тайнике хранится именно самсонит с очередным мессиджем, Гальтон не сомневался. Поскорей бы только услышать послание!

До утра ждать было еще долго. Поставив плашку на место и по возможности замаскировав следы вскрытия, Норд уселся на козетку.

Ах, до чего же медленно тянулось время! Он заставлял себя пореже смотреть на часы, но минутная стрелка вела нечестную игру, она еле-еле перемещалась по циферблату. Никогда еще ночь не казалась Гальтону такой бесконечной. Даже в джунглях, когда охотникам за головами вздумалось устроить привал прямо под деревом, на котором он прятался.

Норд всё рассматривал пузырьки, пытаясь найти меж ними хоть какую-то разницу. Тщетно. Жидкость внутри, как он ее ни взбалтывал, вела себя совершенно одинаково: слегка пенилась, осадка не выделяла.

Единственное отличие Норд обнаружил почти случайно. Тщательно оглядывая пробку, он поднес флакон к самому носу и внезапно ощутил слабый, но совершенно отчетливый запах ландыша. От другой пробки пахло горьким миндалем, от третьей — розой, от четвертой — лимоном.

В размышлениях об этих ароматах доктор провел остаток ночи и всё утро вплоть до девяти часов, когда двери музея открылись для посетителей. Дождался под кроватью, пока откроют дверь. Потом как ни в чем не бывало вышел.

У чугунных ворот стояло серое такси «рено», в нем сидели три человека.

— Чё, музей будем брать? — спросил Витек.

— С тобой все в порядке? — спросила Зоя.

— Лезультата есть? — спросил китаец Айзенкопф.

Норд ответил каждому по очереди:

— Уже взял. У меня всё отлично. Есть.

*

Четыре пузырька стояли рядом, тщательно осмотренные, ощупанные, обнюханные. Члены экспедиции молчали. Они устали спорить. Все аргументы были исчерпаны и многократно повторены. Согласия достигнуть не удалось.

Рациональный Айзенкопф считал, что нужно возвращаться в Нью-Йорк, где можно будет исследовать содержимое флаконов в нормальных лабораторных условиях. Потом, расшифровав послание, в случае необходимости можно вернуться в Москву.

Гальтон и Зоя были категорически против. Оба считали, что потеря времени недопустима. Громов жив, он тоже идет по следу. С «Ломоносовым» и «Мари-Гри» удалось его опередить, но в папке «Ответы» имеются и другие отсылки, ключ к которым пока не найден. Кроме того, директор обладает таинственной возможностью раз в три дня получать новые ответы. Поездка в Америку займет две-три недели. Неизвестно, как далеко успеет продвинуться за это время в своих поисках Громов. В поисках чего или кого? Пока непонятно. Но речь идет о чем-то очень-очень важном. Необходимо выпить самсонит прямо сейчас, даже если это сопряжено со смертельным риском. В конце концов, рисковать жизнью ради блага науки и человечества — долг всякого настоящего ученого.

На этом пункте консенсус между княжной и доктором заканчивался, начинались непримиримые разногласия. Зоя требовала, чтобы право первой попытки было предоставлено ей, потому что Гальтон рисковал собой в прошлый раз, а кроме того, по ее словам, у женщин лучше развита интуиция.

Норд не желал об этом и слышать. Он ссылался на дисциплину и требовал повиновения. Самсонит будет пить начальник экспедиции и никто другой! В ответ Зоя заявила протест по поводу мужского шовинизма и повиноваться отказалась.

Препирательство было долгим и дошло до взаимных оскорблений.

Соломоново решение предложил биохимик.

— Уважаемые мученики науки, — сказал он, — пусть каждый поступит в согласии со своими убеждениями. Норд может попробовать первым. В конце концов, это его право — ведь пузырьки добыл он, и мужской шовинизм тут ни при чем.

Если Норд отравится, у вас, мисс Клински, появится шанс проявить женскую интуицию. Ну а коли она вас подведет, я отвезу оставшиеся два пузырька в Нью-Йорк и спокойно произведу лабораторный анализ.

— Айзенкопф, вы — нелюдь, — горько произнесла Зоя. — Вы надеетесь, что мы оба сдохнем и начальником следующей экспедиции назначат вас!

Сяо Линь философски развел руками:

— На всё воля Будды.

Но Гальтон их больше не слушал.

Он смотрел на пузырьки.

В висках толчками пульсировала кровь.

CODE-3

I.

За Неглинным прудом, у Иверской, профессору повезло. От Тверской улицы в сторону Красной площади на огромных мохнатых лошадях рысила тяжелая кавалерия. Путь был освещен горящими смоляными бочками, медь кирас и касок отливала багрянцем. Рискуя попасть под копыта, Самсон перебежал улицу перед самой мордой переднего коня, на котором полковой барабанщик бил в два больших барабана, подвешенных по бокам.

Колотушки отстукивали аллюр «бумм-бумм-бумм!», словно это пульсировало разогретое скачкой медное сердце эскадрона.

Прилипчивый Атон остался на той стороне. Злорадно рассмеявшись, Самсон пробежал через арку Воскресенских ворот и нырнул в спасительный мрак Никольской, где не горело ни одного фонаря. Французы еще не успели сюда добраться. Лавки стояли заколоченные; окна, будто зажмурившись от ужаса, прикрылись ставнями. А Фондорину было весело. Довольный, что надул зловещего Египтянина, он чуть не скакал вприпрыжку.

Вот и лавка Шульца. Смекалистый немец не повесил замок, не стал опускать на витрине жалюзи, рассудив, что от этого будет лишний вред имуществу — мародеров сии преграды только распалят. Хозяин поступил умнее: намалевал под русской вывеской по-французски «Matériaux chimiques» и особо приписал «Pas d'alcool ici!»[1], а дверь оставил приоткрытой — мол, не верите, так поглядите сами.

Определенно Фортуна сегодня благоволила Самсону!

Он вошел в магазин и первое, что сделал, — зажег две большие масляные лампы, чтобы не возиться в потемках.

Шкафы с растворами, солями, кислотами и прочими материалами тоже стояли нараспашку. Вряд ли там нашлось бы

---

[1] «Химические материалы». «Спирта здесь нет!» (*фр.*)

что-нибудь, могущее вызвать интерес грабителей. Зато профессор без труда отыскал всё, что ему требовалось. Отлил несколько унций евгенового спирта, прихватил пузыречек гвоздичного масла.

Всё шло замечательно.

Деньги, пожалуй, оставлять не стоило. Вместо них Фондорин написал расписку, указав, что долг можно получить с госпожи профессорши.

Прежде чем уйти, задумчиво прошелся вдоль полок, перегораживавших магазин. Они были частью открытые, частью застекленные и сплошь уставлены всякой химической всячиной. Нет ли чего-нибудь, что может пригодиться?

Хорошая штука, например, пероксид водорода.

Самсон постоял возле огромной, в полчеловеческих роста бутыли. Взял небольшую колбу со стеклянной завинчивающейся пробкой — обращение с взрывоопасной субстанцией требовало осторожности. Присев на корточки, Фондорин повернул краник и стал наполнять сосуд. Прозрачная, чуть вязковатая жидкость, побулькивая, лилась тонкой струйкой.

Потянуло сквозняком, пламя ламп шелохнулось, по стенам закачались тени. Надо бы плотнее прикрыть дверь, подумал Фондорин и обернулся.

На устах у него затрепетал, так и не вырвавшись, крик.

В проеме стояла узкая фигура в белых шальварах и расшитой безрукавке.

— Assez courir, — бесстрастно сказал Атон. — Il faut aller. Maître attends[1].

Он шагнул в лавку и протянул руку, очевидно, желая схватить Самсона.

Профессор метнулся прочь, сбив плечом одну из ламп. Она с грохотом разбилась, по полу заструился ручеек пылающего масла.

Копт шел за пятящимся Фондориным, глядя не на него, а в потолок, и это было страшнее всего.

Обежав вокруг полки, профессор оказался у двери.

---

[1] Хватит бегать. Надо идти. Хозяин ждет (иск. фр.).

Последнее, что он увидел, — лужу под открытым краником и ползущую к ней огненную змею.

— А-а-а! — закричал Самсон, выскакивая на улицу.

Когда горящее масло сольется с пероксидом, грянет взрыв, от которого магазин обратится в фонтан пламени! А ведь у Шульца в лавке есть и другие огнеопасные вещества...

Он несся по Никольской, задыхаясь и вопя.

Оглянулся.

Сзади с неостановимой ритмичностью часового маятника перебирал ногами Атон.

За спиной у копта ночь надулась и лопнула огромным жел-то-красным пузырем. Грохота Самсон не услышал — сразу же заложило уши. Профессора швырнуло взрывной волной на мостовую, но сознания он не потерял.

Сначала увидел невероятную картину: выстреливающие вверх из пламени разноцветные кометы. Ах да, Шульц ведь еще торгует фейерверками, вспомнил Фондорин.

Клочки пламени падали повсюду — на тротуар, на крыши, во дворы.

Зрелище неземной красоты разворачивалось в полном без-молвии (так казалось оглушенному Самсону).

Что-то вспыхнуло за ближним забором, в другой стороне запылала груда мусора, а огнепад всё не кончался.

Над Фондориным склонился черный человек, озаряемый разноцветными сполохами.

Самсон Данилович зажмурил глаза и лишился чувств.

II.

Очнулся он в просторной комнате, по стенам и потолку которой колыхались красные тени. Было светло, а между тем верхняя часть окон полнилась ночной тьмой. Зато низ стекол сиял яркой иллюминацией.

Что это? Где я? Се сон иль явь? На мысль о сне наводило то, что Самсон лежал в кровати, раздетый и заботливо укрытый одеялом.

Откуда-то донесся протяжный треск, будто рухнуло нечто очень тяжелое. Надо было разобраться во всех этих чудесах.

Он поднялся и приблизился к высокому окну, которое оказалось стеклянной дверью с выходом на балкон. Тем лучше!

Выйдя на маленькую площадку, огороженную резными перильцами, Фондорин огляделся вокруг и понял, где находится.

Слева над головою высоко и печально мерцала золотая шапка Ивана Великого, справа на фоне черно-красного неба торчал угловатый силуэт Боровицкой башни, а прямо впереди виднелась зубчатая стена, за которой поблескивала Москва-река, будто наполненная не водой — рубиновым вином.

Я в Елисаветинском дворце, догадался профессор, видя сбоку от балкона большую террасу, главное украшение палаццо, выстроенного по проекту Варфоломея Растрелли. По углам террасы стояли часовые с саблями наголо. Другие, с ружьем у плеча, вытянулись цепочкой вкруг здания. По мохнатым шапкам с султаном Самсон узнал лейб-жандармов, личную охрану императора. Значит, где-то неподалеку и сам Наполеон.

Но больше всего Фондорина поразило не это, а огненное зарево, трепетавшее над городом.

Слева полыхали Зарядье и Китай-город.

Тут профессор окончательно пришел в себя и всё вспомнил.

О боже! Этот страшный пожар приключился из-за взрыва химической лавки!

Но почему горит Замоскворечье, расположенное на том берегу?

Ответ подсказали огненные точки, густо летевшие с этой стороны реки на противную. Над Москвой дул сильный северный ветер.

— Господи, неужели это учинил я? — в ужасе воскликнул Самсон.

— Нет, друг мой, — раздался за его спиною голос с мягким акцентом.

То был Анкр, сопровождаемый своим темнокожим служителем. Пораженный зрелищем горящего города, Фондорин не слышал, как они вошли.

Барон продолжил по-французски:

— Вы, разумеется, тоже внесли свою лепту, но пожар начался во многих местах. Пустой, по преимуществу деревянный город, в котором хозяйничают мародеры, не мог не загореться.

Это суждение отчасти умерило отчаянье профессора.

— Почему ваш слуга доставил меня в Кремль?

Он с опаской поглядел на каменное лицо копта, по своему жуткому обыкновению пялившегося вверх.

— Потому что в Кремле расквартирован главный штаб императора. А где император, там и я. В городе, отданном на разграбление, находиться рискованно. Я распорядился доставить вас сюда, в самое безопасное место.

Казалось, фармацевт нисколько не сердится на молодого человека за побег. Француз разглядывал Самсона с несомненным удовольствием.

— Удовлетворите мое любопытство, — сказал он, снимая очки и прищуриваясь от яркого света. — Какой дрянью вы опоили беднягу Атона? Я никак не могу его добудиться. Давал рвотное — не помогло. Натер ноздри хлоридом аммония — мычит, но не просыпается.

Профессор вытаращил глаза.

— Как это «не просыпается»?! Вот же он...

Удивился и барон. Посмотрел на копта, стоявшего за его спиной, пожал плечами.

— Это не Атон, это Хонс. Разве вы не поняли, что у меня двое помощников?

— Как двое?!

— Один дежурит днем, второй ночью. Вы на редкость ненаблюдательны для ученого. — Это открытие почему-то очень расстроило Анкра. — Большой недостаток, чреватый серьезными последствиями.

Однако Фондорин сейчас не был склонен обсуждать свои недостатки, он потребовал разъяснений.

Вот что рассказал барон.

— Это близнецы, сыновья потомственного грабителя древних гробниц — есть в Египте такое ремесло. Местные жители относятся к этой публике с суеверным страхом, считая, что святотатцы навлекают на себя гнев духов. Кстати сказать, общеизвестен факт, что в семьях расхитителей гробниц дети часто рождаются уродами. Вот и эти братья появились на свет с физическими изъянами. Один от рождения слеп, другой глух. Их родителя, однако, это нисколько не опечалило. Глухого сына он воспитал дозорщиком — это очень важная воровская специальность. Дозорщик остается снаружи и должен вовремя предупредить сообщников, если нагрянут стражники либо возникнет иная внешняя угроза. Из-за глухоты у мальчика развилось зрение, как у ястреба, а из своего длинноствольного ружья он стрелял с поразительной меткостью. С таким дозорщиком почтенному отцу можно было никого не опасаться. Еще лучшее применение нашлось для слепого. В подземных катакомбах и темных лабиринтах зрение — плохая подмога. Гораздо важнее острый слух и то особенное чувство, для которого в нашем языке нет определения: способность на расстоянии ощущать преграду, как это умеют летучие мыши. Мальчик обладал этим даром до такой степени, что средь бела дня мог идти по улице, ни на что не натыкаясь. Со стороны трудно было догадаться, что он незряч. Но однажды старый грабитель не уберегся — упал в ловушку, утыканную кольями, и отдал свою грешную душу Аллаху или, может быть, богу Амону (религиозные верования тамошних обитателей довольно двусмысленны). Юноши остались без куска хлеба, ибо руководителем шайки был отец, державший сыновей на роли простых исполнителей. Я встретил их в Фивах на базаре, где они за гроши показывали фокусы: один стрелял в подброшенные кверху орехи, а второй повторял фразы, произнесенные шепотом на другом конце площади. Это показалось мне интересным. Я взял оборванцев с собой, а когда убедился в их смышлености и преданности, занялся ими всерьез.

— Что значит «всерьез»? — спросил Фондорин, слушавший рассказ, будто новую сказку Шахерезады.

— Довел удивительный дар каждого до максимального предела возможности. А также сделал их своими *помощниками*. — Последнее слово барон произнес с особенной значительностью, как если б оно было важным званием или высокой должностью. — Имена, которые они сейчас носят, им тоже дал я. Атон, мой дневной помощник, назван в честь древнеегипетского бога солнца, а Хонс, ночной помощник, в честь сокологолового бога луны. Теперь же, по вашей милости, я остался при ушах, но без глаз! Как мне их вернуть?

Самсон был смущен, но не учтивым упреком, а собственной неприметливостью. Как он мог не увидеть, что днем и ночью его стерегут два разных человека?

— Ничего с вашим Атоном не случится. Поспит до завтра, и проснется. Особенно если натрете ему виски уксусом, — проворчал молодой человек.

В это мгновение Хонс (а никакой не Атон) дернул подбородком, наклонился к уху господина и что-то тихо сказал. Приглядевшись к застывшему взгляду «помощника», профессор досадливо поморщился: в самом деле, как можно было не заметить, что это глаза слепца!

— Я должен вас на время покинуть, мой молодой друг, — проговорил барон, выслушав слугу. — Сюда идет император.

— В эту комнату?!

— Нет, в соседние покои. Я разместился там со своей походной лабораторией, а эту комнату полностью отдаю в ваше распоряжение.

— Откуда ваш человек знает, что сюда идет император?

— Услышал. Хонс не ошибается.

Барон уже шел от балкона к двери, копт следовал за ним.

Раздался громкий стук и неразборчивый голос, что-то недовольно вопрошавший. Кто-то желал войти в помещение, находящееся по соседству.

— Я здесь, сир! Иду! — крикнул Анкр, и профессор остался один.

В волнении смотрел он на закрытую белую дверь, за которой, всего в нескольких шагах, находился сам Бонапарт.

III.

Ах, если б берсеркит был готов! Хватило б нескольких глотков, чтоб разом покончить с язвой, разъедающей тело Европы, пронеслось в голове у Самсона. Но почти сразу же ratio[1] возобладал над темной стихией sentimentum[2].

Во-первых, не в Наполеоне дело, напомнил себе Фондорин. Дело в кудеснике Анкре и его усилителе гениальности. Глупо вырывать стебель, не выкорчевав корня.

Во-вторых, *выкорчевать корень*, то есть заодно убить и фармацевта — способ безусловно действенный, но безнравственный, а значит, неприемлемый для цивилизованного человека. Барона нужно не умертвить (это была бы слишком большая потеря для науки), а обезопасить. Продолжая садоводческую аллегорию — пересадить сей корень в иную почву, где он мог бы дать благотворные всходы.

А в-третьих, нечего убиваться из-за того, чего нет. Ведь берсеркит еще не приготовлен.

Кожаный сак стоял подле кровати нетронутый, но производство богатырского снадобья требовало оборудования для перегонки и фильтрации. Что это барон говорил про свою походную лабораторию?

Из-за двери неслись звуки разговора: один голос звучал сердито, второй примирительно. И хоть Самсон уже решил, что «стебель» для него интереса не представляет, а всё же сердце стучало вдвое быстрей обычного. Подсмотреть было бы слишком неосторожно — дверь могла скрипнуть, но уж услышать, что говорит Великий Человек, казалось легче легкого. Довольно подкрасться к двери и приложить к ней ухо.

---

[1] Разум (*лат.*).

[2] Чувство (*лат.*).

Так он и поступил.

Было слышно каждое слово. Правда, говорил сейчас лейб-фармацевт.

— ...Я не знаю, как следует поступить, сир. Принимать решение в критической ситуации — ваш дар, не мой. Откуда мне знать, что правильней — оставаться в охваченном пожаром городе или уходить? Позволю лишь себе заметить, что вы вряд ли правы, когда обвиняете в поджоге агентов Кутузова. Русские слишком любят Москву, чтобы спалить ее собственными руками.

— Вы ничего не смыслите в войне! — оборвал врача раздраженный баритон, выговаривавший французские слова с акцентом. — Это коварный скифский замысел. Я приказал расстреливать поджигателей на месте безо всякого суда! Ах, Кутузов думает, что я испугаюсь огня и уйду? Черта с два! Я не дам ему испортить мой триумф! Я остаюсь в Кремле, в этой колыбели московского царства! — Император вздохнул и продолжил уже не так бодро. — ...Или же все наоборот: зная мой нрав, Кутузов именно на это и рассчитывает? Хочет, чтобы я назло ему остался в Москве и не пустился бы в погоню за его потрепанной армией?

Анкр терпеливо молвил:

— Не знаю, сир. В вопросах стратегии я дурной советчик. Если угодно, могу дать вам порцию эликсира, хотя с прошлого раза миновало меньше десяти дней. Это слишком мало, вы повредите своему здоровью...

— К дьяволу эту отраву! — в сердцах вскричал монарх. — Меня тошнит от ваших «порций»! Речь сейчас идет не о сражении, где решается судьба Европы. Это обычная логическая задача, и я уж как-нибудь решу ее без химии!

— Как вам будет угодно, сир.

Потом наступило молчание, изредка прерываемое тяжкими вздохами. Вот Наполеон заговорил вновь. Без гнева и раздражения, с глубокой горечью:

— Я был нетерпелив, я делал ошибки, каждая моя битва могла оказаться последней... Но я был свободен! Пока не повстречался с вами... Теперь, вступая в сражение, я спокоен и уверен в победе. Мир — будто кость в моих зубах, и я грызу ее, как мне заблагорассудится. Но зато теперь я похож на пса, которого держат на поводке! Кто ведет меня, Анкр? Вы? Или вы сами поводок, а поводырь кто-то другой?

Голос Великого Человека задрожал от волнения, а может быть, от страха.

— Вы возбуждены, сир. Это всё бессонница и желудочное воспаление. Я дам вам успокаивающих капель.

— К черту! Капли мне даст Юван. По крайней мере, не подмешает в них ничего лишнего!

По паркету загрохотали сердитые шаги. Хлопнула дверь.

Самсон торопливо ретировался к балкону и сделал вид, что смотрит на пожар.

Минуту спустя, постучав, вошел задумчивый барон.

— Хороший вопрос мне задал император. Кто я, в самом деле: поводырь или поводок?

— О чем вы? — изобразил удивление Фондорин.

— А, вы не слышали? Его величество так кричал. Я был уверен, что слова доносятся и сюда... — Анкр тряхнул рукой, как бы оттоняя ненужные мысли. — Неважно... Давайте лучше поговорим о вас. Я еще не имел возможности извиниться, что насильно удерживаю вас при себе. Поверьте, это для вашей же пользы и безопасности. Ваша жизнь для меня слишком ценна.

— Почему?

Ответа на вопрос не последовало.

— Быть рядом со мной в интересах вашего настоящего и вашего будущего, — вместо этого сказал барон витиевато и не очень понятно. — Вас раздражает постоянное присутствие телохранителя? Если вы дадите слово, что больше не попытаетесь бежать, я предоставлю вам полную свободу.

— Не беспокойтесь, я не сбегу. Честное слово. Куда вы, туда и я.

«А куда я, туда и вы», прибавил профессор мысленно.

Анкр пытливо смотрел на него поверх очков своими проницательными глазами.

— Вижу, что вы говорите правду. Отлично. Можете ходить по всему дворцу — разумеется, кроме личных апартаментов императора, но вас туда и не пустят мамелюки с лейб-жандармами. Можете гулять по Кремлю. Я отдам вам свой пропуск. С ним вас не только всюду пропустят, но и окажут любое содействие. Только очень прошу вас не выходить за пределы крепости. Это опасно. Комендант города едва назначен и еще не успел восстановить порядок.

Вскоре фармацевт откланялся, сказав напоследок, что его библиотечка и лаборатория к услугам «юного друга», ежели тому захочется скрасить досуг полезным чтением или какими-нибудь изысканиями.

— А теперь я вынужден вас оставить. У меня есть неотложные дела.

У меня тоже, подумал Самсон, поглядывая на свой сак.

IV.

Всю первую половину дня барон не показывался. Ни один из темнокожих охранников не нарушал уединения Фондорина. Лаборатория Анкра помещалась в одном большом сундуке, легко обращаемом в стол и отлично приспособленном для работы. Здесь имелись все принадлежности, потребные для изготовления берсеркита. К полудню профессор обзавелся достаточным количеством аманита и ингибитора, чтоб воодушевить на подвиги целую варяжскую дружину.

Заодно исследовал содержимое всех ёмкостей, какие нашел в сундуке. В металлических коробочках и банках хранились соли, кислоты, настои, экстракты — одним словом, всё, что может понадобиться фармацевту. Но эти вещества Фондорин хорошо знал. Средь них не обнаружилось ни одного, в котором можно было бы заподозрить пресловутый эликсир.

Всё время, пока ингибитор фильтровался, профессор обдумывал формулу своих дальнейших действий.

Берсеркит готов. Теперь можно справиться с египетскими телохранителями барона, а самого его, принеся извинения, связать, взвалить на плечи и вынести из Кремля. Но что дальше? Всюду часовые. Во время Бородинского сражения он уже пытался прорваться через них, причем без тяжелой ноши на плечах. Ничего не вышло.

Нельзя ли выбраться из дворца каким-нибудь незаметным образом?

И Фондорин пустился в разведку.

Палаты были выстроены в половине минувшего столетия для императрицы Елизаветы. Дочь Петра Великого не любила тесные комнатки и узкие переходы старинного Теремного дворца и повелела возвести по соседству палаццо в итальянском стиле, чтоб было где разместиться во время наездов в Первопрестольную. Однако представления об удобстве и пышности быстро устаревают. По нынешним меркам растреллиевский дворец казался мал и прост для монаршьего пребывания — в особенности для квартиры Повелителя Европы. При виде обветшавшей лепнины и наивных античных барельефов Самсон испытал смешноватое чувство стыда за державу: что подумает Наполеон о величии русских царей, довольствующихся такой скромной резиденцией? Показать бы ему Петергоф или Зимний дворец.

Мысли эти, впрочем, были мимолетные и междудельные. Фондорин обходил стороною парадные коридоры и лестницы, выискивал закоулки потемнее.

Поиски ничего не дали. Примерно половина здания была отведена под личные покои Великого Человека. Туда профессор не стал и соваться. Другая половина кишела свитскими офицерами и прислугой. В каждом чуланчике и даже в антресолях кто-нибудь да разместился.

Поняв, что незаметно вынести связанного человека отсюда никак невозможно, даже под покровом ночи, Самсон в глубокой озабоченности вышел наружу.

Его несколько раз останавливали караулы, но бумага Анкра была подобна волшебной разрыв-траве, пред которой падают любые преграды. Собственноручная записка императора была по содержанию очень похожа на всеполномочный пропуск, полученный профессором от светлейшего, только действовала еще безотказнее. При одном взгляде на подпись гвардейцы вытягивались в струну.

День был не поймешь какой — пасмурный или солнечный. Небо затянулось дымом и копотью, со всех сторон за стенами Кремля вздымалось зарево. Ветер разносил над головою лохмотья сажи и огненные хлопья. Повсюду, даже на крышах, стояли бочки с водой, около них дежурили солдаты. Это-то было понятно, но чего профессор не мог взять в толк — ружейной пальбы залпами, ежеминутно гремевшей где-то совсем неподалеку. Неужто у самых стен Кремля идет бой?

Заинтригованный, он быстро пошел через Троицкие ворота на звуки стрельбы и увидал во рву под мостом ужасное зрелище.

Там расстреливали людей.

Несколько тел уже валялись в грязной жиже, а из караульни по двое подводили новых. Десяток стрелков тем временем заряжали ружья.

Несчастных ставили к кирпичной стене, завязывали им глаза. Офицер по бумажке неразборчиво выкрикивал приказ московского коменданта маршала Мортье о казни поджигателей, потом следовал приказ «Feu!»[1]. Отрывисто ударял залп, из стволов вылетало пламя, наземь с криком или молча валились убитые.

С Троицкого моста за экзекуцией наблюдала довольно большая толпа, состоявшая из военных разных родов оружия.

На Шевардинском редуте Самсон видел много смертей, но то было другое. Здесь, в полувысохшем рву, убивали без горячности и запала, а деловито, буднично, словно исполняли неприятную, но вполне рутинную работу.

Оцепеневший Фондорин не мог ни уйти, ни отвернуться, ни даже отвести взгляда.

У него на глазах комендантский взвод расстрелял три пары смертников, по виду обычных посадских мужиков. Лишь один из них кричал и вырывался, остальные шли на казнь смирно и только бормотали молитвы.

В четвертый раз конвоиры вывели двоих со скрученными за спиной руками. Оба были без бород, но с усами. Тот, что по-

---

[1] Огонь! (*фр.*)

ниже ростом, в поддевке и суконной шапке, плакал. Второй, простоволосый, краснолицый, шел с высоко поднятой головой. У него была бравая осанка, из-под растерзанного армяка просвечивало синее казенное сукно.

Рядом с профессором кто-то сказал:

— Этих взяли при мне, с поличным. Поджигали сенной сарай. Они полицейские. Видите, тот бездельник даже не удосужился снять мундира!

Теперь Самсон и сам разглядел медные пуговицы и шитье на обшлаге. Судя по ним, краснолицый был младшим офицером московской полиции. Что это он застрял в покинутом городе, да еще в форме? Неужто губернатор Ростопчин, грозившийся Москву спалить, но французу не отдать, действительно приказал своим людям устроить пожар? Не может быть...

На этот раз в процедуре произошла заминка — расстрельная команда получила разрешение покурить и запалила трубки.

Фондорин услышал, как простоволосый распекает своего товарища:

— Что сопли распустил, Ляшкин? Держи фасон, не позорь державы! Сейчас будешь в Царствии Небесном. А на французов нам тьфу!

Он ловко плюнул, с пяти шагов попав на сапог командиру взвода. Тот забранился, а зевакам на мосту бравада русского пришлась по вкусу.

— Молодец парень! Ни черта не боится. Такого и расстреливать жалко.

При этих словах профессор вздрогнул. У него же при себе бумага, с помощью которой можно...

— Погодите! — закричал он солдатам, уже встававшим в шеренгу. — Не смейте! Именем императора!

Он протиснулся через толпу и сбежал в ров, размахивая магическим документом.

— Расстрел отменяется, лейтенант! Этих людей я забираю с собой.

Офицер недоверчиво смотрел на него.

— Кто вы такой? Подите прочь! У меня приказ маршала!

— А у меня императора! Вот!

Самсон развернул листок и поскорей сложил его обратно. Проклятая рассеянность! Это была грамота от Кутузова. Письмо от Бонапарта в другом кармане.

— Нет, вот это.

Увидев кривой росчерк на бумаге, лейтенант встал во фрунт и только попросил расписку. Самсон ее немедленно накалякал свинцовым карандашом, подписавшись «Барон Анкр». Пускай потом разбираются, коли будет охота.

— Вам дать конвой, господин барон?

— Сам справлюсь.

Во время, пока решалась их судьба, осужденные вели себя по-разному. Один всхлипывал, боязливо переводя взгляд с лейтенанта на Фондорина. Второй презрительно скривил губы и передразнил непонятную французскую речь:

— Женепёпа-женевёпа, — а потом снова плюнул — теперь уж на голенище профессору.

Но Самсон не обиделся, а поощрительно улыбнулся. Его осенила блестящая идея. Милосердный порыв, ставивший целью спасение двух живых душ, сулил обернуться нежданной пользой. Из такого хвата, как сей полицейский, мог получиться отличный помощник.

Фондорин взял пленников за конец веревки, которою они были привязаны один к другому, и потянул за собой. Малодушного подгонять не пришлось, он прытко засеменил прочь от страшного места. Бесстрашный тоже не упирался, но и суеты не проявлял.

— Ты что за птица очкастая? Чего тебе надо? — спросил он. — Компрене по-русски?

Профессор шепнул:

— Я русский.

— Русский, а французу служишь?! Иуда!

Полицейский попытался лягнуть Самсона ногой — тот еле отскочил.

— Я отечеству служу. Вот, читайте!

Он вынул бумагу, что лежала в левом кармане, поднес к самой физиономии поджигателя. Они уже довольно отошли от рва и могли спокойно объясниться вдали от чужих глаз.

— Вон оно что! Вы, сударь, стало быть, с *заданием*? Для *дела*? Понимаю! — Служивый сверкнул глазами. — Полицейский поручик Хрящов к вашим услугам! Что прикажете — всё исполню! И Ляшкин тоже. Он трусоват, но к делу пригоден. Хожалым состоит у меня в квартале. Мы от своих отстали, вот я и решил француза малость поджарить.

— Но ведь это злодейство — поджигать Москву!

Самсон развязывал путы.

— Я старый архаровец. — Поручик свирепо затряс онемевшими запястьями. — Иван Петрович нам всегда говаривал: «Со злодеями обходись по-злодейски, ребята!» Не будут ироды в Москве жировать! Пусть лучше сгинет. Новую построим!

С упоминанием достопамятного Ивана Петровича облик Хрящова для профессора окончательно прояснился. Долго москвичи будут помнить грозного павловского губернатора Архарова, при котором полиция поддерживала в Москве порядок железной рукой, обходясь «по-злодейски» не только со злодеями.

Хожалый Ляшкин, будучи развязан, пал на колени и поблагодарил своего спасителя земным поклоном.

— Храни тебя Христос, батюшка! До скончания веку стану за твое благородие Бога молить!

— Примите и от меня решпект, ваше... — Поручик поднял густую бровь. — Вы, сударь, в каком чине состоите?

— Я седьмого класса, — назвал Самсон свой ранг согласно академическому табелю.

— Не «благородие», а «высокоблагородие», дура! — рыкнул Хрящов на подчиненного. — Какие будут приказанья, господин подполковник?

Хоть Фондорин был не подполковником, а надворным советником, но не стал поправлять поручика. Военному начальнику он будет подчиняться охотнее, чем статскому.

Не вдаваясь в лишние подробности, знать которые полицейским было ни к чему, Самсон объяснил задачу.

Нужно выкрасть из свиты Бонапарта одного очень опасного человека. Дело трудное. В Кремле полным-полно гвардейцев, вокруг дворца плотная охрана. Как проникнуть внутрь, непонятно.

— Незачем нам туда проникать, — уверенно заявил Хрящов. — Сами скоро вылезут.

— С чего вы взяли?

— Не усидеть им в Кремле. По небу огненные мухи летают, а у Бонапарта там, поди, пушки?

— Да, гвардейская артиллерия.

— Попадет одна искра в зарядный ящик, и улетит враг рода человеческого за облака, туда ему и дорога. Нет, господин подполковник, уйдут они. Глядите, вон уж зашевелились.

Действительно, на Троицкий мост маршевым шагом выходила инфантерия. За ней, стуча по мостовой коваными колесами, выехала батарея.

— Путь им один — через Тверскую улицу на Питерский тракт. Ни в какую другую сторону уже не пройти. Да не прямиком, а переулками, где еще не занялось. Вы, господин подполковник, вот что. — Хрящов вынул из кармана медную загогулинку. — Берите мою дудку. Мы с Ляшкиным за Кутафьей башней засядем. Как вас увидим — станем красться следом. Свистните в дудку — и враз явимся, как конь перед травой.

Вот что значит человек дела! В одну минуту составил простую, четкую диспозицию, без лишних мудрствований.

— Оплошки случиться не должно, — все же засомневался Фондорин. — Дело большущей важности. Нельзя нам его упустить.

— Костьми ляжем!

— Не надо костьми...

Профессор достал из кармана фляжку. Наполнил крышечку, капнул туда ингибитора.

— Выпейте. Это вам поможет.

— Вина не принимаю, — гордо отрезал поручик. — Ежели вам угодно знать мнение старого оберегателя порядка, всё зло на Руси от вина. Отродясь его не пил и не намерен. Я один такой на всю московскую полицию. Сам обер-полицеймейстер про меня говорит: «Хрящов у меня большой оригинал».

— А я, ваше высокоблагородие, не откажусь, — сунулся робкий Ляшкин.

Он опрокинул чарку, крякнул.

— С характером винцо, аж до нутра проняло.

Щеки хожалого порозовели, плечи распрямились, он помолодецки тряхнул головой да как хлопнет начальника по плечу:

— Эх, Федор Иваныч, веди на басурманов! Ляшкин тебя не осрамит!

От приятельского шлепка поручик чуть наземь не брякнулся.

— Сдурел ты, что ли? Откуда и сила взялась!

Фондорин снова наполнил крышку.

— Пейте, поручик. Это приказ.

— Слушаюсь.

Со вздохом, предварительно сплюнув в сторону, Хрящов выпил.

Глаза у него захлопали. Усы встопорщились еще бесшабашней.

— Ух ты! Будто угль горящий проглотил! Так вот оно какое, вино! Теперь я понимаю, отчего пьяному море по колено! Эх, господин подполковник, сгубили вы единственного на всю Москву трезвого полицианта! Дурак я, выходит, что до сорока лет дожил без хмеля. Как Бог свят, запью!

— Сначала мы должны исполнить задание. Главное — держитесь неподалеку. Как только представится случай, я засвищу. Не отстанете?

— Хоть на крыльях летите — не отстанем, — пропел поручик, поглаживая молодецкую грудь. — Ох, душа в пляс просится! Еще глоточек не дозволите?

— Будет с вас. А то, чего доброго, сами улетите.

V.

— Как хорошо, что вы вернулись! Я уж хотел отправлять на поиски Атона. Кстати, благодарю за совет насчет уксуса — это простое средство помогло разбудить беднягу.

Анкр поджидал профессора в коридоре. Здесь же стоял его сундук, уже сложенный.

— Мы покидаем Кремль. Он превратился в остров, со всех сторон окруженный пламенем. Маршал Мортье готовит для императора загородный дворец к северо-западу от города. Идемте! Пора грузиться в повозку.

— Я был снаружи, и вот вам мой совет: лучше идти пешком. Лошади испугаются огня и треска, начнут метаться. Ваши копты достаточно сильны, чтобы тащить сундук с лабораторией?

Самсон сказал это так, словно мысль только что пришла ему в голову. Если б отделить барона от его телохранителей, это чрезвычайно облегчило бы задачу!

— Вы правы. Атон с Хонсом выносливы, как сахарские верблюды. Они потащат и лабораторию, и книги. А мы с вами пойдем рядом и обсудим химическую природу пламени. Вы на чьей стороне в этом вопросе, друг мой? Шталя или Лавуазье?

— Конечно, Лавуазье, — ответил профессор, слегка покраснев от обращения «друг мой». — Однако должен вам заметить, что первым флогистоновую теорию подверг сомнению вовсе не Лавуазье, а Ломоносов.

— В самом деле? Я этого не знал.

Ученая беседа продолжилась и после того, как, вслед за пехотой и артиллерией, в путь тронулся императорский кортеж, сопровождаемый кавалерией. Конникам пришлось спешиться и вести лошадей под уздцы, успокаивая их, а некоторым замотав голову попоной. Вокруг всё пылало, рушилось, трещало и стреляло. Солнце не могло пробиться сквозь дым и пепел, воздух был цвета расплавленного золота.

Как и рассчитывал Фондорин, нестроевая челядь — слуги, повара, обозные и, разумеется, медики — плелась в самом конце длинной процессии.

Двигались медленно, делая причудливые зигзаги в обход жарко пылавших кварталов. Иногда приходилось останавливаться и ждать, пока в голове колонны саперы расчищают завал или отвоевывают у огня лазейку.

Без особенного труда профессор устроил так, что они с Анкром оказались позади всех. Фондорин делал вид, что очень увлечен дискуссией, в особенно интересные ее мгновенья он хватал собеседника за рукав, и они застывали на месте. Потом, как бы опомнившись, Самсон шел дальше.

Его тайные сообщники все время держались неподалеку. Красная, пышущая жаром физиономия поручика Хрящова то возникала за углом обгоревшего дома, то выглядывала из-за ограды, а иногда высовывалась прямо из пламени.

Наконец профессор утянул ничего не подозревающего фармацевта на позицию, далее которой пятиться было невозможно. Два гвардейских гренадера, которым было поручено подгонять отстающих, при малейшей остановке вежливо, но решительно просили господ лекарей не задерживаться.

Тогда Фондорин прибег к новой хитрости. Он споткнулся на ровном месте, вскрикнул и схватился за щиколотку.

— Проклятье, я подвернул ногу!

Сделал шаг, сделал другой и остановился.

— Боюсь, что не смогу идти дальше. Я растянул tendo[1]... Вечная моя неловкость! Тысяча извинений, барон.

Как тому и следовало, Анкр предложил:

— Давайте я перетяну вам голеностопный отдел. Вытяните ногу, я сниму сапог.

Однако гренадеры не позволили останавливаться.

— Прошу извинить, но у нас строгий приказ. Нельзя отставать ни на шаг.

Барон рассердился:

— Мой молодой друг не может идти. Разве вы не видите?

— Тогда мы понесем его. А вы ступайте вперед и остановите какую-нибудь из повозок.

— Так и сделаю. Обхватите за плечи этих молодцов, друг мой. Они о вас позаботятся. И дайте вашу сумку.

Анкр чуть не силой отнял у Фондорина сак и быстро пошел вперед, догонять колонну, уже скрывшуюся в дыму.

---

[1] Сухожилие (*лат.*).

Такой поворот дела профессора совершенно не устраивал.

— Сейчас, сейчас, только подкреплю силы, — пробормотал он и поскорей налил в крышечку мухоморного зелья.

— Сударь! — крикнул он, чтобы фармацевт остановился. — Дайте досказать, а то я забуду! Я как раз желал коснуться различия между дефлаграционным и детонационным типами распространения огня!

— Это очень интересная тема, и мы обязательно ее обсудим. Однако сначала я должен устроить вас на покойное место, — с улыбкой сказал барон.

Самсону показалось, что вторую фразу Анкр произнес с неестественной протяжностью, а поворачивался, чтобы идти дальше, долго-предолго. И вообще жизнь вокруг словно бы замедлила и приглушила свое течение. Языки пламени над крышами закачались плавнее, летящие в воздухе искры сделались похожи на медлительных светлячков.

Берсеркит действовал!

В груди у Фондорина расправила крылья могучая хищная птица, жаждущая взлететь в небо, чтоб оттуда молнией ринуться на добычу. В ушах жарко застучала кровь, мысли тоже ускорились — словно перешли с шага в галоп.

Всё шло великолепно. Кира Ивановна, всегда называвшая мужа «mon empoté»[1], могла бы им гордиться. Как ловко он всё устроил! Как искусно разрешил все трудности и обошел все препятствия!

Человек, от кого зависела судьба Европы, находился в полной власти хитроумного профессора. Злой гений Бонапарта не успел отойти и на двадцать шагов. Он переставлял ноги очень медленно, у него не было ни одного шанса сбежать от крылатого Самсона и его быстрых помощников.

То, что казалось невозможно трудным и маловероятным, теперь представлялось сущей ерундой. Фондорин схватил гренадеров за плечи, сам подался назад, а солдат дважды стукнул друг об дружку головами. Не очень-то и сильно, но от

---

[1] Мой недотепа (*фр.*).

первого удара с французов слетели меховые шапки, а после второго, сочного да трескучего, оба повалились без памяти. Тела еще не коснулись земли, а профессор уже дул в полицейскую дудку.

На пронзительный медный свист фармацевт начал поворачиваться. Его лицо постепенно, будто с натугой, меняло выражение: брови выползли на лоб из-под изумрудных очков, рот приоткрылся.

Сбоку, из дыма, из копоти к барону с невероятной (Самсону показалось — самой обыкновенной) скоростью поспешали две черные тени.

— Берегись! — по-русски закричал профессор — конечно, не Анкру, а своим. Спереди из пыльного облака плавно, будто рыба из омута, вынырнул еще один гренадер с ружьем наперевес. Должно быть, его насторожил звук свистка.

Тени моментально разделились. Одна, пониже, устремилась на солдата. Вторая (то был Хрящов) продолжила движение к барону. Вдруг Самсон увидел, что в руке у поручика зажат саперный тесак, видно подобранный где-то в развалинах.

— Не смей! Нельзя-а-а!

Да поздно. Острый клинок вонзился Анкру в живот чуть не по самую рукоятку и остался там торчать. Переломившись пополам, фармацевт пал наземь. Выпавший из его руки сак откатился в сторону.

Самсон схватился за голову.

— Что ты натворил, дурак?!

Поручик оглянулся. На его багровой физиономии сверкали бешеные глаза.

— Вы сами сказали, он опасен! Вот я его и...

Конец фразы заглушили два выстрела, грянувшие почти одновременно.

Выпалил из ружья гренадер, целя в бегущего на него Ляшкина, но тот увернулся от пули и ударом кулака сбил француза с ног.

Второй выстрел грянул снизу. Фондорин не сразу понял, откуда. Лишь когда Хрящов, взмахнув руками, без крика упал, стало видно, что барон приподнялся и в руке у него дымится карманный пистолет.

— Ваше благородие!!! — заорал Ляшкин, поднимая с земли ружье. — Ах ты, гадина!

С искаженным лицом хожалый бросился на раненого фармацевта, выставив вперед штык.

Но профессор уже опомнился. Он и так слишком промедлил. Довольствовался ролью зрителя, а тем временем события приняли роковой оборот!

— Стой! Не добивай его!

Штык сверкнул над распростертым бароном. Самсон бежал, но уж видел, что не поспеет остановить удар.

— А ну вас! — Не опуская ружья, Ляшкин коротко обернулся. — Порешу собаку, за господина поручика! Какой человек был!

И тут Фондорин увидел такое, что споткнулся на бегу. Небыстрым, но твердым движением Анкр выдернул из своего живота тесак, повернул его и снизу вверх воткнул полицейскому в подвздошье. Широкая полоса стали дюйм за дюймом погружалась в тело. Ляшкин выронил ружье, закачался.

Страшней всего профессору показалось то, с каким выражением лица барон поднимался с земли. Весь мундир спереди у него был залит кровью, однако Анкр вовсе не выглядел умирающим — лишь раздосадованным. Он толкнул зарезанного хожалого, тот повалился. Тогда фармацевт разорвал на себе жилет и рубашку. Обнажилась ужасная рана, из которой высовывались внутренности. Барон запихнул их обратно и сердито топнул ногой.

— Помогите мне! — молвил он недовольно, но безо всякого волнения. — У вас в сумке есть медицинская игла с жилами? Надобно зашить, а то нехорошо.

В ужасе Самсон попятился. Снова споткнулся — о валявшийся на земле сак. Подхватил его, прижал к груди — будто щитом закрылся.

— Черт, как больно, — пожаловался Анкр, роясь пальцами в ране. — Желудок пополам. И поперечная ободочная кишка, кажется... Да не стойте же, помогите!

Подавившись криком, профессор бросился бежать. В дым, в огонь, хоть к черту в преисподнюю — только бы подальше от этого господина, деловито роющегося в собственных внутренностях.

— Вернитесь! Куда вы? — неслось вслед. — Вы же дали слово!

VI.

Если бы не берсеркит, Фондорин нипочем не выбрался бы живым из лабиринта улиц и переулков, где всё вокруг горело и рушилось, где нечем было дышать, а сверху поминутно сыпались куски кровли и осколки стекла. Нелегкая эта задача — уворачиваться, отскакивать, перебегать в безопасное место — полностью поглотила физические и умственные силы профессора. Несколько раз он оказывался в ловушке, отовсюду окруженный ревущим пламенем, но все-таки умудрялся в самый последний момент выбраться.

Эту местность, расположенную совсем недалеко от Университетского квартала, он очень хорошо знал, но Москва столь грозно преобразилась, что невозможно было понять, куда именно загнала беглеца огненная метла пожара. То ли какой-то из Кисловских переулков, то ли Калашный.

Относительный просвет отыскался только на бульваре. Иные из тополей горели, но по крайней мере можно было бежать по аллее, не задыхаясь.

Фондорин попробовал собраться с мыслями.

Приходилось признать, что он потерпел поражение, тем более ужасное, что причина его была необъяснима. Хуже: *непостижима.*

Кащей действительно оказался бессмертным! После такого удара человек не может остаться жив, да еще и уложить двух противников, причем не простых, а воодушевленных варяжским зельем!

Всякий другой на месте Самсона не усомнился бы, что это волшебство, но не таков был профессор Фондорин. Он не признавал ничего сверхъестественного, необъяснимого и непостижимого, недаром же его девиз был omnia explanare[1].

Поразительная живучесть лейб-фармацевта наверняка имела какое-то естественнонаучное объяснение!

И Самсон его нашел.

Барон владеет тайной гипермнетического эликсира, сиречь химического состава, способного многократно увеличивать мощь мысли. Не резонно ли предположить, что это не единственное секретное снадобье, разработанное выдающимся ученым? Раз уж Фондорину в его двадцать четыре года принадлежит целая россыпь изобретений и открытий, то Анкр, муж преклонных лет и необъятных познаний, наверняка успел достичь много большего. Очень вероятно, что он озаботился собственным физическим здоровьем и телесною крепостью — к тому его обязывает почтенный возраст. Судя по легкости, с которой барон перенес ранение, плоть старца укреплена каким-то особенным средством, защищающим ткани и внутренние органы, подобно панцирю. Вот бы узнать рецепт!

Оформив сию гипотезу, пускай смелую, но во всяком случае отвергающую мистицизм, Фондорин несколько успокоился и стал размышлять дальше. Проигранный бой еще не означает поражения в войне. Да, противник оказался сильнее, чем предполагалось, но это не причина для капитуляции. Наивно было рассчитывать, что таким простым оружием, как берсеркит (к тому же известным Анкру), удастся совладать с этим титаном. Думал перекинуть его через плечо, будто Степан Разин персиянку, и унести в русский стан. Смешная, непростительная самонадеянность! Нет, здесь надобны оружие позамысловатей и маневр посложнее.

Что ж, арсенал у Самсона был еще не исчерпан. На всякий панцирь сыщется свой булат. Против одного химического средства можно испробовать другое.

Для этого профессору нужно было попасть в лабораторию. Иными словами, вернуться к первоначальному плану, состав-

---

[1] Всё разъяснить (*лат.*).

ленному еще в Ректории и нарушенному внезапным появлением Атона, то есть Хонса.

Война ученых умов продолжится.

Помешать могло одно: пожар. Та часть города, куда направлялся Фондорин, тоже была затянута черным дымом.

Но, выйдя к Страстной площади, Самсон вздохнул с облегчением. Причудливая геометрия огненной геенны, направляемой прихотью ветра, опалила всю правую сторону Тверской улицы, но обогнула левую. Дворец Разумовских, на который у Самсона ныне была вся надежда, стоял нетронутым.

Колонна отступающих пред пламенем французов уже проследовала дальше, в направлении Петербургского тракта. Улица опустела. За распахнутыми воротами усадьбы не было ни души, лишь скалились с тумб недавно поставленные каменные львы.

Сколько раз Фондорин проходил меж сих чудищ, будто специально поставленных здесь, чтоб охранять тайную лабораторию графини Мари-Гри.

Прелестная Марья Григорьевна Разумовская доводилась невесткой графу Алексею Кирилловичу, высокому покровителю профессора. Насколько министр не выносил своего непутевого брата Льва Кирилловича, которого вся Москва фамильярно звала *comte Léon*, настолько же привечал его жену. По части легкомыслия и экстравагантности она не уступала мужу, но, как любил повторять умнейший Алексей Кириллович, «что привлекает в мужчине, отвращает в женщине *et vice versa*»[1]. Сведя своего питомца с очаровательной графиней, он желал сделать подарок обоим — и в том преуспел. Свел он их не в каком-нибудь предосудительном смысле (Мари-Гри при всей живости нрава была целомудренна, профессор тем более), а исключительно в научном.

Помимо прочего Алексей Кириллович еще исправлял должность президента Société Impériale des Naturalistes de

---

[1] Наоборот (*фр.*).

Moscou[1], а также одним из виднейших ботаников империи. Выведенные в его оранжереях (не без помощи Самсона Даниловича) породы цветов славились на всю Европу. Марья Григорьевна, постоянно соперничавшая с другими львицами большого света по части нарядов, драгоценностей и прочих атрибутов дамской победительности, однажды, перед особенно важным балом, попросила «милого Алексиса» изготовить для нее аромат, пред которым поблекнут парфюмы княгини Трубецкой и графини Шереметьевой. Алексей Кириллович прислал к свояченице Фондорина.

Разгром соперниц подготавливался в сугубой тайне. Повсюду были шпионы, которым платились огромные деньги за сведения о туалете, башмачках, украшениях и духах, которыми намерены блеснуть на балу главные фигурантки. Марья Григорьевна по сю пору страдала, вспоминая свой позор семилетней давности. Тогда она явилась на бал по случаю высочайшего тезоименитства в дивном наряде, тайно доставленном из Парижа. Изюминкою туалета был султан из перьев розового фламинго. А подлая толстуха Кики Оболенская, узнав о том от предательницы-камеристки, приехала в карете, лошади которой были украшены точно такими же перьями...

Вот почему для изготовления секретного оружия была устроена потайная лаборатория, о которой не знал никто кроме мастеровых, сразу же по окончании работ безвозвратно сосланных в один из дальних уральских заводов ее сиятельства.

В кабинет вел ход из большой каминной, прямо через очаг. Профессору было велено не стесняться в средствах, и он устроил химическую лабораторию, равной которой, наверное, не имелось в мире. Тут было всё что угодно вплоть до платинового порошка, потребного для катализации, и алмазной крошки для тонкоабразивной обработки. О подобных роскошествах обычный ученый не смеет и мечтать.

---

[1] Московское императорское общество испытателей природы (*фр.*).

Духи получились на славу, врагини Марьи Григорьевны были посрамлены, но за одним важным балом последовал другой, еще более важный. Появиться там с ароматом, всем уже знакомым, было немыслимо — и Фондорин получил заказ на новый шедевр. Вознаграждение значительно превысило профессорское жалованье, и это было кстати, ибо Самсон из принципа отказывался принимать воспомоществование от отца. Помимо денег заказы графини позволяли в тиши и покое пользоваться чудесной лабораторией. Работа над духами была необременительна, и оставалось довольно времени, чтобы вести собственные исследования — за счет щедрой покровительницы.

Великолепный дворец был пуст. Повсюду виднелись следы поспешного отъезда: опрокинутая мебель, осколки оброненного в спешке фарфорового сервиза, позабытые ящики. Судя по тому, что ящики стояли целыми, мародеры сюда еще не добрались.

Самсон поднялся в верхний этаж по мраморной лестнице, украшенной античными фигурами, прошел гулкой анфиладой до большой каминной, повернул секретный рычаг и оказался в своем чудесном, уютном кабинете, сокрытом от бурь и несуразностей внешнего мира. В сей уединенной обители высокой науки царили разум и гармония. Наконец-то профессор мог вздохнуть с облегчением. Здесь никто его не потревожит, никто не обнаружит. Страшиться более нечего. Пожар в этой части города уже отбушевал и утих. Оказавшись средь милых реторт и аппаратов, Фондорин ощутил себя сильным, уверенным, мощным воителем, которому предстояло изготовиться к новой схватке с грозным противником.

Но перед тем как выковать себе меч и доспехи (в аллегорическом, разумеется, смысле), нужно было позаботиться о физических условиях существования. Работа предстояла сложная и долгая.

Из имевшихся в наличии белковых веществ, сахару и эссенций Самсон заготовил потребное количество противного на вкус, но питательного желе. В серебряном баке был достаточный запас дистиллированной воды.

Другой физической необходимостью являлся нужник. Очень возможно, что выйти наружу из тайника будет не всегда возможно, а разводить в лаборатории грязь недопустимо. Эту нехитрую, но довольно занятную задачку профессор решил быстро. В ведро из-под медного купороса намешал растворителей, добавил некоторое количество негашеной извести — получилось полезнейшее изобретение, которому несомненно обрадуются современники.

А уж после всего этого, подкрепившись, Фондорин стал обдумывать, каким оружием можно одолеть врага.

Арсенал средств, пригодных для войны, у Самсона был невелик. Кроме мухоморного настоя ученый ничего воинственного не изобрел, да и берсеркит в свое время был разработан по необходимости. Профессор всегда почитал безнравственным использовать науку в услужение хищным инстинктам человечества.

Но природа жестока, слабый у нее обречен на уничтожение. Слабый — это тот, кто недостаточно вооружен.

Сии азбучные истины известны любому природоведу. А всякому знатоку человеческого общества, каковым мнил себя Фондорин, понятно, что мир людей подвластен закону натуры.

С одним важным различием, сказал себе профессор. Ежели у антилопы нет зубов и когтей, коими она может защититься от льва, и единственный способ ее спасения — бегство, то homo sapiens при нужде может вырастить себе и зубы, и когти. Иначе какой же он sapiens?

Главное оружие злой силы, терзающей отчизну, — тайное Знание, которым владеет барон Анкр. Означает ли это, что Знание являет собою зло? Вовсе нет. Знание не может быть ни злым, ни добрым. Оно прекрасно и бесстрастно, как самое жизнь. В злонамеренных руках оно становится орудием разрушения; в руках добрых — инструментом созидания.

Ergo, страшным преступлением было бы уничтожить лейб-фармацевта, а с ним и Знание. В этом Фондорин, невзирая на постигшее его фиаско, остался неколебим. Нужно захватить Анкра и понудить его раскрыть секрет эликсира.

Вот в чем ошибка предшественного плана. Он смешал две задачи, которые решаются разными средствами.

Очевидно, что Самсону в одиночку и даже с какими-нибудь случайными помощниками пленить барона вряд ли удастся. Анкр слишком силен. Чтоб его похитить, вероятно, понадобится целая воинская операция. А значит, не обойтись без фельдмаршала Кутузова. Светлейший должен узнать, сколь важная фигура — личный аптекарь Бонапарта. У государства на службе много мужей храбрых и опытных в ратном ремесле. Если Михайле Илларионовичу всё объяснить, он может прислать хоть полк, хоть целую дивизию.

Но взять Анкра — полдела. Нужно еще, чтобы он поделился своею тайной. Не пытать же пленника, понуждая к признанию. Не в средневековье живем. А по своей воле лейб-фармацевт вряд ли откроет секрет, ибо человек он твердый и непугливый.

Пусть государство разлучит барона с французским императором (уже одно это переломит ход кампании), а выудить тайну должен Фондорин, призвав себе на помощь науку.

Как заставить человека с твердым сердцем (то есть *твердым мозгом*, ибо сердце здесь ни при чем) сделать то, чего он не хочет?

Едва Самсон мысленно проговорил это, как всё ему стало ясно. В тысячный раз подтвердилось: правильно сформулированный вопрос — половина ответа.

Твердый мозг нужно размягчить!

Молодой человек так обрадовался озарению, что исполнил довольно хищный танец, виденный им на острове Эспаньола во время кругосветного плавания. Заскакал и запрыгал вокруг стола, будто колдун вокруг костра. По наборному дубовому паркету застучали каблуки.

Ну конечно! Модестин!

VII.

Препарат, название которого Самсон произвел от латинского слова modestia[1], пока находился в стадии прожекта.

Обретаясь на только что помянутом острове Эспаньола, где власть захватили мулаты и освобожденные рабы, Фондорин заинтересовался поразительным явлением, с которым нигде больше не сталкивался. Чернокожие колдуны умели повергать мозг человека в особенное состояние полупарализованности, когда воля совершенно подавлялась, но все физические возможности тела оставались незатронутыми. Колдун мог повелевать своею жертвой (на местном наречии они назывались «зомби»), как ему заблагорассудится. Скажет: сделай то-то — сделает; прикажет прыгнуть со скалы — прыгнет. Туземцы полагали, что зомби и не люди вовсе, а ожившие мертвецы, в которых поселилась частица души чародея.

Самсон Данилович попробовал найти этому волшебству научное истолкование — и чудо, конечно же, не замедлило разъясниться.

В ходе наблюдений удалось выяснить, что процесс *зомбации* состоит из двух этапов. На первом колдун подвергает свою жертву так называемому coup de poudre[2], вводя в открытую ранку некий порошок. Человек от этого впадает в состояние, внешне напоминающее смерть: сердце почти не бьется, дыхание делается неуловимым. Потому-то окружающим и кажется, что это уже мертвец. Некоторое время спустя колдун пускает в дело другой порошок, от которого «покойник» воскресает, но уже не может пользоваться той частью мозговой коры, что отвечает за свободу выбора. Зомби делает только то, что приказывает ему знахарь. Если не повторять сеансы, через некоторое время дурман рассеивается.

Всё это было необычайно интересно. За некоторую не столь великую плату Самсон раздобыл оба порошка. Анализ первого

---

[1] Послушание (*лат.*).

[2] Пороховой удар (*фр.*).

обнаружил присутствие тетродотоксина — парализующего яда, который Фондорину уже встречался в виде секреции японской рыбы фугу. Второй оказался перетертым корнем растения Datura stramonium, которое произрастает в Индии и центральной Америке. Аскеты садху и амазонские шаманы используют его в различных обрядах как сильное галлюцинаторное средство, но нигде кроме Эспаньолы датурин не совмещают с тетродотоксином. Воздействие двух этих субстанций и порождает зомбацию.

Практический ум Самсона сразу попытался извлечь из колдовского изобретения какую-нибудь общественную пользу. Например, оно отлично бы подошло для усмирения нрава у неисправимых злодеев. Уж во всяком случае это милосердней смертной казни. Фондорин захватил оба порошка с собою (они и сейчас лежали в саке), но вывести на их основе медицински корректный препарат пока еще не собрался — слишком много было других увлекательных дел. Куда торопиться? Вся жизнь впереди. И вот время приспело.

Модестин может быть жидким или порошкообразным, тогда его удобно подмешать в питье. Еще эффективнее сделать его газообразным. Это позволит ввести препарат назально — вдуть Анкру через ноздри во время сна. А потом, когда формула эликсира раскроется, барона нужно будет вернуть в нормальное состояние. Столь острому уму необходима свобода.

Между прочим, стоит подумать, передавать ли секрет эликсира государству. Хоть оно и свое, российское, а тоже злодеев хватает. Неизвестно, как они распорядятся таким могучим средством. Не вышло бы хуже, чем с Бонапартом...

Это, однако, были материи философические, их профессор решил оставить на потом. Пока же предстояло исполнить работу кропотливую, техническую. На Эспаньоле, где жизнь дешева, чернокожих колдунов нисколько не смущала высокая смертность среди кандидатов в зомби. Три четверти несчастных жертв обычно не доживали до второго этапа зомбации, «воскресения» вслед за «пороховым ударом» не происходило. Применительно к выдающемуся ученому Анкру (к тому же человеку весьма немолодому) столь малая вероятность успеха была совершенно неудовлетворительной. Подвергнуть жизнь и здоровье гения хоть какому-то риску представлялось профессору преступлением.

Из сего вытекало, что главной целью предстоящей работы будет не синтез модестина, а его очистка.

И Фондорин с наслаждением занялся любимым делом.

Профессор давно уже открыл в себе удивительную особенность: будучи поглощен лабораторными изысканиями, он переставал замечать течение времени. Мог не спать, не есть, не пить и замечал смену суток лишь по освещению — когда приходилось зажигать или гасить лампы. Здесь же, в склепе, не было и этого.

Воздух поступал в тайник через узкую бойницу, прорубленную в нише стены. Там находилось оконце, спрятанное в завитках лепнины фасада. Если становилось душно, Самсон на минуту отрывался от стола и открывал раму. Если тянуло дымом или дуло — снова закрывал. Кажется, по временам во дворе было светло, а по временам темно, но поручиться в том он не смог бы.

День или два спустя, когда подходила к концу третья фаза очистки, Самсон с неудовольствием почувствовал, как что-то мешает ему полностью сконцентрироваться на процессе. Назойливые звуки, длившиеся уже некоторое время, доносились через оконце, на ту пору открытое. Значит, нужно его захлопнуть.

Досеменив до ниши, Фондорин выглянул наружу. В прежние разы, когда он подходил к окошку, двор и улица всегда были пусты. Ныне же у парадного входа галдела ватага каких-то субъектов, частью одетых в мундиры разных полков неприятельской армии, частью в статском платье. Вся пестрая компания профессору была не видна, но, судя по производимому гаму, насчитывала с дюжину человек. Он хотел закрыть створку, чтобы не слышать шума, но тут во двор через распахнутые ворота въехало открытое ландо, в котором, подбоченясь, восседал смуглый черноусый молодец в зеленом гусарском доломане и золотой архиерейской митре, лихо сдвинутой набок. К нему льнула свежая, сильно нарумяненная брюнетка, одетая в великолепное бальное платье с глубоким декольте; белые ее плечи и тонкую шею прикрывала шелковая шаль.

— Ну что тут? — громко сказал гусар-архиерей на нечистом французском, оглядывая дворец. — Не тронуто? Проверяли?

— Без тебя мы не заходили, Луи, но здесь еще никто не побывал. Мы ждали только тебя, Людвиг! Я первый обнаружил это палаццо, Лодовико! — ответил ему хор разноплеменных голосов.

— Молодцы, ребята. Все за мной!

Черноусый спрыгнул и галантно подал руку своей спутнице. Но когда она грациозно оперлась о его ладонь, вдруг с хохотом перехватил ее поперек талии, с размаху шлепнул по заду, перевернул (платье задралось, мелькнули полные ноги) и ловко поставил на землю. Орава разразилась веселыми восклицаниями и хохотом. Звонче всех смеялась сама дама, ничуть не смущенная подобным обхождением.

Все, включая кучера, с топотом и криками ринулись по лестнице в дом.

Это несомненно была шайка мародеров, вернувшихся в город, как только начал утихать пожар. Опасности для Фондорина они не представляли, ибо обнаружить его убежище никак не могли. Пограбят и уйдут, черт с ними.

Он затворил оконце и вернулся к работе.

Прошло еще сколько-то времени (час или два — не больше, потому что третья фаза очистки еще не закончилась), и профессор вновь был вынужден оторваться от работы.

Ему опять мешали посторонние звуки, очень настырные и, что особенно неприятно, раздававшиеся где-то близко. Грохот, крики, громкие разговоры. Самсон попробовал игнорировать помеху, но сосредоточиться на деле было невозможно. Тогда он вздохнул и стал прислушиваться.

Шум несся из каминной, то есть профессора отделяла от буянов лишь стена с потайной дверью.

Чтоб понять, скоро ль закончится безобразие, он подошел к смотровому отверстию. Оно было вырезано в зеркале, укрепленном над камином. Графиня Мари-Гри требовала, чтоб всякий раз, прежде чем покинуть секретную лабораторию, профессор проверял, нет ли снаружи кого-нибудь из слуг.

Сердито пыхтя, Самсон прижался лбом к стеклу.

VIII.

Картина, которую он увидел, раздосадовала его еще пуще. Похоже, что шайка решила обосноваться в пустующем дворце надолго, а в каминной пожелал разместиться главарь со своею подружкой. Сей Луи-Лодовико-Людвиг разглядывал добычу, которую товарищи сносили сюда со всего дома, и сортировал ее в зависимости от ценности: серебро в один угол, меха в другой, драгоценную посуду в третий. Брюнетка принимала в разборе самое заинтересованное участие. Все называли ее La Persienne[1], однако, судя по говору, она была не персиянкой, а самой настоящей парижанкой. Своего предводителя дезертиры звали «капитаном» и слушались беспрекословно.

— Шикарное здесь местечко, — сказал Капитан, когда кроме него и красотки в комнате никого не было. — Лучше не бывает.

— Ах, Ло, — жеманно отозвалась брюнетка. — Ты еще не видал нашего дворца на rue de Basmannaya! Он принадлежит принцам Гагариным, это первейшая фамилия империи! Какой я там имела успех, если б ты видел! Во время Maslénnitza — это русский mardi gras — зал рукоплескал моим куплетам целых десять минут!

По этим словам Фондорин догадался, что прелестница, верно, прежде состояла во французской труппе мадам Бюрсей, последнее время выступавшей в гагаринском дворце. Догадку подтверждала и внешность: подведенные брови, игривый взгляд, сочная мушка на щеке. Бальное платье, очевидно, было прихвачено из какого-нибудь барского дома.

---

[1] Персиянка (*фр.*).

Бравый гусар оборвал сладостные воспоминания своей подруги:

— Дура! Плевать мне на роскошь. Здесь довольно места, всего одна дверь, из крепкого дуба, и на ней два засова, снаружи и изнутри. Мы перевезем сюда всё, что добыли. Ты будешь находиться здесь безотлучно. А с той стороны, когда меня нет, будут по очереди дежурить Джузеппе и кривой Шульц. Джузеппе мне кузен, а Шульц слишком туп. Их можно опасаться меньше, чем остальных.

В течение дня грохот всё не смолкал. Грабители привезли откуда-то несколько повозок, груженных ящиками, коробками, тюками, и перетащили всё добро в каминную. Вечером банда устроила гулянку в столовой, что располагалась в сопредельной зале. Это дало Фондорину некоторую передышку, ибо звуки несколько отдалились. Профессор смог благополучно завершить третью фазу очистки и приступить к четвертой, но глубокой ночью мука началась сызнова.

Капитан и Ля-Персьенн вернулись с пира к себе, заперлись и начали предаваться распущенности, да так громогласно, что работать под этот кошачий концерт стало невозможно. Профессор даже позволил себе заглянуть через зеркало — что это они там вытворяют. Был потрясен. Ну и дикость, ну и скотство! Какое счастье, что любовный напиток избавляет просвещенную чету Фондориных от воспоминаний о низменной стороне супружества!

В конце концов он заткнул уши ватой, только тем и спасся. Ничего не поделаешь, к утомительному соседству следовало привыкать. Эти вандалы обосновались надолго.

Лишь ранним утром Самсон Данилович мог наслаждаться тишиной и покоем. В прочее время суток то и дело хлопала дверь, шайка крикливо решала свои разбойничьи дела, а оставаясь вдвоем, Капитан и Персиянка либо шумно совокуплялись, либо столь же неистово бранились.

Правда, днем смуглый красавец и его банда отправлялись рыскать по уцелевшим кварталам города в поисках новой добычи. Актерка оставалась в зале одна, сторожить сокровища.

Но, видно, главарь и ей не очень-то доверял. Как понял профессор, снаружи постоянно стоял караульный, а дверь была заперта на два засова: часовой не мог войти, а женщина не могла выйти.

Казалось бы, отдохни, помолчи — в одиночестве-то. Как бы не так! Проклятая Персиянка и минуты не могла усидеть на месте. Она часами рылась в сундуках с добычей, перебирая узорчатые ткани и звеня металлом, примеряла наряды, да всё не втихомолку, а с громкими песнями и даже танцами. Вскоре Фондорин уже знал наизусть весь ее репертуар. Особенно мерзавка полюбила каминное зеркало. Она подолгу торчала перед ним, надевая и снимая бессчетные ожерелья, золотые цепи и меховые боа. Однажды профессор, в совершенном изнеможении, застыл перед кокоткой, отделенный от нее всего несколькими дюймами, и долго с ненавистью разглядывал ее глупую смазливую физиономию. Киру бы сюда. Она бы эту субретку давно прикончила и в камине сожгла, думал он, в сотый раз слушая песенку о бедняжке Жужу и драгуне из Анжу.

В тот самый день, когда изнемогший Самсон так ненавидел певунью-Персиянку, случилось ужасное событие, словно бы накликанное чудовищной (хоть и фигуральной) мыслью о камине.

Верней, это произошло уже ночью. У профессора как раз началась самая работа — скоты в соседней комнате, усладив свою похоть, наконец уснули. Раствор модестина понемногу обретал должный вид. Еще одна перегонка, и корректный, совершенно безопасный препарат будет готов.

Вдруг из-за стены грянул звериный рык, и сразу завопило несколько луженых глоток. Невыносимо высокий женский визг присоединился к этому сатанинскому хору. Как ошпаренный, чуть не опрокинув реторту, Фондорин бросился к своему наблюдательному пункту.

В зале не горели свечи, но пылал камин, поэтому ни одна подробность ужасного зрелища не скрылась от взгляда профессора. Начало сцены он упустил, однако ход событий восстанавливался без труда.

Один из участников банды, бородатый мужчина в собольей накидке с обрезанными рукавами (Самсон видал его и раньше), как-то сумел отодвинуть запертый засов и прокрался в комнату. Должно быть, рассчитывал стащить что-нибудь из сундуков, пока главарь спит. Однако сон у Капитана оказался чуток. Когда Фондорин припал к окошку, беглый гусар уже повалил бородатого на пол и с размаху молотил его кулаками, а раздетая Персиянка прыгала вокруг и визжала: «Дай ему! Дай!»

Через минуту в залу сбежалась вся банда.

— Смотрите на эту свинью, которая хотела обворовать собственных товарищей, — сказал им Капитан, наступив ногой на бесчувственное тело. — Знаете, как поступают со свиньями? Их жарят!

С этими словами он схватил несчастного под мышки, протащил по полу и кинул прямо в горящий огонь. От боли тот очнулся, заорал и попробовал выбраться из камина, но главарь швырнул его обратно.

Запах горелого мяса и паленого волоса, проникший через щель, был ужасен — Самсона затошнило.

— Перестань! Довольно!

Это крикнула Ля-Персьенн, и за это профессор готов был простить ей всех Жужу вкупе с драгунами из Анжу. Всё-таки женщины — лучшая часть человеческого рода!

— Вся комната провоняет! Как потом спать? — недовольно продолжила представительница милосердного пола. — Прикончи его, да выкинь в окно.

Так гусар и сделал. Добил бедолагу, ударом каблука проломив ему череп, а до окна труп донесли подручные.

Напоследок предводитель произнес маленькую речь:

— Вся добыча у нас общая. Делить будем перед тем, как разойдемся. Каждый в том клялся. Кто нарушит клятву, тому что?

— Смерть... — нестройно ответили разбойники и пошли спать.

Капитан с актрисой пару минут спустя уже мирно сопели, будто ничего особенного не произошло.

А профессор долго еще не мог вернуться к работе и сотрясался от нервической дрожи.

На каком низком уровне развития пребывает пока человечество! Сколь недалеко отдалились мы от первобытной пещеры! Ежели в нашем существовании есть высший смысл, как утверждает большинство мыслителей, то зачем рождается на свет девяносто девять процентов людей, духовно и нравственно ничем не отличных от скотов? Неужто лишь затем, чтобы произвести потомство, от которого когда-нибудь, быть может, через сто иль двести поколений явится новый Монтень или Декарт? Как это унизительно и грустно...

Еще Фондорин думал, что положение, в котором он ныне пребывает, подобно миниатюрной модели всего мироздания. Освещенный огнями дворец, что со всех сторон окружен ночной чернотой погибшего города, это планета Земля, вращающаяся посредь безжизненного Космоса. Но и на этом островке жизни властвуют не Свет и Разум, а зверство и алчность. Однако ж есть и надежда. Она живет в потаенном уголке и бережно раздувает слабый огонек, который когда-нибудь озарит спасительным сиянием весь мир. А погаснет сей животворящий источник — и всё окончательно утонет во тьме.

Эта аллегория придала профессору сил. Он вновь подошел к столу, заткнул уши, чтоб больше ничем не отвлекаться, и сосредоточился на модестине, а когда закончил, давно уже был день. Самсон заметил это по свету, сочившемуся из ниши.

Препарат был готов. Оставалось только решить, какой вид ему придать: порошкообразный, жидкий либо газовый.

Фондорин потянулся, вынул из ушей вату.

Что это?

С улицы слышался грохот, лязг, топот. Там что-то происходило.

Выглянув в бойницу, Самсон увидел, что гвардия возвращается в город.

На той стороне Тверской уцелел один небольшой квартал; далее, сколько хватало глаз, чернело сплошное пепелище. Тем ярче на сем мрачном фоне смотрелось многоцветье мундиров.

Ехали шагом драгуны в леопардовых касках, маршировали пешие егеря с красно-зелеными султанами на шапках, сверкали медью пушки. Сам император, очевидно, уже проследовал мимо, но Самсона больше занимал обоз. Что Анкр? Жив ли? А вдруг рана все-таки оказалась смертельной! Это раньше не приходило Фондорину в голову, а теперь он вдруг встревожился. Даже странно. Не стань лейб-фармацевта, и миссию по спасению отечества можно считать исполненной, но мысль о том, что барон мог умереть, произвела в профессоре настоящее смятение. Слово, которое при этом мелькнуло в мозгу, было неожиданное: *одиночество*. Самсон сам на себя возмутился. Какое одиночество, ведь есть Кира! А всё же мир, в котором не будет Анкра, представился профессору серым и безжизненным.

Наконец, вслед за артиллерией, потянулись экипажи и повозки императорского обоза. Фондорин держал наготове подзорную трубку и, едва показалась знакомая коляска, еще издали приметная по красным шапкам Атона и Хонса, приложил окуляр к глазу.

У Самсона вырвался вздох облегчения. Копты сидели спереди, спинами к движению, а позади, развалясь, восседал фармацевт, по видимости абсолютно здоровый, разве что бледней обычного. Пудреная голова барона была прикрыта шляпой с золотым позументом, сентябрьское солнце пускало зеленые искорки от очков. В руке у Анкра поблескивало что-то золотистое, круглое — кажется, часы-луковица старинного вида. Обыкновенно, желая узнать время, люди взглядывают на стрелки и прячут хронометр в карман, но старик глядел на него не отрываясь, очень внимательно.

— Скоро свидимся, — с улыбкою прошептал профессор.

Ему сделалось смешно. Знал бы Анкр, что проезжает всего в полусотне шагов от своего «юного друга»!

Вдруг барон, будто услышав, как прыскает Фондорин, резко повернул голову и спустил с носа очки. В окуляре возникли сощуренные глаза, смотревшие прямо на Самсона.

Он вздрогнул, но немедленно успокоил себя: пугаться нечего. Разглядеть с улицы оконце, спрятанное в тени барельефа, невозможно. Тем паче — человека, который из оконца подсматривает.

Но вот странно! Коляска уж проехала мимо, а фармацевт всё оглядывался на дворец Разумовских.

IX.

Должно быть, архитектурой залюбовался. Или каменными львами.

Так сказал себе Фондорин, поскольку иного рационального объяснения найти не умел. Среди пожарища палаццо, верно, смотрится великолепней прежнего.

Слава богу! Анкр жив, препарат готов. Скоро можно будет вступить в новый бой.

Возвращение императора в Москву вызвало переполох в шайке дезертиров. Из каминной несся гул взбудораженных голосов, и на сей раз Фондорин не стал затыкать уши. Нужно было узнать все новости.

Тем же был озабочен и капитан Лодовико. Он велел своим людям отправиться в разные части города, чтоб выведать всё, что только можно. Сам же остался со своею любовницей близ сокровищ.

Профессору их разговор показался малоинтересен. Он вертелся вокруг одного и того же: больших домов в Москве осталось мало, так что рано или поздно в этот дворец непременно поселится какой-нибудь генерал или маршал.

— Очень возможно, что нам придется уносить ноги rapidamente[1], — говорил итальянец. — Нужно разделить добычу на три категории. Самое ценное — что можно взять под мышку и не уронить на бегу. Затем менее ценное, что могут поднять двое мужчин. И всё остальное — на случай, если у нас будет на сборы час или два.

— Как я люблю тебя, Ло! Ты самый умный мужчина из всех, кого я встречала на своем веку.

---

[1] Быстро (*ит.*).

— Большой комплимент, — проворчал Капитан. — Представляю, с какими болванами ты путалась.

— Зато их было много!

Наполняя ларец «самым ценным», чудесная парочка долго и сварливо препиралась. Что-то вынимали, что-то запихивали, переполненный ларец никак не желал запираться. Как понял Самсон из ругани, это вместилище предназначалось только для драгоценных камней. Золото, иконные оклады и узорчатые переплеты церковных книг заняли два больших сундука. Остальные трофеи были кое-как свалены кучами у стены: серебро, меха, ткани, фарфор, хрусталь, златотканые ризы.

Всё это было Фондорину нисколько не интересно, но покинуть свой наблюдательный пункт он не мог. В каминную один за другим прибывали лазутчики, вернувшиеся из разведки, и рассказывали, что им удалось вызнать.

Первый сообщил, что император вернулся в Кремль, его резиденция будет в том же Елисаветинском дворце. Это было важно. Значит, и Анкр там же.

Русская армия, доложил второй, стоит к юго-востоку от Москвы, всего в двух или трех переходах. Отлично!

А сведения всё поступали.

Из Франции подходят подкрепления, но среди лошадей падеж — их нечем кормить, а отряды фуражиров, отправляемые в сельскую местность, бесследно пропадают.

Относительно планов императора разговоры в армии ходят разные. Кто говорит, что Маленький Капрал собирается ударить на Петербург. Другие уверены, что армия пойдет походом в Индию. Третьи готовятся провести в Москве зиму и запасаются шубами, потому что морозы в России (опять-таки по слухам) доходят до десяти и чуть ли не до пятнадцати градусов. А еще солдаты болтают, что к русским посланы парламентеры с предложением почетного мира, а значит, скоро можно возвращаться по домам.

Нельзя сказать, чтобы Самсон Данилович пребывал у двери в бездействии. Его ум, не приученный к праздности, и тут продолжал трудиться.

Например, отыскалось решение касательно того, какую форму лучше придать модестину. На глаза профессору попалась шеренга выставленных на полке флаконов для будущих духов. Некоторые из них были оснащены кожаными грушами для опрыскивания. Чего ж лучше?

Сделать препарат жидким, налить в один из сих флаконов, а потом использовать, как удобнее — хоть подмешать в питье, хоть прыснуть в лицо из распылителя. Должно подействовать!

А коли так, нечего попусту рассиживать в этой берлоге.

Самсона охватила жажда действия. Он не хотел дожидаться ночи, когда мародеры улягутся спать. Вдруг действительно нагрянут квартирьеры и реквизируют дворец под какой-нибудь штаб? Тогда застрянешь в темнице до окончания военных действий.

Нет уж, выбираться нужно как можно быстрей. Капитан говорил, что хочет съездить с «парнями» в какую-то церковь, где они припрятали целую груду золоченой утвари. Тогда-де вся добыча будет в сборе и можно приступать к дележке. Значит, в доме останутся только Ля-Персьенн и — за дверью — часовой. Как с ними управиться, Фондорин уже придумал.

Чтоб не терять времени даром, не томиться бесплодным ожиданием, он исполнил еще одно дело — оставил новый «теле-фон» Кире Ивановне. Сделать это было необходимо. Со дня, когда Самсон вверил Михайле Ломоносову первое звуковое письмо, многое переменилось. Важней всего было пояснить жене, что хоть «ключ» и в «фармацевте Великого Человека», но ни в коем случае нельзя подступаться к Анкру в одиночку, без поддержки могущественных сил. Тогда, в Ректориуме, профессор еще не знал, как силен противник. Если Кира доберется до первого тайника, а за ним и до второго, это будет означать, что Самсон Фондорин пал в бою и его дело предстоит продолжить жене. То есть *вдове* (он содрогнулся, мысленно произнеся это ужасное слово). Пусть так, но она должна быть во всеоружии.

Кира — самая умная женщина на свете. Она поймет смысл, не очевидный для человека постороннего.

Как и в тот раз, профессор принял меры предосторожности.

Место для «секрета» он устроил, вскрыв одну из дубовых плашек пола. Вырезал на ней ножом буквы своего девиза, вставил обратно. Сверху пролил чернил, чтоб плашка бросалась в глаза. О существовании лаборатории знают только графиня и Кира. Первая легкомысленна и ненаблюдательна, ей в голову не придет разглядывать паркет. Вторая наблюдательна, остра и к тому же будет знать, что муж где-то здесь оставил для нее весточку.

На случай, если чужой человек — слуга графини или кто-то из мародеров — все же доберется до тайника, Фондорин вновь оставил не один пузырек, а четыре: в три других налил смертоносных ядов, ибо дело принимало слишком серьезный оборот и миндальничать тут было нельзя. На кону судьба отечества.

Но, уже наполнив склянки отравой, Самсон заколебался. Мародеры — черт с ними, так выродкам и нужно. А если кто-то из своих? Скажем, решит Мари-Гри что-нибудь переделать в тайнике, запустит мастеровых, а те, по обыкновению русского человека без раздумий пить любую дрянь, похожую на спирт, возьмут, да и высосут роковой напиток? На эту оказию Фондорин приписал на каждой наклейке «яд». Француз не разберет, а свой поостережется.

Подкрасил растворы, чтоб вышли одинакового цвета. Не забыл капнуть испарителя. А для Киры, чтоб знала, в которой из бутылочек «теле-фон», пропитал каучуковую пробку эссенцией горького миндаля, ее любимым ароматом. Остальным пробкам, спокойствия ради, Фондорин сообщил запахи, от которых у жены начиналась мигрень: ландышевый, розовый, лимонный.

За этими хлопотами профессор упустил момент, когда шайка покинула дворец. Выглянул через зеркало, видит: Капитана нет, дверь заперта на задвижку, а Персиянка спит на канапе.

Более удобного стечения обстоятельств могло и не представиться.

Быстро уложив в сак самое необходимое и вооружившись модестиновым флаконом, Фондорин тихонько открыл дверцу. Пригнувшись, вылез из камина.

Сердце отчаянно билось, но не от страха — от экспериментаторского волнения. Теория теорией, но всегда волнуешься, когда приходится испытывать новый препарат в действии.

Он на цыпочках приблизился к спящей женщине. Она свернулась на диванчике клубком, словно кошка. Вероятно, среднему мужчине подобная самка показалась бы чертовски соблазнительной. Ее полные щеки были румяны, мясистые губы приоткрыты, зубы влажны и белы, выпяченный таз округл, однако профессор глядел на это примитивное, похотливое существо с отвращением (наверное, извинительным, если вспомнить, как сильно соседка истязала Самсона Даниловича своими криками и песнями). Поднеся опрыскиватель к самому лицу актерки, он надавил на грушу.

Ля-Персьенн вдохнула, сморщила нос и захлопала неестественно длинными ресницами. Теоретически одного вдоха было достаточно, но на всякий случай Фондорин нажал еще раз.

— Ап-чхи!

Красотка пробудилась и порывисто села, спустив ноги. Она смотрела на незнакомого человека снизу вверх испуганно, но не пыталась ни встать, ни крикнуть. Выражение лица было растерянным, из открытого рта вытекла слюна, но Персиянка ее не вытерла.

— Поднимись.

Она вскочила, оказавшись на полголовы выше низенького профессора.

— Сядь.

Села.

Отлично. Теперь нужно было проверить, готова ли она совершить действие, на которое нипочем не согласилась бы по собственной воле.

— Стукни себя по голове. Вот этим.

Он подал ей лежащую на полу туфлю.

Без малейшего промедления брюнетка ударила себя по лбу, даже не попытавшись отворотить острый каблучок.

Из лопнувшей кожи засочилась кровь, Фондорину стало совестно.

— Довольно.

Следующий этап проверки: способен ли объект не просто выполнять простые команды, но и отвечать на вопросы. Что бы такое спросить, о чем женщина вроде Персиянки правды не скажет?

— Ты припрятала что-нибудь из драгоценностей?

— Да, — сразу сказала она, все так же зачарованно глядя ему в глаза. — Вот.

Подняла подол платья, залезла куда-то под кружевные панталоны, порылась и, одно за другим, извлекла рубиновое ожерелье, бриллиантовый перстень, еще какую-то коробочку.

— Убери назад. Мне это не нужно.

Превосходно! Модестин выдержал испытание выше всяких похвал. Ну, а теперь за дело.

— Слушай меня внимательно. Сейчас ты подойдешь к двери, отодвинешь засов и пригласишь караульного войти. Предложишь ему бежать вместе с тобой, прихватив ларец. Если он станет сомневаться или спорить, ты проявишь хитрость. Ты ведь умеешь дурить мужчинам голову?

— Да. Это легко.

— Действуй. Он должен подойти к ларцу и начать в нем рыться. Поняла?

— Да.

— Если сделаешь всё, как сказано, я буду тобой доволен.

— Я всё сделаю.

— Исполняй!

Он встал так, чтобы створка его прикрыла. Не очень понятно было одно: насколько модестин притупляет коммуникативную способность объекта. Хватит ли у зомби живости вести разговор?

Размеренно, немного враскачку актерка приблизилась к двери и загремела щеколдой.

— Эй, ты что? — донесся с той стороны хриплый голос. Судя по акценту, то был «кузен Джузеппе». — Лодовико запретил это делать!

Профессор встревожился. Лучше б часовым оказался «тупой Шульц», а не родственник Капитана.

— Отопри. Я тебе должна что-то сказать.

Женщина медленновато выговаривала слова, в остальном ее речь не отличалась от обычной.

— Что-то случилось? Сейчас...

Лязгнул засов, створка открылась внутрь, заслонив Самсона.

— Иди. Я тебе покажу одну вещь. Она тебе понравится.

— Что за вещь? Мне нельзя сюда входить! Если вернется Лодовико, он меня убьет, ты его знаешь.

— Ты мужчина или трус? Иди за мной. Просто посмотри, что лежит вон в том ларце. Не бойся. Мы услышим, если они вернутся.

Умница, похвалил профессор то ли Персиянку, то ли идеально корректный модестин. Чернокожим колдунам такое совершенство и не снилось!

Фондорин дождался, пока Джузеппе дойдет до ларца и откроет крышку.

— Мама моя! Свинья-мадонна! — ахнул «верный кузен». — Да тут... Лодовико мне всего этого не показывал!

Разбойник согнулся, трясущимися руками стал перебирать драгоценности. Женщина безучастно стояла рядом, повернув лицо к Самсону.

Теперь можно было спокойно уходить — Джузеппе ничего вокруг не видел и не слышал.

На прощанье профессор приложил палец к губам. Прокрался за дверь. Столовую пересек на цыпочках, но по лестнице уже побежал безо всякой опаски.

Поистине Разум и наука всё превозмогают, они не ведают преград!

Но есть и другая истина, которая напомнила о себе в следующую же минуту: ум отмерит, а случай отрежет.

Надо ж было случиться, чтобы в то самое мгновенье, когда торжествующий Фондорин хотел выбежать на парадное крыльцо, во двор через ворота, гремя колесами, одна за другою въехали две груженые телеги. С ними вошли и разбойники. Они шагали правильным строем, держа на плечах ружья, а Капитан сменил свою епископскую митру на кивер. По виду это была уже не шайка дезертиров, а фуражирская команда, составленная из солдат разных полков. Не лишняя предосторожность в городе, куда возвращаются порядок и дисциплина.

Оказавшись внутри ограды, мародеры немедленно рассыпались и загалдели. Сколь мог слышать затаившийся за дверьми профессор, спор шел о том, как быть дальше: нести добычу наверх либо, наоборот, спустить ранее награбленное вниз, погрузить на повозки и поискать другое, менее заметное пристанище. Возобладало второе мнение. Оставив повозки без присмотра, орава направилась к дому.

Сначала Самсон намеревался укрыться где-нибудь в дальних комнатах, но, видя, что во дворе никого не остается, передумал. К чему зря тратить время? Погрузка может затянуться.

Он спрятался в нише, за спиной у мраморного Аполлона. На лестнице было сумеречно, разбойники все еще бранились и протопали мимо, не заметив профессора. Очень довольный своей смелостью и ловкостью, он вылез из укрытия и выбежал наружу.

Там уж начинались сумерки — то время, что у французов называется entre loup et chien[1].

Фондорин споткнулся на бегу, присел на корточки и прижался к колонне.

В воротах маячили две фигуры в широких шальварах, узких безрукавках, с красными шапочками на головах.

Атон и Хонс!

Один разглядывал что-то блестящее, держа руку у самого носа. Второй, задрав лицо, беспрестанно поматывал шеей, словно прислушивался.

---

[1] Между волком и собакой (*фр.*)

Это уж была чертовщина! Откуда они тут взялись?

Профессор оказался между волком и собакой уже не в природоописательном, а в более зловещем смысле. А коль выбирать меж двумя опасностями, собачья стая менее опасна, нежели волчья.

Он попятился назад. Все-таки придется прятаться во дворце, там довольно пустых комнат и укромных мест.

В панике Самсон взбежал по ступеням, собираясь достичь бельэтажа, но наверху раздался бешеный рев.

То кричал Капитан:

— Моя бедняжка! Он напал на нее! У нее кровь! Он оглушил ее! Проклятье! Мерзавец забрал ларец! И это мой кузен!!!

Последовала ругань на итальянском, в которой поминалось имя «Джузеппе» в сопровождении разных эпитетов.

— Ищите его! Догоните эту свинью! Он не мог далеко уйти! Я вырву ему сердце! — бушевал предводитель.

Догадаться о причине его ярости было нетрудно. Вероятно, заслышав шум во дворе, кузен Джузеппе решил, что ларец с сокровищем весомее родственных чувств, и, прихватив добычу, дал стрекача, а полупокойница Ля-Персьенн и не пыталась его удержать, ибо не имела на сей счет никаких приказов от своего повелителя.

Что делать? Куда деваться? Достичь бельэтажа Самсон не успевал — сверху на лестнице уже грохотали каблуки. В растерянности он завертелся на месте, прижимая к себе сак. Снова побежал вниз.

Замер. В дверях плечо к плечу стояли копты, загораживая выход.

— Капитан, это не Джузеппе! Чужой! — закричали сзади. — С ним двое мамелюков!

Это был капкан, выход из которого не нашел бы и самый изобретательный ум на свете. Впереди, в пяти шагах, профессора поджидали темнокожие слуги Анкра; они уж и руки протянули, чтобы схватить его. Сзади, с лестничной площадки, в беглеца из ружей и пистолетов целился десяток головорезов.

— Чего вы ждете? — заорал Лодовико. — Плевать на мамелюков! Огонь! Огонь!

В кармане у Фондорина лежала бутылочка с берсеркитом. Один глоток — и от пуль можно было бы увернуться. Но времени уже не оставалось.

Профессор вжал голову в плечи, зажмурился, приготовился к смерти.

Грянул залп.

LEVEL 4. ИНСТИТУТ

ОДИН ШАНС ИЗ ЧЕТЫРЕХ

— это страшно только, когда у тебя нет времени обдумать свой выбор. У доктора Норда, пока он сидел на пыльном «ложе разврата», времени для логических построений было более, чем достаточно. Поэтому сейчас, без колебаний схватив один из пузырьков и лихо, как рюмку водки, опрокинув его в горло, он — чего скрывать — красовался перед любимой женщиной. Она, как тому и следовало, вскрикнула и сделала порывистое движение, словно хотела его остановить, а Гальтон ободряюще подмигнул ей и мужественно улыбнулся.

Со стороны геройский поступок выглядел просто потрясающе, но внутренне, несмотря на все логические выкладки, Норд весь съежился. А что если расчет ошибочен?

Логика, собственно, была довольно простая.

Пункт первый. Флаконы выглядят совершенно одинаково и отличаются друг от друга только запахом.

Пункт второй. Из четырех доз желтой жидкости самсонитом является только одна, а в остальных, по всей видимости, яд.

Пункт третий. Значит, один запах должен принципиально отличаться от остальных.

Пункт четвертый. Три аромата сладкие, не ассоциирующиеся ни с какой опасностью, и только один будто кричит о себе: «Я — яд! Я — яд!» Ведь даже профан знает, что самый известный из ядов, цианид калия, пахнет горьким миндалем.

Вывод: именно этот флакон, который единственный из всех прямо намекает на свою ядоносность, отравой не является.

Но кроме логики решение определил еще один фактор — мистический или, если угодно, интуитивный. После того, как был раскрыт первый тайник и в сознании доктора впервые прозвучал молодой (или моложавый?) голос, тщательно выговаривающий загадочные слова, между Гальтоном и неведомым оракулом возникла хрупкая, необъяснимая связь. Норд всё время думал об этом человеке и *начал его чувствовать.*

Кто он? Чтобы поскорей получить ответ на этот вопрос, Гальтон пошел бы и на куда больший риск. Какой Нью-Йорк? Какие три недели? Да он бы умер от нетерпения, болтаясь туда-обратно по волнам Атлантического океана!

В этой истории всё было непонятно, но захватывающе интересно.

Судя по слою пыли, скопившемуся в тайниках, оба они были устроены давно. Слово «ядъ» на бумажках написано с твердым знаком на конце. Так писали до орфографической реформы 1918 года. Однако до революции Сталин не был «великим человеком», а Громов не был его фармацевтом! Что ж это получается? Отправитель посланий умел проникать взором в будущее?

Возможное решение загадки нашла Зоя. Она сказала, что многие люди старой закваски не приняли орфографическую реформу и продолжают писать по-старому: с ятями, ижицами и твердыми знаками. Наверняка таков и «Оракул». И пока это единственное, что о нем можно предположить с определенной степенью вероятности.

Возможно, это какой-то старорежимный ученый, обладающий уникальным запасом знаний, но не желающий ими делиться с Громовым и его покровителями. Однако у этого человека есть (или была) возможность оставлять в самых неожиданных местах подсказки для тех, кто захочет его найти...

Тут возникает масса вопросов, и ни на один пока нет ответа. Что может быть соблазнительней для исследователя?

Ах, как будет обидно сейчас умереть, не разгадав тайны! Это было бы чудовищной несправедливостью, возмутительной нелепостью!

Доктор Норд вытер губы, на которых остался легкий привкус аниса, и скрипнул зубами — не от страха, а от азарта и нетерпения.

Ну же, голос! Давай, звучи!

— Судороги не начинаются? Мышцы не деревенеют? — деловито спросил Айзенкопф.

Зоя всхлипнула и отвернулась. Ее рука делала быстрые, мелкие движения — кажется, княжна крестилась. Вот тебе и передовая женщина.

Биохимик взял Гальтона за кисть.

— Что у нас с пульсом? Частит, частит... При первых же симптомах отравления, скорей суйте пальцы в горло. Рвота может ослабить эффект. Я приготовил тазик...

— Тихо вы!!!

Норд оттолкнул заботливого Сяо Линя с такой силой, что тот отлетел к стене.

— Ручку, дайте ручку!

Прохладная немота окутала голову Гальтона. Все внешние звуки отдалились, съежились, и в гулкой тишине зазвучал знакомый голос. Отчетливо выговаривая каждое слово, он произнес по-французски: «*Всё оказалось гораздо сложнее. Он очень опасен. Даже вы с вашим умом и целеустремленностью с ним не справитесь. Заручитесь поддержкой людей власти, без этого больше ничего не предпринимайте!*»

Гальтон был сосредоточен только на том, чтобы не упустить ни единого слова. О смысле послания он пока не задумывался. Карандаш лихорадочно строчил по бумаге. Но, уже дописав последнюю фразу «Faites en sorte que les gens du pouvoir vous assurent de leur assistance, sinon n'entreprenez plus rien», доктор вновь, как в прошлый раз, почувствовал, что *никогда не забудет сказанного*: слова, интонация, странноватый, без грассирования выговор останутся в его памяти навсегда. Таким уж свойством обладает самсонитный перенос информации.

Коллеги рвали листок друг у друга, Гальтон же отвернулся к стене и схватился за виски.

Айзенкопф прочитал запись вслух.

— Главнокомандующий, что вы отвернулись? — бодро воскликнул немец. — Во-первых, поздравляю, вы остались живы. Меня это радует. Во-вторых, генерал, нам предстоит мозговой штурм и вы должны его возглавить!

Когда доктор не ответил, Зоя подошла к нему и взяла за руку.

— Молчи, молчи... — шепнула она. — Тебе нужно прийти в себя. Господи, у меня чуть не остановилось сердце... Я чувствую себя так же, как ты — будто заново родилась на свет.

В ее глазах застыли слезы. Она нежно взяла Гальтона за плечи, повернула к себе.

Выражение лица у доктора было не растроганное, не размягченное, не расчувствовавшееся, а ошеломленное.

— Я не чувствую себя так, будто заново родился на свет. Я чувствую себя так, будто у меня *поехала крыша*... Ты вчитайся в текст! — Норд растерянно моргал. — Он обращается персонально ко мне! *«Даже вы с вашим умом и целеустремленностью»*! Но пузырьки заложены под паркет бог знает когда! Возможно, десять лет назад! Или даже больше! Я в то время еще думать не думал, что попаду в Россию! Бред!

— А если это была слуховая галлюцинация? — спросил Айзенкопф. — Послание действительно выглядит странно.

— Не знаю... Но голос тот же самый, что в прошлый раз. А как мы знаем, это не была галлюцинация...

Зоя снова схватила бумажку.

— У меня кружится голова, — сказала она. — Всё это слишком странно. Никак не приду в себя. Переволновалась... Извините, извините... — И быстро вышла за дверь.

— Черт с ней, нам сейчас не до женских слабостей. — Биохимик остановил Гальтона, двинувшегося за княжной. — Давайте обсудим ситуацию. Если то, что вы услышали, не галлюцинация, нужно что-то решать! Вы правы, это полная чертовщина! Такое впечатление, что голос знал о вашем неудачном покушении на Громова. Голос вообще *обо всем знает заранее!* Он не обманул нас в прошлый раз. Значит, мы должны последовать его рекомендации и теперь. Очевидно, орешек нам не по зубам. Без подмоги с Громовым не справиться. Хочу напомнить, к тому же склонял вас и я, когда предлагал вернуться в Нью-Йорк. Вы зря рисковали жизнью. «Gens du pouvoir»[1] это безусловно мистер Ротвеллер. Нужно отправляться к нему, доложить о проделанной работе и о возникших проблемах. Он найдет способ нам помочь.

---

[1] Люди власти (*фр.*).

Наверное, Айзенкопф был прав. Однако возвращаться побитой собачонкой, поджав хвост? Ни за что! «Оракул», кто бы это ни был, звал Гальтона Норда, прокладывал ему фарватер через бурное море, освещал путь мерцанием дальнего маяка. Внутреннее чувство подсказывало доктору, что поворачивать назад ни в коем случае нельзя. По фарватеру может пройти кто-то другой. Или же маяк возьмет и погаснет.

Излагать прагматичному Курту эти туманные, крайне неубедительные соображения было бы пустой тратой времени. Требовалась иная аргументация.

— Нет, я не могу предстать перед мистером Ротвеллером, пока не нашел ответов на все вопросы. Я имею в виду папку из сейфа Громова. Уж она-то точно не галлюцинация. Там остается слишком много нерешенных загадок. Что за «Спас Преображенский»? Что за «черный пополон»?

— Около этого слова на листке знак вопроса. Возможно, имеется в виду «поролон», — предположил Айзенкопф. — Это одно из названий пенополиуретана. Эластичный, мягкий, ячеистый материал, разработкой которого занимаются химики Германии. Поролону сулят большое будущее. Он обеспечивает хорошую виброзащиту и шумоизоляцию.

Гальтон пожал плечами.

— Может, и так. А может, и не так. Я думаю, мы должны поступить следующим образом. Попытки добраться до Громова временно прекратим — прислушаемся к совету «Оракула». Но прерывать миссию не будем. До тех пор, пока не выясним всё, что удастся выяснить.

Узенькие глазки поддельного китайца сощурились в две щелочки.

— Вы полагаете, что в «Ответах» из папки содержатся указания еще на какие-то тайники?

— Уверен в этом. Как же можно уезжать, не попытавшись их найти? ...Что-то они сегодня расплясались шумней обычного, — с досадой заметил Гальтон.

Уже минуту или две снизу, из клуба, неслись крики и топот, которые мешали важному разговору. Приходилось повышать голос.

В коридоре послышались быстрые шаги. Дверь распахнулась.

— Братва, шухер! — На пороге возник Витек. Его глаза были навыкате, смуглая физиономия перекошена. — Наши звонили! Облава!

— Какая облава?

— На цыган! В Ростокине, в Останкине — там большие таборы стоят! Легавые меня ищут! Картинку показывали, карандашную. Наши говорят, похож — сразу признали. Не выдали, конечно, но легавые всюду шмонать будут! В Марьину Рощу едут, и к нам сюда тоже! Уматывать надо!

Гальтон выругался. Как это было некстати — снова бежать куда-то, срываться с места.

— А хвастался! — напустился он на Витька. — «Сыскать меня начальникам будет трудно». Я говорил, что они твой словесный портрет составят. Немедленно уходим! Я скажу Зое.

*

Каждый со своим багажом (то есть Норд с Зоей почти налегке, а биохимик с тяжеленным «конструктором») они сбежали вниз, где происходило столпотворение. Мужчины волокли какие-то тюки и свертки, женщины бегали и голосили, дети путались у взрослых под ногами. Старый цыган тащил раскрытый мешок, в который женщины бросали, снимая с себя, мониста из золотых монет.

— Зачем это они? — спросил доктор у Витька.

— По-нашему, бабе без монист нельзя. А по-ихнему, по-теперешнему, золотые монеты — валютная спекуляция. Прятать надо, чтоб начальники не нашли.

«Рено» рванулся, подняв тучу пыли, и укатил прочь из двора, куда вот-вот должны были нагрянуть «начальники». Витек гнал машину задворками, закоулками, мимо грязных фабрик, убогих домишек, через железнодорожные пути, через пустыри.

— Куда ехала? Куда нас возила? — строго спросил Сяо Линь с китайским акцентом, вспомнив, что он «пахан».

— В одно местечко, батя, — почтительно ответил Витек. — Там точно искать не будут. Отсидимся, а потом видно будет. Москва, она большая.

— Какая-такая местеська?

— «ЦыгЦИК».

— Сево твоя мне цык-цык говолила? Я тебе дам цык-цык! Гальтон тоже удивился.

— Витя, ты что сказал?

— ЦыгЦик — это «Цыганский Центральный Исполнительный Комитет». Навроде цыганского наркомата.

Айзенкопф схватил шофера цепкими пальцами за плечо:

— Мальсик, твоя совсем ума теляль?

— Ты сам говорил, что легавые шмонают по всем цыганским местам Москвы? — спросил Норд. — Объясни.

Витек оскалился и подмигнул в зеркало.

— По всем да не по всем. В ЦыгЦИКе цыгане-коммунисты заседают, они тоже начальники. Им от советской власти полное доверие. Они нас, несознательных, к новой жизни приучают. Откуда, по-твоему, нам про облаву позвонили? Из ЦыгЦИКа.

— Ничего не понимаю. Они же коммунисты!

— Э, Котовский, цыган совсем коммунистом никогда не будет. Мы люди вольные, легкие, нас гвоздем к земле тыщу лет приколачивают, никак не приколотят. В ЦыгЦИКе сидят мужики головастые, их туда старики с баронами назначили. Советская власть большие деньги дает, чтоб цыгане перековались. Чтоб в артели шли, в колхозы. Указ Совнаркома есть, называется «О помощи трудовым цыганам». Ай, хороший указ! Кто согласный в колхоз идти, тыщу рублей дают. У нас почитай все согласны. ЦыгЦИК деньги выдаст, а потом ищи цыгана свищи. Еще можно на кооператив ссуду получить, тоже дело хорошее. Три цыганских треста затеяли: «Цыгхимпром», «Цыгхимлабор» и «Цыгпищепром». Большими деньгами люди ворочают...

Пока Витек рассказывал, как советская власть «перековывает» цыган, приобщая их к общественно полезному труду, машина въехала в город и понеслась по булыжной мостовой, обгоняя извозчиков и трамваи. Рабочий день был в разгаре.

Такси остановилось у малоприметного дома с вывеской «Цыганский Центральный Исполнительный Комитет».

— Приехали. Давай за мной!

Для официального учреждения внутри было что-то слишком тихо и пусто. Ни вахтера, ни курьеров. Не звучали голоса, не стучали пишущие машинки.

— Где сотрудники? — спросила Зоя, разглядывая транспарант с надписью «Цыгане всех стран, соединяйтесь!».

— Наши за столом сидеть не любят.

Они поднялись на второй этаж, пошли по коридору, куда выходили двери кабинетов.

Гальтон читал таблички: «Комиссия по борьбе с кочевьем», «Отдел по борьбе с гаданьем», «Редакция журнала «Романы зоря». Особенно заинтересовала доктора стенная газета с интригующим заголовком «Ракитибе ваш ленинизмо».

— Это в каком смысле? — поразился Гальтон.

— Газета-то? «Беседы о ленинизме». А журнал — «Цыганская заря».

Витек остановился у кожаной двери с солидной черно-золотой вывеской «Приемная тов. Председателя».

— Батя, к председателю ты пойдешь? Надо человеку уважение оказать. Он нам поможет.

Сяо Линь понимающе кивнул.

— Денезька нада давать?

Цыган улыбнулся:

— Само собой. Какое уважение без хорошего подарка.

Айзенкопф и Норд переглянулись.

— Он пойдет. Моя люський плёхо говоли.

В приемной тоже было пусто.

— Секретарша, наверно, обедать пошла, — не слишком удивился Витек. — Ничего. Вы двое тут посидите, а ты, Котовский, заходи. Я за тобой. ... Заходи-заходи, у нас стучать не заведено.

Дверь в председательский кабинет была двойная, тоже обитая кожей. Чтоб ее открыть, пришлось толкнуть обе створки.

Гальтон вошел первым, Витек дышал ему в затылок.

Слава богу, хоть руководитель этого удивительного заведения оказался на месте. Сидел он, правда, не в кресле, как полагается большому начальнику, а на столе, да еще побалтывал ногой.

Это был наголо бритый мужчина в защитном френче, с орденом Красного Знамени на груди.

— Хау ду ю ду, мистер Норд, — поздоровался он. — Наше вам с кисточкой. Оп-ля!

По этой легкомысленной команде из-за распахнутых створок шагнули два молодца в штатском, крепко взяли Норда под руки и втащили внутрь. Дверь захлопнулась. Сзади в затылок доктору уткнулось дуло.

Голос Витька произнес у самого уха Гальтона:

— Стоять! Товарищ Октябрьский, у него за брючным ремнем «кольт». А в нагрудном кармане трубочка такая хитрая, иголками плюется.

ДЕЖА ВЮ

— вот первое, что пришло в голову остолбеневшему Гальтону. Всё это уже было. Точно так же входил он в двери, не ожидая опасности. Точно так же хватали его с двух сторон крепкие парни. И незнакомый человек называл его «мистером Нордом», и обращался по-английски, а в глазах хозяина положения попрыгивали точь-в-точь такие же веселые, опасные искорки. Может быть, это всё тот же Ян Христофорович, почему-то сбривший волосы и бородку?

Нет, непохож. Товарищ Картусов имел внешность и манеры среднестатистического европейского интеллигента, а тот, кого назвали то ли фамилией, то ли кличкой «Октябрьский», был статен, мужественно красив, с безошибочно военной выправкой. Лишь руки с длинными и тонкими пальцами хирурга или пианиста несколько не соответствовали броненосному облику.

— «Кольт» и трубочку выньте, — приказал незнакомец. Команда была немедленно выполнена. — Теперь отпустите заморского гостя. А то он подумает, что мы его боимся.

Гальтона отпустили — и зря.

Некоторое онемение мыслительных способностей (в данных обстоятельствах извинительное) никак не парализовало реакций и мышечной активности Норда. Скорее даже наоборот.

Не думая о последствиях, а следуя единственно зову сердца, доктор в первое же мгновение свободы коротко, но очень убедительно двинул левого молодца локтем в солнечное сплетение, правому замечательно *урезал в рыло* (идиома из писателя Зощенко), но эти мелочи были не более чем прелюдией к главному хеппенингу. Развернувшись, Гальтон мощно, что называется, от всей души двинул подлого Витька носком ботинка в пах. Перескочил через сложившегося втрое шофера, рванул на себя створки и бросился к своим, в приемную.

Только всё это было напрасно.

Приемная, где минуту назад было пусто, вся позеленела, как блеклый августовский луг, от кителей и гимнастерок. Военных туда набилось человек пятнадцать, а то и двадцать. Айзенкопф и Зоя стояли у стены, оперевшись о нее ладонями, и каждого обшаривали сразу по два чекиста.

Бежать было некуда. Доктор Норд замер.

Сзади его почти по-дружески потянули за рукав.

— Молодец. Честное слово! Прямо не доктор медицины, а Нат Пинкертон.

С веселым смехом, словно американец отмочил необычайно смешную шутку, «председатель ЦыгЦИКа» завел Гальтона обратно в кабинет и прикрыл двери.

— Не будем мешать, там мои люди работают с вашими. Обыщут — приведут.

Подчиненному, который держался за живот, весельчак посоветовал:

— Дыши ртом, глубже. Так тебе, дураку, и надо. Не зевай.

Чекисту с разбитым рылом кинул свой носовой платок:

— Не капай юшкой на ковер. Цыганские товарищи обидятся. Они нам кабинет одолжили, а ты свинячишь.

На корчащегося в муках Витька сочувственно поцокал:

— Це-це-це. Будем надеяться, что до свадьбы заживет. А не заживет, переведу тебя, Витя, в женсостав. У них отпуск на 4 дня длиннее, и форма покрасивей. Ну всё, всё, страдальцы, уползайте отсюда. Мне с мистером поговорить надо.

Побитые вышли, причем иуду Витька несли под мышки.

— Витя не доносчик, — словно подслушав мысль Норда, сказал Октябрьский. — Это мой сотрудник, отличный парень. То есть, *был* парень, а там поглядим.

Он снова засмеялся. У товарища начальника было превосходное настроение.

Надо сказать, ход мыслей Гальтона тоже принял более позитивное направление. Особенно когда в кабинет были впущены его коллеги — пускай обысканные и обезоруженные, но в любом случае теперь их было трое против одного. Товарищ Картусов в аналогичной ситуации вел себя осторожней.

Выяснить бы, кто таков этот Октябрьский. Какова его ценность в качестве заложника? Норд искоса взглянул на Айзенкопфа. Тот едва заметно кивнул и переместился влево от бритого. Поймать взгляд Зои доктору не удалось. Она напряженно, пожалуй, даже испуганно смотрела только на чекиста. Гальтон никогда еще не видел княжну такой... растерянной, что ли?

Наконец, ее глаза встретились с глазами Норда. Зоя поняла смысл читавшегося в них предостережения и чуть качнула головой. Что это означало? Трогать Октябрьского не следует? Но почему? Это было не похоже на Зою. Ведь она одна, по собственному почину, напала на людей Картусова!

Скорее всего, растерянность Зои объяснялась тем, что она не могла взять в толк, откуда взялись эти новые чекисты и кто они такие. В самом деле, лезть на рожон, не разобравшись в ситуации, будет глупо.

Мысленно согласившись с княжной, Гальтон сел в одно из кресел. Курт, кажется, был удивлен внезапной сменой диспозиции, но тоже опустился на стул. Зоя осталась стоять, прислонившись к стене.

— Вижу: удивлены, не ожидали. Объясняю, — сказал чекист (а может быть, не чекист?). Если он и заметил, как арестованные обменялись быстролетными взглядами, то не подал виду. — Я вас, ребята, с первого же дня срисовал. Вся территория вокруг ИПИ, то бишь Института пролетарской ингениологии, у меня на особом контроле. Почему — объясню чуть позже.

— Это и так понятно, — обронил Гальтон.

Октябрьский сдвинул густые брови:

— Ни черта вам непонятно! Вы пока помалкивайте. Цените такую уникальную спецслужбу — которая диверсантов не допрашивает, а сама им всё рассказывает.

Товарищ Октябрьский опять присел на край стола. Правую руку как бы ненароком сунул в карман, левой оперся о сукно. Плечи у него были широкие, пластика движений мягкая, но упругая. А взять этого гуся будет не так просто, подумал Норд, даже и втроем. Еще подумал: ага, значит, все-таки спецслужба.

— Картусов Ян Христофорович ваш начальник или подчиненный? — спросил доктор, не обращая внимание на окрик.

— Прикидываете, не взять ли меня в заложники? — Бритый усмехнулся. Он был явно не дурак. — Глупости это. У нас, большевиков, ради личностей делом не жертвуют. Это во-первых. А во-вторых, как-нибудь на досуге предлагаю сеанс борьбы — хоть французской, хоть греческой, хоть китайской. Поглядим, чья возьмет. Так что вы, мистер Норд, не отвлекайтесь на ерундовские мысли. Лучше слушайте и не перебивайте... Итак, Картусов мне не начальник, не подчиненный и даже не коллега. Мы из разных ведомств. Он из ОГПУ, то есть чекист. Я же человек военный, из Разведупра Рабоче-крестьянской Красной армии. Фамилия моя, как уже было сказано, Октябрьский. Должность — начальник военной контрразведки. Хорошая должность, аккурат по моим талантам и интересам.

— Не вижу большой разницы. Картусов тоже начальник контрразведки. Зачем Советскому Союзу две контрразведки?

— Хороший вопрос. Отвечаю. Две контрразведки, равно как и две спецслужбы, нужны вождю нашего государства. Товарищ Сталин человек мудрый, он отлично понимает, что руководителю нужно два глаза и две руки. Для взаимоконтроля и конкуренции.

— И чтобы не попасть в зависимость от собственной охраны, — кивнул Норд. — Обычная тактика всякого диктатора. Но почему только две? Можно завести три, четыре, десять. И чтобы все друг за другом следили, друг на друга доносили.

— Это будет уже паранойя и разбазаривание народных денег. Но две спецслужбы — это целесообразно и даже необходимо. Мир, Гальтон Лоренсович, вообще двоичен, — как бы между делом помянул Октябрьский «отчество» собеседника. Дал понять, что многое о нем знает. И вдруг повернулся к Айзенкопфу. — Это открыли еще древние китайцы, сформулировав понятия «Инь» и «Ян».

Дальше он спросил у биохимика что-то по-китайски.

Проверяет, настоящий ли китаец, догадался Норд с невольным уважением.

Однако застать Курта врасплох разведупровцу не удалось. Ни один мускул на бесстрастном лице липового азиата не дрогнул (да и нечему там было дрожать).

Айзенкопф ответил на том же певучем наречии и перевел:

— Насяльника сказяла «Твоя китайса откуда китайса?» Моя сказяла: «Моя отовсюду китайса». По-насему насяльника пальсиво-пальсиво говоли.

Октябрьский захохотал:

— Это правда, не успел толком выучить. Я в Китае советником всего год пробыл. Ну, это к делу не относится.

— И все-таки, как вы на нас вышли? — спросил Гальтон про важное.

— У нас возможности скромные. Но эффективные. Вы на Большой Никитской квартиру по фальшивым документам реквизировали? Управдом на всякий случай проверил, позвонил в райотдел ГПУ. А надо вам сказать, что в ГПУ у нас есть свои, скажем так, доброжелатели, и райуполномоченный оказался как раз из их числа. Звонит моему помощнику, докладывает: так, мол, и так, появились какие-то самозванцы. Говорят, что из ГПУ, но врут. Возможно, мазурики, но мазурики по нынешним временам побоялись бы себя за чекистов выдавать — это стопроцентная вышка. Вдруг, говорит, шпионы? Иностранные шпионы — это уже наша компетенция. Мой помощник за вами слежку установил. Прибегает ко мне: шпионы проявляют интерес к ИПИ. Всё, что касается Института, у меня на личном контроле, это моим ребятам известно. Хотели мы вас в оборот взять, да поздно. Смежнички из ГПУ опередили. Тоже откуда-то пронюхали. Скорее всего, вы неосторожно повели себя возле Института или в Музее нового человечества. У Картусова там первоклассная охрана... Ладно, веду за вами наблюдение. Жду, что дальше будет. Когда вы от картусовских лопухов удрали и на крыше засели, я сразу сообразил, что вам колеса понадобятся. Подставил своего шофера, Витю Ром-Каурова, из новых советских цыган. Скажете, плохо он вам помогал?

Всё в рассказе Октябрьского выглядело правдоподобно и складно. Кроме самого главного.

— Помогал он хорошо. Но зачем? Раз это ваш агент, то вы знаете, что я убил... или чуть не убил профессора Громова. Ваш Витек был соучастником.

Этому известию военный контрразведчик нисколько не удивился.

— Вы стреляли в драгоценного Петра Ивановича из вашего «кольта» 45 калибра?

— Да.

— Куда попали?

— В сердце.

Октябрьский пренебрежительно махнул рукой:

— Это ему как слону дробина. Надо было в голову, и то не гарантия.

Высказывание было в высшей степени странное. Гальтон ответил на него язвительно:

— Жаль, вас рядом не было, а то подсказали бы.

Очень серьезно, с ожесточением бритый ответил:

— Не только подсказал бы, но и сам высадил бы в этого паука всю обойму. Громов — гнойная язва на теле моей страны. Даже не на теле, а прямо в мозге.

— В мозге бывают не язвы, а опухоли, — пролепетал ошеломленный доктор. Синтетический человек Айзенкопф, и тот дернулся на стуле. Зоя же поежилась, словно от холода, и обхватила себя за плечи.

— Ну пускай опухоль, — легко согласился Октябрьский. — Раковая. Громов — злой гений нашего вождя. Этот шарлатан, этот закулисный манипулятор приобретает все больше влияния на товарища Сталина, пичкает его какой-то химической дрянью! А товарищ Сталин не принадлежит себе, он выбран большевистской партией. Он — наша ставка в великой борьбе, он — наш таран. У вас, американцев, есть пословица про хвост, который вертит собакой. Именно это пытаются делать умники из ГПУ через своего новоявленного Распутина! Дело кончится тем, что с помощью этих гнусных инъекций он превратит Иосифа Виссарионовича в свое послушное орудие, а то и просто в психопата!

Не так просто было вставить в эту гневную филиппику вопрос:

— То есть вы не верите в существование так называемой «сыворотки гениальности»?

— Я материалист. Как и мои старшие товарищи.

— Кто они? — встрепенулся Гальтон. Разговор делался всё интересней.

Он думал, что прямого ответа не получит, но Октябрьский без колебаний объявил:

— Командование Красной Армии. Мои начальники — а это блестящие стратеги, победители Гражданской войны — встревожены деятельностью ОГПУ и Коминтерна. Этим прожектёрам и космополитам плевать на судьбы родины, им подавай всемирную революцию. «Мы на горе всем буржуям мировой пожар раздуем», даже если Россия первая сгорит в этом пожаре мелкой деревяшкой. «Всемирникам» выгодно взращивать в товарище Сталине манию величия — вот и весь секрет пресловутой «сыворотки». Громова надо истребить, как ядовитую гадину. В этом — и только в этом — наши цели совпадают. Давайте поможем друг другу.

Доктор слушал и не верил собственным ушам.

Он посмотрел на коллег. Айзенкопф возбуждённо помигивал узкими глазками. Зоя схватилась за лоб рукой.

Наверняка их поразила та же мысль. Вот они, «les gens du pouvoir», люди власти! Возникли сами по себе и предлагают помощь! Как мог голос из пыльного флакона это предвидеть?

Спокойно, сказал себе Норд. Не сходить с ума. Здесь что-то не так.

— Извините, но то, что вы говорите, абсурдно. «Разведупр» — это Разведывательное управление советского Генерального Штаба, мощная организация. Зачем мы вам? Если бы вы хотели избавиться от профессора Громова, отлично сделали бы это и без нас.

Октябрьский сокрушённо тряхнул своей круглой башкой.

— Пробовали. Дважды. Сначала, как вы — всадили ему в сердце пулю. Из снайперской винтовки. Вышло как в детской считалке: «Принесли его домой — оказался он живой». На следующий же день, как ни в чем не бывало, вышел на службу. Только охрана усилилась. Там есть какая-то хитрость. Громов, хоть и гнида, но действительно выдающийся медик. Он владеет способом моментального исцеления почти любых ран. Знаете, это как у ящерицы взамен оторванного хвоста вырастает новый. Уже одно то, что это сверхважное научное открытие Громов бережет исключительно для личного пользования, заслуживает самой суровой кары.

— А не жалко отправлять в могилу человека, владеющего таким знанием?

— Жалко. Но опасности в Громове гораздо больше, чем пользы. Ваш работодатель Ротвеллер, кажется, с этим согласен?

Этот про Ротвеллера тоже знает, подумал Норд, но ничего не ответил.

— Вы сказали, что пробовали дважды.

— Так точно. Во второй раз участвовал лично. Возникла версия, что Громова можно убить, только если стрелять ему в голову, на поражение мозга. При мне Громову всадили пулю в затылок, в упор. Он, как видите, остался жив... Загадочный тип. Но слово Октябрьского: я сдохну, а загадку эту решу. Раз и навсегда!

Что Громов — существо загадочное, для Норда была не новость. Однако и в рассказе большевистского генерала загадок хватало.

— Позвольте вам не поверить. Вы пытались убить личного медика товарища Сталина, и это вам сошло с рук? Невозможно.

— Еще как возможно. Товарищ Сталин — гений политического баланса. Он никогда не нарушает равновесия окружающих его силовых полей. И без необходимости не разбрасывается ценными кадрами. А я — очень ценный кадр, можете мне поверить. — Октябрьский сказал это без рисовки, как факт. — Если Сталин ослабил бы руководство Разведупра, это перекосило бы всю систему в пользу ОГПУ. Нет, под суд меня не отдали. Но по шапке я получил. Был у моего шефа разговор с Самим. Нервный. Сказано было с предельной ясностью: бодаться с чекистами можно, трогать Громова нельзя. Я получил от шефа соответствующее указание и сказал «Есть!». Но служу я не шефу и даже не товарищу Сталину. Я служу своему социалистическому отечеству. У меня на плечах собственная голова, а в ней идеальный локатор, обладающий исключительным нюхом на опасность. — Октябрьский постучал себя по точеному римскому носу. — Пусть хоть к стенке ставят, но я не дам упырю Громову превратить вождя моей страны в послушную куклу! Можете считать, что я красный Феликс Юсупов, который, желая спасти царя Николашку, прикончил Распутина.

До сих пор беседа шла в форме диалога между контрразведчиком и доктором. Двое остальных участников экспедиции просто слушали. Но здесь Айзенкопф вставил вопрос — короткий, но существенный.

— Сефа? Какая сефа?

— Какой надо, такой и шеф, — буркнул Октябрьский. Но, немного подумав, махнул рукой. — Хотя что темнить? Все равно вычислите. Не квадратура круга. Нас называют «Военная фракция». Недоброжелатели — «пруссаками», за приверженность армейским традициям. Мои старшие товарищи — верхушка Красной Армии, ее воля и мозг. Им не было и тридцати, когда они разгромили войска белых генералов и чужеземных интервентов. Это самые талантливые полководцы современного мира. Говорю объективно, как профессионал. Молодые, открытые новым идеям, целеустремленные. Товарищ Сталин — гений государственного строительства, а мои начальники — гении военного дела. Ворованные мозги им не нужны, своих хватает... Ну что, господа американцы. Вот я вам всё и рассказал. Теперь ваша очередь. Что вам удалось выяснить? С какими трудностями вы столкнулись? Что намеревались предпринять? Если мы будем делать общее дело, я должен знать о вас как можно больше.

Курт слегка наклонил голову — он был за сотрудничество. Зоя все переводила взгляд с Октябрьского на Гальтона и обратно. Внезапно доктор сообразил, что он и напористый контрразведчик очень похожи: оба наголо бритые, плечистые, искрящиеся энергией. Только у русского под носом чаплиновские усы — как затемненная десятка в центре мишени.

«Ну что?» — спросил он ее глазами.

«Да», — без слов ответила княжна.

Гальтон и сам был того же мнения. Неизвестно, какая сила — Бог, дьявол или голос из пузырька — свела их с этим большевиком, но отказываться от его предложения было идиотизмом. Интересы «пруссаков» полностью совпадали с целью миссии. Во всяком случае, в том, что касалось неистребимого господина Громова.

И доктор стал рассказывать о ходе экспедиции. Очень осторожно, с паузами. Всё, о чем нежданному союзнику знать не полагалось, опускал. Например, вовсе не говорил о мистере Ротвеллере. Не упомянул ни о таинственном голосе, ни о тайнике. Умолчал и о папке, изъятой из громовского сейфа. Зато о происках агентов ГПУ и о товарище Картусове поведал очень подробно, ни упуская ни одной подробности.

Октябрьский слушал, неотрывно глядя на говорившего своими синими, живыми глазами. Пару раз красивые брови контрразведчика взметнулись кверху, но, если у него и возникали вопросы, они были отложены на потом.

Но задан был только один, в самом конце:

— Это всё?

— Всё.

Должно быть, по твердости, с которой доктор произнес это короткое слово, Октябрьский понял, что расспросы ни к чему не приведут.

— Ладно. Сообщили то, что сочли возможным. Принято. Я вижу, что вы не вербовочный материал. Да и незачем мне вас вербовать. Останемся временными союзниками. К тому же я узнал от вас одну очень важную вещь. Просто замечательную вещь! — Контрразведчик широко улыбнулся. — Вы сказали, что на пароходе вас пытался убить альбинос, утверждавший, что он сотрудник нашего

Главупра. Молодой человек не соврал. Это один из моих оперативников, по фамилии Кролль. Теперь ясно, что он был агентом Картусова.

— Ну и что тут замечательного?

— А то, что в затылок директору стрелял именно Кролль. И раз Громов после этого остался жив, значит, выстрел был липовый. Какой-нибудь трюк с холостым патроном и красной краской. Выходит, пули в голову Громов все-таки боится! Значит, убить его очень даже можно. А то я после того случая, честно говоря, засомневался. Сердце — ерунда, обычный мотор для перекачки крови. Лет через десять вы, медики, научитесь его перебирать по клапанам, а то и заменять на новое. Но мозг, — Октябрьский постучал себя по блестящему черепу, — это штаб сознания. Засадим свинец в башку — и привет Кащею Бессмертному. Большевистское вам спасибо, мистер Норд. Вы спасли мое материалистическое мировоззрение. Нет никакой мистики, ура! Мир стопроцентно познаваем.

Девяностодевятипроцентно, подумал Гальтон, вспомнив об оракуле из флакона, однако вслух, конечно, ничего не сказал.

— Итак, я попробовал уничтожить Громова — не получилось. Вы попробовали — тоже без результата. Давайте теперь возьмемся за дело вместе. Я буду вам помогать в качестве сугубо частного лица. Но прямого соучастия от меня не ждите. Приказ начальства есть приказ начальства. После вашего приключения на даче меня и так взяли в оборот. Заподозрили, не моих ли рук дело. Однако в брошенном такси обнаружены пятна крови, соответствующие следам жизнедеятельности американца Г.Л. Норда, оставленным в квартире на Большой Никитской. Что вы делаете удивленные глаза? Вы на подушке спали? Окурки папирос в пепельнице оставляли? Чай на кухне пили? Эксперты ГПУ свое дело хорошо знают. Или вы думаете, мы тут лаптем щи хлебаем?

— Оставим в покое следы моей жизнедеятельности. Сделав удивленные глаза, я не собирался поставить под сомнение профессионализм советской тайной полиции.

Зоя улыбнулась, как будто Гальтон сказал что-то смешное, хотя он говорил совершенно серьезно.

Усмехнулся и Октябрьский.

— Ладно — или, как говорят у вас, окей. Едем дальше. Когда выяснилось, что товарища директора ИПИ продырявили американские диверсанты, тут уж на орехи досталось Картусову, который их упустил. Но он, конечно, вывернулся. Этот швейцарец даст сто очков вперед Великому Инквизитору. Его излюбленный метод — провокация. Он использует худшие приемы царской Охранки! Искусственно создает подпольные организации, чтобы заманить в них всех потенциально недовольных советской властью, а потом рапортует о раскрытии заговора!

Кажется, Иосиф Сталин действительно умел поддерживать высокий градус антагонизма между своими спецслужбами. О Картусове начальник военной контрразведки говорил почти с такой же ненавистью, как о Громове.

— В общем, Картусов получил строгача. А меня просто пожурили на Реввоенсовете. Сам секретарь ЦК товарищ Каганович пальчиком грозил: «Гляди, как империалисты боятся нашего профессора Громова. А ты, дурень, его ликвидировать хотел. Задумайся, Октябрьский, на чью ты мельницу воду льешь». Я обещал задуматься. А после заседания наши мне другое сказали. Жаль, мол, что диверсанты дело до конца не довели. У «Военной фракции» позиция какая? Нечего попусту тратить миллионы на дурацкое фантазерство. Надо крепить индустрию и оборону. Через семь-восемь лет у нас будут лучшие бронетанковые войска, лучшая авиация в Европе! Тогда угроза вражеской агрессии отпадет сама собой, и можно будет заняться обустройством жизни.

— А как же «пролетарии всех стран, объединяйтесь» и победа коммунизма во всем мире? — спросил Гальтон.

— Объединятся пролетариии, будьте спокойны. И коммунизм тоже победит. Когда трудящиеся увидят, какую мы у себя замечательную жизнь построим, тут вашим Ротвеллерам и конец. Безо всякого Коминтерна.

— Такая позиция Советской России наверняка устроит правительство моей страны, — сказал Норд тоном госсекретаря на дипломатических переговорах. — Однако давайте вернемся к делу. Какую помощь вы можете нам оказать?

Товарищ Октябрьский засмеялся:

— Сварю суп, налью в тарелочку, заправлю вам за воротник крахмальную салфетку, поднесу ко рту ложку, да еще скажу: «Кушай, деточка». Вам останется только ротик открыть.

— А если без аллегорий?

— А если без аллегорий, то положение, господа диверсанты, у вас на сегодняшний день такое. Вас разыскивают все службы ГПУ. На улицах и на дорогах патрули. Все больницы, медпункты и частные врачи предупреждены, что к ним может обратиться человек с поверхностным ранением кожных тканей головы и, возможно, сотрясением мозга. На случай, если группа попытается уйти из Москвы, на всех вокзалах установлен режим спецнаблюдения. Разумеется, всюду, куда нужно, разосланы ваши словесные портреты. По моим сведениям, за одни только последние сутки задержано для опознания 48 китайцев, корейцев, киргизов и прочих калмыков пожилого возраста — спасибо почтенному... Как вас зовут, дедушка? — поклонился он Айзенкопфу.

— Сяо Линь.

— ...Спасибо почтенному Сяо Линю. Общая ситуация понятна?

— Понятна. Что же мы можем сделать, если нам даже на улице появляться опасно? — Норд тревожно переглянулся с коллегами.

— Без меня ничего. Со мной — всё.

— Например?

— Например, вы можете придавить гадину в ее собственном логове. — Октябрьский сделал руками жест, будто сворачивал кому-то шею.

— Где? На даче?

— Э, нет. Про дачу забудьте. Вокруг нее теперь зона «Три нуля», то есть тройное оцепление. По пути следования громовского кортежа меры безопасности тоже усилены: директору выделен броневик, по всему маршруту расставлены посты. Единственное звено, режим которого оставлен без изменений, — собственно Институт. Считается, что там всё благополучно, мышонок не проскочит. Вот по Институту, где нас не ждут, мы и ударим. Логика ясна?

Гальтона немного раздражала манера контрразведчика вести беседу — будто учитель втолковывает урок туповатому классу и всё время проверяет, понятно ли недоумкам сказанное. Но предложение звучало аппетитно. Ведь кроме самого Громова в Институте находится и «сыворотка гениальности». Материалист Октябрьский в нее пускай не верит, однако очень хотелось бы заполучить ее для лабораторного исследования.

— Логика ясна. Будем разрабатывать сценарий операции?

— Да всё уже разработано. — Орденоносный красавец подмигнул. — И роли распределены. Я буду Бертран, а вы Ратон.

Доктор наморщил лоб.

— В каком смысле?

— Ну, я обезьяна, а вы — кот.

Но Гальтон всё равно не понял.

Ему на помощь пришла Зоя.

— Это из басни Лафонтена. «Bertrand avec Raton, l'un singe et l'autre chat, commensaux d'un logis, avaient un commun maître»[1]. Про кота, который таскал для обезьяны каштаны из огня.

— А-а, — протянул Норд, уязвленный сконфуженностью, прозвучавшей в ее голосе. Она что, стесняется за своего предводителя перед этим большевистским позёром? — Я знаю про каштаны из огня. Просто как-то не сопоставил...

— На роль каштана в нашей басне назначен некто Громов, — все тем же шутливым тоном продолжил Октябрьский. — Вы мне его добудете. Обычно говорят «живым или мертвым», но я этого не прошу. Мертвым, только мертвым.

---

[1] А вот история, как в некоем дому кормились, слышь-ка,

Кот именем Ратон и с ним Бертран, мартышка. (*Пер. А.Борисовой*).

Причем по-настоящему, с простреленной башкой. Я могу в этом смысле на вас рассчитывать?

— Моя пловелит, — уверенно пообещал Айзенкопф. — Мудлый Кун-цзы сказала: «Хочешь убить клыса — убей ее тли лаза».

— Вот-вот. Мудрый Кун-цзы прав. — Контрразведчик посерьезнел. — Ну а теперь шутки в сторону. Вы получите от меня самые точные данные, все необходимые инструкции. За приятной беседой время пролетит быстро. Не заметим, как ночь наступит. А там попьем чайку, и, как у вас говорится, Godspeed[1].

---

[1] Бог в помощь (*англ.*).

ВСКОРЕ ПОСЛЕ ПОЛУНОЧИ

в один из дворов университетского квартала, тихо пофыркивая мотором, въехал мотоцикл с коляской и уверенно подкатил к неприметному флигелю, что стоял сбоку от ярко освещенного Музея нового человечества.

«Институт, граждане диверсанты, находится под землей, на смежной с музеем территории. Флигелек не более чем прикрытие. Под ним двухэтажный бункер. На минус первом уровне работают рядовые сотрудники, их ночью не будет. Минус второй уровень предназначен для одного Громова. Он попадает на службу прямиком через подземный гараж, который тоже расположен на этаже «минус 2». Но туда вы не полезете, потому что ворота гаража без шума не открыть, а проникнуть через Музей невозможно — слишком много охраны. Придется вам идти долгим, кружным путем, через проходную Института. Именно так попадают на работу обычные сотрудники. Ночью в проходной дежурят четыре охранника. С ними надо действовать вот как...»

Из коляски мотоцикла вылез человек в шлеме и кожаном пальто. На плече у него висел планшет на длинном ремешке. Еще двое остались в седлах.

Вокруг было тихо и безлюдно. Моросил мелкий дождь.

Человек с планшетом подошел к двери, которая была подсвечена тусклой лампочкой, и позвонил в массивную дверь. Она осталась закрытой, но внутри что-то пискнуло.

Тогда кожаный наклонился к филенке, в которую был вмонтирован микрофон.

— Пакет от товарища Картусова. Должны были протелефонировать.

— Фамилию назови, — проскрипела филенка.

— Курьер Курманбаев.

Дверь с тихим щелканьем приоткрылась.

Курьер вошел и быстро оглядел помещение раскосыми азиатскими глазами.

В проходной горел яркий свет, который не просачивался наружу, потому что металлические жалюзи были плотно закрыты. Довольно просторную комнату делил пополам деревянный барьер с дверцей. Проходная как проходная: голые стены с портретами вождей, стол с ободранной клеенкой, на столе телефон. Только ночных вахтеров многовато — четверо. И все как на подбор рослые, крепкие, в ладно подогнанной форме. Один сидел за столом, трое стояли у него за спиной, у каждого на поясе одинаковая кобура. «Маузер К-96», отметил курьер Курманбаев, 20-зарядный. Серьезное оружие.

— Чего это вы втроем? — спросил сидящий. Из этого следовало, что хоть жалюзи и закрыты, но вести наблюдение за двором это не мешает.

— Новая инструкция. Повышенные меры безопасности. Курьеру кроме водителя положен сопровождающий.

Старший кивнул, новшество его не удивило.

— Давай пакет. Запишу.

Он раскрыл книгу, а Курманбаев полез в планшет, но хлопнул себя по лбу.

— Я же его за пазуху перепрятал, чтоб дождиком не подмочило...

Расстегнул свое широкое пальто, но вместо пакета вытащил оттуда пистолет-пулемет Томпсона с какой-то блямбой, прикрученной к стволу.

«Оружие использовать только американского производства. Будете уходить — бросите, как говорится, на месте злодеяния».

Дуло хищно заплевалось огнем и дымом, пули полетели вкривь и вкось, дырявя стены и мебель. Но очередь была такая щедрая, что хватило и на чекистов. Старшего швырнуло на пол вместе со стулом, остальные трое тоже были буквально изрешечены. Но курьеру этого показалось мало. Он переключил свое оружие в режим одиночных выстрелов и аккуратно прострелил каждому из упавших голову. Скуластое лицо педанта не выражало никаких эмоций. Выстрелы были негромкие, похожие на сочные плевки: плюм, плюм, плюм, плюм.

Закончив свою кровавую работу, убийца нажал на столе кнопку. Входная дверь, щелкнув, приотворилась. В проходную быстро вошли двое остальных седоков мотоциклета, мужчина и женщина, причем он налегке, а она с тяжелым ранцем за спиной.

— Боже! — женщина зажала нос.

В комнате пахло порохом, кровью и потрохами.

Мужчина, морщась, оглядел трупы.

— Зачем было тратить столько патронов, Курт?

— Попробовали бы сами палить из «томсона» с глушителем! Будто газон из шланга поливаешь. Эта штука годится только для чикагских гангстеров!

Мужчины разговаривали, а женщина времени не теряла. Она вынула из ранца полевой телефон, подключила его к пульту коммутатора и повесила себе через плечо катушку.

— Связь есть, — доложила она.

«Из проходной спуститесь по лестнице на один уровень».

— Туда, — показал Норд на дверь, расположенную напротив входа.

Они гуськом спустились по бетонной лестнице: впереди Курт, на ходу вставлявший в автомат новый диск, вторым — Гальтон с «кольтом» в руке, сзади Зоя, на боку у которой крутилась катушка, отматывая телефонный провод.

Длинный коридор, залитый ровным светом ламп; по обе стороны — двери с номерами.

«На минус первом ночью никого нет, двери кабинетов и лабораторий заперты. Нужно пройти до конца. Там еще одна лестница...»

— Я первый, здесь охраны нет.

Доктор обогнал Айзенкопфа, посмотрел на часы. Ноль девятнадцать. Еще одиннадцать минут, можно не торопиться.

Почему бы не посмотреть, как выглядит какая-нибудь из лабораторий.

— Можете открыть? — спросил он биохимика, остановившись наугад у одной из дверей.

Курт повозился с замком секунд десять, повернул ручку.

— Прошу.

За дверью находилась комната, вся выложенная белоснежным кафелем. Столы блеснули в луче фонарика полированными металлическими поверхностями. На одном из них был установлен громоздкий аппарат непонятного назначения. Гальтон подошел, осветил табличку с угловатыми готическими буковками.

— А, это и есть знаменитый электрический супермикротом, — сказал Айзенкопф. — Наш, германский прибор. Позволяет делать срезы толщиной в один микрон. Изготовлен в единственном экземпляре по спецзаказу Москвы. Стоил двести тысяч рейхсмарок! Его используют для препарирования мозгового вещества.

— Говорите, в единственном экземпляре?

Гальтон поднял револьвер, к стволу которого был прикручен глушитель, и разрядил в супермикротом весь барабан. Двести тысяч рейхсмарок жалобно звякнули, разлетелись снопом золотых искр.

— Идем, пора спускаться на минус второй.

«В ноль тридцать вы должны быть у дверей минус второго уровня. Пока не позвоню, ничего не предпринимайте. Можете помолиться. In God we trust[1], и все такое. На директорском этаже без помощи Божьей вам будет худо...»

Вторая лестница выглядела точно так же, как первая, но ее нижний пролет упирался в глухую стальную панель. Ни замка, ни ручки, лишь сбоку черная кнопка звонка.

— Ровно половина, — посмотрел на часы Айзенкопф.

— Он сказал, что, возможно, придется подождать... Интересно, откуда он будет звонить?

---

[1] «В Бога мы веруем» (*англ.*) — *девиз на американской валюте.*

— Из своего кабинета. Или из какого-нибудь другого тихого места, — покривила губы Зоя. — Он ведь Бертран, он рисковать не станет.

Гальтон не отрываясь смотрел на циферблат. Было так тихо, что отчетливо слышался каждый шажок секундной стрелки.

*

Во время инструктажа товарищ Октябрьский сказал:

— Вход на директорский этаж существует всего один — через дежурку, защищенную стальной дверью. Громов попадает туда прямо из гаража. Сотрудники, которых к нему вызывают, спускаются по лестнице. В любом случае нужно проходить через комнату, где сидят дежурные. Их только двое, зато оба первой категории. Охранник первой категории — это вроде ходячего броневика. Справиться с таким очень трудно. Только если напасть врасплох, а «расплохов» у них практически не бывает. Тем не менее, придется вам их обезвредить.

— То есть убить, — с намеренной жесткостью уточнил Норд. — Не жалко вам своих товарищей?

Вопрос был необязательный, но этот самоуверенный манипулятор здорово раздражал доктора своей насмешливой снисходительностью, а еще больше тем, как нагло поглядывал он на Зою.

Стрела попала в цель. Усмешка пропала с чеканного лица контрразведчика. Брови насупились, голос зазвенел.

— Еще как жалко! Они ни в чем не виноваты, лишь честно выполняют свою службу. Но революционная диалектика штука суровая. Всякий, кто оказывается препятствием на пути к цели, должен быть устранен. Времена не располагают к сантиментам. Жалость — проявление слабости, а кто слаб, проигрывает... — Он вдруг снова усмехнулся, глядя на Гальтона. — Ба, доктор, а может, это вы сами робеете? Боитесь руки кровью испачкать? Это ведь противоречит христианской морали. Вы подумайте. До Громова придется добираться по груде трупов.

— Тлупы это нисево, — успокоил Октябрьского несентиментальный Сяо Линь. — Доктол луководи, моя стлеляй. Моя убивай сибко-сибко легко.

Княжна хищно прибавила:

— У меня тоже рука не дрогнет. Я чекистскую братию всю бы истребила, до последнего мерзавца.

— Ой нет, прекрасная амазонка. — Русский погрозил ей пальцем. — Для вас я приготовил более мирное занятие. Будете телефонной барышней. Я за четверть часа научу вас управляться с полевым аппаратом.

— Я такой же боец, как они!

— Не такой же, а куда более важный, — ласково, будто капризничающему ребенку, сказал ей контрразведчик. — Без телефона ничего не получится. Во-первых, провод поможет вам, не путаясь и не теряя времени, найти обратную дорогу через лабиринт...

— Какой еще лабиринт?

— ...А во-вторых, без телефона вы не узнаете пароль.

И Октябрьский рассказал следующее.

На директорском этаже особый режим, там устроена беспрецедентная система многослойной защиты. Попасть в лабораторию Громова можно лишь по особому мандату, которым Октябрьский с Кроллем воспользовались во время неудачного покушения. Однако теперь и мандата недостаточно — пропуск должен сопровождаться звонком директору лично от Картусова. Еще существует пароль для нарочных и курьеров. Он дает допуск лишь в самую первую комнату, к дежурным, но иного способа проникнуть на «минус второй» не существует.

Справиться с двумя охранниками первой категории непросто, однако это еще цветочки. Самое трудное — выбрать правильный путь через анфиладу смежных комнат. Дело в том, что этаж состоит из 25 совершенно идентичных квадратных отсеков, каждый площадью в 40 метров. Каждую смену маршрут, которым надлежит следовать, чтобы попасть в лабораторию, меняется. Неизменными остаются лишь исходная точка — дежурка и конечный пункт — лаборатория. Все промежуточные отсеки — не более чем дополнительные уровни защиты, ведь «минус второй» создан для одного-единственного человека, который сидит в этом лабиринте наподобие Минотавра.

Схема этажа выглядит вот так:

	Приемная	Лаборатория	Приемная	
		Приемная		
		Вход (Дежурка)		

Три комнаты, непосредственно примыкающие к кабинету-лаборатории, выполняют функцию приемных-секретариатов. Каждый раз используется лишь одна из них, остальные две запираются.

Для того чтобы добраться до лаборатории, нужно, во-первых, знать маршрут нынешней смены. Если сунуться не в ту дверь, сразу включится сигнал тревоги. Но этого мало. В каждом помещении по пути следования дежурит по часовому. Это охранники второй категории, что соответствует уровню подготовки армейского разведчика. Однако особых навыков от часового и не требуется. При стуке в дверь он, согласно инструкции, должен достать оружие и снять его с предохранителя. Входящий сразу оказывается на мушке. Тем не менее часовых одного за другим нужно снять, не дав ни одному из них выстрелить. Комнаты устроены по принципу водонепроницаемых отсеков подводной лодки и обладают высокой степенью звукоизоляции, но выстрел без глушителя будет услышан охранником в соседнем помещении.

Методика продвижения по лабиринту следующая: постучать в дверь; снять часового: быстро просверлить дырку для телефонного шнура; закрыть переборку (она не может оставаться открытой долее трех минут — иначе сработает сигнализация); двигаться дальше.

— Когда я гулял по лабиринту с лукавым Кроликом, фарватер был вот какой.

Октябрьский положил на стол смятый листок.

	Приемная	Кабинет	Приемная
→	→	↑ Приемная	
↑	←	←	
	→	↑	
	↑	← Вход	

— Какая загогулина у них там сегодня, мне сообщат только в полпервого ночи. Вместе с паролем для дежурки. Стало быть к 00:30 вы должны быть перед стальной дверью. Я звоню, называю пароль, вы кидаетесь на штурм. Без криков «ура!». Молча. С этого момента вы все время будете со мной на связи. Если случится что-то непредвиденное у вас или меня, будем принимать решения на ходу. Сегодня день, когда Громов едет в Кремль вкалывать товарищу Сталину очередную порцию своей дряни. Это значит, что кортеж прибудет за ним в 2.00, а не в 2.15, как в те дни, когда профессор едет домой баиньки. У вас на всё про всё максимум 90 минут — надо еще успеть унести ноги. Мы ведь не хотим, чтобы чекисты вас зацапали?

— 90 минут — вполне достаточно, — заметил Гальтон.

— Я сказал: «на всё про всё». А в приемной-секретариате перед кабинетом Громова вы должны оказаться в 00:55 и ни секундой позднее. То есть на прорыв через лабиринт у вас не более 25 минут.

— Почему в 00:55?

— По кочану. Если вы, Норд, собираетесь задавать столько вопросов по телефону из бункера, давайте я вас лучше сразу пристрелю. Без лишних мучений.

*

— Уже ноль тридцать одна, — нервно сказала княжна, не сводя глаз с аппарата.

В ту же секунду телефон заурчал, и она схватила трубку.

— Бертран говорит: пароль «Сакко и Ванцетти».

Кто? Сначала Норд удивился, потом вспомнил: это двое анархистов, казненных в Массачусетсе за убийство инкассаторов. У коммунистов они считаются героями. Ванцетти так Ванцетти.

— Хорошо. Что бы ни случилось, не рассоединяйся. Курт, давайте. Как договорились.

Договорились так: Айзенкопф прямо с порога, не целясь (с «томпсоном» это все равно бесполезно), поливает дежурку сплошным огнем, пока не иссякнет магазин. Стрельбу он ведет, широко расставив ноги. Норд падает на пол и дублирует прицельными выстрелами из партера.

Невозмутимо кивнув, немец подошел к двери и вдавил кнопку замка.

— «Сакко и Ванцетти», — громко сказал он, и стальная перегородка отъехала.

Еще до того как она раскрылась полностью, в зазор просунулось уродливое дуло автомата и начало изрыгать сердито шипящее пламя. Гальтон немного замешкался. Пришлось дождаться, когда биохимик шагнет через порог и встанет там перевернутой буквой Y. Как только это произошло, доктор упал, вытянув руку с «кольтом» вперед. Прицельная стрельба требует хотя бы минимального осмотра зоны огня.

В зоне огня Норд увидел помещение, по устройству очень похожее на проходную верхнего этажа, но гораздо богаче обставленное. Мебель здесь была мореного дуба, стены задрапированы кумачом. Напротив входа висел портрет Иосифа Сталина в полный рост, а на стойке посверкивал начищенной бронзой небольшой бюст Ленина.

Все эти детали были несущественны, да Гальтон к ним и не приглядывался. Значение имели только охранники.

В момент, когда начала открываться дверь, они, должно быть, сидели за стойкой, но доктор застал их уже вскочившими. Увидел, как одного поперек груди вспарывает очередь. Второму пуля попала в правое плечо, но на этом выстрелы оборвались — «томпсон» заклинило.

Не оглянувшись на упавшего напарника, даже не схватившись за простреленное плечо, раненый с непостижимой быстротой качнулся в сторону — пуля из «кольта» прошла мимо. Гальтон ожидал, что чекист схватится за кобуру, однако тот поступил совершенно неожиданным образом: левой рукой цапнул со стойки бюст и метнул в Курта, яростно дергавшего затвор.

Сверкнув полированной лысиной, Ильич со свистом рассек воздух и ударил Айзенкопфу в середину лба. Немец без звука опрокинулся, придавив Гальтона.

Всё пропало, успел подумать доктор, отчаянно спихивая с себя тяжелое тело. Сейчас чекист откроет пальбу, на выстрелы набегут остальные, и конец!

Но выстрел грянул приглушенный, чмокающий. Это Зоя, не выпуская телефонной трубки, выстрелила через головы своих поверженных коллег из «браунинга».

Приподнявшись, Гальтон увидел, что она не промахнулась. Второй охранник, хоть и успел вытащить «маузер», стрелять уже не мог — прямо между глаз у него чернела дырка. За ней появилась и вторая, чуть выше. Убитый рухнул.

— Что с Куртом? — спросила Зоя.

Немец лежал, закатив глаза. У человека с нормальным лицом из рассеченного лба хлестала бы кровь, но у Айзенкопфа всего лишь отпечаталась треугольная вмятина.

— Жив... — Норд нащупал пульс. — Оглушен. Неудивительно — от такого удара. Придется оставить его здесь. Заберем на обратном пути.

Доктор был потрясен. Вот так «первая категория»! Операция едва началась, а главная ударная сила отряда уже потеряна!

— Он спрашивает, как дела. — Зоя прикрыла ладонью микрофон аппарата. — Что отвечать?

— Дай... Мы внутри, — сказал доктор в трубку. — Сяо Линь выбыл. Но операция продолжается.

— Уверены? — помолчав, спросил Октябрьский. — Впереди лабиринт. А за ним секретариат, где двое охранников не первой — высшей категории.

Доктор раздраженно ответил:

— Уверен, не уверен — какая разница. Сейчас лишние вопросы задаете вы. Давайте маршрут, время идет!

— Ладно. Помечайте. Вы видите три двери. Правильная — та, что налево. Оттуда прямо. Потом направо. Успеваете?

— Да.

На листке заранее была нарисована схема этажа, и сейчас Гальтон лишь проставлял на ней стрелки.

	Приемная	Кабинет	Приемная ←	←
		Приемная		↑
		→	→	↑
	→	↑		
	↑	← Вход		

— Значит, восемь охранников второй категории и два высшей? — наскоро посчитал он. — До нуля пятидесяти пяти остается девятнадцать минут. Нужно спешить.

— Вперед, Ратон. За каштаном! Стучаться в дверь сегодня нужно так. — Октябрьский пощелкал ногтем по микрофону: раз-два-три, потом еще два раза. — После каждого отсека докладывайте. Я всё время на связи.

*

Очень не хотелось подвергать Зою опасности, но теперь их осталось только двое. К тому же княжна не раз доказала, что ее опекать не нужно. Еще неизвестно, кто из них двоих метче и быстрее стреляет.

— Сними ранец и катушку. — Гальтон встал сбоку от левой двери, держа «кольт» наготове. Одернул на ней черную чекистскую кожанку, поправил фуражку со звездочкой. — Стучи в дверь. Когда он отопрет, будь вся на виду. Особенно руки. Как только он чуть-чуть расслабится, качни головой. И отскакивай.

— Ясно. Ты готов?

— Да.

Она громко постучала: тук-тук-тук, тук-тук. Через несколько секунд в двери что-то звякнуло. Зоя взялась за ручку и медленно отодвинула перегородку.

— С мандатом к товарищу директору, — сказал она.

Мужской голос ответил:

— Минуту, товарищ. Я должен позвонить на центральный пост. Такова новая инструкция.

— Из дежурки уже звонили. Теперь что, из каждой комнаты будут телефонировать? — недовольно произнесла княжна. — За час не доберешься!

— Особый режим. Иначе нельзя.

Зоя качнула головой — должно быть, чекист опустил оружие или повернулся к телефону.

Гальтон высунулся из-за двери, но Зоя, которая должна была освободить проем, не отскочила, и доктор ударился о нее плечом. Из-за этого пуля прошла мимо цели.

Человек в военной форме, собиравшийся снять с аппарата трубку, изумленно уставился на стену, от которой отлетели крошки штукатурки. Потом быстро повернулся к двери, вскинул руку с «маузером», но три следующих выстрела — две из «кольта» и один из «браунинга» — смели его со стула.

— Ты почему не отскочила?!

— А если бы ты промахнулся? Я должна была тебя подстраховать.

— Слушай, так не пойдет! — взбеленился Гальтон. — Делай, как я говорю. Иначе мы супа не сварим!

— *Каши* не сварим. Ты забываешь поговорки. Скорей доставай дрель. Дверь нельзя держать открытой больше трех минут.

Бормоча ругательства, доктор вынул маленькую, но мощную дрель, которой его снабдил Октябрьский.

— Скорей! Что ты возишься? — торопила княжна, следя за секундной стрелкой.

— Я не токарь, я ученый! ...Готово. Вынь штекер. Суй сюда. Закрываю.

Еле успели. А впереди еще семь таких же отсеков. Не считая секретариата... Норд вытер со лба пот.

Зоя совала ему трубку.

— Нужно сообщить Ратону.

Выслушав сообщение, Октябрьский недовольно заметил:

— Долго провозились. Остается всего 14 минут. Живей, живей! Вы же кот, не черепаха!

— And you are a...![1]

Гальтон объяснил на простом и грубом английском, кем он считает телефонного подгонялу. Понял русский или нет, неизвестно.

— Попробуй только не отскочить! — свирепо предупредил доктор княжну. — Так плечом толкну — полетишь вверх тормашками!

И Зоя уяснила, что это не шутка.

Постучала, отодвинула перегородку, обменялась с часовым парой фраз (всё то же — про особый режим и звонок на центральный пост), а потом резво отпрыгнула в сторону. Норд высунулся и уложил чекиста одним точным выстрелом — можно сказать, реабилитировался за прежние конфузы.

Дырку на сей раз тоже просверлил гораздо быстрее.

— Две минуты десять секунд, — доложила Зоя.

Октябрьский напомнил:

— Остается двенадцать минут.

Как будто Гальтон не мог вычесть два из четырнадцати.

А дальше пошло еще быстрей.

С третьей комнатой, третьим часовым и третьей дыркой управились за минуту сорок.

---

[1] — А вы — ...! (англ.)

Четвертый этап преодолели за 85 секунд. Правда, здесь на часового ушло две пули — после первой он еще шевелился и разевал рот.

— Передохнем минуту, а? — попросил доктор, чувствуя, как снизу, от коленей, подступает нервная дрожь. — Я же не мясник. И не Айзенкопф. За несколько минут я убил четырых человек.

Она предложила:

— Давай дальше я. Для меня эти кирпичномордые не люди. Знаешь, что чекисты вытворяли во время Гражданской войны? Теперь ты открывай дверь и заговаривай зубы, а я буду стрелять. Отскакивать не нужно. Я скромнее тебя, мне много места не потребуется.

Предыдущие охранники, увидев женщину, почти сразу же опускали пистолет. Пятый чекист держал Гальтона на мушке всё время, пока они разговаривали. Трубку с аппарата он снял левой рукой, продолжая настороженно смотреть на вошедшего.

— До чего вы мне все надоели, формалисты! — простонал Норд, мысленно проклиная себя за то, что послушал Зою. — Тыщу раз уже звонили. — Он обернулся, как бы взывая к охраннику из своей комнаты. — Ну скажи ты ему! Сунь нос! Как дети, честное слово!

Вместо охранника «нос сунула» княжна. Вернее, не нос, а ствол «браунинга».

— Минута двадцать, — сказал она, когда всё было закончено. — Нормально. Говори то же самое, можешь не оборачиваться. Мне достаточно услышать по голосу, где именно он находится.

— Идем в шестой, — сообщил Гальтон в телефон.

— Молодцы. Ударники коммунистического труда.

Шестую и седьмую комнаты преодолели чисто, отработав все действия почти до автоматизма. Это начинало напоминать тупую, однообразную игру. Бла-бла-бла, бэнг! Дрель: ж-ж-ж-ж. И снова. Бла-бла-бла, бэнг! Ж-ж-ж-ж. С тем же успехом отсеков могло быть не восемь, а двадцать восемь или пятьдесят восемь.

Доктор был вынужден признать, что княжна владеет оружием лучше. Второй выстрел ей ни разу не понадобился. Она била наповал, при том что калибр у «браунинга» меньше, чем у «кольта».

Но с последним часовым вышла небольшая накладка. Железная Зоя дала слабину. Может, все дело в том, что первые семь чекистов были как на подбор кряжистые, с квадратными физиономиями — по выражению княжны, «кирпичномордые», а восьмой оказался молоденьким белобрысым пареньком. Увидев высунувшуюся из-за двери руку с пистолетом, он как-то нелепо дернулся и подпрыгнул, отчего пуля угодила не в переносицу, а в горло.

Эта смерть была не такая, как предыдущие. Игру она не напоминала.

Умирающий с ужасом смотрел на убийц, пробовал отползти на спине и закрывался рукой. Зоя выпустила в него с трех метров остаток обоймы и ни разу не попала. Раненого добил Гальтон.

После этого ему пришлось обнять трясущуюся Зою и крепко-крепко сжать. У него и у самого клацали зубы.

— Сейчас возьму себя в руки, сейчас, — бормотала она. —Я что-то вдруг раскисла... Прости!

В груди у доктора было горячо. «Раскисшей» Зоя нравилась ему еще больше. Но говорить ей этого ни в коем случае не следовало.

Полевой телефон уже некоторое время издавал тревожное квохтанье.

— ...поубивали вас, что ли? — услышал Норд голос Октябрьского, когда наконец приложил трубку к уху. — Эй там, в трюме! Вы живы?

— Мы перед секретариатом. Время 00:52. Еще 3 минуты. Мы успели, — сквозь зубы процедил Норд.

Манжет рубашки у него был весь в брызгах крови. Сам не заметил, когда испачкался.

— Отлично. - Голос повеселел. — На самом деле у вас целых 7 минут. Я нарочно урезал вам время, чтоб вы не расхолаживались. Можете привести в порядок нервы. Как говорят в армии, покурить-оправиться. За минуту до часа ночи врываетесь в секретариат и грохаете обоих волкодавов. Раньше рискованно. Громов из своего логова может подглядывать в приемную через глазок. Заметит неладное — не вылезет. Тогда его из лаборатории не выкуришь. Там бронированная дверь.

— А почему вы думаете, что Громов вылезет в час ночи?

Раздался довольный смешок.

— Петр Иваныч у нас сама пунктуальность. Ровно в час ему из секретариата подают чай с лимоном. На этом построен весь мой план. Ну, ковбой, готовься в бой. Падешь смертью храбрых — буду считать тебя коммунистом.

Дать бы тебе в рожу, подумал Норд, шмякая трубку. Связь теперь понадобится нескоро.

— Еще две минуты. Сейчас... Обещаю, я буду готова. — Но губы у Зои прыгали, руки дрожали. Она сердито смахнула с ресниц слезинку. — Проклятая бабья слабость! Сама не пойму, что со мной!

— Нормальная человеческая реакция, — успокоил ее Гальтон. — Я тебе еще не говорил, что я тебя люблю?

Эти слова он произнес впервые в жизни, а прозвучали они как-то легковесно, даже небрежно. Собственно, Норд не собирался ничего такого говорить. Само соскочило. Неудивительно, что Зоя пропустила несвоевременное признание мимо ушей. Она трясущимися пальцами засовывала в «браунинг» новый магазин и никак не могла попасть.

Доктор придержал ее руку.

— Не спеши. В секретариате ты мне все равно бы не понадобилась. Управлюсь один.

— Не сходи с ума! Их двое, высшей категории! Нам и втроем было бы трудно!

Перед выездом на операцию у членов экспедиции возник дурацкий спор. Как объяснил Октябрьский, в спецотряде ОГПУ, ведающем личной охраной высших должностных лиц государства, квалификационные разряды назначают по следующему принципу: чтобы заслужить право на третью категорию, сотрудник должен легко справляться с двумя крепкими мужчинами; вторую категорию получает тот, кто может одолеть двух охранников третьей категории; первую — кто побеждает двух второй категории; высшую — кто сильнее двух охранников первой категории. То есть теоретически ас высшего ранга способен в одиночку уложить шестнадцать обычных бойцов, не прошедших курс спецобучения.

Немного поразмыслив, Айзенкопф заявил, что его боевые качества соответствуют первой категории, Норда — второй, а «ее сиятельства» — в лучшем случае третьей. Зоя вспыхнула и предложила немцу помериться силами в рукопашном бою, потому что в тире у него не будет против нее ни одного шанса. Доктор, хоть и обиделся на «вторую категорию», в склоке не участвовал. Он уже подсчитал, что по этой арифметике они с двумя чекистскими суперменами не справятся. Во всяком случае, в открытом столкновении. Нужно было искать иной путь. И Гальтон его, кажется, нашел.

Он намеревался дать Айзенкопфу возможность прорваться через дежурку с ее двумя бойцами первой категории и через все последующие отсеки, где расставлены охранники послабее, а перед главным бастионом картинно заявить, что с головорезами высшей пробы управится без помощников. Но теперь не до эффектов. Курта они потеряли на первом же рубеже, перед Зоей в ее нынешнем состоянии красоваться тоже было незачем.

— Не беспокойся, милая, у меня есть заготовка. Всё будет хорошо. Отойди в сторону.

Пора!

Он мягко оттолкнул княжну и постучал в дверь условленным манером.

В то же мгновение перегородка сама начала открываться.

— Входите, — послышалось изнутри. — Побыстрее!

— Гальтон! Что мне делать?! — истерически шепнула Зоя.

Но доктор Норд уже шагнул через порог.

*

Двое мужчин, которых он увидел перед собой, выглядели иначе, чем остальные охранники. Они были не в военной форме, а в белых халатах, из-под которых, правда, виднелись сапоги. И вели себя они тоже по-другому. Не схватились за оружие, не впились в вошедшего цепким взглядом.

— Вы к товарищу директору? — спросил темноволосый, что сидел за столом. — Предъявите, пожалуйста, мандат.

Второй, рыжеватый, стоял возле самовара — должно быть, готовил для Громова чай.

Не слишком ли я мудрю, подумал Норд, приметив, где у второго оттопыривается халат. Ребята, похоже, совсем обленились. Еще бы — сидят за столькими слоями охраны. Не выхватить ли попросту «кольт»?

Однако отогнал опасную мысль. ОГПУ — организация серьезная, здесь на высшей категории остолопов держать не будут. Достаточно было понаблюдать за руками рыжеватого — как он резал лимон очень точными, по-кошачьи плавными движениями.

— Нет у меня мандата, товарищи, — сказал Гальтон, подходя к столу и нарочно держа руки на виду. — Я не к товарищу Громову. Мне поручено передать в приемную-секретариат посылку особой важности от товарища Картусова. А там уж не мое дело.

— Опять мозги? А где контейнер?— удивился брюнет.

— Не мозги. Вот. — Норд очень осторожно, как величайшее сокровище, достал из кармана кожанки небольшую, вытянутую кверху коробочку, опечатанную сургучом. — Здесь препарат, огромной ценности.

Стоило ему коснуться кармана, как рыжеватый показал фокус: у него в руке вместо лимона блеснул плоский пистолет. Откуда охранник его выхватил, Гальтон разглядеть не успел.

— Инструкция, — объяснил ловкий фокусник. — Не обращайте внимания. Поставьте на стол и можете идти.

— Ага, «идти». Сначала вы должны проверить, что препарат цел. Потом расписаться на документе. Тогда и уйду. — Он бережно поставил коробочку на стол. — Распечатывай, товарищ.

Темноволосый взрезал сургуч, предварительно осмотрев печать с щитом и мечом. Открыл коробку.

— Тихо ты. Там пузырек, хрупкий, — предупредил доктор. — Весь ватой проложен. Вату вынь, а бутылочку доставай потихоньку. Я пока бумажку достану.

Он опустил руку в карман и отметил боковым зрением, что палец второго чекиста лег на спусковой крючок.

Сидящий стал аккуратно вынимать клочки ваты. Вдруг чертыхнулся и выдернул руку. На пальце алела капелька крови.

— Порезался?! — ахнул Гальтон. — Я ж ее, как царевну, нес! Неужто разбилась?!

— Не я разбил. Вон Вася свидетель, — быстро сказал охранник и слизнул капельку.

Молодец, похвалил его Норд. Так еще быстрей подействует.

В нагрудном кармане лежал и янтарный мундштук — Октябрьский вернул американцу духовую трубку с иглами. Можно было смочить их не усыпляющим снадобьем, а смертельным ядом. Но при штурме от этого оружия пользы было бы мало. Одно дело — стрелять в альбиноса почти на авось, когда нет иного выхода, или не спеша целиться в неподвижного часового возле громовской дачи. Другое — выдувать жалкую колючку в натренированного охранника, который держит тебя на мушке «маузера». Не говоря уж о том, что в особой зоне нарочный с мундштуком в зубах смотрелся бы, мягко говоря, подозрительно.

Вот смазать багряной смертью острые стеклянные осколки и пересыпать ими вату — это дело верное.

Чекист схватился за воротник, дернул его и начал сползать со стула. Лицо прямо на глазах наливалось синевой.

Неразбавленный охотничий яд индейцев племени чоко почти моментально парализует дыхательную систему и сердечную деятельность. Ягуар, раненый отравленной иглой, падает замертво через 5 секунд, а человек, какой он ни будь категории, не протянет и трех.

— Саня, что с тобой?! — крикнул рыжеватый, срываясь с места. — Эй ты, а ну руки к ушам! И ни с места!

Хоть чекист и был потрясен, но пистолета не опустил.

Доктор послушно вскинул руки.

— Там яд, трупно-мозговой, меня предупреждали! — закричал он. — Товарищу в ранку попало! Это ничего! Мне выдали шприц с антидотом! На всякий случай! Надо уколоть! Я достану?

— Давай!

Дуло смотрело Гальтону прямо в лоб.

Увидев, что курьер достает из кармана металлическую коробочку, а из нее шприц, чекист оружие убрал.

— Коли живей, дубина! Это ты виноват!

— Брешешь! Он коробкой тряхнул, а в ней звякнуло, я слышал! — Норд выпустил из иглы пурпурную струйку. — Рукав ему задери, в локоть надо!

Чтобы засучить напарнику рукав, охранник был вынужден спрятать оружие. Но нападать на него Гальтон поостерегся бы, даже если б не было иного выхода.

Норд примерился и с размаху всадил шприц. Только не в руку мертвеца (зачем второй раз убивать покойника?) а в шею наклонившегося Васи. И с силой вдавил шток.

Поразительно, но у обреченного чекиста еще хватило сил отпихнуть Норда и потянуться к красной кнопке, прикрепленной к краю стола. Однако Гальтон намертво вцепился в руку, судорожно дергавшую пальцами. Если б он не держал изо всей мочи и если б силы умирающего не ослабевали с каждой секундой, охранник наверняка сумел бы дать сигнал тревоги. Но колени его подогнулись, он сполз на пол. Всё было кончено.

Доктор взглянул на часы. Он пробыл в приемной чуть меньше минуты.

Где тут открывается дверь?

Рядом с красной кнопкой, до которой так и не дотянулся охранник Вася, торчала еще одна, черная.

Колебаться было некогда. Норд нажал на черный пупырышек.

Слава богу — перегородка поехала.

В приемную ворвалась Зоя с пистолетом в руке. Ее лицо было белым.

— Ты жив! Это была самая худшая минута в моей жизни!

Следует ли понимать эти слова как ответное признание в любви, засомневался Гальтон. Надо будет хорошенько это обдумать. Потом.

— Помоги усадить этого на стул! Второго задвинем... Прячься слева от двери, а я справа.

Электрические часы на стене пискнули. Ровно час ночи.

На гладкой поверхности двери, что вела в лабораторию, виднелся стеклянный кружок. Это несомненно и был глазок, через который директор мог заглядывать в секретариат. Гальтону показалось, что окуляр слегка потемнел, будто его окутала тень. Потом она исчезла.

Несколько мгновений спустя на столе повелительно тренькнул один из телефонов — черный, без диска.

Пригнувшись, доктор перебежал к столу.

— Да, товарищ директор? — сказал он, держа трубку подальше от рта.

Телефон проворчал знакомым голосом:

— Спите вы, что ли? Где мой чай?

— Готов.

После паузы Громов буркнул:

— Несите. Открываю.

Норд метнулся обратно к двери, вынул револьвер.

— Ты его... сразу? — шепнула Зоя.

Он покачал головой.

— Нет. Слишком много вопросов, которые требуют ответа.

ДВЕРЬ ВЗДОХНУЛА

, как большое, усталое животное, и сдвинулась с места. Она не убиралась в стену, как остальные перегородки, а отъезжала внутрь. Гальтон с Зоей разом навалились на приоткрывшуюся тяжелую створку, толкнули ее и чуть не сбили с ног сутулого человека в белом халате и черной матерчатой шапочке. Он вскрикнул, бойко отскочил назад. Лишь теперь, увидев прямо перед собой знакомое лицо с седой бородкой и выцветшими глазками, испуганно поблескивающими из-за пенсне, Норд окончательно поверил, что это именно Громов, а не какой-нибудь двойник.

Директор тоже узнал американца.

— Ай-ай-ай, — жалобно простонал он, продолжая пятиться, — снова вы! Mundus idioticus!

Отступать дальше было некуда, он уперся в стол, уставленный колбами, пробирками, всякими банками-склянками и густо заваленный бумагами. Здоровенным черным яйцом посверкивал уже известный Гальтону шлем. Рука профессора нервно коснулась его.

Норд качнул стволом «кольта» — будто пальцем пригрозил.

— Не поможет. Два раза одну ошибку я не повторю. Высажу весь барабан прямо в голову. Сегодня никто не прибежит вам на помощь. Вся охрана уничтожена.

Петр Иванович заморгал, его подвижная физиономия сбросила выражение испуга и сделалась озабоченной. Вот-вот, пусть поприкидывает, есть ли у него шанс на спасение. А Гальтон тем временем осмотрел лабораторию, в которую попал с такими неимоверными трудами.

Здесь было очень много современнейшей аппаратуры, в том числе неизвестного доктору назначения. Некоторые агрегаты и устройства просто ставили в тупик. Какую функцию, например, могло выполнять стоявшее в углу кресло, утопленное внутрь алюминиевого кокона? Впереди зачем-то торчала тонкая пластина, а сбоку, соединенный с креслом множеством проводов, был установлен черный ящик, весь в лампочках и рычажках.

Однако Норда сейчас занимали проблемы более насущные.

— У вас только один способ сохранить жизнь — дать исчерпывающий ответ на вопросы, которые я вам задам.

Громов прищурился.

— Во-первых, позвольте вам не поверить — вы меня все равно убьете. Во-вторых, я, конечно, дорожу своей жизнью, но в определенных пределах. В-третьих, что за вопросы?

Смелый все-таки человек был товарищ директор, с превосходным самообладанием.

— Извольте. Первый вопрос: где сыворотка гениальности? Второй: почему вы остались живы после смертельного выстрела? Третий: откуда берутся ответы, содержащиеся в вашей папке? Это для начала.

Профессор переваривал информацию секунды две. Потом парировал:

— Не нужно так победительно сверкать глазами. Вы еще не выиграли. Если вы меня убьете, считайте, что игра закончилась не в вашу пользу. Останетесь без сыворотки. Вместо меня партия найдет другого исследователя. Через некоторое время работа будет продолжена. Тот, кто вас послал сюда, останется с носом. Предлагаю решить вопрос по-капиталистически, путем взаимовыгодной торговли.У вас есть вопросы ко мне, у меня есть вопросы к вам. Отвечаем по очереди.

Кажется, Норд встретил оппонента, коэффициент «сиди-эм» у которого не уступал его собственному. На что рассчитывает Громов? Зачем покойнику ответы на вопросы?

А-а, понятно... В два ноль ноль, на четверть часа раньше обычного, прибудет кортеж, чтоб везти директора в Кремль. Громов не знает, что американцу об этом известно, и хочет потянуть время. Очень хорошо!

— Идет. Но откуда мне знать, насколько правдивыми будут ваши ответы?

— Правдивость гарантируется. Стопроцентно. — Глазки ученого сверкнули. Очевидно, он вообразил, будто перехитрил врагов. Надеется, что ему удастся выкрутиться. — И мне, и вам придется отвечать только правду, всю правду и ничего кроме правды. Взгляните-ка вот на это устройство. — Он показал на диковинное кресло, уже привлекшее внимание Норда. — Это моя авторская разработка. Сделано по заказу нашего славного ОГПУ. В свободное от работы время. Так сказать, для гимнастики ума. — Петр Иванович хихикнул собственной шутке. — Вам доводилось слышать о детекции лжи? Ваш соотечественник и мой коллега доктор Леонард Килер из Калифорнии первым изобрел аппарат для психофизиологической проверки искренности. Но в вашем американском «полиграфе» принцип действия основан на фиксировании перепадов артериального давления, пульса и дыхания. Я же присовокупил еще несколько параметров: невроспонтанные импульсы, кожно-гальванические реакции, изменение голоса, расширения-сужения зрачка, энцефалоактивность и прочее. Еще я ввел автоматический репрессор лжи. Всякая попытка солгать или что-то утаить немедленно карается болезненным ударом тока. Тут и захочешь соврать, не выйдет. Скажешь всю правду, как Господу Богу. Я так и назвал свое изобретение — «Исповедальня».

Вслед за директором Гальтон и Зоя подошли к будкообразному устройству, которое действительно напоминало исповедальню в католическом храме.

— Скажите, профессор, а как управлять этой машиной? — поинтересовалась Зоя тоном светской дамы.

— Это очень просто, милая барышня, — с удовольствием принялся показывать Громов. — Следователи ОГПУ, entre nous soit dit[1], бывают туповаты. Со слишком мудреной техникой им не управиться. Я это учел. Глядите: человека сажают вот сюда. Подсоединяют датчики: беленький к левому виску, красненький к теменной области, зеленый к запястью, черный к щиколотке. На шею — манжет. Лучик окулоскопа наводим на правый глаз. И готово. Между спрашивающим и отвечающим, как видите, помещена мембрана. — Он показал на пластину. — Она реагирует на вопросительную интонацию и включает хронометр. Если ответ задерживается больше, чем на 10 секунд, сидящий получает весьма ощутимый раз-

---

[1] Между нами говоря (*фр.*).

ряд. Если машина регистрирует ложь или неполную искренность, то же самое. Это очень умный аппарат, он способен улавливать нюансы. Чем больше финтит вопрошаемый, тем сильнее кара.

Княжна выслушала его с любезной улыбкой, поддакивая и кивая. А когда директор закончил объяснение, улыбку убрала и жестко сказала:

— Незачем нам устраивать торговлю, Гальтон. Бери его за шиворот, сажай в эту пытошную. Ответит на все вопросы, как миленький.

Ученый конфузливо прыснул, будто услышал не очень приличную шутку.

— Прелестная барышня, я не так глуп. Допрос получится коротким. Я буду молчать. Через десять секунд заору от боли. Ничего, как-нибудь перетерплю. В меня, знаете ли, пулями стреляли, и то ничего. Через двадцать секунд молчания машина пропустит через меня максимальный заряд, я потеряю сознание и потом можете делать со мной, что хотите. Никаких ответов вы не получите. Сыворотки тоже. Поэтому предлагаю честную дуэль. Я отвечаю на один вопрос. Потом на мое место садитесь вы или ваш коллега. И отвечаете на мой вопрос. Лукавство, даже минимальное, скрыть не удастся, уж можете мне поверить.

— Почему это я должна вам верить? С какой стати?

— Обидно слышать... — Директор обиженно вздохнул. — Если не верите на слово, можете испытать действие «Исповедальни» на себе. Сами увидите.

— Хорошо, я согласна.

Пригнувшись, Зоя подлезла под мембрану и села.

— Нет! Это может быть ловушка! — вскричал Гальтон. — Лучше проверим на мне.

— Вот слова истинного рыцаря и джентльмена! — восхитился Петр Иванович. — Клянусь, прекрасная амазонка, он в вас влюблен!

Зоя пропустила ехидное замечание мимо ушей. Она уже подсоединяла к себе провода.

— Нет, я сама. А если со мной что-то случится, пристрели этого клоуна на месте.

Директор встал перед княжной, наклонившись к пластине. К затылку профессора был приставлен «кольт», но Петр Иванович не обращал внимания на это маленькое неудобство. Глаза ученого весело поблескивали. Он ткнул пальцем:

— Смотрите на шкалу вот в этом окошечке. Надеюсь, вам обоим хорошо видно. Чем больше сдвинется стрелка, тем искренней и полнее ответ. Градация от 0 до 10... Ну-с, начнем с простенького вопроса. Вы женщина?

— Да.

Стрелка качнулась в крайне правое положение.

— Подумаешь. Что это доказывает? — дернула плечом Зоя, косясь на окошечко.

— Если б вы ответили «мужчина», стрелка осталась бы на нуле, а вы, голубушка, скушали бы 500 вольт и потеряли сознание... Теперь поставим вопрос, допускающий частичную или неполную правду. Ну например: вам нравится заниматься сексом?

— Не смейте задавать... — вскинулся доктор.

— ...мне таких вопросов! — в унисон крикнула и Зоя.

— Скорей отвечайте! Время идет! Пять секунд! Четыре! — замахал руками Громов.

— Есть занятия и получше! — злобно рявкнула княжна прямо в мембрану.

И подпрыгнула в кресле, издав громкий стон.

Стрелка едва коснулась четверки.

Залившись смехом, Громов сказал:

— Сама слабо верит в то, что ляпнула. Процентов на сорок. До чего же приятно сбивать спесь с этих стальных женщин. Слишком много их развелось в наши времена.

Мерзавец заслуживал хорошей взбучки, но Гальтон был занят Зоей. Она мелко дрожала, отсутствующий взгляд был устремлен в потолок, в уголках рта выступила слюна. Жаль, мешала проклятая мембрана, в которую Норд уперся лбом, не то он снял бы эти капельки поцелуями.

— Зоя, Зоя! Очнись! — позвал доктор, а Громова предупредил. — Одно движение — и застрелю.

Княжна оттолкнула его руку.

— Алеша? Уйди! Пусти! С этим всё, всё...

— Это я, Гальтон! Какой еще Алеша?

Но она не слышала и лишь трясла головой.

— Отвечайте, милочка! — воскликнул Петр Иванович. — Аппарат зарегистрировал вопросительную интонацию. Скорей, время идет!

— Гальтон? Гальтон... — пролепетала Зоя. К ней возвращалось сознание.

— Скажите ему скорей, что за Алеша вам примерещился, не то будет поздно!

Норд схватил директора за ворот халата.

— Скорей выключайте прибор! Видите, она не в себе!

— Это не так просто...

— Черт бы вас драл!

Гальтон начал срывать с Зои провода, но было поздно — ударил новый разряд. Чудо, что именно в этот момент Норд не касался княжны, иначе его бы тоже парализовало. Возможно, именно на это Громов и рассчитывал.

От второго удара княжна выгнулась дугой, на губах выступила пена. Потом Зоя безвольно обмякла. Она была в глубоком обмороке.

— Я вас убью! — рычал доктор, вынимая неподвижное тело из кресла. — Вы это нарочно устроили!

— Да в чем же я, батенька, виноват? — Петр Иванович закатывал глаза и разводил руками. — Дама не в себе, а вы ей — новый вопрос. Я ведь предупреждал про вопросительную интонацию... Не волнуйтесь вы так. Ничего страшного не случилось. Шок средневысокой силы наложился на предыдущий, только и всего. Через полчасика ваша красавица очнется. Ну, денек подрожат у нее руки и коленки... Скажите лучше, вы не передумали играть со мной в вопросы-ответы?

Положив Зою на ковер и убедившись, что она жива, Норд поднялся и оценивающе посмотрел на директора. Пока в партии вел Громов. От одного противника он уже избавился. Наверняка у него в запасе есть и другие фокусы. Не проще ли раздавить гадину прямо сейчас?

Но кто тогда ответит на вопросы?

И кто скажет, где спрятана сыворотка гениальности?

— Хорошо. Вы отвечаете первый. Садитесь.

— Вообще-то на поединке обычно тянут жребий, — пожаловался профессор. — Но так и быть. В конце концов, вы гость...

Он подлез под мембраной, сел в кресло и подключил датчики.

— Посмотрите, молодой человек, горит ли желтая лампочка? Отлично. Можете спрашивать.

— Где сыворотка? — чуть не крикнул Норд прямо в пластину.

— Не надо так шуметь... Вон она, на дальнем столе. Видите пузырек? Там свежая доза.

Индикатор правдивости показал 10. Гальтон и не ожидал, что заветный препарат достанется ему так легко. Очевидно, Громов приготовил пузырек, чтобы везти его в Кремль. Тем лучше!

— Теперь моя очередь. Не вздумайте задавать следующий вопрос! Рта не раскрою, так и знайте! Унесу на тот свет все тайны. А их у меня ох как много! — вкрадчиво пропел Петр Иванович.

Электрические часы показывали час десять. Можно было посражаться с директором в предложенную им игру еще полчаса, прикидываясь, будто ничего не знаешь о поездке в Кремль.

— Что ж, ладно, — подыграл противнику Норд. — Я знаю, что эскорт увозит вас отсюда в два пятнадцать, сам это видел. Меняемся местами. Ваш выстрел, профессор. Но хочу вас предупредить: не вздумайте устроить какую-нибудь штуку с током. Револьвер все время будет направлен вам в лоб. Если что — нажать на спусковой крючок я успею. Реакция у меня хорошая, а от чересчур сильного разряда палец сожмется сам собой.

Подсоединив все провода, он, действительно, наставил на Громова «кольт».

Петр Иванович добродушно посоветовал:

— А вы отвечайте, как на духу. Тогда никакого разряда не будет. — И безо всякого перехода, быстро спросил. — Чье задание вы выполняете?

— Мистера Джей Пи Ротвеллера.

По телу пробежало что-то вроде сильного озноба.

— Девять баллов искренности, — задумчиво пробормотал директор. — Правда, но не вся. О чем-то умолчали. Хм.

Не о «чем-то», а о «ком-то», подумал Гальтон, поднимаясь. О товарище Октябрьском. Хоть, строго говоря, он задания и не давал, но тоже к нему причастен. Однако с аппаратом нужно обращаться осторожней, он и в самом деле сверхчуток.

— Теперь мой вопрос. — Норд начинал входить во вкус этой удивительной дуэли. — Как вам удается оставаться в живых, получая не совместимые с жизнью раны?

— Для мыслящего существа, коим является homo sapiens, несовместимо с жизнью лишь полное разрушение центрального процессора — мозга, — менторским тоном объявил профессор. — Все прочие клетки организма способны довольно легко восстанавливаться. Некоторое время назад в мои руки попал препарат, который средневековые алхимики называли «Эликсиром Бессмертия», а русские сказки «Живой Водой». На самом деле это род клеточного регенератора. Сразу скажу: рецептура препарата мне неизвестна. Это был дар. Или, если угодно, трофей... Стоп-стоп! — повысил он голос, видя, что с уст американца готов сорваться следующий вопрос. — Видите стрелку? Я тоже ответил на «девятку». Следующий вопрос можете задать после моего.

То, что сказал директор, было невероятно! Однако, судя по шкале искренности, а главное, по волшебной неуязвимости Петра Ивановича, это была правда — на 90 процентов! Коли так, заполучить клеточный регенератор для исследования еще важнее, чем добыть «сыворотку гениальности»! Воистину это подземелье — истинная пещера Аладдина!

Нетерпеливо ерзая в кресле, доктор потребовал:

— Поторапливайтесь!

Ему не терпелось спрашивать дальше.

Поменялись местами.

— А нет ли у мистера Ротвеллера союзников в Москве? Кто они?

Товарищ директор был куда как не глуп. Девять баллов в предыдущем ответе его не устроили.

Шли секунды. Одна, вторая, третья, четвертая... Гальтон молчал. Отсоединить провода он не успевал. Выбор был такой: немедленно, пока не ударил ток, застрелить Громова и потом потерять сознание. Или же сказать всю правду. Почему бы и нет? Что это изменит?

— Военная контрразведка РККА, — быстро сказал Норд. — Некто Октябрьский.

— Ага, «пруссаки». — Петр Иванович вздохнул, и, как показалось Гальтону, с облегчением. — Мне следовало догадаться...

О чем спросить теперь? Где «эликсир бессмертия»? Нет, сначала — задание Ротвеллера. Дополнительные бонусы можно оставить на потом.

— Что, собственно, представляет собой «сыворотка гениальности»?

Любая информация о загадочной вытяжке может сэкономить много часов, а то и дней лабораторной работы.

— Кроме «Эликсира Бессмертия» с древних времен узкому кругу посвященных было известно еще одно снадобье — «Эликсир Власти». Это мощный мобилизатор воли и интеллектуальных способностей, но восприимчивы к нему лишь люди определенного склада. Формулы я не знаю, однако эксперименты показали, что из мозга людей, питавшихся мобилизатором, можно добывать некую экстракцию, которая является суррогатом Эликсира Власти. Процесс экстракции очень сложный, дорогостоящий. Для его обеспечения и создан мой институт. Видите, как полно и правдиво я отвечаю? На «десятку». Ну-ка, теперь вы.

Сейчас Гальтон боялся только одного. Вдруг Громов спросит: «Вы твердо намерены меня убить?» Придется сказать правду, и тогда больше никаких ответов не будет, а доктора буквально распирало от вопросов, один насущней другого.

«Питался» ли Владимир Ленин «мобилизатором», выяснять незачем — и так ясно. Зачем чекисты воруют мозги «великих» покойников, тоже можно не спрашивать. Надеются достать иной источник для производства вытяжки. Ленинского мозга надолго им не хватит...

— Скажите, молодой человек...

Профессор запнулся. Он явно волновался. Сейчас спросит о своей участи, и всему конец!

— ...Скажите, а помимо того, чтоб прикончить меня и добыть сыворотку, нет ли у вас еще какого-то задания?

— Нет, — удивился Гальтон. — А разве мало?

В кожу будто впилась тысяча иголок, и он удивился еще больше. Почему бьет током, ведь он сказал правду? Ах да!

— Еще мне было велено «действовать в соответствии с логикой событий», — припомнил он туманную фразу мистера Ротвеллера, которой тогда не придал особенного значения.

Мерзкое иглоукалывание сразу прекратилось, а директор сделался мрачен.

— Валяйте живей, что там у вас дальше, — пробурчал он, усаживаясь. — «Логика событий»! Я так сформулирую следующий вопрос, что не вывернетесь.

Теперь про папку, решил Норд и мысленно перебрал ответы, накрепко засевшие в памяти:

1) 11.04 Ломоносов

2) 14.04 Я же говорю: Ломоносов

3) 17.04 Черный пополон (второе слово неразборчиво)

4) 20.04 Попробуй у Маригри («Умаригри»? Нет, все-таки «У Маригри»)

5) 23.04 Как? Очень просто! Загорье, где кольца

6) 26.04 Да око же, око!

7) 29.04 Проще всего через Загорье. Спас Преображенский.

8) 02.05 Где кольца. Не помнишь? Третья ступенька.

9) 05.05 Маригри? Как это какая? Разумовская

— Вы хранили в сейфе папку. Что означают эти записи? «Черный пополон», «Загорье», «Спас Преображенский», «кольца», «третья ступенька» — что это такое? Кто дает эти ответы?

— Минуточку! Тут целый комплекс вопросов!

— Не лгите, профессор. Это всё про одно и то же.

— Ну как же про одно?! Первый вопрос: «что?» Второй: «кто?»

— Ладно. Остановимся пока на первом. У вас две секунды.

Скороговоркой, пока не ударил ток, Громов выпалил:

— Это коды. Ими обозначены какие-то тайники. Ой! — Он взвизгнул от боли и затараторил еще быстрей. — По ним, я уверен, можно добраться до настоящего Эликсира Власти. Но разгадать шифр не удается. Ай! ...Хорошо, хорошо, кое-что я, кажется, зацепил. Сопоставил ответы от 23-го апреля, 29-го апреля и 3-го мая. Есть такая деревня Загорье, около Малого Ярославца, а в ней Спас-Преображенский храм. Он трехъярусный — может быть, это имеется в виду под «ступеньками». Мы искали в третьем ярусе... Аааа! — заорал вдруг Петр Иванович, хотя стрелка вела себя прилично — подрагивала между девяткой и десяткой.

Глаза директора смотрели куда-то мимо Гальтона.

Голова ученого ударилась о спинку кресла. Черная шапочка соскочила, из пробитого черепа полетели красные брызги.

Одновременно сзади, от двери, донесся чавкающий звук выстрела. За ним второй, третий, четвертый.

К «Исповедальне», вытянув руку с пистолетом, шел Октябрьский и стрелял на ходу. Все пули, одна за одной, попадали Громову в лоб. От верхней части головы почти ничего не осталось — какое-то жуткое серо-багровое крошево.

— Что вы наделали?! Зачем?! — крикнул Норд.

Контрразведчик отрывисто проговорил, разглядывая труп:

— На связь не выходите. Время летит. А еще мне доложили, что из кремлевского гаража выехал кортеж. Оказывается, сегодняшний сеанс назначен на полчаса раньше обычного.

Так вот на что рассчитывал Громов!

— Откуда вы взялись?

— Я был в соседнем дворе, в радиоавтомобиле. Что это у вас тут за посиделки?

— Зачем вы его убили? — Доктор чуть не стонал от досады. — Он не сказал самого главного!

— Вы глухой или тупой? У нас пять минут, чтоб унести ноги.

Октябрьский вставил новую обойму и разрядил ее в то, что еще оставалось от головы Петра Ивановича. Не выдержав этого зрелища, Гальтон отвернулся.

— Для верности, — хладнокровно заметил русский. — Что это вы берете? Сыворотку? Дайте-ка сюда.

— Зачем она вам? Вы в нее все равно не верите.

— Неважно. Эта дрянь — собственность государства рабочих и крестьян.

Отобрав пузырек, Октябрьский шмякнул его об стену — от кафеля брызнули осколки.

— Вот так. Теперь дело сделано. Что с красавицей? — Он склонился над Зоей, которая пыталась сесть, но у нее никак не получалось. — Ранена?

— Током... Ударило... Ничего, — с трудом выговорила она. — Через минуту... Встану.

— Нет у нас минуты, золотце. Ну-ка, обнимите меня за шею.

Русский легко поднял княжну на руки, что доктору совсем не понравилось.

— Дайте-ка сюда. Это собственность Соединенных Штатов! — И взял Зою сам.

Она прижалась к его плечу. Ее била дрожь, сотрясала икота.

— Всё-всё-всё! На выход! Оружие бросьте на пол, только не забудьте оставить на нем пальчики. Я и так из-за вашей медлительности слишком подставился. — Октябрьский первым покинул кабинет и спросил кого-то в приемной. — Готово? Сюда тоже кинь парочку.

В секретариате возился Витек, раскладывая по углам динамитные шашки, соединенные проводами. От Гальтона бывший шофер отвернулся. То ли испытывал неловкость за свое поведение, то ли (что вероятней) злился из-за пинка в причинное место. Впрочем, переживания этого субъекта Норду были безразличны.

Они бегом миновали весь первый этаж, в каждой комнате которого лежало по покойнику.

В дежурке задержались, чтобы прихватить Айзенкопфа. Тот еще не вполне оправился от удара бронзовым истуканом по голове, но все-таки уже стоял, опираясь о стену.

— Возьмите Ляо Синя под руку! — крикнул доктор, задыхаясь. Зоя уже не казалась ему такой воздушной, как вначале.

На второй лестнице их догнал Витек, закончивший расстановку зарядов.

— 90 секунд, шеф, — доложил он Октябрьскому.

Они выбежали из флигеля и помчались к подворотне: сначала Витек, за ним Октябрьский, волокущий за собой Айзенкопфа, сзади Гальтон с княжной на руках.

В переулке ждал черный автомобиль, его дверцы сами собой распахнулись.

— Быстрей ты, трудящийся Востока! — прикрикнул контрразведчик на Курта, который почему-то не желал лезть в машину.

— Без сумки не поеду, — просипел биохимик с трудом ворочая языком, что отлично заменяло китайский акцент. — В мотоцикле осталась моя сумка.

Октябрьский посетовал:

— Вот оно — мурло частного собственника! Успокойтесь, Цинь Ши-хуанди, ваше имущество погружено.

Земля слегка качнулась. В домах задребезжали стекла. Откуда-то снизу, издалека, донесся утробный рык взрыва.

— «The Fall of the House of Usher»[1], — торжественно объявил контрразведчик (Гальтон не понял, о чем это он). — Полный газ! Ходу!

---

[1] «Конец дома Эшеров» (*англ.*).

В ЕДУЩЕМ НА КЛАДБИЩЕ КАТАФАЛКЕ

, и то, наверное, было бы оживленней, чем в длинном черном автомобиле, несшемся по улицам ночной Москвы.

Впереди сидели двое: какой-то человек в кителе и фуражке, ни разу не обернувшийся, и, за рулем, Витек, который, сбросив маску разбитного шоферюги, сделался совершенно другим человеком. Не трепал языком, не вертелся, в зеркале отражались сурово прищуренные глаза. На двух промежуточных откидных сиденьях пристроились Октябрьский и Норд. Первого тоже будто подменили. То беспрестанно балагурил и скалил зубы, а теперь сидел с холодным, непроницаемым лицом. Его визави тоже не был расположен к веселью — с каждой секундой доктору становилось все тревожней. Ну а заднее сиденье вообще походило на реанимационное отделение. Там мычал ушибленный биохимик и беспрестанно икала травмированная электротоком княжна.

По встречной полосе на бешеной скорости просвистели одна за другой несколько машин.

— Это Картусов, шеф, — нарушил молчание Витек. — Его «паккард». И охрана.

— Без тебя вижу. Гони.

Снова наступила тишина.

Положение, в котором очутились члены экспедиции, было катастрофическим. Еще тошней делалось от сознания собственной дурости. После уничтожения Громова и его лаборатории американцы превратились для «пруссаков» из полезных союзников в опасных свидетелей. Как можно было этого не сообразить! События развивались чересчур быстро, требовали слишком полной отдачи всех умственных сил. У Гальтона не было времени просчитать игру не на два, а на три хода вперед. Он думал только об успехе миссии. Теперь придется расплачиваться за недальновидность.

Норд ощущал абсолютную беспомощность. Он был безоружен, один против троих. Даже хуже. Если б один, можно было бы попробовать на ходу выброситься из машины. Но Зоя, но Айзенкопф!

А что если выкинуть из машины контрразведчика? Октябрьский сидел у противоположной дверцы, полуотвернувшись. «Чувствует себя хозяином положения», зло подумалось Норду.

Двинуть кулаком в висок, вышвырнуть наружу. Водитель резко ударит по тормозам, все слетят со своих мест. Возможно, кто-то из противников будет оглушен ударом о ветровое стекло. В любом случае, возникнет куча-мала, в которой у Гальтона окажется преимущество, потому что он находится сзади и будет готов к заварухе.

А что потом?

Черт его знает. Шансы на успех минимальны, но лучше уж так, чем погибнуть без сопротивления!

Доктор примерился к расстоянию, отделявшему его от Октябрьского. И вдруг заколебался.

Что если русский вовсе не собирается их убивать? Оправдана ли будет немотивированная агрессия?

Не зная, какое принять решение, Норд оглянулся на коллег — и зажмурился от яркого света. Из-за угла выехал автомобиль, светя фарами. За ним второй. Обе машины пристроились сзади.

Витек сообщил:

— Шеф, наши подключились.

— Угу, — меланхолично промычал Октябрьский.

Ну вот и всё. Момент упущен. Теперь нет и минимального шанса.

Может быть, арестуют?

Исключено.

Прикончат — и концы в воду.

Стоило Гальтону мысленно произнести эти слова, как впереди заблестела черная маслянистая лента. Автомобиль свернул на набережную довольно широкой реки и почти сразу же съехал вниз, к самой воде.

Остальные две машины остановились слева и справа. На бортах у них белели шашечки — по виду обычные таксомоторы.

Октябрьский смотрел на доктора в упор. Дело шло к финалу.

— По-грамотному, конечно, следовало бы вас, граждане американцы, прикончить, — со вздохом сказал русский. — Но, как у нас говорят, слово есть слово. Катитесь к чертям собачьим. На той стороне Москвы-реки, за мостом, Брянский вокзал. Вот вам билеты до Львова, это первый заграничный город.

Не веря своим ушам, Гальтон взял конверт и зачем-то заглянул в него. Действительно, три картонки.

— Держите документы, они вам понадобятся на границе. Вы теперь Прокоп Абрамович Колупайло, сотрудник Внешторга. Наша доблестная Электра — пани Агнешка-Катаржина Косятко, польскоподданная. Китайский паспорт подготовить не успели, придется дедушке Сяо Линю временно стать монголом. Он у нас большой начальник, член Народного Хурала товарищ Гомножардав, следует транзитом в Европу.

Все эти несусветные имена Октябрьский выговаривал с явным удовольствием, особенно последнее.

— Эй, гость из братской Монголии, вы на ногах-то держитесь? Пройдитесь-ка.

Курт с трудом вылез из машины, сделал несколько шагов, закачался.

— Хреновато. Витек, поможешь Гомножардаву погрузиться в вагон. Выпил с другом из социалистической Монголии, проводил — нормально. Отваливайте!

— Слушаюсь!

Витек взял Айзенкопфа под локоть, усадил в одно из такси, и машина отъехала.

— Следующее авто ваше, мистер Норд. А я доставлю даму. Изображу мужа, который провожает на поезд любимую супругу.

Зоя уже не икала и почти перестала дрожать. Голос ее, во всяком случае, звучал твердо:

— Благодарю, но пани Косятко современная женщина и привыкла обходиться без провожатых. Кроме того, если я польскоподданная, мне ни к чему подъезжать к вокзалу на длинной черной машине официального вида. Лучше доеду на такси.

Она вышла, не оглядываясь. Второй таксомотор тоже отъехал.

— Сильная женщина, — мечтательно произнес Октябрьский. — И очень красивая. Настоящая русская порода. Вы уж берегите ее, мистер Норд... Люсин, а ну продемонстрируй класс вождения.

— Слушаюсь, шеф.

Человек, за все время так ни разу и не обернувшийся, пересел к рулю. Машина поднялась из приречной черноты на темную набережную и поехала через скудно освещенный мост к сияющему огнями вокзалу. Этот маршрут показался уже распрощавшемуся с жизнью доктору символическим возвращением из мрака небытия.

На прощанье Октябрьский сказал вот что:

— Выметайтесь из моей страны. И упаси вас американский бог задержаться в Советском Союзе. Тогда искать вас будет не только Картусов, но и я. И уж кто-нибудь из нас наверняка найдет. При этом я, сами понимаете, не заинтересован брать вас живьем. С другой стороны, лучше уж будет угодить ко мне, чем к Янчику. Он на вас страшно сердит, а этот интеллигент, если ему прищемить хвост, превращается в настоящего садиста.

Помолчав, чтобы Гальтон как следует проникся сказанным, поразительный контрразведчик другим тоном, почти по-приятельски заметил:

— Норд, вот мы с вами оба классические вожаки стаи, самцы-лидеры. Но, скажите, случается ли вам, как мне, ощущать внутри себя нечто чрезвычайно женское? Уверен, что случается. Это иррациональный, но очень важный для выживания инстинкт. Он называется «предчувствие». Так вот, мое внутреннее дамское предчувствие говорит мне, что мы с вами обязательно еще встретимся. Пожелаем же друг другу, чтоб это случилось не в ситуации лобового столкновения. Я понятно выразился?

— Понятно.

— Ну, тогда пока.

Одинаково, по-бычьи склонив бритые головы, они пожали друг другу руку.

*

Очевидно для конспирации, билеты были в один вагон, но в разные купе. Соседями Гальтона оказались жизнерадостные молодожены и какой-то командировочный из Киева, тоже молодой и веселый. В СССР все старые и грустные, видимо, прятались по домам.

С Зоей тоже ехали три попутчика. Зато Айзенкопфу как члену Народного Хурала полагалось персональное купе. Там члены экспедиции и собрались.

Курт извлек из недр своего «универсального конструктора» аптечку, сделал себе какой-то укол и сразу же уснул, пообещав, что проснется совершенно здоровым и полным сил. Вмятина у него на лбу противоестественно порозовела и приняла форму сердечка, из-за чего княжна нарекла ее «поцелуем Ильича».

Зоя уже полностью оправилась от электрического шока. Они с Нордом сидели рядом, касаясь друг друга плечами, и тихонько, чтоб не разбудить биохимика, разговаривали. Тем для обсуждения хватало.

Итак, задание Ротвеллера выполнено. «Сыворотку гениальности» добыть не удалось, но это, строго говоря, и не входило в перечень обозначенных целей.

Громов уничтожен? Да.

Будут ли большевики вынуждены прекратить работы по экстракции сыворотки ? Безусловно.

А все же Норд был не удовлетворен.

Ему не давали покоя два эликсира, упомянутые покойным директором: Эликсир Власти и Эликсир Бессмертия. То, что эти таинственные препараты действительно существуют, представлялось несомненным. Во всяком случае, Громов безусловно в них верил, а он не был похож на романтика и фантазера.

Недоразгаданная тайна папки с ответами томила Гальтону душу. У доктора было мучительное ощущение, что скорый поезд уносит его прочь не от чужого города с лягушачьим названием, а от величайшего открытия, о котором всякий ученый может лишь мечтать...

Об этом он и говорил Зое глухим от разочарования голосом.

Клеточный регенератор! Мобилизатор ума и воли! Подумать только! Сколько чудесных возможностей открылось бы перед человечеством, если вооружить его подобными инструментами!

Ах, Громов, Громов... Этот человек унес с собой в могилу слишком много секретов.

— Знаешь, — шептал доктор, — я уверен, что не стал бы его убивать. Я бы попытался вытащить его из бункера и увезти с собой. Нельзя было уничтожать человека, который обладает таким знанием!

— Если бы я не подвела тебя, если б не валялась на полу тряпичной куклой, всё было бы иначе, — виновато ответила Зоя, у которой имелся собственный повод для терзаний.

Ее слова напомнили Норду об инциденте с электрошоком.

— Почему ты назвала меня «Алеша»? Кто это — Алеша?

Она долго молчала.

— ...Мой маленький брат. Помнишь, я тебе рассказывала, как мы остались вдвоем, без родителей, в Константинополе? Алеша снится мне почти каждую ночь... Будто он мечется в тифу, один, заброшенный, грязный, голодный. Зовет меня, а я не иду. И он умирает... Я никому и никогда не рассказывала эту историю до конца. Пока я чистоплюйничала и блюла невинность, отказываясь идти к клиенту, Алеша умер от голода и отсутствия медицинского ухода. Когда я сбежала из борделя и примчалась к нему, было поздно. Как же я себя тогда ненавидела! Хотела швырнуть эту чертову невинность в канаву, первому встречному. Но Бог не принял от меня искупительной жертвы. Он послал мне ангела, в виде джентльмена из Ротвеллеровского фонда... Вот кто такой Алеша. Пожалуйста, никогда больше не произноси при мне этого имени.

Зоя прижалась к его груди и безутешно, горько заплакала. Норд гладил ее по голове. Что тут было сказать? Только ждать, пока иссякнут слезы.

Но в дверь постучали, и княжна сразу выпрямилась, вытерла глаза, а ее лицо приняло выражение безмятежного спокойствия. Все-таки воспитание есть воспитание.

Это был проводник.

— Граждане, чайку желаете?

Норд вспомнил, что с самого утра ничего не ел, и почувствовал приступ лютого голода.

— А пожрать чего-нибудь нету, папаша?

— Три часа ночи, товарищ. Вагон-ресторан закрыт. — Проводник окинул опытным взглядом лица пассажиров, приметил солидный чемодан Айзенкопфа на багажной полке. — Скоро будет станция. Две минуты стоим. Могу сбегать в буфет, взять бутербродов или чего там у них. А пока чайку выпейте.

Делать нечего. Гальтон положил в стакан побольше сахара. Стали пить чай.

Теперь заговорили о листке из громовской папки — она не давала доктору покоя.

— У нас есть список ответов на какой-то вопрос — скорее всего один и тот же. Это явствует из несколько раздраженного тона, словно отвечающий сердится на тупость или непонятливость. Вот, смотри.

Он положил на столик листок и некоторые строчки перечеркнул карандашом.

1) 11.04 Ломоносов

2) 14.04 Я же говорю: Ломоносов

3) 17.04 Черный пополон (второе слово неразборчиво)

4) 20.04 Попробуй у Маригри (*«Умаригри»? Нет, всетаки «У Маригри»*)

5) 23.04 Как? Очень просто! Загорье, где кольца

6) 26.04 Да око же, око!

7) 29.04 Проще всего через Загорье. Спас Преображенский.

8) 02.05 Где кольца. Не помнишь? Третья ступенька.

9) 05.05 Маригри? Как это какая? Разумовская

— Ответы номер один, два и шесть касаются тайника с Ломоносовым. Их можно вычеркнуть. Четвертый и девятый привели нас к секретной нише в бывшем доме графини Разумовской. Тоже вычеркиваем. Но что такое «черный пополон», да еще неразборчивый, абсолютно непонятно. Оставим третий ответ в покое. Пятый, седьмой и восьмой указывают на одно и то же место: какой-то храм в каком-то селе под каким-то Малоярославцем. Это вполне конкретное и довольно точное указание. Громов не врал, я видел это по шкале аппарата!

— Ой, не напоминай мне про аппарат, — содрогнулась Зоя. — А то снова икать начну. И успокойся. Миссия выполнена. По нашему следу идет ОГПУ. Нам здорово повезет, если мы благополучно пересечем границу. Если ненайденные тайники могут привести нас к эликсирам, о которых тебе рассказал директор, это очень-очень важно. Понадобится новая экспедиция. Мы как следует к ней подготовимся. Уверена, что Джей-Пи не пожалеет ни сил, ни средств.

— Ты права, — уныло согласился Гальтон и стал смотреть в окно.

Огоньки плыли в ночи редкими светлячками. Но вот они собрались в стаю, поезд начал замедлять ход. Приближался какой-то населенный пункт.

В купе снова сунулся проводник.

— Так я сбегаю? Если желаете, можно и винца достать, массандровского. Дорого, правда...

— Хапай, папаша, всё, что дадут. — Гальтон сунул ему ворох бумажек. — Давай. Одна нога здесь, другая там. Как станция называется?

— Малоярославец!

Проводник исчез в коридоре, а доктор Норд неэлегантно разинул рот и захлопал глазами.

Судьба. Это судьба, подумал он.

И быстро поднялся на ноги.

— Я выхожу здесь. Отправляйся с Айзенкопфом в Нью-Йорк. Расскажите всё Ротвеллеру. А потом возвращайтесь. Я оставлю тебе какой-нибудь мессидж в той самой церкви. Преображенский Спас, село Загорье. Мессидж, который будет понятен только тебе.

Поезд уже притормаживал. Нельзя было терять ни минуты. Гальтон побежал в купе за курткой и саквояжем. Оглянулся — увидел спину княжны. Она ничего не сказала на прощанье и даже не оглянулась. Так, пожалуй, и лучше. Сантиментов на сегодня хватит.

Но через секунду Зоя вынырнула обратно в коридор. В руке у нее была сумка, через локоть перекинута кожанка.

— Наш монгол и один всё кому надо расскажет. А я с тобой.

Взявшись за руки, они пошли в сторону тамбура.

В коридоре обнявшись стояли молодожены, соседи Норда по купе: вихрастый парень и славная конопатая девушка в красной косынке.

— В буфет? —спросил парень.

— Ага. Там, говорят, массандровское есть. Понимаешь, познакомился вот, — доктор подмигнул, показав на Зою.

Вихрастый показал большой палец и шепнул:

— Мировая гражданочка.

Юная супруга хихикнула.

На перроне пришлось остановиться, чтоб разобраться, куда идти. Фонари горели еле-еле, разглядеть что-либо было трудно.

По лесенке с топотом скатился заспанный Айзенкопф.

— Вы куда? Почему с вещами?

— Так надо. Вы отправляйтесь в Нью-Йорк и обо всем доложите мистеру Ротвеллеру, — по-английски прошептал Гальтон и повторил про мессидж в Спас-Преображенском храме.

— Какой к дьяволу мессидж! Подождите меня! Я только возьму конструктор.

Молодожены, с любопытством наблюдавшие за разговором из тамбура, засмеялись — их развеселило, что косоглазый азиат бегает то туда, то сюда.

От низенького станционного здания к вагону бежал проводник: в одной руке тарелка, в другой деньги.

— А, вы тут? Вина нету. Вообще ничего нету, только хлеб с чесночным ливером. Взял десять штук. Будете?

— Давай сюда. Сдачу оставь себе.

Норд отобрал тарелку с пахучими бутербродами.

— Полминуты осталось. Отстанете, граждане!

Проводник поднимался в вагон, пересчитывая деньги. Его чуть не сшиб чемоданом запыхавшийся монгол. Молодые супруги снова прыснули. Что ни случись — им всё было смешно.

— Гражданин, вы чего, сходите что ли?

Айзенкопф в ответ выдал целую тираду на какой-то тарабарщине, которая, очевидно, должна была изображать монгольскую речь. Хотя бог его знает, полиглота. Может быть, Курт по какому-нибудь случаю выучил и язык Чингисхана.

— Как вы себя чувствуете, Курт?

— Словно заново родился. Куда это мы? Вы сказали про какой-то храм, но я ничего не понял.

В самом деле — при дуэли на детекторе он не присутствовал, разговор в купе проспал.

Гальтон ответил:

— Где-то неподалеку должна быть деревня Загорье. Нам туда.

*

Найти деревню оказалось нетрудно. Железнодорожный сторож сказал доктору: «Ступай, мил человек, вона на ту звезду. Она тебя к реке-Протве выведет. А дальше все бережком, бережком. Киломéтров восемь будет».

Так и сделали. Взяли курс на звезду, которую Норд идентифицировал как Альдебаран, потом шли берегом идиллической речушки, где покачивался под ветром сухой камыш и квакали лягушки. Айзенкопф волок свой тяжелый чемодан, жалуясь, что никто ему не помогает. Но Гальтон, словно охотничий пес, который взял верный след, быстро шагал вперед и не оборачивался. Он даже не притронулся к станционным бутербродам. Они были завернуты в бумагу, положены в саквояж и забыты.

— Скорей, скорей! — покрикивал доктор на спутников.

Горизонт начинал сочиться светом. Первый же луч солнца, прочертив по долине идеальную прямую, зажег посреди темного поля искру.

— Смотри, это колокольня! — воскликнула Зоя.

Над укутанной в темноту землей сиял ало-золотой крест. Это несомненно и был Спас-Преображенский храм.

В Загорье еще спали, что было кстати. Странная троица вызвала бы у деревенских любопытство, а то и настороженность. У околицы, правда, встретился пастух, выгонявший в луга десяток костистых коров. Он почтительно посмотрел на людей в кожаных доспехах.

— Вы, извиняюсь, из района будете? Уполномоченные?

— Иди куда шел, — грозно сказала Зоя.

— Иду-иду.

Мужичок снял кепку, поклонился и погнал свое маленькое стадо от греха подальше.

Дальнее мерцание креста и предвкушение открытия взволновали Гальтона, он был заранее готов восхититься чудесным храмом, но вблизи церковь выглядела неказисто. Размерами не впечатляла, стены были грязно-белые, синие купола облезли, а на первом этаже висела большая жестяная вывеска «Колхозная столовая». Норд почувствовал разочарование.

Но княжна рассматривала храм с восхищением.

— Какой чистый образец допетровского зодчества! — сказала она. — Какие строгие, изящные линии! Каноническое пятиглавие, шатровая колокольня! А как живописен лестничный всход!

Каменная лестница, ведущая во второй ярус церкви, действительно, была самым парадным элементом постройки. Вероятно, в прежние времена по этим широким ступеням поднимались пышные свадьбы, а в престольные праздники златоризные попы торжественно начинали отсюда крестный ход, но теперь церковные врата были наглухо закрыты и покрыты ржавчиной, а из щелей меж камнями лезла трава.

— К черту ваши архитектурные восторги. — Айзенкопф разглядывал компас. — Обращаю ваше внимание на то, что не только церковь состоит из трех «ступенек», но колокольня тоже трехъярусная, причем грани ее шатра точно ориентированы по сторонам света. Может быть, это имеет значение?

По пути Гальтон рассказал немцу всё, что узнал от Громова, и биохимик тоже преисполнился энтузиазма.

— Давайте пошевеливаться, пока деревня не проснулась!

Он моментально сковырнул с двери замок, и члены экспедиции вошли в так называемый «верхний храм», который, очевидно, давно уже был заброшен. С пыльного иконостаса печально смотрели бородатые святые, которые в новой жизни были никому не нужны. С «Царских врат» кто-то соскреб всю позолоту. От люстры остался крюк на потолке. Ни окладов, ни светильников, ни утвари. Грязь, надругательство, запустение.

Айзенкопф деловито огляделся.

— Предлагаю разделиться. Я осмотрю третий ярус церкви. В «конструкторе» у меня есть превосходный пустотоискатель, проверю полы и стены. А вы идите вон в ту дверь и поднимайтесь на колокольню, поищите там. Учтите, Норд, что под «третьей ступенью» может подразумеваться и третья сторона света, то есть запад. В христианской традиции начинают считать с востока.

Честолюбивый немец рассчитывал найти тайник сам, поэтому и отправил остальных на поиски в бесперспективное место. Что искать там нечего, стало понятно, как только доктор с княжной поднялись по лесенке на самый верх. Тайнику здесь укрыться было негде. Сверху — сужающаяся кровля, колокола сняты, в стенах со всех сторон сторон зияют пустые проемы.

— Встань мне на плечи и погляди, что под куполом, — для очистки совести велел Гальтон.

Сняв башмаки, княжна вскарабкалась на него и долго всматривалась в сумрак. Норд тоже задрал голову, но обнаружил, что с его позиции подкуполье совсем не видно, зато открывается зрелище гораздо более волнующее.

— Ничего там нет. Перекладина, и на ней ворона спит, — сообщила наконец Зоя и строго прибавила. — Перестань глазеть мне под юбку. Сейчас не место и не время! Нет, лучше уж воспользуюсь приставной лесенкой.

Она спрыгнула на пол и взяла прислоненную к стене стремянку.

— Иди отсюда, поищи где-нибудь еще. Ты меня только от-влекаешь!

— Хорошо...

Вздохнув, Гальтон спустился и сел внизу парадной лестни-цы. Оживление пропало. Он уже чувствовал, что никакого тайника они здесь не найдут. Громов с ОГПУ наверняка об-шарили и третий ярус храма, и всю колокольню. Неужели импульсивная высадка на станции была ошибкой? А как же судьба?

Он рассеянно смотрел, как луч восходящего солнца мед-ленно ползет по каменным плитам: подобрался к лестнице, вызолотил нижнюю ступень, потом вторую, перебрался на третью, посверкал пылью на носке сапога...

Что это вырезано на камне?!

Доктор дернулся и наклонился.

Ничего.

Показалось?

Он снова выпрямил спину — и отчетливо увидел процара-панные на третьей ступеньке буквы K S. Если б Гальтон не сидел там, где он сидит, а сбоку плиту не подсвечивал косой солнечный луч, разглядеть литеры было бы совершенно не-возможно.

Спокойно, спокойно, сказал себе Гальтон. Мало ли кто и зачем начертил здесь надпись. Может, какой-нибудь маль-чишка, от безделья.

Однако ступенька была третья, храм назывался Спас-Преображенским, деревня — Загорьем. А на тайнике в Анг-лийском клубе тоже были вырезаны буквы, хоть и другие.

Сев на корточки, доктор принялся ощупывать ступеньку дюйм за дюймом.

Сверху обнаружить что-нибудь примечательное не уда-лось.

Стал смотреть сбоку.

Слева обычный стык между плитами. Никакого зазора.

Справа... Между стенкой и ступенью зачем-то проложен старый кирпич, словно узкая заплата. А нельзя ли его вынуть?

Щели были плотно забиты слежавшейся пылью и гря-зью. Гальтон достал складной нож, начал прочищать пазы.

Сначала дело шло со скрипом (и препротивным), но чем глубже проникало острие, тем легче оно двигалось. Кирпич то ли вовсе не был прихвачен раствором, то ли раствор давным-давно утратил цепкость. Через минуту-другую вставку уже можно было пошевелить. Норд замычал от нетерпения, заработал ножом с утроенной скоростью.

Поддел лезвием кирпич, подцепил ногтями. Под ступенькой открылась прямоугольная впадина глубиной в полфута.

— Сюда! Сюда-а-а-а!!! — закричал Гальтон. — Нашел!!!

В деревне, словно откликаясь, закукарекал петух. Потом второй, третий.

Сверху по лестнице сбежали Айзенкопф и Зоя.

Дрожащим пальцем доктор указывал в отверстие. От возбуждения он не мог выговорить ни слова. Но всё было понятно и так.

Присыпанные кирпичной крошкой, в тайнике стояли три стеклянных пузырька, а рядом лежала плоская серебряная шкатулка.

Какое-то время члены экспедиции в оцепенении разглядывали находку.

Первым опомнился Айзенкопф. Оглянувшись на просыпающуюся деревню, он сказал:

— Берите всё, что там есть, и уходим! После разберемся.

Так и сделали.

Шкатулку взял Гальтон. Пузырьки, словно бесценное сокровище, прижала к груди княжна.

Быстрой походкой они пошли прочь от церкви.

— К реке! — показал доктор на зеленевшие вдали кусты.

Не утерпев, он и Зоя побежали вперед. Сзади, обливаясь потом, волок свой конструктор Айзенкопф.

Начали со шкатулки. В ней лежали два золотых кольца и старинные часы.

— Венчальные, — сказала княжна, повертев кольца. — У моей бабушки было почти такое же.

Гальтон разглядывал серебряную луковицу с циферблатом.

— Хм, это не часы... Похоже на компас. Стрелка указывает все время в одном и том же направлении...

— Нет, не компас, — сказал биохимик. — Север вон где, а эта стрелка показывает на юго-юго-восток.

— Что же это за прибор?

Зоя осторожно поставила рядом три флакона.

— Может быть, ответ в одном из них?

Бутылочки отличались цветом, и жидкость в них тоже была разная: в склянке обычного стекла — прозрачная, в склянке синего стекла — зеленая, в склянке красного стекла — красная.

— Пробовать буду я, — заявила княжна. — Хватит Гальтону рисковать.

— Нет я! — отрезал доктор.

Оба посмотрели на биохимика. Тот рассудительно молвил:

— До сих пор Норд ни разу не ошибся. Я за него. Два голоса против одного. Вы победили, Гальтон. Поздравляю. Мобилизуйте всю свою интуицию и логику. Обидно будет вас потерять, когда мы настолько приблизились к тайне.

CODE-4

I.

В самый миг, когда грянул залп, Фондорин услышал по обе стороны какой-то шорох; что-то, помнилось, задело его плечи справа и слева. Однако предсмертный ужас поглотил все чувства и мысли. Самсон ждал лишь одного — гибели. Если повезет, то мгновенной. Если не повезет, то после тяжких мук.

И вот прогремели выстрелы.

Мгновенной гибели судьба профессору ниспослать не пожелала. Боль пронзила его левый бок и правую руку. Он покачнулся, но не упал.

Почему ран было только две? С расстояния в пять саженей по недвижной мишени промахнуться невозможно!

Он открыл глаза и сначала не разглядел ничего кроме густого дыма.

Потом увидел у своих ног, ступенькой выше, два окровавленных тела. То были копты. Один из них лежал бездыханный. Второй закатил незрячие глаза и сипло сказал:

— Cours! Cours![1]

Атон и Хонс заслонили меня от пуль, потрясенно подумал Самсон Данилович. *Но почему?!*

— Cours, — слабее повторил Хонс и уронил простреленную голову.

Опаляемый болью, полуоглушенный, мало что соображающий, профессор бросился к дверям. Его швыряло из стороны в сторону, он ударился головой о косяк, но все-таки сумел выбежать на крыльцо.

— Держи его! Держи! — неслось сзади.

За воротами переливалась черным лаком карета с императорским гербом. Дверца была распахнута. На приступке, одной ногой касаясь земли, стоял Анкр в своем расшитом позументами мундире.

---

[1] Беги! Беги! (*фр.*)

— Что случилось, друг мой? — крикнул он. — Кто стрелял? Где мои помощники?

Шатаясь, Самсон бежал к барону — будто в кошмарном сне, когда каждый шаг вязнет в песке или в болоте.

— Убиты...

Он знал, ему не спастись.

Погоня уж высыпала во двор. Впереди всех огромными прыжками скакал Капитан, выдергивая из-за пояса пистолет.

— Скорее сюда! — воскликнул Анкр. — Кто это такие? Опомнитесь, канальи! Вы что, не видите герб...

Выстрела Фондорин не услышал. Вместо этого в ушах у него раздался гулкий звон, а прямо перед глазами ни с того ни с сего оказались булыжная мостовая и каретное колесо.

Пуля попала профессору в спину. Он упал, всего чуть-чуть не добежав до экипажа.

— Негодяй! Тебя повесят! — послышалось издалека.

Кто-то лепетал:

— Я не заметил, я не разглядел... Я думал...

Взволнованный голос простонал:

— Господи, у него пробито легкое! Он умирает! Да помогите же, идиоты!

Самсона подняли, положили на сиденье. Боли он теперь не чувствовал, всё тело онемело.

— Гони! В Кремль! Скорее! — надрывался Анкр.

Еле ворочая языком, профессор сказал ему:

— Мне конец... Вы победили... Но...

«Повремените радоваться, еще остается Кира», чуть было не вырвалось у него. Умолк он даже не из осторожности — просто не хватило сил.

Жизнь быстро вытекала из погубленного тела, но сознание пока еще цеплялось за действительность и не угасало.

Каждый вдох давался все трудней, толчки крови в ушах были часты, но неритмичны.

Это переход преагонии в агонию, сейчас наступит гипоксия, констатировал дисциплинированный разум перед тем как померкнуть.

Ах, Кира!

Я сделал всё, что мог. Прости...

II.

Та же комната. Тот же потолок с лепными украшениями. Те же багровые сполохи, бегущие по стенам.

Фондорин вспомнил: «Меня преследовал слепой копт. Взорвалась лавка химических товаров. Загорелся весь город».

Но ведь было что-то и после этого...

Память понемногу возвращалась.

А лаборатория графини Разумовской? Мародеры, выстрелы? Неужто всё это примерещилось?

Самсон хотел приподняться — и не смог. Сознание его понемногу прояснялось.

Он лежал на кровати совершенно раздетый. Комната действительно была та же самая. Но красные тени на потолок отбрасывал не пожар — это догорали последние отсветы заката.

Рядом с постелью стоял Анкр и, склонившись над столиком, чем-то позвякивал.

— Вы очнулись? Это я вернул вас в чувство, — сказал лейб-фармацевт, не оборачиваясь. — Мне понадобится ваша помощь во время операции. Обычно мне ассистировал Атон, но его больше нет... Ах, мои верные помощники. Какая утрата! Но зато они сберегли мне вас. Это самое главное.

Удивительно, что при полном упадке физических сил голова профессора была совершенно ясной.

— Долго я пробыл в обмороке? — спросил он, не зная, как понять странную фразу о «самом главном».

— Около получаса. Лошади скакали во весь опор. Вас только что внесли сюда, раздели. Я ввел вам укрепляющий раствор, иначе сердце могло остановиться. Но времени терять нельзя. — Барон встал над кроватью. Его лицо было сосредоточенно. В руке с засученным рукавом посверкивал невиданный инструмент: стеклянная трубка, заканчивающаяся иглой. — Итак, коллега, нам предстоит обработать три огнестрельных раны.

Одна пуля прошла через бок неглубоко, сломав ребро, но не задев важных органов. Вторая раздробила одну из костей ante-brachium[1]. Серьезную опасность представляет пуля, пробившая легкое и артерию.

— Легочную? Но тогда непонятно, почему я до сих пор жив, — рассудительно заметил Фондорин.

— Потому что я ввел через пулевой канал состав, который герметизировал поврежденный кровеносный сосуд. Остается главное: впрыснуть регенератор. Тут-то мне и понадобится ваше участие. Я буду говорить вам, когда задерживать дыхание. В некоторые моменты грудная клетка и легкие должны быть неподвижны.

— А что такое «регенератор»?

— Лекарство, позволяющее восстанавливать разрушенные ткани до первоначального их состояния. Когда-нибудь после я расскажу вам подробнее. А теперь, пожалуйста, сколько возможно расслабьте мышцы. Я переверну вас на живот. Вот так...

— Мне совсем не больно, — поразился Фондорин. — Жаль только, рана на спине. Я не увижу, как вы с нею работаете.

— Вам не больно, потому что я смазал травмированные участки мазью, вызывающей онемение нервов. А о своих действиях я буду вам рассказывать... Ввожу иглу в пулевой канал... Не беспокоит?

— Нимало. На какую глубину?

— До соприкосновения с пулей.

— Но ведь пулю надобно вырезать?

— Нет нужды. Срастаясь, ткани вытолкнут ее тем же путем, как она вошла. Этот процесс займет некоторое время.

— И я буду ощущать, как выходит пуля? Очень интересно!

— Нет, мой юный друг. По окончании операции я усыплю вас. Вашему организму понадобится полный покой... Не дышите, пожалуйста! Вот так, отлично...

---

[1] Предплечье (*лат.*).

Фондорин совсем ничего не чувствовал. Будто операцию производят над кем-то другим, а он лишь присутствует в качестве свидетеля сего хирургического чуда.

— Теперь медленно вдыхайте... Достаточно... Так же плавно выдохните... Ну вот и всё. Займемся боком и рукой.

— А кто же оперировал вас после той ужасной раны в живот? — спросил профессор, когда Анкр перевернул его обратно на спину.

— Сам. О, это было очень неудобно. Пришлось воспользоваться зеркалом. По степени тяжести рана была сродни вашей. Но мне много раз доводилось прибегать к помощи регенератора. Им буквально пропитан весь мой организм, поэтому заживление происходит очень быстро. Вам же, увы, необходимо провести в неподвижности довольно долгое время. Зато через несколько недель от ранений не останется следа.

— Поразительно! Но это означает, что изобретенное вами лекарство решает проблему бессмертия! — вскричал профессор в благоговейном волнении.

— Не совсем. Регенератор может исцелить любые повреждения кроме разрушения мозговой массы. Мозг восстановлению, увы, не поддается, так что мой вам совет: всегда берегите голову. А еще существует естественное старение. Регенератор, если принимать его регулярно, замедляет этот процесс, но не останавливает его. Тело, хоть и медленно, но все-таки изнашивается. Так что проблема бессмертия остается нерешенной...

За время увлекательного разговора барон успел склеить раздробленное ребро и закрепить грудную клетку корсетом, после чего принялся за раненую руку: соединил перебитую кость, сшил нервы, сухожилия и мышцы. Пальцы хирурга работали ловко и быстро.

— Готово. Вы совсем обессилели. Сейчас я усыплю вас — как давеча, после сражения. Только теперь доза будет сильнее. До встречи через неделю.

Фондорин, действительно, почувствовал цепенящее изнеможение. У него не было сил даже поблагодарить волшебного врачевателя. Тот поднес к носу больного платок, смоченный чем-то пахучим; Самсон вдохнул и сразу погрузился в сон — столь глубокий и абсолютный, что в памяти от него совсем ничего не осталось.

Профессору показалось, что он открыл глаза, едва их сомкнув. Только Анкр когда-то успел переодеться в домашний сюртук, а за окном вместо гаснущего заката золотисто мерцало осеннее небо.

— Всё идет хорошо, — молвил барон, сидевший у кровати. — Я пробудил вас, потому что мозгу вредно оставаться без работы долее одной недели. Мы поговорим несколько минут и снова расстанемся на неделю. Ну-ка, скажите что-нибудь. Только сначала выпейте этого отвара, он смягчит вам горло.

— Мне гораздо лучше. — Фондорин прислушался к себе, осторожно подвигался. — Но тело будто не мое. Или же мое, но наполовину парализовано.

— В следующий раз вы сможете сесть. По истечении трех недель пройдетесь по комнате. Ну а весь курс состоит из четырех сеансов оздоровительного сна.

— Расскажите мне о вашем изобретении подробнее! — нетерпеливо попросил профессор. Именно это интересовало его больше всего. — Сколько жизней можно спасти при помощи вашего спасительного регенератора!

— Боюсь, очень немного. Запас лекарства невелик и пополняется медленно. А изобретение это не мое. Оно досталось мне по наследству. Но это слишком долгий разговор. Мы оставим его на после.

— Хорошо. Тогда расскажите, как идет война.

— Никак не идет. Перемирие не объявлено, но боевые действия прекратились. Ваш Кутузов стоит с армией в местечке Тарутино, в ста километрах от Москвы. Мы на русских не нападаем, они на нас тоже. Император надеется заключить мир и послал к вашему государю парламентеров... Ну всё, довольно. Покойного сна...

— Очнулись? Попробуйте сесть, — сказал барон почти тотчас же (как показалось Фондорину).

Однако за окном монотонно шелестел затяжной дождь, а к стеклу прилип кленовый листок того красного с желтым цвета, какой бывает в октябре.

— Браво! Согните локоть. Поверните корпус. Наклонитесь вперед.

— И что государь? — продолжил разговор Самсон.

Но барон не сразу понял — для него-то перерыв в беседе длился целую неделю.

— Мир заключен?

— Ответа всё нет. Нет и боев. На наших фуражиров в окрестностях Москвы каждый день нападают мужики и казаки, однако князь Кутузов заверяет, что они действуют самочинно. Можете ли вы встать? Превосходно! Нет-нет, ходить мы будем в следующий раз, а теперь ложитесь.

Фондорин мечтательно произнес:

— Как хорошо было бы, если б война закончилась. Тогда я напросился бы к вам в ученики.

Анкр уже подносил к его лицу платок, пропитанный усыпляющим раствором, но при этих словах улыбнулся.

— Возьмете?

— В ученики? Почту за честь и счастье. Впрочем, нам обоим найдется, чему поучиться друг у друга.

Барон сидел на том же месте, но теперь был в шлафроке, а снаружи завывал ветер.

— Неделя тянулась так долго! — пожаловался Анкр. — Мне не терпелось продолжить разговор о нашем будущем сотрудничестве. Эти короткие обмены репликами с длинными перерывами невыносимы! Вам-то что, вы спите себе и спите, а я мысленно продолжаю с вами беседовать... Сегодня мы будем ходить. Вы должны встать без моей помощи.

Фондорин поднялся. Сначала очень осторожно, однако не было ни боли, ни скованности.

— Обопритесь на меня.

Обняв Анкра за плечо, профессор довольно легко сделал несколько шагов. Пощупал бок — перелома будто и не было. На спине в месте ранения чувствовался легкий зуд. Правда, рука пока слушалась неважно.

Когда он сообщил о своих ощущениях, барон вздохнул:

— Славно быть молодым. Заживление идет быстрее, чем я надеялся. Еще одна неделя полного покоя, и вы будете совершенно здоровы. Тогда-то мы обстоятельно и поговорим — обо всём.

— Заключено ли перемирие?

— Увы. Кажется, Кутузов морочит нам голову. Ответа из Петербурга всё нет, нападения на наши обозы и коммуникации не прекращаются. Император очень сердит. Он хочет идти на Петербург, но время упущено. Началась распутица, пушки увязнут в грязи. Ваши русские дороги — лучшая защита от иноземных нашествий...

Они стояли у окна. С деревьев в кремлевских садах облетела почти вся листва. Часовые вокруг дворца были в шинелях и перчатках.

— Значит, война не окончена...

На сердце у Фондорина сделалось скверно. Если так, Анкр по-прежнему остается врагом, губительнейшим из всех врагов отечества. Раз продолжается война между армиями, должна будет продолжиться и война между учеными.

— Где моя сумка? — вскинулся профессор. — У меня был сак! Я его не выронил, когда меня ранили?

— Нет, вы вцепились мертвой хваткой, я еле сумел разжать ваши пальцы. Ваш сак под кроватью, я к нему не прикасался. Вам нужно оттуда что-то достать? Я помогу вам.

Боже, как же трудно совершить вероломный поступок по отношению к человеку, который спас твою жизнь и вообще очень тебе нравится! Невыносимо, когда нравственное чувство вступает в противоречие с долгом гражданина!

— Не сейчас... После. Я устал. Усыпите меня, — упавшим голосом промолвил молодой человек.

Да-да, не сейчас. Самсон был рад отсрочке. Вот и правая рука еще плоховата — без нее с модестином всё равно не управиться, малодушно сказал он себе. Пускай всё решится через неделю. Он вдохнул сонный аромат прямо-таки с облегчением.

Однако то был самообман. Никакой отсрочки не вышло. Хоть и миновала неделя, но Фондорин течения времени не ощутил и проснулся в том же смятенном настроении — словно спустя одно мгновенье.

Лейб-фармацевт стоял у кровати в странном виде: полевое пальто крест-накрест перетянуто бабьим пуховым платком; на голове вместо обычной форменной шляпы меховая ушанка.

— Поднимайтесь, друг мой. Все готово к отъезду. Мы покидаем Москву.

Самсон встал, как после крепкого, здорового сна. Потянул затекшие члены, подвигал раненой рукой. Она была в полном порядке, даже шрама на коже не осталось.

— Я приготовил вам теплую одежду. Дорога предстоит длинная, не сегодня-завтра ударят холода, а ночи уже и сейчас морозные.

— Что случилось?

— Минувшей ночью он попросил у меня дозу. Ему давно следовало это сделать.

О ком говорит барон, было понятно. Фондорин замер, не до конца застегнув жилет.

— И что же?

— Нынче утром издан приказ по армии. Зимовать в сожженном городе мы не будем, это чревато блокадой. Маршал Мортье с десятитысячным корпусом оставлен в Москве для демонстрации, а главные силы форсированным маршем уходят на запад. Нас ждут зимние квартиры в Польше. Мы пойдем дорогой, которая не разорена войной и обильна продовольствием. Мало того. Наполеон принял решение дать полякам независимость. Это пополнит наши ряды добровольцами. Не меньше двухсот тысяч сарматов, ненавидящих своих русских угнетателей, встанут под наши знамена. Весной император двинет на Петербург обновленную армию, и тогда царю придется капитулировать.

Стратегический план был безупречен. Профессор, хоть и невоенный человек, сразу это понял. Переместившись на тысячу верст западнее, Бонапарт сможет держать в узде всю Европу. Его потрепанные полки откормятся и отдохнут. Отовсюду — из Франции, из Италии, из германских земель — подтянутся подкрепления, а русским на своей выжженной земле новых солдат взять неоткуда.

— Гений есть гений, — пожал плечами Анкр, словно сочувствуя угрюмому молчанию профессора. — Мы сделаем вид, что отступаем на Можайск, а сами выйдем на Новое Калужское шоссе и повернем на Малоярославец. Весь маневр займет четыре дня. Кутузов, вероятно, попробует нас остановить, но ему не устоять против Наполеона. Теперь французы пойдут по нетронутым войной местностям, оставляя русским одни пожарища. Мне жаль, но ваша страна обречена. Однако мы, разумные люди, должны быть выше национальных интересов... Ну вот, совсем другое дело. Выше голову, мой юный друг! — заключил он одобрительно, видя, что Самсон расправил плечи и выставил вперед подбородок.

А Фондорин действительно ободрился. Тяжким сомнениям настал конец. Отчизна снова была в смертельной опасности. Спасти ее мог только он один.

— Что ж, сударь, я готов, — сказал профессор, поправив дужку очков.

III.

Армия хоть и уменьшившаяся в размере, но все еще Великая, шла сначала на запад — по безлюдной, донага обобранной фуражирами местности. Потом вдруг повернула на юг.

Леса стояли голые и притихшие, убранные поля беззащитно простирались до горизонта, по утрам солнце нестерпимо сверкало на застывших лужах, тонкая ледяная корочка хрустела под копытами, колесами, сапогами.

Всё в эти первые дни благоприятствовало походу. Идти по прихваченной ночными заморозками дороге было весело. В небе французской расцветки — то синем, то белом, то красном — кричали птицы, летевшие в том же южном направлении. По обе стороны шоссе, держа дистанцию в несколько километров, двигались конные отряды. Партизаны нападать на них не осмеливались, робея этакой силы. Деревни вокруг были не тронуты, и впервые за осень лошадям хватало фуражу, а солдатам хлеба и мяса.

Шли лихо: французы с барабанами, немцы с флейтами, итальянцы с песнями. Русская кампания оказалась тяжелой и кровавой, но тем, кто выжил, жаловаться не приходилось. Обоз, нагруженный московскими трофеями, состоял из многих тысяч повозок, а у каждого солдата ранец был набит всякой всячиной. Ценились вещи дорогие, но нетяжелые. Кавалеристы, у которых в седельных мешках места было больше, по неслыханному курсу меняли пехотинцам золото на серебро.

Императорский поезд держался ровно в середине тридцатикилометровой колонны. Эти места Фондорину были родные. Не столь далеко находилась усадьба, где тому двадцать четыре года он появился на свет, а еще дальше, всего в десятке верст от Новокалужского тракта, располагалось имение Гольмов, Кирино приданое. Здесь молодые провели медовый месяц, главным образом потраченный на собирание полезных для лабораторного использования кореньев; здесь же, в сельской церкви, венчались.

24 октября, после ночлега, обоз, как обычно, тронулся в путь, но через несколько часов остановился, получив приказ очистить дорогу. По ней ускоренным маршем шли полки, скакала конница. Впереди, минуту от минуты нарастая, гремела канонада.

Сначала говорили, что остановка будет недолгой, но бой затягивался. Поступила команда распрягать. В деревне (Самсон ее хорошо знал, она называлась Городня) развернулся императорский штаб. От ординарцев, что один за другим прибывали из гущи сражения, поступали известия: русские пробудились от спячки и пытаются загородить французам путь в неразоренные западные губернии. Ключом к Новокалужской дороге стал городишко Малоярославец, за который ныне идет сражение. Обе армии на марше, и битва получается сумાтошная — то подойдет свежая французская дивизия и захватит поселение, то подоспеют русские силы и вышибут неприятелей обратно.

Наполеон, которого профессор мог наблюдать издали, сначала был спокоен. Он расположился на завтрак и выслушивал донесения, не вставая с походного кресла. Однако дело затягивалось, а победы всё не было. Тогда император сел на коня и, сопровождаемый свитой, ускакал в направлении баталии.

Прошел слух, что улицы городка завалены телами, что убиты генералы Дельзон и Левье, а еще несколько военачальников ранены.

Лишь к вечеру, после седьмой или восьмой атаки вице-король сумел взять разрушенный городишко и удержаться в нем. Спасительная дорога на запад была открыта, но все видели, что государь вернулся в ставку мрачней тучи. В лагере говорили, что потери огромны, а впереди грядет новое сражение, еще более кровопролитное, ибо за ночь maréchal Koutouzoff успеет подвести всю свою армию. Значит, опять, как перед la grande bataille de la Moscova[1], предстоит обстоятельная подготовка, а затем новая генеральная баталия.. В победе никто не сомневался (Маленький Капрал всегда побеждает), однако настроение в войсках было угрюмое. Кому охота умирать, если ранец набит золотом, а война казалась уже законченной?

В отличие от обозных, которые весь день провели без дела, расспрашивая ординарцев и раненых да судача о будущем, Самсон Данилович на месте не сидел. У него было дело неотложной важности. Как только стало ясно, что императорская квартира остается на ночевку в Городне, профессор написал записку светлейшему.

«*Ваша светлость,* — говорилось в письме. — *Вас смеет обеспокоить тот самый Фондорин, университетский профессор, коего в канун выступления вашего из Москвы вы удостоили беседы, надеюсь вам небеспамятной. Имею честь доложить вашей светлости, что ныне я близок к цели, как никогда прежде. Главный штаб Бонапарта, при котором я состою, расположился в деревне Городня. Охраны вокруг мало, ибо войска растянуты вдоль тракта. Лесным оврагом, что*

---

[1] Великая битва под Москвой (*фр.*).

тянется от реки Протвы, возможно скрытно выйти чуть не к самой деревенской околице, где я буду поджидать. Маневр надобно осуществить ночью и дождаться рассвета, чтобы командир мог меня узнать. На мне будет приметная шляпа с белою лентою, а руку я повяжу алым платком. Повелите начальствующему офицеру исполнять то, что я скажу. Ежели предприятие с Божией помощью удастся, исход кампании будет счастливо решен».

Оставалось передать депешу по назначению. Дело представлялось не столь трудным. Едва кареты и повозки встали лагерем, за цепью охранения — на краю поля, у опушки леса, над берегом речки — замаячили верховые казаки, будто оводы, витающие над громоздкой тушей Великой армии. Они и жалили, как оводы: то пальнут издали, то налетят с гиканьем и свистом на пикет послабее. Перестрелка между казаками и дозорными не стихала в протяжение всего дня. Самсону только и надо было — выбраться за линию дозоров, не угодив под пулю с той или этой стороны. Сначала он думал прибегнуть к помощи берсеркита, но нашел способ попроще.

Овраг, поминаемый в письме к фельдмаршалу, огибал Городню саженях в двухстах от северной околицы. Туда-то профессор и направился.

— Куда вы, доктор? — спросил его сержант из охранения. — Это опасно.

— Мне нужно поискать корней для обработки ран, — с важным видом ответствовал Фондорин, присовокупив несколько мудреных латинских названий. — Казаков я не боюсь. Главное, чтобы ваши молодцы меня не подстрелили на обратном пути. Я специально повязал шляпу белой лентой.

От сопровождения он отказался и, не взирая на увещевания, пошел к оврагу. Спустившись по склону, Самсон перешел на бег, зарысил по чавкающей земле прочь от французского лагеря. Отдалившись на изрядное расстояние, достал свисток, память о бравом полицейском поручике, и стал в него дуть. Не прошло пяти минут, как наверху захрустели ветки. По склону, пригнувшись к луке, лихо слетел бородач в синем кафтане — и уж целил пикой прямо в живот профессору.

— Я свой, русский! — крикнул Самсон, держа охранную грамоту светлейшего в вытянутой руке. — К вам иду! У меня аттестат от самого Кутузова!

То ли казак не поверил, то ли не знал слова «аттестат», однако ж отнёсся к «своему» безо всякого почтения. Пикой, правда, не пырнул, но пребольно стукнул Фондорина древком по голове, а когда молодой человек упал, спрыгнул наземь и принялся деловито шарить по его карманам. Всё, что находил — подзорную трубку, бархатный футляр от очков, даже носовой платок — засовывал себе за кушак. «Сейчас дограбит и прикончит!» в ужасе подумал профессор.

Он впервые наблюдал представителя вольного степного сословия вблизи и очень хорошо понял, почему французы относятся к казакам с такой антипатией. Самсону бородач тоже категорически не понравился. От него несло кислой овчиной, в ухе, как у дикаря, сверкала серебряная серьга, глаза были налиты кровью. Кроме того, грех сказать, у профессора возникло подозрение, что донец крутился у неприятельского лагеря не из разведывательных или иных похвальных видов, а лишь в поисках добычи.

— У меня донесение к фельдмаршалу Кутузову! Срочное! Понимаешь ты, к Кутузову!

Казак ответил матерно. В переводе на приличный язык реплика означала «мне нет дела ни до какого Кутузова», причем фамилия заслуженного полководца была срифмована самым малопочтенным образом.

Самсон Данилович вздохнул. Трудно жить на свете без химии. Иногда и совсем невозможно.

— Выпить хочешь? — спросил он. — У меня есть.

— Где, ...? — спросил казак, даже к этому короткому слову присовокупив непристойность.

Фляга с заранее смешанным берсеркитом лежала за пазухой, куда грабитель еще не добрался. Фондорин достал ее, отвинтил крышечку.

— Не отрава, не бойся. Вот, гляди, сам отпиваю.

Он сделал один глоток, и соотечественник тут же вырвал сосуд из руки пленника. Понюхал, плотоядно оскалился, но выпить уже не успел.

Упругая волна, зародившись в чреве профессора, прокатилась по всему его телу. Взор прояснился, слух внимал колыханию каждого сухого листочка на голых деревьях.

Самсон Данилович встал, скинув с себя казака, словно мешок соломы. Взял бедняжку за ворот, без труда поднял над землей и как следует тряхнул.

— А-а-а! — заорал сын степей.

— Ты тут один? Офицер есть? Кто-нибудь грамотный есть?

— Разъездом мы, барин...

И всё устроилось. Присмиревший казак подозвал своих условленным посвистом. Начальником разъезда оказался молодой хорунжий, который отнесся к аттестату светлейшего с должным почтением и пообещал немедля доставить депешу к начальству.

В лагерь профессор возвращался довольный результатом, но не самим собою. «Ах, сколь далеки мы, просвещенные люди, от собственного народа! — угрызался он. — Сколь мало способны находить с ним общий язык!» Теперь ему сделалось стыдно, что он так больно и обидно тряс бородача за шиворот. Неужто нельзя было найти менее унизительный способ объясниться?

В приступе самоугрызенья Самсон пнул подвернувшийся на пути пенек. Тот разлетелся на мелкие куски.

IV.

Всю ночь профессор не мог спать — не от волнения, а от проклятого мухомора. Долго сидеть на одном месте, и то было мучительно. От лейб-фармацевта он держался на расстоянии. Во-первых, патриотизм патриотизмом, но есть ведь и совесть; трудно смотреть в глаза человеку, который спас тебе жизнь, а ты собираешься отплатить ему коварством. Во-вторых, Анкр проницателен, мог заметить состояние Фондорина и что-то заподозрить.

В общем, до самого рассвета Самсон бродил по деревне да вокруг околицы. Вернее сказать, это ему казалось, что он неторопливо бродит, а встречные оглядывались и несколько раз даже спросили, куда это он несется и не случилось ли чего-нибудь.

Император остановился в простой избе на краю Городни. Приблизиться туда было нельзя, да профессор и не пытался. В этой шахматной партии Наполеон был, конечно, фигурой первой важности — ферзем. Но что пользы от ферзя, если убрать с доски короля?

Лагерь зашевелился еще затемно, готовясь к выступлению. Однако Фондорин знал, что Великий Человек, не выпив кофею, с места не тронется и вообще не любит перемещаться во мраке. Раньше рассвета ставка не снимется, но все должны быть готовы.

— А, вот вы где! — приветствовал профессора Анкр, когда Самсон вернулся к экипажу. — Мне очень нужно с вами поговорить, но вы будто избегаете меня. Я вижу, вас гнетут какие-то мысли. Поговорите со мной. Возможно, я разрешу ваши сомненья.

Экипаж барона был весь занят грузом — фармацевт запасся в Москве съестными припасами, теплыми вещами и лекарствами, поэтому ехали они верхом. Фондорину это было кстати. Он действительно избегал соседства с Анкром, а если тот пытался завязать разговор, отмалчивался и вскоре отставал. Но теперь им следовало находиться рядом.

— Я желал побыть один. Мне нужно было многое обдумать. — Фондорин поглядел вокруг. Воздух из темно-серого стал сизым. Еще четверть часа, и станет светло. — Но сейчас я готов к беседе. Давайте отъедем в сторону, чтоб нам никто не помешал.

Барон воскликнул:

— Отлично! Я следую за вами.

Профессор направил коня в ту сторону, где за нешироким полем пролегал овраг. Всё складывалось лучше некуда, но на душе у Самсона было мутно. Подташнивало еще и от усталости. Действие берсеркита закончилось, глаза начинали слипаться.

— У вас подвязана рука? — спросил фармацевт, поравнявшись. — Неужели заболела рана? Это странно.

— Да. Что-то заныла. Быть может, от сырости.

— Не должна бы. Давайте я посмотрю.

— После...

Анкр посмотрел на белую ленту, которой была обвязана шапка профессора, но ничего про нее не спросил.

— Мы отдалились достаточно, друг мой. Здесь нас никто не услышит, — сказал он, удерживая лошадь Фондорина за повод. — Я догадываюсь о причине ваших терзаний. Вас тревожит судьба вашего отечества. Это естественно для человека, живущего в кругу обыкновенных привязанностей: дом, семья, родина. Но вам придется вырваться из этого круга. Вы не такой, как все. Вы единственный!

Признаться, Самсон слушал собеседника не очень внимательно. Он прикидывал расстояние, которое отделяло их от французской колонны и от оврага. Пожалуй, в самом деле достаточно.

— Что значит «единственный»? — переспросил профессор.

— Пришло время открыть карты. Я долго приглядывался к вам и теперь окончательно убежден, что не ошибаюсь. Даже потеря моих драгоценных помощников не столь большая плата за то, что вы живы и находитесь рядом со мной. Но вы таитесь, не доверяете мне. Я очень боюсь, что вы вновь совершите какой-нибудь опрометчивый поступок. Поэтому и решил всё вам объяснить, хоть вы еще и не вполне готовы... — Анкр снял очки, придвинулся ближе и проникновенно вымолвил. — Вы мне очень нужны. *Вы для меня самый важный человек на свете.*

— Важнее Наполеона? — иронично спросил Фондорин.

— Безусловно!

Ответ был категоричен и произнесен с таким чувством, что Самсон поневоле растерялся.

— Но почему?

— Потому что кукловод важнее куклы. Хорошую куклу можно изготовить. Талантливого кукловода нужно искать десятилетиями. И я знаю, что наконец нашел его.

Перед избами выстраивалась цепочка лейб-жандармов — личный конвой императора готовился к выступлению. Плотные облака на восточной стороне неба с каждой минутой всё больше наливались светом.

Но пораженный загадочными словами барона, Самсон уже не глядел на овраг.

— Я не понимаю ваших аллегорий! Это Бонапарт — кукла?

— Пускай не кукла. Сосуд. Идеальный по форме и материалу. Однако наполняю этот сосуд я. «Чудо маленького корсиканца», на которое вот уже столько лет ахает весь мир, на девять десятых объясняется действием моего гипермнезического эликсира и лишь на одну десятую врожденными талантами человека по имени Наполеоне Буонапарте. Если б не регулярные дозы эликсира, этот способный полководец и дельный администратор не стал бы богом войны и гением государственного управления. Признаю, что первая моя метафора была неверна. Император, конечно, не марионетка в моих руках, ибо не выполняет моей воли. Самая трудная и утомительная часть моей миссии состоит вовсе не в том, чтоб подпитывать его мозг в канун важных событий. Куда труднее следить, чтобы действия моего подопечного не повернули в разрушительном направлении и не нарушили хрупкий баланс сил в мире...

— Я снова перестал понимать вас. О каком балансе вы говорите? И что такое «разрушительное направление»?

— Я всё вам сейчас объясню... — Со стороны дома, где провел ночь император, донеслось «На караул!» — Анкр недовольно обернулся. — Я очень долго, вы даже не представляете, *как долго*, исполнял свою миссию. И я устал, я изверился, силы мои на исходе. Меня пора сменить...

Ему пришлось умолкнуть, чтобы переждать оглушительные крики «Vive l'empereur!». Должно быть, на крыльце появился Наполеон.

— Вы сказали, что всё объясните, однако привели меня в еще большее недоумение, — с нетерпением молвил Самсон. — Не хотите же вы предложить мне сделаться личным фармацевтом вашего монарха?! Я отравил бы этого кровопийцу в первый же день!

Эти слова вырвались у него сами, но барон не рассердился, а лишь устало улыбнулся.

— Не сомневаюсь. Я ведь знаю, почему вы здесь. Пора нам прекратить обманывать друг друга. Я первый разоружусь перед вами. Вот, держите. Пусть это будет знаком моего к вам доверия.

Анкр протянул Фондорину круглый металлический предмет, по виду напоминающий карманный хронометр, однако без циферблата.

— Что это?

— Биоэмиссионный локатор. Вам ведь известно, что в природе существуют разного рода излучения, не улавливаемые человеческими органами чувств, однако регистрируемые особыми приборами.

— Разумеется. Электричество или, например, магнетизм.

— Не только. Каждый живой организм является излучателем биологической энергии, причем совершенно индивидуального, неповторимого спектра. Это открытие сделано тысячелетия назад, но содержится в строгой тайне немногими посвященными. Локатор способен на огромном расстоянии ощущать эмиссию тела, на которое он настроен. Это своего рода компас. После Бородинского сражения, когда вы лежали в беспамятстве, я сделал вам инъекцию, которая исполняет роль вечной метки. Настроенный на нее локатор всегда отыщет вас, где бы вы ни находились. Даже если вы умрете и естественная биоэмиссия остановится, метка останется в костях. Этот прибор разыщет вас и в могиле, хоть через сто или двести лет.

— Как интересно! — воскликнул профессор, рассматривая аппарат.

Одна-единственная стрелка указывала прямо ему в грудь, на шесть часов, хотя шел уже восьмой час. Сбоку в корпусе виднелась едва заметная кнопочка. Фондорин нажал ее и услышал ровный писк.

— Локатор снабжен звуковым индикатором, — объяснил Анкр. — Это удобно в темноте. И пригодилось слепому Хонсу, когда он искал вас по всей Москве. Чем дальше от объекта, тем сигнал тише и прерывистей.

— Теперь я понимаю, почему ваши копты меня находили везде и всюду!

— Простите. Мне следовало играть с вами в открытую. Но я должен был лучше изучить вас. В таком деле не должно произойти ошибки. Последствия будут слишком тяжелыми... К тому же вы ведь тоже не вполне со мною откровенны.

Профессор сделал вид, что не расслышал заключительной фразы.

— На каком же расстоянии действует локатор?

— В пределах одного земного полушария. При дистанции в несколько тысяч километров контакт установится не сразу, и писк будет не слышен без звукоусилителя, но стрелка укажет направление... Берите-берите. Локатор ваш, и другого у меня нет. Даю вам в том слово. Теперь вы по-настоящему свободны. Если захотите исчезнуть, я больше не смогу вас найти...

В деревне всё пришло в движение. В сторону Малоярославца потянулась кавалькада: впереди император со штабом, позади полуэскадрон конвоя.

— И еще один знак доброй воли, прежде чем я перейду к главному... — Барон со вздохом посмотрел туда, где перед раззолоченной свитой ехал в седле сгорбленный человечек в черной шляпе и простой серой шинели. — Я устраню препятствие, стоящее между нами. Вам кажется, что интересы вашей родины важнее всего на свете — важнее вашей жизни, науки, прогресса. Ради них вы готовы пожертвовать нашей дружбой. Я же хочу доказать вам, что наши отношения значат для меня больше, чем все империи вместе взятые. Вы хотите, чтобы Франция проиграла эту войну? Да будет так. Ради вас я откажусь от этого превосходного сосуда.

Он кивнул вслед Великому Человеку и снова повернулся к собеседнику. Но взгляд Анкра не задержался на лице профессора.

— Боже, что это? — пробормотал барон, глядя мимо Самсона.

Фондорин обернулся. Из оврага, будто перекипевшая каша из котла, валила конница. С ходу, не останавливаясь, она с ги-

каньем, свистом, улюлюканьем разворачивалась в густую, още-
тиненную пиками лаву.

V.

Должно быть, начальник отряда увидел, что французы пришли в движение, либо же при свете занимающегося дня разглядел у одного из маячивших в поле всадников белую ленту на
шапке.

Ах, до чего же это было некстати! Разговор с Анкром повернул в такую сторону, что в налете, возможно, отпадала всякая
надобность!

— Это русские казаки? — спросил фармацевт. — Почему
они так близко?

Фондорин уже разворачивал коня. Он схватил лошадь барона под уздцы, рванул.

— Быстрей! Прочь отсюда, прочь!

Они поскакали к деревне, где метались перепуганные обозные, а вокруг императора сбилась кучка генералов и офицеров.
Гвардейский полуэскадрон кое-как выстроился впереди, но заслон получился жидковат.

Оглянувшись, профессор увидел, что преследователи перешли с рыси в намет. Их низкорослые лошади без труда догоня-
ли английскую кобылу барона, не привыкшую к скачке по
рыхлой земле.

«Они проткнут его пикой — просто потому что на нем синий мундир!» От этой мысли Фондорину сделалось страшно.
Ошибка будет роковой, утрата невосполнимой!

А офицер с серебряным эполетом на плече, мчавшийся
впереди всех, уж целил в спину фармацевту из пистолета.

— Не стреляйте! — заорал Самсон, натянув поводья. — Это я!

Барон пронесся мимо, что-то крича ему, но профессор смотрел на казачьего командира. Тот, слава богу, услышал истошный вопль и, кажется, понял, кто перед ним.

— Этого с красной повязкой не трогать! — приказал он, указав на Самсона. Поднял коня на дыбы и остановился как вко-

панный. — Вы Фондорин? Полковник Анциферов-двенадцатый! Прибыл в ваше распоряжение! Что это здесь?

— Штаб Наполеона.

Глаза горбоносого, черноусого полковника блеснули хищным пламенем.

— Ах вон что! Ну, теперь понятно!

Он закричал ускакавшим вперед казакам:

— Станишники! Влево бери! Там Бонапартий! К черту обоз! За мной!

Но услышали командира и присоединились к нему немногие. Большинство донцов предпочли не лезть под палаши лейб-жандармов и выбрали добычу полегче. Черные шапки с алым верхом замелькали меж карет и повозок — там было чем поживиться. За полковником в атаку устремилось не более полусотни всадников.

Туда же поскакал и профессор. Он видел, что Анкр успел присоединиться к императорской свите. Теперь там шла рубка. Нельзя было допустить, чтоб голова великого ученого угодила под казачью шашку!

С обеих сторон от Фондорина откуда ни возьмись возникли два чубатых молодца. Один удержал лошадь профессора за поводья, другой сказал:

— Осади, вашблагородь! Куды лезешь? Господин полковник приказал тя беречь.

С того места, где остановили Самсона, до сечи было рукой подать. Он видел бой во всех подробностях. Цепочка телохранителей была смята, императора от пик и сабель защищали штабные. Сам Наполеон сидел в седле, сложив руки на груди, и смотрел на резню со спокойною улыбкой. Следовало признать, что «сосуд», избранный Анкром, был из чистейшего хрусталя. Разглядел Фондорин и самого барона, черная двухуголка которого высовывалась из-за плеча Великого Человека.

— Уланы идут! Ляхи! — зашумели вокруг. — Уходим, ребята!

Казаки начали поворачивать лошадей. По дороге бешеным галопом приближалась польская конница, спешила на выручку императору.

— Эх, не взяли! — плачущим голосом пожаловался Анциферов-двенадцатый, проезжая мимо. — Ввек себе не прощу! От-
ходим. — А своим людям наказал, кивнув на профессора. —
Чтоб волос не упал!

Закричал Фондорин вслед полковнику, что ему нужно оставаться средь французов, да тщетно, а непрошеные защитники
не вняли его протестам — знай, тащили за собой. Он беспомощно оглянулся. Кучка уцелевших сбилась вокруг своего вождя. Анкр махал Самсону шляпой, делал какие-то знаки. «Я вернусь! Вернусь!» — жестом показал ему уволакиваемый прочь
профессор.

Гонка длилась долго — по оврагу, вдоль реки, полем. На хвосте у казаков сидела конница Мюрата и Понятовского, жаж-
давшая отомстить наглецам, что осмелились покуситься на
Маленького Капрала. Лишь перед полуднем, на опушке об-
ширного леса, неприятель наконец отстал.

В протяжение погони Фондорин несколько раз приближался к Анциферову и просил отпустить его подобру-поздорову, но чертов двенадцатый не желал и слушать. Полковник
пребывал в совершенном отчаянии — не из-за преследования,
а из-за того, что «не добыл Супостата».

— Сколь я злосчастен! — восклицал он со слезами. — Подумать только! Мог прославить свой род на вековечные времена!
Ах, как жестоко обошлась со мною судьба!

Профессор был ему нужен в качестве стороннего свидетеля, который подтвердил бы перед начальством, что Анциферов
сделал всё возможное.

От причитаний полковник переходил к лютому гневу, кроя
ужасными словами «станишников», для которых пожива до-
роже славы.

На первой же большой поляне он выстроил свои потрепанные сотни в каре, долго и люто бранил казаков, а потом обру-
шил на них кару, от которой по рядам пошел вой и ропот. Командир заставил полк вывернуть содержимое седельных су-
мок. На землю со звоном сыпалось столовое серебро, шелесте-
ли собольи да куньи шубы, шуршали шелка.

Под брань полковника, под жалобы безутешных казаков Самсон попятился к деревьям. Всем сейчас было не до него. Лошадь он оставил, прихватил только свой бесценный сак.

Лес этот назывался Колывановским, по имени помещика, соседствовавшего с имением Гольмов. Каждая тропка, каждая полянка были здесь хожены-перехожены. Заблудиться профессор не боялся.

Оказавшись под прикрытием елей, Фондорин повернулся и побежал. Пускай светлейший думает про него, что хочет. Долг и любопытство гнали Самсона Даниловича обратно во французский лагерь.

Довольно скоро он вновь вышел к Протве, перебрался на другой берег знакомым бродом. Впереди раскинулось большое село Спас-Загорье, где они с Кирой всего несколько месяцев назад венчались.

При взгляде на церковь у Фондорина в первое мгновение сжалось сердце — он вспомнил тот счастливый мартовский день. А во второе мгновение профессору припомнилось еще кое-что. Мысль была здравая и полезная.

Вместо того чтоб обойти деревню и прямиком направиться к тракту, вдоль которого располагалась французская армия, Самсон Данилович взял сумку под мышку и зашагал туда, где над серыми крышами торчала трехъярусная колокольня.

Вблизи сделалось видно, что деревня пуста и выглядит так, словно по ней прошелся могучий ураган. Чуть не половина изб были разобраны. Верно, войска, русские ли, французские ли, собирались использовать бревна для переправы или возведения укреплений, да отчего-то передумали.

Спас-Преображенская церковь тоже стояла брошеная. Над широкой каменной лестницей старомосковского зодчества высились резные врата. Ранней весной, когда жених с невестой поднимались к ним под приветственные крики гостей и челяди, створки были широко раскрыты. Ныне на них висел огромный замок.

Но Фондорину подниматься туда было незачем. То, что он искал, располагалось ниже: под третьей ступенькой сбоку.

Вот она, та самая щель! И маленькие буквы — «К» и«S». Он сам их вырезал на плите кончиком ножа.

Дело было так.

Во время венчанья случился маленький казус, который несомненно испортил бы торжество людям менее просвещенным, чем профессор и его невеста. Когда они первыми вышли из храма на крыльцо, у нововенчанной супруги соскочило кольцо, широковатое для ее тонкого пальца. Приметы хуже, чем эта, как известно, не бывает. Всякий знает: если кто-то из молодых обронит венчальное кольцо, из сего брака не выйдет ничего кроме туги и горя. А перстенек не просто упал. Он проскакал с легкомысленным звоном по ступеням и провалился в щель. Хорошо, что никто из родственников и гостей, шествовавших сзади, этого не видел — празднество было бы омрачено.

Переглянувшись, супруги поняли друг друга без слов и спустились по лестнице, как ни в чем не бывало. Назавтра вечером, когда служба в церкви закончилась, они приехали в Загорье верхом, чтоб достать кольцо.

Оно лежало между краем ступеньки и бордюром. Вдруг Кира Ивановна говорит: «Нет, не доставай! Лучше положи туда же свое. Давай это будет наш с тобой секрет. Пусть кольца пролежат здесь год. Если наш брак выдержит это испытание, в следующем марте мы их достанем и не снимем до конца наших дней. А коли окажется, что мужа и жены из нас не получилось, да будет тут погребено наше незадачное супружество».

Она, видно, придумала это заранее, ибо тут же достала из седельной сумки серебряную шкатулочку и узкий кирпич. Сняла у мужа с пальца кольцо, свое извлекла из пыли, бережно вытерла. Уложила оба перстня в ларчик, спрятала его в выемку, а сверху прикрыла кирпичом — он пришелся в самый раз, будто всегда тут лежал. Глазомер у Киры был превосходный.

Самсону идея понравилась. Ему вообще нравились все Кирины идеи (как уже говорилось, разногласия между супругами начались лишь с начала Бонапартова нашествия). На всякий случай он вырезал на ступеньке их инициалы да укрепил кирпич глиной, чтоб покрепче держался.

За полгода кирпич присох к камню, и выковырять его Самсон сумел не сразу. С бьющимся сердцем он открыл шкатулку и посмотрел на кольца. Пусть лежат. Год еще не прошел.

Если до следующего марта они не встретятся, значит, его не будет средь живых. Наверняка Кира наведается сюда одна. Не может быть, чтоб не наведалась...

Откроет тайник и увидит, что муж был здесь, оставил ей весточку — и не только весточку. Анкр говорил, что биоэмиссионный локатор находит человека и после смерти. Что ж, будет Кире последнее утешение: отыскать прах и предать его погребенью...

Профессор положил прибор в ларец и занялся приготовлением «письма». Места в шкатулке было немного. Он выбрал из сака три самых маленьких пузырька (лекарство от простуды в скляночке простого стекла; желудочные капли в синей; снотворное в красной). Содержимое вылил, прополоскал бутылочки водой. Послание оставил в синей — то был любимый цвет Киры. В две другие решил налить неразведенного берсеркита. Пузырек прозрачного стекла наполнился бесцветным мухоморным экстрактом до самой пробочки — это была двойная порция; красный — до половины, больше не хватило, пришлось добавить спирта. Если тайник найдет кто-то чужой и выпьет, от обычной дозы впадет в бешенство и расколотит всё вдребезги; от двойной — вообще учинит над собою что-нибудь саморазрушительное.

Дело было сделано, но уходить от дорогого сердцу места не хотелось. Фондорин придумал еще одно занятие, чтобы задержаться подольше. Наскоро сочинил строительный раствор из того, что можно было найти во дворе: немного извести, песок, вода, добавил серной кислоты. Для экспромта получилось недурно — и по цепкости, и по вязкости. Теперь можно было не опасаться, что зимний холод и весенняя сырость расшатают кирпич.

Потом Самсон долго шел по лесной дороге, которая в конце концов вывела его на Новокалужский тракт, к французской линии охранения. Предъявив караульному начальнику письмо с подписью императора, Фондорин попросил сопроводить его в ставку, что и было исполнено.

Выяснилось, что Наполеон остался на том же месте. Армия прекратила движение. Будет ли новое сражение, никто не знал.

Вечером, уже в темноте, смертельно усталый и по пояс залепленный грязью, профессор явился перед бароном Анкром. Тот кинулся к нему, чуть не плача от радости.

— Боже, как я волновался! Вы живы, вы снова со мной! Больше мне ничего не нужно. Идите в избу, там тепло. Я уступлю вам свое ложе. Вы отдохнете, выспитесь, а завтра мы продолжим разговор. Только одно: верните мне локатор. Как проклинал я себя за то, что отдал его вам!

— Прибора у меня нет, — отвечал профессор, ведя фармацевта прочь от крыльца.

— Где же он?

— Неважно.

— Куда вы меня тянете?

— Подальше от чужих ушей. Я не хочу ждать до завтра. Мы продолжим беседу сейчас. Итак, вы сказали, что готовы отказаться от своего «сосуда»...

LEVEL 5. ЗАПОВЕДНИК

КРАСНАЯ, СИНЯЯ, ПРОЗРАЧНАЯ

— какую из склянок выбрать?

Гальтон понюхал пробки.

Никакого запаха — естественно. Одной и той же загадки в этой игре с непредсказуемым исходом не предлагают.

Взболтал все три жидкости. Красная, зеленая, бесцветная...

Они совершенно одинаково забулькали, пузырьков ни в одной из бутылочек не возникло.

Стало быть, определяться с выбором придется только по цвету.

Что ж...

Доктор поставил пузырьки на пень, сел по-турецки и стал на них смотреть. Коллеги замерли, чтобы не мешать мыслительному процессу.

Прозрачную жидкость Норд исключил сразу. Во всех предыдущих случаях самсонит был желтым.

По спектру ближе всего к желтому цвету не зеленый, а красный.

Стоп. Здесь ведь сталкиваются два цвета: стекла и самого раствора. В пузырьке красного стекла жидкость тоже красная — значит, на самом деле она тоже красная или же бесцветная. Желтая казалась бы оранжевой. В синей бутылочке раствор зеленый, но это обман зрения! Именно зеленым и будет казаться желтое вещество, если на него смотреть сквозь синий фильтр!

Задачка-то не из сложных.

— Гальтон, погоди! Ты уверен?! — воскликнула Зоя, когда он без колебаний сорвал крышечку с синего пузырька.

Одним глотком Норд осушил содержимое и зажмурился, чтобы целиком сосредоточиться на послании.

— Гальтон, как ты себя чув...

Он поднес палец к губам: тсссс!

Внутри черепной коробки возникло легкое, довольно приятное щекотание. Молодой голос отчетливо выговорил по-французски: **«Я не знаю, что об этом думать. Вся суть в эликсире, но это долго объяснять. Вот прибор, с помощью которого вы найдете меня. Смотрите на стрелку и слушайте сигнал».**

Всё.

Voila l'instrument qui vous aidera de me trouver?[1]

Речь могла идти только о серебряной луковице. Не о кольцах же!

Норд схватил часы — не часы, компас — не компас. Стрелка чуть дрогнула от рывка и снова встала в прежнее положение. Доктор оглядел инструмент внимательней. Заметил сбоку маленькую кнопочку. Нажал. Раздался едва различимый прерывистый писк. Вот и сигнал!

Значит, послания оставляет живой человек! И его можно отыскать по этому прибору!

Стрелка показывала за реку, где простиралось травяное поле, а за ним темнела роща.

— За мной! — вскочил Гальтон. — Все объясню по дороге! Вперед!

Река, поле и роща остались позади. За ними были другие поля и рощи, луга и перелески. Первый час члены экспедиции шли очень быстро, потом начали уставать. Виноват в этом был «универсальный конструктор», который Айзенкопф и Норд несли по очереди: немец молча, Гальтон чертыхаясь. От проклятого чемодана, с которым Курт ни за что не желал расставаться, пользы был ноль, одна докука.

Населенные пункты группа обходила. Всякий раз, когда делали крюк, стрелка прибора немного смещалась, но уверенно указывала на одно и то же направление.

Советские деревни издали все выглядели одинаково, похожие на нищенок в серых лохмотьях. Бревенчатые домишки, над ними колокольня с оторванным крестом. Поля распаханы кое-как. Тракторов и прочей техники нигде не видно. Средние века, и только. От этого депрессивного пейзажа

---

[1] Вот прибор, с помощью которого вы найдете меня (*фр.*).

первоначальное возбуждение сменилось усталостью, а потом и беспокойством. Надежду вселяло лишь одно: непонятный прибор теперь пищал громче, чем раньше. А может быть, Гальтону это казалось.

Все трое были отлично тренированными людьми, но любой выносливости есть предел. Первым взбунтовался железный Айзенкопф.

— Я не могу так долго функционировать без питания! — объявил он, останавливаясь посреди большого луга. — Во-первых, это вредно для желудка. Во-вторых, просто хочется есть, ужасно! Норд, у вас были бутерброды.

— В самом деле!

Доктор, у которого в животе давно уже неистовствовали голодные спазмы, хлопнул себя по лбу.

Есть же хлеб с колбасой! С отличнейшей ливерной колбасой!

Он честно поделил бутерброды. Их было десять: каждому по три, плюс один, разломанный на три части.

Мужчины жадно накинулись на еду, а княжна понюхала-понюхала и есть не стала.

— Фи, — сказал она. — Чесночищем несет. Это мужчинам все равно, что жрать, а я лучше подожду какой-нибудь человеческой еды.

— Заверните ее долю и уберите. — Курт алчно смотрел на несъеденные бутерброды. Свои он уже смолотил. — Если она до вечера не передумает, поделим пополам.

*

Полчаса отдыха, и двинулись дальше — как говорится в русских сказках, по полям, по долам. Писк постепенно становился звучнее, теперь его слышал не только Гальтон, но и остальные. К вечеру прибор зудел в руке Норда, будто пойманный комар. Цель, что бы она собою ни представляла, была близка.

— Стрелка указывает вон туда, — сказал доктор, останавливаясь посреди широкого поля, на дальнем краю которого виднелась сплошная полоса деревьев. — Это настоящий большой лес. Возможно, нам придется в нем заночевать.

— А вот мы сейчас узнаем, что там. Спросим-ка у аборигена, — предложила Зоя.

Неподалеку пасся небольшой табун стреноженных лошадей. Рядом стоял дедок в рваном ватнике и пялился на чужаков.

Еще бы: среди поля, да с багажом — не странно ли?

— Здравствуйте, дедуля, — подошла к нему княжна. — Что это там вдали за лес?

— Дык лес он, знамо, и есть лес, — певуче ответил старик, оглядывая странных людей смышленными глазами. — При старом прижиме звался Барский Лес, а таперича Лесной Массив. Вы, граждане хорошие, чай, заплутали? Вам, поди, на Боровский тракт надоть? Тады на закат ступайте, через Барсуковку.

— А ежли напрямки, через чащу? — блеснул знанием просторечий Гальтон.

— Не сполучится. Он проволокой колючей оборонённый. Заказник там.

— Какой еще заказник?

— Куда ходить заказано. По ученому сказать — Заповедник.

Дед почесал затылок и сплюнул, а у Норда во рту, наоборот, пересохло. Он вспомнил разговор двух охранников в Музее нового человечества. Молодой упомянул какой-то «заповедник», служить в который берут только самых лучших, а начальник вскинулся: откуда-де узнал, кто проболтался?

Потом было слишком много самых разных событий, этот маленький эпизод выветрился у доктора из памяти, но теперь слово «заповедник» прозвучало раскатом грома.

Не заметив, как изменился в лице Гальтон, княжна продолжала расспрашивать пастуха:

— А почему в заповедник нельзя входить?

— Леший его знает, — неохотно промямлил старик. — Не нашего лапотного умишка дело.

Вдруг Зоя, все внимательней вглядывавшаяся в землистое лицо крестьянина, перешла на французский:

— Vous utilisez trop le langage populaire, monsieur. Pourtant vous êtes une personne cultivée, n'est-ce pas?[1]

— Был когда-то «культиве», да весь вышел. — Пастух скривился. Его речь магически выправилась. — Только и вы, мадемуазель, зря в кожанку вырядились. Манеры и лицо не спрячешь. Пролетарии нашего брата и вашу сестру за версту чуют.

— Кто вы такой? — спросил Гальтон, решив пока не касаться заповедника — успеется.

— Лев Константинович Лешко-Лешковский. Представитель побежденного класса. Бывший помещик. Моя семья владела когда-то сей латифундией. — Старик махнул в сторону домов на дальнем конце поля. — Теперь прохожу перевоспитание трудом. Чтоб не околеть с голоду и не попасть в ГПУ. Колхозники, бывшие мои крестьяне, покрывают по старой памяти. Плохого они от меня никогда не видели. Больницу им в свое время выстроил, школу.

— Так вы пастух?

— Пастух, конюх, навозных дел мастер. А что? Хорошая буколическая служба. Раньше разводил племенных жеребцов, теперь ухаживаю за колхозными. На моей рессорной коляске ныне ездит товарищ председатель. В моем бывшем доме сельсовет. Однако и я без крова не остался. Проживаю на сене-соломе, с лошадками. И абсолютно доволен этой компанией. Мои сожители самогона не пьют, матюгами не кроют. Опять же, настраивает на философский лад. Могу ли я, в свою очередь, поинтересоваться, с кем имею честь?

— Зоя Константиновна Клинская, — столь же учтиво ответила княжна. — А моих друзей, с вашего позволения, я представлять не буду.

— Из тех самых Клинских? — понимающе кивнул Лев Константинович. — Так я и подумал. Героические борцы с большевизмом. Явились из дальних краев истреблять комиссаров и совпартработников. Давно что-то о вас ничего слыш-

---

[1] Вы слишком старательно используете простые словечки, сударь. А между тем вы человек культурный, не правда ли? (фр.)

но не было. Я уж думал, вы угомонились. Что ж, безумству храбрых поем мы песню, как писал наш бывший кумир Максим Горький. Ладно, господа, мое дело сторона. Я, разумеется, на вас доносить не побегу и всё такое. Но конспирация ваша, прямо сказать, отдает дилетантизмом. Кожаные куртки надели, а чемодан заграничный. Поразительно, что вас до сих пор не зацапали.

— Мы не такие уж дилетанты, как это может показаться на первый взгляд, — уверил бывшего помещика Норд.

— Наверное. Если уж к самому Заповеднику подобрались... Вас ведь интересует именно он? — Лешко-Лешковский нервно оглянулся. — Что знаю, расскажу, только давайте присядем под куст. В поле во время заката силуэты далеко видно.

Сели под орешник.

— Про Заповедник никто из местных ничего конкретного не знает, только перешептываются дома, по углам. С чужими ни боже мой... Там в середине леса раньше заброшенная усадьба была. Лет, наверное, пятьдесят пустовала. А после японской войны поселился один господин почтенных лет, привел дом в порядок, обжился. Видимо, думал мирно доживать свой век средь лесных кущ. Ошибся в расчетах. Как многие прочие, м-да-с...

Теперь, когда колхозный пастух заговорил, не прикидываясь мужиком, а в своей естественной манере, стало видно, что черты лица у него тонкие, а на переносице, если приглядеться, можно было различить след от очков. Должно быть, у себя на конюшне, вдали от колхозников, Лев Константинович позволял себе и книги читать.

— В революцию любителя природы, само собой, пожгли, пограбили, а для верности еще и в ЧК сдали, где он благополучно сгинул. Усадьба снова запустела. А году этак в 24-ом весь Барский лес обнесли колючкой, понаставили постов, и ходить туда строго-настрого запретили. Наши пейзане по привычке пробовали соваться — дровишек наворовать, детишки за грибами-ягодами, да быстро отучились. Ни один, кто за колючку перелез, обратно не вернулся.

— Как это?

— А так. Сгинули бесследно. Одного паренька отец с матерью слишком настырно искать стали. В райотдел милиции пошли, к прокурору в город поехали... С того дня никто их не видел. Вот какой это Заповедник. Автомобили по дороге в лес гоняют, мотоциклеты туда-обратно носятся. А к кому или от кого — неизвестно.

— Что ж там секретного, в лесу?

Помещик затянулся самодельным табаком, вежливо помахал рукой, отгоняя едкий дым от лица дамы.

— Вам, господа, виднее. Очевидно, неспроста вас сюда прислали... Впрочем, не лезу и не интересуюсь. — Он замялся в нерешительности, но все-таки спросил. — Скажите, а правда, что председателя «Русского общевоинского союза» генерала Кутепова чекисты в Париже похитили среди бела дня?

— Правда, — сказала Зоя.

— Вот видите. Они и в Париже творят, что пожелают, а вы пожаловали прямо к черту в зубы. Уезжали бы подобру-поздорову. Поверьте немолодому человеку, который, в отличие от вас, прожил все эти годы на родине. Не нужны вы тут никому. Никого не спасете и не образумите, только сами погибнете. Пока мои колхознички сами умишка и культуры не наберутся, большевики им будут милей нас с вами. Лет через сто приезжайте. А лучше через двести.

Он горько засмеялся.

— Нет, нам нужно в лес, — поднялся Гальтон, посматривая вверх — скоро ли стемнеет.

— Ну, дело ваше. Я вас не видел, вы меня тоже.

*

Через поле шла на удивление хорошая дорога — не грунтовая, асфальтовая. Она упиралась в блокпост и шлагбаум, а потом уходила прямо в чащу. За все время по шоссе проехал один крытый грузовик: скрылся в лесу, через сорок минут проследовал в обратном направлении.

— Ну, около поста нам делать нечего, — объявил Айзенкопф. — Отойдем на километр в сторону.

Как только оформилась ясная задача: проникнуть на территорию Заповедника, немец сразу взял инициативу в свои руки — наверное, хотел продемонстрировать полезность после не вполне удачного участия в штурме бункера. Доктор с княжной и не думали оспаривать у биохимика первенство. Курт здесь был в своей стихии.

— Проволока трехрядная, — сообщил немец, глядя в ночной бинокль. — Высотой метра полтора. Похоже, оснащена механическими датчиками тревоги. На прикосновение такие не реагируют, только на попытку нарушить целостность. Подберемся ближе...

Пользуясь темнотой, они залегли у самой опушки. От первого ряда проволоки их отделяла только распаханная полоса.

— Как же быть? — озадаченно спросил Норд. — Наступишь — останутся следы. Первый же обход нас раскроет...

— Накаркал! — толкнула его Зоя.

Из-за кустов показались трое военных с овчаркой на поводке. Пес замер на месте, навострил острые уши, залился лаем. Учуял!

Бежать было бессмысленно. Заметят — откроют огонь.

— У меня в «конструкторе» есть оружие... Не успею достать, — шепнул Айзенкопф. — Что делать?

Зоя нервно схватила Гальтона за локоть:

— Я с детства боюсь овчарок!

Один караульный взял карабин на изготовку, второй светил во все стороны фонарем. Третий нагнулся к собаке.

— Ты чего, Мурат? Чужой?

Он спустил пса с поводка, и тот кинулся прямо на затаившуюся троицу.

— Сделай что-нибудь, Гальтон! — ахнула княжна.

А он и так уже делал. Вынул из саквояжа оставшиеся бутерброды с чесночной колбасой и швырнул навстречу собаке.

Овчарка цапнула зубами сверток прямо на лету и урча сожрала вместе с бумагой. Чихнула. Замотала башкой. Фыркнула.

— Мурат, ты чего нашел? — подбежал к псине часовой. — Бумажка какая-то. Фу! Выплюнь!

Овчарка опустила голову, виновато поджала хвост. От зарослей, где залегла группа, ее отделяло не более десяти метров, но духовитый ливер отбил у Мурата способность воспринимать какие-либо запахи. А может, это была собачья благодарность.

Так или иначе, но пес перестал лаять и затрусил прочь, уводя караул за собой.

— Пронесло. — Норд вытер со лба испарину. — Однако проблема остается. Как преодолеть распаханную полосу и тройной ряд проволоки?

Курт брякнул замками чемодана.

— Вот вы обзывали мой универсальный конструктор всякими словами, а у меня там есть одна полезная вещица.

Он достал металлическую планку, надавил на нее рукой. Планка приподнялась и упруго качнулась.

— Это пружинная ступенька. Она позволяет совершать прыжки высотой до двух метров и протяженностью до двенадцати. Принцип прост: разбегаетесь, отталкиваетесь от ступеньки ногой и взлетаете. Я покажу, как это делается, прыгну первым. С грузом, жалко, не получится. Возьму только самое необходимое...

Из чемодана он вынул рюкзак и принялся набивать его всякой всячиной.

— Эх, больше не влезает. Жалко...

Спрятал конструктор в заросшую травой яму.

— Посветите-ка на ступеньку, чтоб я не промахнулся.

Айзенкопф отошел назад, с топотом разогнался и одним махом перелетел через полосу и колючую проволоку, с шумом обрушившись на кусты.

— ...Всё нормально! — донесся приглушенный крик. — Только немножко оцарапался и штанину порвал.

— Не бойся, милая. Я тебя поймаю, — пообещал Гальтон.

Свой саквояж он тоже оставил в яме — не до багажа.

Примерился, чтоб не вмазаться в дерево.

Раз-два-три-четыре — прыжок!

Словно в сказочных семимильных сапогах взмыл вверх и очень удачно приземлился на мягкий мох.

— Зоя, давай сюда же!

Княжна свалилась на него с темного неба, подобно упавшей звезде. И удар по силе получился примерно таким же — будто метеорит врезался в Землю. Тело Зои было легким и упругим, но устоять на ногах было невозможно. Гальтон рухнул на спину, Зоя оказалась сверху.

Некоторое время они лежали оглушенные, обхватив друг друга.

Наконец она сказала:

— Наелся ливера! Не дыши на меня чесноком, а то я одурею, как та собака.

Курт прикрикнул на них:

— Хватит лобызаться! Идемте! Мы в Заповеднике!

ТОЛЬКО В СТРАШНЫХ СКАЗКАХ

бывает лес, подобный тому, через который продирались члены экспедиции. Именно «продирались», потому что чаща была дикой и дремучей. Много лет никто ее не чистил. Не прорежал бурелом, не собирал упавшие сучья, не рубил мертвых деревьев. Всё вокруг говорило о том, что в эти дебри давным-давно не ступала нога человека. Если б не луна, выползшая на небо и кое-как осветившая ели с соснами, без фонарика не удалось бы сделать и пяти шагов. А включать его было рискованно.

Здесь даже ночные птицы не кричали. Лес казался совершенно безжизненным. Кое-где в низинах мерцали черные лужи; рухнувшие стволы расчерчивали пространство безумными диагоналями.

— А вдруг это просто лесной заповедник, и всё? — сердито сказала Зоя, споткнувшись о корень. — Мы уже километра два прошли! Может, тут и нет ничего?

— Есть. — Норд поднес к глазам луковицу. — Слышишь писк?

— Смотрите! — показал Айзенкопф. — По-моему, лес кончается.

За деревьями что-то светилось. Они ускорили шаг.

Лес не кончился. Но его рассекал высокий забор, освещенный яркими лампами. Перед забором чернела распаханная полоса — такая же, как та, что опоясывала весь массив.

Немец приложил к глазам бинокль.

— Справа ворота, метров триста... Шоссе, которое мы видели, выводит к ним... Рядом, кажется, гараж... Караульная будка...

Смерив взглядом ограду, доктор с досадой воскликнул:

— Сюда бы вашу ступеньку!

— Ничего бы не вышло. — Айзенкопф полез в рюкзак. — Забор высотой минимум метра три. Так высоко с пружинного трамплина не запрыгнуть. Но у меня на этот случай кое-что припасено...

Он вытащил небольшой алюминиевый баллон с краником и шлангом. Потом какую-то аккуратно сложенную тряпку.

— Портативный воздушный шар. Подсоединяем воздуховод... Поворачиваем кран... Вот так!

Тряпка с шипением начала раздуваться и в считанные секунды превратилась в большой пузырь, жизнерадостно закачавшийся над землей.

— Управление самое простое, — показывал биохимик. — Лямки продеваете под мышки. Повернули кран вправо — закачка газа продолжается, шар тянет вас вверх. Поднялись на нужную высоту — открываете вот этот клапан и начинаете спускаться.

— Но нам мало подняться! — скептически заметила княжна. — Нужно перелететь через стену. У вас в рюкзаке случайно не найдется двигателя и пропеллера?

— Портативный мотор и пропеллер были в кофре, который мы оставили на квартире, — скорбно сказал Курт. — Слишком большая тяжесть. Но есть средство попроще.

В руках у него появилась какая-то катушка. Немец вытянул из нее конец тросика с крюком на конце. Как следует раскрутил — и очень ловко, с первой же попытки, зацепился за кромку забора.

— Катушку прикрепляем к дереву... Вот так. Ну, я полетел.

Он взялся одной рукой за трос, повернул кран, и пузырь с шипением стал разрастаться. Торжественный и бесстрастный, словно возносящийся на небо бодисатва, Айзенкопф оторвался от земли и медленно взмыл вверх.

— Когда окажусь на той стороне, выпущу лишний газ, а вы тяните шар обратно.

С этим напутствием он поплыл над контрольной полосой, перебирая руками по тросу.

— Привидение, да и только! — прошептала Зоя.

Оказавшись на заборе, Курт помахал рукой. Сфера над ним начала съеживаться. Еще раз махнув, биохимик спрыгнул вниз и скрылся из виду. Доктор потянул шар обратно. Ему не терпелось тоже очутиться на той стороне.

Воздухоплавательный аппарат оказался восхитительно прост в эксплуатации.

Поднявшись на нужную высоту, Гальтон завернул кран, заработал руками и через минуту уже был над забором. Заглянул — и чуть не застонал от нетерпения.

Внутри было очень интересно!

Там росли сосны и ели, но не дикие, как в чаще, а аккуратные и ухоженные. Между ними белели песчаные дорожки. Там и сям светились окна каких-то коттеджей. Скорее бы туда попасть!

Но воспитание не позволяло. Нужно было дождаться даму.

А княжна не слишком торопилась. Ей, кажется, понравилось летать. Она повисла в воздухе напротив Гальтона, грациозно покачиваясь.

— Как здорово! Словно на седьмом небе! И ангелы поют!

Откуда-то, действительно, доносилось сладкозвучное, тонкоголосое пение.

— Хватит изображать райскую птицу! — сердито прошипел доктор и, балансируя на верхушке, ухватил Зою за подол. — Дел полно!

Нелюбознательный Айзенкопф терпеливо ждал коллег под забором.

— Осторожней с клапаном! Не повредите ткань!

Зоя спрыгнула вниз и бросилась немцу на шею.

— Курт, вы гений и волшебник! Прошу прощения за все шпильки и булавки, которые я в вас втыкала!

Она поцеловала его в щеку.

— Зря стараетесь. Я не чувствую поцелуев. Лучше помогите свернуть оболочку. Этот аппарат нам еще понадобится.

А у Норда не хватило терпения ждать, пока они возятся с шаром.

— Я на разведку! Догоняйте!

— Я с тобой! Милый Курт, вы ведь управитесь сами?

Укрывшись за елью, они смотрели на славный домик, окруженный чудесным газоном. Вокруг ни забора, ни ограды. Сбоку торчала очаровательная башенка, увенчанная сказочным петушком.

Песчаная дорожка огибала участок и снова уходила в лес, но неподалеку, за деревьями, светились окна других домов.

— Suburban paradise[1], — заметила княжна. — Словно мы не в Подмосковье, а где-нибудь в Новой Англии.

— Даже образцово-показательный поселок «Сокол» по сравнению с этой идиллией блекнет, — согласился Норд. — Кто это так хорошо поет? Давай подсмотрим.

Они подкрались к окну и осторожно заглянули внутрь.

Их взглядам открылась очаровательная картина. Славный семейный вечер: отец в кресле курит трубку, мать играет на пианино, сынишка поет. Комната — просто картинка. Всё довольно скромно, но опрятно и чисто. На еще не убранном после ужина столе ваза с фруктами, пряники с баранками, чайные чашки и самовар.

Мальчик выводил хрустальным голоском:

> На Волге, на Волге родимой,
> Где чаек разносится клич,
> На счастье отчизны любимой
> Родился великий Ильич.

— Какая прелесть, — растрогалась Зоя. — Этому малютке петь бы в церковном хоре, а не про Ильича...

Гальтон схватил ее за руку и оттащил от окна. По дорожке кто-то шел. Прятаться было поздно.

Мужчина с вислыми усами увидел их, приподнял соломенную шляпу и приветливо поздоровался:

— Добрый вечер, товарищи! Что-то не признаю... — Он подошел ближе. — А-а, вы, наверно, новенькие. Только прибыли?

— Новенькие, — напряженно ответил Норд. — Прибыли. Да.

— В 47-й? Вместо Киселевых?

— Хм. Да. Вместо Киселевых.

Незнакомец пожал руку сначала Гальтону, потом Зое.

---

[1] Пригородный рай (*англ.*).

— Добро пожаловать. Заблудились в темноте? Это поначалу со всеми бывает. Все-таки лес. Хоть и без волков, — он добродушно засмеялся. — А я из 122-го. Опанас Иванович меня зовут.

— Зоя.

— Га... Гаврила... Лаврентьевич. Очень приятно...
Опанас Иванович с интересом их рассматривал.

— Какой у вас затравленный вид. Мы с Любой — это моя жена — в первые дни тоже были такие. Забудьте прошлое, как страшный сон. Всё, что осталось по ту сторону забора, для нас больше не существует. Настоящая жизнь здесь.

— Здесь? — переспросил Норд, ничего не понимая.

— Ну да. В лесном поселке «Ленинский путь». Просто мы тут живем в конце этого пути, а вся остальная страна в самом его начале. Но она движется в нашу сторону, семимильными шагами. Помните, что вам очень повезло. Поздравляю. Так проводить вас до 47-го? Это на противоположном краю территории. Но я перед сном все равно гуляю, мне нетрудно.

— Да, пожалуйста...

Местный житель оказался приятнейшим гражданином — предупредительным, не слишком любопытным, а главное разговорчивым. Он повел новых знакомых по дорожке, которая петляла по лесу меж чудесных, уютных домиков. Иногда навстречу попадались прохожие, всё тоже исключительно симпатичные люди. Опанас Иванович с ними раскланивался, про Гальтона и княжну говорил: «Это новенькие, вместо Киселевых».

Удивительно, но никто, ни один человек, не поинтересовался, кто они такие и откуда приехали. В этом была какая-то странность.

В поселке «Ленинский путь» странностей вообще хватало. За деревьями и коттеджами открылась большая поляна, застроенная красивыми каменными домами. Здесь было светло, всюду горели фонари. Чичероне объяснил, что это «оргцентр» поселка: все производственные, культурные и бытовые учреждения.

— Здесь мебельная мастерская, где я работаю, — показывал он. — Люблю возиться с деревом. Мои стулья даже на выставку возили! А Любе нравится выращивать цветы. Видите стеклянную крышу? Это теплица, в ней тюльпаны лучше голландских. Обязательно загляните туда завтра, Люба будет рада.

Нарядное здание с колоннами оказалось домом культуры: сверху — огромный портрет Ильича и горящая надпись из красных лампочек: «ВЕЧНО ЖИВОЙ!». Рядом украшенная флажками доска почета «Наши передовики» с множеством фотопортретов.

— Третий в шестом ряду слева — это я. На Первое мая удостоился, — скромно сообщил Опанас Иванович.

Были в поселке и школа, и детсад, и фабрика-кухня, и какой-то «Центр семдомбыта».

— Время уже позднее. У нас после кино все обычно расходятся по домам, — словно извиняясь за пустые улицы, говорил провожатый. — Но магазин открыт, если вам что-нибудь нужно.

Он с гордостью остановился перед освещенной стеклянной витриной. После скудных московских она поражала изобилием: тут лежали головы сыра, толстые и тонкие колбасы, всевозможные консервы, фрукты.

— Какое у вас замечательное снабжение, — похвалила Зоя. — Не то что за забором. В Москве и за картошкой очередь стоит, а тут у вас и кабачки, и баклажаны.

Сопровождающий со значением покашлял, будто она сказала что-то неприличное:

— Зоенька, дорогая, разве вы забыли правило номер 6? «Новым членам Континента строжайше запрещается рассказывать старым членам Континента о жизни за пределами поселка; старым членам Континента строжайше запрещается слушать подобные рассказы». Это, знаете, не шутки. Правила существуют для того, чтобы их соблюдать. Вас ведь предупреждали? И подписку брали?

— Конечно. Просто она еще не привыкла, — быстро произнес Гальтон. — Не сердитесь.

— Ничего, привыкнете. По правилам я должен буду об этом завтра доложить. Но я скажу, что заткнул уши и ничего не слышал, а вы сразу опомнились и прикусили язык. — Опанас Иванович снова заулыбался, давая понять, что инцидент исчерпан. — Да вы заходите в магазин, заходите!

Внутри не было ни продавцов, ни кассового аппарата.

— Удивляетесь? — абориген довольно рассмеялся. — У нас все на доверии. Цена написана на товаре. Видите? «Два талона», «Три талона», «Семь талонов». Нам зарплату выдают талонами. Берете, что вам нужно, а соответствующее количество талонов кладете в ящик. Почти как при коммунизме. Только при коммунизме каждый будет получать по потребностям, а у нас действует принцип социализма: от каждого по способностям, каждому по труду. Я вижу, вы смотрите на папиросы? Берите, Гаврила Лаврентьевич, берите. Вот, я кладу талон, а вы мне потом отдадите, с получки. Вы уже знаете, где будете работать?

— Мы с женой медики.

— Это превосходно! У нас чудесная амбулатория!

Они пошли дальше. Посреди каждого перекрестка белело по гипсовой статуе: то колхозница со снопом, то рабочий с молотом, то шахтер в каске, то юный пионер.

— У нас большой скульптурный цех, — объяснил гид. — Снабжаем наглядкой всю страну. Большой выбор представителей пролетариата, Ильичи в семи позах и шести размерах, товарищи Сталины в ассортименте. Была задумка развернуть литейное производство, чтоб наладить выпуск бронзово-чугунной продукции. Но администрация Спецсектора запретила. Шум, загазованность — это категорически запрещено...

— Что это там? — перебил Норд, которому проблемы выпуска «наглядки» были неинтересны. — Парк культуры и отдыха?

На некотором отдалении от «оргцентра», позади домов, была высокая ограда из железных прутьев, за ней смыкались деревья.

— Это и есть Спецсектор. Там живет Он.

Маловыразительное местоимение было произнесено с благоговейным придыханием. Гальтон с Зоей остановились.

— Я первое время тоже всё шею тянул, а потом привык, — шепотом сказал Опанас Иванович. — Иногда Он посещает поселок. Я Его лично видел пять... нет, шесть раз. Однажды даже разговаривал, недолго. Всё строго по инструкции. Так потом и в отчете написал.

Гальтон отвернулся, якобы чтобы прикурить. На самом деле нужно было взять себя в руки — не выдать волнения. А заодно взглянуть на луковицу. Ее стрелка неколебимо указывала на ограду. Писк был ровным, требовательным.

— Надо же, начало мая, а уже комары, — удивился местный житель, обмахиваясь. — Слышите, зудит где-то?

— И... каков Он? — кинув взгляд на Зою, очень осторожно спросил Гальтон. — Мы столько о Нем слышали...

Он осекся. Возможно, вторая фраза была лишней.

Но Опанас Иванович не удивился.

— Милейший человек. Вы же знаете, он инвалид. Его катают.

— На автомобиле? — спросила княжна.

— Нет, что вы! В кресле. Автомобили на территории строго запрещены. Разве вас не предупреждали, что Ему противопоказан запах бензина? Вы же знаете правило номер 4. У нас тут даже электростанция не на жидком топливе, а на торфе и древесном угле.

— Да-да, конечно. Правило номер 4, из головы вон. — Зоя обезоруживающе улыбнулась. — Скажите, ну а все-таки, как Он выглядит? Ужасно любопытно!

— Как на фотографиях. Постарел только. Голова совсем лысая, бородка седая.

Доктор и княжна переглянулись. На каких еще фотографиях?

Они снова шли по лесной дорожке, мимо коттеджей. Писк стал чуть глуше. Они явно отдалялись от цели. Вдруг Гальтон уловил за спиной шорох. Обернулся — сзади, прячась за деревьями, крался Айзенкопф. Очень хорошо.

— Вот и ваш сорок седьмой. — Сопровождающий остановился перед прелестным финским домиком, окна которого
были темны. — Как обустроитесь, заглядывайте к нам с Любой в 122-й. И мой вам добрый совет: посерьезней относитесь к правилам. Не дай бог, выйдет, как с Киселевыми...

Он печально вздохнул.

Зоя спросила:

— А что вышло с Кисе...

Но Опанас Иванович быстро приложил палец к губам.

— Забыли? Ай-я-яй. Правило номер 7... Ну, располагай-
тесь. А я загляну в 46-й. Скажу Ромашкиным, что вы прибыли. Это прекрасные люди. Всегда помогут по-соседски. Знаете: соль, спички, иголка-булавка... Ну, увидимся на утрен-
ней линейке.

*

Они вошли в дом, на двери которого не было ни замка, ни
засова. Включили свет. Едва успели окинуть взглядом уют-
ную гостиную, как на крыльце послышались шаги.

— Здравствуйте! — На пороге стоял лысоватый мужчина
средних лет в полосатой пижаме. — Ваш сосед, Ромашкин
Степан Сергеевич. Мне Опанас Иванович сказал. Добро пожаловать на нашу Пятую аллею.

Познакомились.

— Жена уже легла, а я перед сном сам с собой в шахма-
тишки сражаюсь, — объяснил свой наряд Ромашкин. — Вы,
Гаврила Лаврентьич, как насчет шахмат? Играете?

— Немного.

— Ну, значит, повоюем! — Сосед радостно потер ладони. — Не сегодня, конечно... Вам нужно акклиматизировать-
ся, попривыкнуть. Сначала вам тут всё будет в диковинку.
Будто на острове. Но я все время говорил жене: «Нам
страшно, нечеловечески повезло. Вспомни, где мы были
раньше и где теперь. Это чудесный сон. Давай же его не нарушать. К черту пробуждение!» Поверьте, это самый лучший способ существования в условиях нашего искусственного рая.

— Милости прошу, заходите, — улыбнулась ему Зоя. Пропустила гостя вперед, а Гальтону шепнула: «Этот, кажется, больше похож на живого человека. Я его разговорю».

Она усадила Степана Сергеевича в кресло, поворковала о погоде и природе, об Алехине и Ласкере, а когда сосед был приручен и очарован, вполголоса призналась:

— Честно говоря, милый Степан, мне немножко жутко здесь жить... Сама не пойму, в чем дело, но этот дом... Он какой-то зловещий. Я ощущаю это кожей, но не могу объяснить. Не случилось ли здесь чего-то ужасного? Или это пустые бабьи фантазии?

Ромашкин смотрел на нее с сочувствием.

— Не фантазии... — Он замялся. — В сущности, я не должен... Правило номер 7. Но вы все равно на что-нибудь наткнетесь. Или услышите краем уха и поневоле совершите ошибку...

— Я знаю, до нас здесь жили какие-то Киселевы, — взяла быка за рога княжна. — Они что-то натворили? Степан, дорогой, расскажите! Я спать не смогу! Все буду бояться: вдруг здесь случился какой-нибудь ужас!

— Нет-нет, спите спокойно. В самом доме ничего плохого не произошло. А что Киселевых депортировали, так они сами виноваты. — Степан Сергеевич пригорюнился. — Их, бедняг, жалко, но нарушать принятые обязательства — это в конце концов непорядочно и бесчестно. Вся человеческая жизнь, в сущности, представляет собой свод писаных и неписаных правил. Нарушение законов химии или физики тоже чревато необратимыми последствиями, ведь верно? Если вы, например, вздумаете шагнуть с крыши, то закон тяготения напомнит вам о себе самым жестким образом. Киселевы отлично знали, что в поселке «Ленинский путь» родители несут полную ответственность за поведение детей. Говорят «Сын за отца не ответчик» — это гуманно и справедливо. Но так же справедливо требовать, чтобы отец отвечал за чадо, которое он плохо воспитал. Я прав?

— Не знаю, — сухо ответила княжна. Она больше не улыбалась. — Вы рассказали слишком много или слишком мало. Не останавливайтесь на середине.

Сосед беспокойно заерзал, поднялся из кресла.

— Я, пожалуй, пойду, — пролепетал он. — Уже поздно...
Тут он ненароком посмотрел в окно и вздрогнул.

— Там человек в кожаной куртке! Узкоглазый! — с ужасом прошептал Ромашкин. — Он стоит за кустом и чего-то ждет!

— Это... наш товарищ. — Гальтон сделал успокоительный жест. — Он китаец... Он... нас сопровождает. Всё в порядке.

Лицо Степана Сергеевича побледнело и даже чуть ли не позеленело. Он понес околесицу:

— Да, в наших органах служит много китайцев, и латышей, и евреев... Это нации, у которых высоко развито чувство пролетарского интернационализма... — Сбился и жалобно воскликнул. — Почему вы не предупредили, что вас сопровождают? Я бы не стал к вам соваться! Скажите, пожалуйста, товарищу сопровождающему, что я не собирался нарушать правило 7! Ради бога! А лучше ничего ему не говорите! У меня и так уже пять баллов!

Зоя остановила его:

— Перестаньте. Мы ничего ему не скажем.

— Правда? Я вам верю. У вас хорошее лицо. — Ромашкин всхлипнул. — Мы будем дружить, да?

— Конечно. Ведь мы соседи.

— Ну, спокойной ночи. В восемь утренняя линейка. Там вас представят всему контингенту. Увидимся.

Степан Сергеевич удалился. Он несколько раз поклонился кусту, за которым так неудачно спрятался Айзенкопф, и засеменил по дорожке.

— Что за чертовщина здесь творится? — озабоченно произнесла княжна. — Ты что-нибудь понимаешь?

— Только одно: у нас времени максимум до восьми утра.

— Смотрите, что я нашел под крыльцом. Наверно, осталось от прежних обитателей. — Айзенкопф показал модель планера. — Резиномотор довольно оригинальной конструкции. Мальчишка, который придумал ее, далеко пойдет.

— Вряд ли, — мрачно обронил Норд, но воздержался от объяснений.

Зоя, обойдя комнаты, принесла тоненькую брошюрку.

— Лежала в спальне на тумбочке. Называется «Правила поведения контингента коммуны-заповедника «Ленинский путь». И длинный перечень. Правило № 1: «Попытка проникновения в Спецсектор карается немедленной депортацией». Правило № 2: «При разговоре с Объектом запрещается выходить за рамки Инструкции под угрозой немедленной депортации». Правило № 3: «Любая попытка покинуть территорию поселка карается немедленной депортацией». Правило № 4: «Запрещается использовать любые бензиносодержащие материалы». Правило № 5: «Запрещается шуметь вблизи Спецсектора». Правило № 6: «Новым членам Контингента строжайше запрещается рассказывать старым членам...» Ну, это мы уже слышали. Список очень длинный. Некоторые пункты выглядят не менее экзотично, чем запрет на бензиносодержащие материалы. Например, нельзя заниматься радиолюбительством и запускать воздушных змеев. В конце — «прейскурант»: количество штрафных баллов по каждому пункту. Кто набрал 7 баллов, подлежит депортации.

— Что всё это значит? — спросил биохимик, не слышавший разговоров с аборигенами. — Может быть, мы с вами умерли и по ошибке попали в коммунистический рай?

— Вряд ли. — Зоя поежилась. — Из рая не депортируют.

Курт с нею не согласился:

— Это как посмотреть. Вспомните Адама и Еву, которые тоже нарушили правила. Да и что за коммунистический рай без депортаций?

Конец схоластической дискуссии положил Гальтон.

— Кто эти люди? Сотрудники ГПУ? Вряд ли. Слишком они травоядные. К тому же Ромашкин сильно испугался, когда принял Курта за чекиста... Что в Спецсекторе? Кто такой этот «Объект», которого возят в инвалидном кресле? Почему нам должны быть знакомы его фотографии? Перед нами множество вопросов, на которые пока нет ответа. Но мы знаем, где ответ находится.

— Где? — в один голос спросили остальные.

— Там. — Доктор вытянул руку с загадочным прибором. Стрелка указывала назад — туда, где остался Спецсектор. — Придется нарушить правило № 1.

*

Было уже заполночь. Они двигались через лесок очень осторожно, но на песчаной дорожке им никто не встретился. Впереди светились пустые улицы «оргцентра», но группа обошла его стороной, все время держась деревьев.

Вот справа показался угол огороженного парка.

— Преграда номер три, — тихо сказал Айзенкопф. — После тройной колючей проволоки и трехметрового сплошного забора она выглядит слабовато. — Он припал к биноклю. — Вижу ворота. Они приветливо открыты, но внутренний голос подсказывает мне, что это гостеприимство обманчиво. Хм, в чем же здесь ловушка?

— Да ни в чем. — Зоя была настроена по-боевому. — Просто им тут уже нечего опасаться. Вы сами сказали: это уже третья линия защиты. Никто чужой так близко к их Спецсектору не подберется, а «контингент» состоит из боязливых овечек. В ворота, конечно, соваться незачем. Надувайте свой аэростат и перелетим через ограду.

Немец повел биноклем вдоль решетки.

— Не стоит. Вам в темноте не видно. Там сплошная живая изгородь из высоких туй, а что за нею, не разглядеть. Я бы не рискнул лететь туда на шаре беззащитной мишенью... Есть способ проще и безопасней.

Он порылся в своем спасительном рюкзаке, достал какую-то железку, напоминающую садовые ножницы.

— Пересекаем освещенную зону по одному. Я первый.

Низко нагнувшись, биохимик пробежал к ограде. Упал, распластался вдоль цоколя и стал почти невидим.

Вторым открытое пространство преодолел Гальтон. Он увидел, что Айзенкопф не терял времени: укрепил свой инструмент меж двух прутьев и вертит какой-то винт.

К ним присоединилась княжна.

Прутья медленно, но покорно раздвигались. Теперь в зазор можно было пролезть.

— Милости прошу, — величественным жестом пригласил Курт. Нынче ночью у него был настоящий бенефис.

Через густые ветви туи лезть было тесно, колко. Зато по другую сторону живой изгороди не оказалось ничего опасного: кусты, деревья, дорожки; где-то неподалеку журчит вода; поодаль светятся огни — всё очень мирно и чинно.

— Идите вперед, — прошептал Айзенкопф. — Я должен прикрепить маячок. А то потом замучаемся искать лаз.

Майская ночь была благоуханной и теплой. В этом году лето началось на добрый месяц раньше календарного срока. Вдоль аллеи росли чудесные старые липы. В небе светила круглая луна, в ее лучах белели античные статуи.

— Это тебе не рабочий. — Зоя любовно погладила по мраморной ляжке Аполлона. Коснулась крутого бедра нимфы. — А это не колхозница... Как здесь чудесно! И до чего же похоже на наше имение! Господи, даже дом почти такой же...

В сотне метров, за огромной клумбой с фонтаном, виднелось красивое здание с классическим фасадом и белыми колоннами.

От лунного пейзажа веяло покоем и безмятежностью. Гальтон вслед за княжной ощутил странную размягченность. Это естественная релаксия после ожидания опасности, сказал себе доктор. Но дело было не только в релаксии. В самой атмосфере парка чувствовалось нечто расслабляющее, умиротворенное, настраивающее на философский, а то и лирический лад.

Зоя остановилась перед сдвоенным мраморным гротом, в каждой из ниш которого негромко журчала вода — наверное, там из-под земли били родники.

— Лета и Мнемозина, — прочла княжна греческие буквы. — Поток забвения и поток памяти...

— В каком смысле? — спросил Гальтон, гуманитарное образование которого, как известно, оставляло желать лучшего.

— Когда душа умершего спускается в подземное царство Аида, ей предоставляется выбор: выпить из реки забвения или из реки памяти. Почти все пьют из Леты и навечно забывают всё, что оставили позади. Но есть немногие избранные, кто...

Договорить ей не пришлось. Прямо в глаза ударил мощный луч, от которого Гальтон моментально ослеп. Он только успел понять, что прожектор установлен посреди клумбы.

Сзади налетели какие-то люди, заломили доктору руки, пригнув его лицом к земле. Пронзительно вскрикнула Зоя.

Кто-то противно скрипел хромовыми сапогами и шипел:

— Тихо, ..., тихо! Если он из-за вас проснется — головы поотрываю! Выключите к .... матери прожектор! А этих в караулку! Живо!

ДВОЕ В БЕЛЫХ КОМБИНЕЗОНАХ

очень ловко и быстро волокли Норда по аллее, так вывернув ему руки, что он почти ничего вокруг не видел. Лишь то, что следом точно тем же манером, безо всякого снисхождения к женскому полу, ведут княжну. А минуту спустя из кустов вывалилась еще пара белых, как ангелы, громил — у них в руках чертыхался скрученный Айзенкопф.

— Живей! Живей! — сдавленным голосом поторапливал скрипучий, забегая то с одной, то с другой стороны. — Зараза! Свет зажегся!

Повернув голову, доктор увидел, что на втором этаже дома между колоннами зажглось окно.

Зловещая процессия свернула с главной дорожки и полубегом-полуволоком направилась к приземистой постройке, в которой, вероятно, когда-то располагалась барская конюшня.

Человек в хромовых сапогах рысцой подбежал к двери, оправляя свою белую униформу, и вошел первым.

Потом втащили арестованных. Гальтону грубо стянули руки за спиной, сцепили их наручниками и лишь после этого позволили распрямиться. Рядом поставили Курта и Зою, тоже со скованными руками. Они стояли в ряд у стены. Обширное помещение, на первый взгляд, напоминало ультрасовременный блок управления электростанции. Или золотохранилища Федерального Резервного Банка: пульты с рычажками и кнопками, белые металлические шкафы, шеренга телефонов. Только в Федеральном Банке на стене вряд ли висели бы портреты революционных вождей.

— Вон в чем дело... — углом рта шепнул Айзенкопф и кивнул на большую схему, которая мерцала огоньками на противоположной стене.

Это был электрифицированный план Спецсектора. Ограду обозначал пунктир из маленьких лампочек. Все они горели ровно кроме одной — та предостерегающе помигивала.

Загадка объяснилась. Решетка парка оснащена электродатчиками. Когда Айзенкопф разжал прутья, на пульте охраны сработал сигнал. Кто мог ожидать от большевиков такой технической оснащенности? В том же золотохранилище Федерального Резервного Банка систему электросигнализации ввели совсем недавно! Однако пенять на собственную неосторожность было поздно. Ситуация требовала срочного си-ди-эм, а именно сейчас с креативностью у Норда были нелады. Он никак не мог опомниться — всё случилось слишком стремительно.

Главным здесь был сухой желтолицый коротышка, единственный из всех одетый не в белое, а в обычный штатский костюм. Сдвинув брови, он слушал своего помощника. Тот нагнулся к самому уху начальника и вполголоса докладывал что-то, нервно переступая с ноги на ногу и хрустя своими сверкающими сапогами. До слуха Гальтона долетали обрывки фраз и отдельные слова:

— ...В тридцать четвертом секторе... Согласно плану «Проникновение»... Думал, опять какой-нибудь мальчишка... Сработали четко... Старались не шуметь...

Желтолицый не перебивал, но хмурился всё сильней и всё чаще постукивал карандашом по столу.

— Ясно, — отрывисто сказал он наконец и рявкнул на охранников. — Что вылупились, медбратья хреновы? Ты и ты — остаться. Остальные, марш по постам!

Четверо верзил, которых коротышка почему-то назвал «медбратьями», вышли. Двое оставшихся встали возле задержанных — слева и справа.

— Товарищ заведующий, у косоглазого взяли мешок.

Помощник поставил на стол рюкзак Айзенкопфа. Дергая тощим лицом, старший принялся доставать оттуда разные предметы, один страннее другого: стальные трубки, алюминиевые коробочки, какие-то винты, спирали, бутылочки.

— Черт-те что, — сказал начальник, повертев некую штуку, похожую на согнутый велосипедный насос. И брезгливо спросил. — Кто такие?

— Не могу знать, товарищ заведующий!

— Не тебя спрашиваю. Вы кто такие? — оказывается, «заведующий» обращался к арестованным. — Что это за хлам?

— Мы вместо Киселевых. Новенькие, из 47-го. Заблудились, — ответил Гальтон — просто чтобы потянуть время.

Один из телефонов на столе зазвонил.

Трубку взял помощник, послушал и с виноватым видом доложил заведующему:

— Это Сырников. Объект интересуется, почему шум в парке.

— Дай. — Коротышка сказал в телефон. — Сырников, скажи ему, медведь из лесу забрел... Нет, скажи, никто косолапого не тронул, шерстинки не упало. Вежливо выпроводили... Ну давай. Если что — рапортуй.

Он яростно почесал свою желтую щеку.

— Какие Киселевы?

— Это у которых мальчишка нарушил правило номер один, — объяснил помощник. — Самолет через ограду запустил. Я докладывал. Но замена прибудет только на следующей неделе. Муж, жена, двое детей. Это не они.

— Спасибо, — саркастически оскалился заведующий. — А то я без тебя бы не догадался... Погоди-ка! — Карандаш треснул у него в пальцах, разломившись пополам. — Лысый и баба по приметам совпадают с данными ориентировки от 5 мая! Там был еще третий — пожилой, бородатый. Про косоглазого в ориентировке ничего нет. В любом случае нужно доложить. Что у них там творится? Хрень какая-то! Из Института не звонят. Инструкций не поступает. Ну-ка, соедини с товарищем Картусовым!

— Так ведь нет его! Я и днем пробовал, и вечером.

— Значит, с приемной соедини! Скажи, у нас ЧП!

Пока начальники препирались, а «медбратья» слушали их разговор, Айзенкопф, стоявший справа от Норда, коснулся его руки. Кисть Гальтона кольнуло что-то острое.

Булавка!

Доктор быстро взял ее, ощупал. Булавка была непростая, с крючком на конце. Оказывается, запасливый биохимик не все полезные техсредства держал в рюкзаке. Сам Айзенкопф, надо полагать, свои наручники уже расстегнул.

Пальцы у доктора Норда были ловкие. Просунуть крючок в скважину он сумел с первой же попытки. Чтоб не было слышно щелчка, громко закашлялся.

Есть! Руки свободны.

И момент как раз образовался исключительно удобный. Помощник стоял спиной, набирая телефонный номер, заведующий строчил что-то на листке — должно быть, пункты доклада начальству. Охранники напряженно ждали. Наверное, им нечасто доводилось быть свидетелями важного объяснения в высших сферах.

Не стоило расходовать драгоценные секунды, чтоб освободить от наручников и княжну. Управиться с охраной можно вдвоем. Тем более что ни у кого из белых комбинезонов не видно оружия.

— Go![1] — скомандовал Норд и бросился на левого «медбрата».

Курт был наготове — он напал на правого.

Неожиданное нападение со стороны объекта, вроде бы не представляющего опасности, способно застать врасплох даже профессионала самого высокого класса. Каменный кулак Гальтона с размаха и разбега обрушился на висок охранника. Такой удар свалил бы с ног и быка. Айзенкопф поступил со своим подопечным еще свирепей: врезал раскрытой дугой наручника по лицу, вцепился в виски и с хрустом вывернул голову, ломая шейные позвонки.

Зоя не была предупреждена об атаке, но повела себя так, словно действовала по заранее согласованному плану. Нагнувшись, она налетела на помощника сзади и боднула его головой в спину. Тот обрушился на стол, уронил телефон, да еще сбил со стула своего начальника.

— Коротышка — мой! — крикнул Гальтон.

Перепрыгнул через стол, упал на заведующего и хорошим хуком отправил его в нокаут. А биохимик управился с помощником. Одной рукой схватил за горло, другой за лоб, дернул назад. Снова раздался тошнотворный хруст.

— Готово. — Айзенкопф выпустил мертвое тело. — А ваш охранник, Норд, всего лишь оглушен. Нечисто работаете. Сейчас я его добью.

— Лучше снимите с меня наручники, кровопийца. — Княжна стояла спиной, вытягивая скованные руки. — И на-

---

[1] Давай! (*англ.*)

деньте их на парня. Он нам может понадобиться в качестве «языка».

— Зачем? Есть вот этот.

Биохимик сковал руки желтолицему и усадил его на стул. Шишковатая голова заведующего свесилась на сторону. На оглушенного «медбрата» наручники надел Гальтон и оттащил беднягу подальше, в угол — чтоб Айзенкопф обращал на него поменьше внимания.

— Может, в ваших бездонных карманах и нашатырь найдется? — обратилась княжна к Курту. — Очень хочется поговорить с товарищем заведующим.

— Обойдемся без нашатыря.

Две звонкие оплеухи заставили коротышку вскинуться и заморгать глазами.

Гальтон сел перед ним прямо на стол. Немец встал сбоку, красноречиво держа кулак на весу. В кулаке были зажаты измазанные кровью наручники.

— Отвечать на вопросы будете? — вежливо спросил доктор.

Пленник покосился на страшного азиата, кивнул.

— Тогда первый вопрос. Кто содержится в господском доме?

— Объект, — не сразу выдавил из себя желтолицый.

— Кто он?

— Пациент Спецсектора.

Айзенкопф левой рукой взял неразговорчивого «языка» за шею.

— Я врежу ему, чтоб отвечал как следует?

— Он ответит как следует. Кто это — «пациент»?

Пожевав губами, чекист неохотно сказал:

— Сами увидите. Вы ведь явились за ним. Без него, поди, не уйдете? — Курт взмахнул рукой, человечек сжался. — Не надо! Не мое дело, кто он на самом деле. Мое дело — обеспечивать уход и охрану. Любопытство у нас не в почете. Следим за здоровьем. Докладываем товарищу Громову. Он каждый день по несколько раз телефонирует... Сегодня, правда, почему-то не звонил.

— У меня вопрос, — вмешался биохимик. — Как организована охрана Заповедника? И не крути мне, а то...

— В Спецсекторе — медбратья и два дежурных врача. Медбратья охраняют парк, врачи все время находятся с пациентом... В поселке персонала нет, только контингент...

Зоя перебила:

— Что это за люди?

— Контингент? Зеки. Специально подобраны. Живут, как в раю, с семьями. Но дают подписку соблюдать правила проживания. Нарушения случаются редко.

— Как с мальчиком Киселевых? Он забрался в парк, и вы депортировали всю семью? Что значит «депортировали»? Убили, да?

Айзенкопф раздраженно воскликнул:

— Отстаньте вы с вашей лирикой, Норд! Некогда отвлекаться! Надо дело сделать и вовремя убраться! — Он тряхнул заведующего за ворот. — Рассказывай дальше про систему охраны. Кто караулит выезд из поселка?

— Там контрольный пункт. Казарма, в ней взвод особого назначения.

— А блокпост и патрули на опушке леса?

— Внешняя охрана. У нее допуска на территорию нет.

— Кто в Заповеднике самый главный? Ты?

— ...Да, я.

— И все три кольца охраны подчиняются тебе?

Заведующий колебался. Похоже, хотел соврать, но не решился.

— По инструкции я не имею права покидать Спецсектор. Ни при каких обстоятельствах. Я даже за пределы парка не выхожу. За контингент и за режим в поселке отвечает мой заместитель. — Он покосился на бездыханного помощника. — Но я назначаю дневной пароль, который является пропуском через все зоны.

— И ты мне его сейчас скажешь, правда?

Айзенкопф задушевно положил руку на плечо «языку». Тот содрогнулся, но промолчал. Его глаза смотрели в одну точку — на портрет основателя ЧК товарища Дзержинского, словно заведующий надеялся одолжить у Железного Феликса стойкости. Под портретом, на фоне щита и меча алел девиз: «У чекиста должны быть чистые руки, холодная голова и горячее сердце».

Биохимик сделал знак, чтоб Гальтон и Зоя не вмешивались.

— Не упрямься, герой. А то я тебе оторву чистые руки, отверну холодную голову, выдеру горячее сердце, положу на щит и нашинкую мечом.

— ...На сегодня пароль «Ильич живее всех живых», — сипло произнес заведующий.

— Сейчас проверим. У ворот поселка гараж. Как туда позвонить?

— ...На пульте написано. Достаточно нажать кнопку.

Человечек кивнул на коммутатор, где возле каждой из кнопок была маленькая табличка.

Задумчиво поглядев на чекиста, Курт сказал словно самому себе:

— Если наврал — ох, что я с ним сделаю...

— Я не наврал.

— Рад за тебя.

Айзенкопф приложил к уху трубку и нажал кнопку, около которой зажегся красный огонек.

— «Ильич живее всех живых», — сказал он после короткой паузы — очевидно, когда назвался дежурный. — ...Распоряжение будет такое: приготовить автомобиль... Выполняйте.

— Сработало! — радостно сообщил он коллегам, рассоединившись. — Если б умел — улыбнулся бы. Пароль правильный! Уедем отсюда цивилизованно — в казенном автомобиле, по асфальтовому шоссе.

— Это замечательно, — сказал Гальтон. — Но сначала нужно довести дело до конца. Пора познакомиться с Пациентом. Как бы только избавиться от остальных «медбратьев», чтоб не помешали? У нас даже нет оружия.

Он открыл ящики стола, надеясь обнаружить револьвер или пистолет. Ничего — только канцелярские принадлежности.

Заведующий непонимающе наблюдал за его действиями, но потом сообразил, в чем дело.

— Огнестрельное оружие в Спецсекторе запрещено. Такова инструкция. Пациент не выносит громкого шума, а от порохового дыма даже в минимальной концентрации может впасть в кому. У него аллергия.

— Обойдемся без огнестрельного. — Курт взял со стола один из диковинных инструментов, что были извлечены из рюкзака, — тот самый согнутый «насос». — Мое личное изобретение. Пневматический пистолет для стрельбы из-за угла. Смотреть нужно в трубку, вот тут мини-перископ. Загнутый конец высовывается наружу. Убойная дистанция — двадцать метров.

— У меня остались усыпляющие иглы, — напомнил Норд.

— К черту. Снотворное действует не моментально. Уколотый может поднять шум и погубит всё дело. Пуля в череп надежней.

— Но как вы будете стрелять в охранника с вашим кривым дулом? Оно не годится для прямого выстрела. Где вы в парке возьмете угол?

Айзенкопф почесал затылок.

— М-да. Эта задача потребует некоторых геометрических исчислений.

Вдруг пленник шумно вздохнул и сказал:

— Не нужно исчислений. Я помогу вам.

МНЕ ТЕПЕРЬ ВСЕ РАВНО

стенка. За то, что вас прошляпил и Пациента не уберег, так на так расстреляют, железно. У нас в органах служебная оплошность приравнивается к госизмене. Лучше я буду государственный изменник, зато живой. Возьмите меня с собой, граждане американские диверсанты. Я вам пригожусь. Я много чего знаю.

Члены экспедиции переглянулись. Предложение было неожиданным, но интересным.

— Молодец, — похвалил Курт чекиста. — Насчет рук и сердца не знаю, но голова у тебя хорошей температуры, мозги не кипяченые. Помоги нейтрализовать своих «медбратьев», и можешь называть нас не «граждане», а «товарищи». Валяй, проявляй инициативу.

Из заведующего уже не приходилось вытягивать слова клещами. Приняв решение, он заговорил по-иному: уверенно и быстро.

— Каждый «медбрат» отвечает за определенный сектор парка. Я поворачиваю рычажок на пульте охраны. На вершине постовой будки зажигается лампочка вызова. Даже если «медбрат» в это время делает обход, как только он увидит огонек, обязан немедленно явиться сюда. Дальше — ваше дело.

— Просто и гениально. А ну-ка, наведем тут порядок!

Они вытащили трупы в соседнее помещение. Туда же положили и оглушенного, причем Гальтон для верности еще и уколол его иголкой. Сам доктор и Зоя тоже спрятались.

Перебежчику биохимик расковал руки, но на всякий случай прицепил его за щиколотку к ножке кресла. И предупредил:

— Смотри, Холодная Голова. Если что, пули и на тебя хватит. Пора. Жми свой рычажок!

Айзенкопф встал за шкаф, где его было не видно, и высунул кончик кривого дула.

— Обзор отличный, — сообщил он.

Стук в дверь раздался через две минуты.

— Товарищ заведующий, Третий по вашему приказанию прибыл!

Вытерев со лба пот, начальник крикнул:

— Войди!

Белый комбинезон перешагнул через порог.

Простуженно чихнул пневмопистолет. «Медбрат» взмахнул руками и рухнул.

— Зови следующего! — приказал Айзенкопф, передергивая поршень своего «насоса». — Доктор, сиятельство, ваш выход!

Норд подхватил мертвеца под мышки и поволок к остальным. Зоя вытерла тряпкой багровые капли крови.

Едва они спрятались обратно — снова стук в дверь.

— Товарищ заведующий, Четвертый по вашему приказанию явился!

— Войди!

Гальтон оттащил покойника, княжна подтерла следы.

Дело встало на поток.

Пять минут и еще два покойника спустя с охраной парка было покончено.

Бледный, но не утративший решительности изменник сказал:

— Теперь остались только спецмедики в доме. Без меня вам туда не попасть. Действовать предлагаю так. Я подхожу первым. Вы скрытно двигаетесь сзади. Когда откроют — врывайтесь и... Ну, сами знаете.

— Знаем, — подтвердил Айзенкопф. — В упор я не промажу даже из кривого ствола. Норд, мне нужна одна минута, чтобы уложить рюкзак, и я буду готов.

На штурм усадьбы отправились таким порядком: заведующий шел по аллее, члены экспедиции — параллельным курсом, через кусты.

Большую клумбу пришлось обойти по краю — она просматривалась из дома. Снова миновали фонтан, сдвоенный грот с журчащими родниками. И опять на Гальтона нашло странное, успокаивающее оцепенение. Есть на земле уголки, в которых будто сконцентрировано то или иное настроение. Архитекторы прежних веков умели его чувствовать. Они знали, где следует ставить церковь или монастырь, где — грозную крепость, а где — загородную усадьбу, предназначенную для отдохновения и блаженной созерцательности.

Ощущению безмятежности способствовало и ленивое сияние луны. Невозможно было поверить, что в этом красивом, меланхолическом мире только что убивали людей. И будут убивать еще.

Глядя на маленького чекиста, который в одиночестве, низко опустив голову, шагал по освещенному пространству, Гальтон попытался представить себе, что творится в душе у предателя, который спасает свою жизнь ценой смерти товарищей. Поежился, но так и не представил. Не хватило воображения.

— Волнуешься? — тихо спросила Зоя по-английски. — Я тоже вся дрожу. Это потому что близится финал... Сейчас всё откроется и всё прояснится. *Всё*...

Это слово — everything[1] — она произнесла как-то странно, чуть не с ужасом.

— А что волноваться? — удивился он, потому что думал совершенно о другом. — С таким троянским конем мы возьмем эту крепость без проблем. Тебя интригует таинственный Пациент? А я знаю, кто это.

— Откуда?

— Догадался.

Гальтон оглянулся на Айзенкопфа, прислушивавшегося к их разговору.

Версия созрела еще в поселке, однако доктор не решался проговорить ее вслух — слишком она казалась невероятной. Но здесь, в Заповеднике, невероятным было вообще всё. Дикая гипотеза казалась не столь уж дикой.

— В СССР есть только один человек, ради которого большевики стали бы возводить такие *турусы на колесах*, — употребил он непонятную, но звучную идиому. — Владимир Ильич Ленин.

---

[1] Всё (*англ.*).

Курт закашлялся.

— Ленин шесть лет как умер! Его мумия лежит в Мавзолее на Красной площади!

— А может быть, там лежит восковая кукла? Что если Громову и его коллегам удается как-то поддерживать искру жизни в своем обожаемом вожде, которого они считают величайшим гением человечества? Что если Ленина содержат в этом Спецсекторе в качестве пчелиной матки всего социалистического улья? И доят из его мозга сок, которым подпитывают нового вождя, суррогатного гения?

Эту идею Гальтон выдал не без гордости — она казалась ему не просто правдоподобной, а блестящей. Но коллеги восприняли смелую гипотезу без восторга.

— С ума вы что ли спятили, — проворчал биохимик.

Княжна выразилась деликатнее:

— Интересное предположение.

Уязвленный реакцией, доктор сказал:

— Сейчас сами увидите.

Они уже были возле самого дома. Слабый свет горел в одном из окон второго этажа, остальные были темны.

«Троянский конь» медленно поднимался по ступенькам.

Быстро перебежав через открытое пространство, члены экспедиции заняли боевую позицию: Курт со своим «насосом» справа от двери, Гальтон и Зоя слева.

— Звоню? — спросил заведующий. Его лицо было таким же застывшим, как маска Айзенкопфа. — Ночью никто кроме меня не имеет права входить в дом. По инструкции, один медик спустится в прихожую. Я назовусь, он откроет дверь...

— Давай, давай! Не тяни! Всё ясно, — поторопил его немец.

Неожиданно коротышка улыбнулся.

— Перекреститься хочется, — сказал он. — Да мировоззрение не позволяет.

И нажал на кнопку.

Доктор, выражаясь по-русски, *навострил уши*, но звонка слышно не было. Как и шагов, спускающихся по лестнице.

Вместо этого наверху распахнулось окно. Норд вжался в стену. А как же инструкция?!

— Товарищ заведующий? — послышался удивленный голос. — В чем дело?

— ШЛИССЕЛЬБУРГ! ШЛИС-СЕЛЬ-БУРГ! — дважды выкрикнул начальник. — СКОРЕЕ!

Толкнул Норда, Айзенкопфа лягнул ногой и побежал вниз по ступенькам.

В руке немца чихнул пневмопистолет. Чекист, всплеснув руками, скатился на гравий. Вот тебе и троянский конь...

Рама с шумом захлопнулась.

Гальтон попытался вышибить дверь — бесполезно. Зоя подняла камень и с размаху бросила его в окно первого этажа — оно даже не дрогнуло. Пуленепробиваемое стекло...

— Курт, надо что-то делать! Они поднимут тревогу! За воротами взвод охраны!

— Я и делаю...

Биохимик, присев на корточки, рылся в своем рюкзаке.

— В сторону! — прокряхтел он, прилепляя к двери какую-то коробочку. — Сейчас рванет!

— Поднимать шум нельзя! Тогда уж точно нагрянут!

— В сторону, черт бы вас побрал! — Айзенкопф оттащил доктора за выступ. — Не считайте меня идиотом. Это бесшумный динамит. Оригинальная разработка нашей лабора...

Пуфф! — охнула дверь, выдула клуб белого дыма и провалилась внутрь.

Грохоту и лязгу от ее падения было немало, но вряд ли этот шум могли слышать за пределами парка.

Быстроногая княжна ринулась в дымный проем первой. Гальтон с Куртом нагнали ее только на лестнице. Разглядывать, что вокруг, было некогда. Да и ничего интересного интерьер дома собою не представлял — обычное санаторно-госпитальное сочетание чего-то белого с чем-то металлическим. От обстановки дореволюционной усадьбы здесь ничего не осталось.

На верхней площадке, моментально сориентировавшись, Норд бросился вправо — освещенное окно находилось в той стороне.

Они пробежали через анфиладу каких-то помещений, где стояла мебель под белыми чехлами и зеленели растения в кадках.

Вот и освещенная комната. По виду — приемная. Стол с телефонами, кожаные кресла, диван со смятой подушкой. Несомненно, здесь и дежурили спецмедики. Их в кабинете не было, но впереди виднелась еще одна дверь — двойная, из матового стекла. Оттуда доносились возбужденные голоса.

Айзенкопф подпрыгнул, мощным ударом ноги вышиб обе створки. В облаке осколков и щепок он вломился в соседнюю комнату.

Она была абсолютно не похожа на остальные и больше всего напоминала детскую — для девочки из стародавних времен. На потолке были нарисованы феи и эльфы, в большом открытом шкафу на полках чинно сидели старинные фарфоровые куклы, большой бархатный медведь, линялый заяц, турок в потускневшей парчовой чалме. Хорошо, что первым в эту игрушечную лавку ворвался Курт, а не Гальтон, у которого от неожиданности мог произойти сбой реакции. Но Айзенкопф не стал отвлекаться на чудной антураж. Он вывернул локоть, наставив свой кривой пистолет вроде бы в стену, а на самом деле дулом в сторону кровати.

Посередине странной комнаты стояло ложе под балдахином. Над ложем склонились двое мужчин в белых халатах. Один кого-то приподнимал с постели. Видно было лишь тощую старческую руку, в которую второй медик делал укол. Посередине спины на белой ткани расцвела красная гвоздика. Шприц со звоном упал на пол. Застреленный свалился на человека, которому делал инъекцию, и сполз на пол.

Уцелевший врач отпрыгнул и вскинул руки кверху:

— Товарищи, я только выполняю инстру...

«Товарищи»? Должно быть, он принял нападающих за коллег-соперников из армейской контрразведки.

— Товарищи все умерли, — злобно рявкнул Курт, выстрелив еще раз, и не дал спецмедику закончить фразу.

Норд наклонился над кроватью.

Увидел худое, изможденное лицо с высоким лбом и скорбно запавшими глазами. Несмотря на шелковистую седую бороду и возрастные пигментационные пятна, оно было какое-то удивительно *невзрослое*, словно у заколдованного, искусственно состаренного мальчика.

— Это не Ленин! — тупо сказал Норд.

Но коллеги, кажется, уже не помнили о гипотезе, которую он выдвинул с таким апломбом. Они вообще не обращали внимания на Гальтона. Немец довольно бесцеремонно отодвинул доктора в сторону, приоткрыл лежащему морщинистое веко. Княжна щупала ему пульс.

— Все симптомы сверхострого анафилактического шока. Летальная аллергическая реакция, — отрывисто сказал Курт. — ... Ему вкололи что-то спиртосодержащее.

— Пульса нет! — воскликнула Зоя. — Они убили его! Нужен аппарат искусственного дыхания! Или хотя бы кардиостимулятор! — Она беспомощно оглянулась. — Айзенкопф, у вас должен быть комплект экстренной медпомощи!

— Остался в чемодане. Не мог же я взять всё!

Княжна выпустила руку старика, и она безжизненно упала на одеяло.

Норду было горько, что главная тайна останется неразгаданной. Что это за старик? Почему большевики с ним так носились? Почему предпочли умертвить, но не выпускать из рук?

Биохимик яростно пнул ножку кровати.

— Тащились по полям, прыгали через проволоку, летали на шаре, положили кучу чекистов! Неужто всё зря?! Что это за киндергартен? Чем они тут занимались? Слева и справа еще какие-то двери...

Он подошел к одной из них, выглянул.

— Биохимическая лаборатория.,. Отлично оснащенная. — Зашел внутрь. — Здесь работал ученый очень высокого уровня. Ну-ка, а там что? — Снова пересек «детскую», открыл вторую дверь и выругался. — Проклятье! Что бы мне раньше сюда посмотреть! Глядите, здесь полный реанимационный комплекс! Есть даже аппарат Дринкера!

Гальтон и Зоя бросились к нему.

Комната представляла собой одновременно операционную, блок интенсивной терапии и хранилище фармацевтических препаратов — всё вместе.

— А вдруг еще не поздно? — воскликнула Зоя. — Скорее, мы перенесем его сюда! Клиническая смерть — это еще не конец!

Она кинулась назад к кровати — и замерла.

Норд с разбегу налетел на нее.

— Ты что?!

Княжна молча показала пальцем, что само по себе было невероятно. Барышня аристократического воспитания — пальцем?!

Гальтон повернул голову и не поверил глазам.

Покойник шевелился!

Он беспокойно двигал головой, перебирал пальцами одеяло, а главное *дышал* — грудь тяжело вздымалась и опускалась.

— Что встали?! — заорал Айзенкопф. — Несите в медблок! Быстро!

Через несколько минут больной лежал в железном контейнере Дринкера — аппарате «искусственное легкое». Дыхание выровнялось, пульс сделался почти нормальным.

Члены экспедиции, не отрываясь, следили за показаниями датчиков.

— Как у Громова... Регенерация, — прошептал Гальтон. —Этот человек тоже принимал «эликсир бессмертия»! Он не умрет!

Зоя покачала головой:

— Не могу поверить. Он уже был мертв! А теперь все жизненные процессы восстанавливаются. Еще минут пять, и он очнется!

— Значит, подождем, — рассудительно произнес Айзенкопф.

Напряжение чуть спало, и Норд почувствовал, что должен объясниться с коллегами. Ему было стыдно за нелепое предположение. Вот тебе и си-ди-эм!

— Понимаете, когда я увидел в поселке портрет Ленина и лозунг «Всегда живой», меня как ударило. Бывают ложные озарения, которые производят впечатление подлинности... Еще я вспомнил, как Опанас Иванович говорил: «Он такой же, как на фотографиях, только постарел...» Ну и общая атмосфера сумасшествия, которое висит над этим местом...

Он сбился, сам чувствуя, что начинает заговариваться.

— «Ленин всегда живой» и «Ленин живее всех живых» — это обычные советские лозунги. В Москве ты просто не обращал на них внимания. — Зоя обращалась к Гальтону, но смотрела на больного и на датчики. — С фотографиями тоже понятно. Новым кандидатам в Контингент, перед тем как допустить в поселок, вдалбливают в голову, как себя вести при встрече с Объектом. Правило номер какое-то, не помню. Наверняка и фотокарточки показывают...

— А еще я виноват, — продолжал каяться доктор, — что не раскусил железного мини-феликса. Хотя мог бы сообразить: на такой ответственный пост ГПУ слабака не назначит. Что он кричал про Шлиссельбург?

— У охраны была жесткая инструкция уничтожить Пациента, если его попытаются похитить. — Зоя, нахмурившись, повернула тумблер, чтобы увеличить тягу. — Кодовое слово — «Шлиссельбург». Возможно, это связано с убийством царя Иоанна Шестого. Он был свергнут с трона в младенчестве и содержался в Шлиссельбургской крепости под строгим надзором. Когда заговорщики попытались освободить узника, приставы его убили, действуя согласно полученным инструкциям... Мне это не нравится! — воскликнула она и заклацала кнопками. — Смотрите! Дыхание опять сбивается. И сердце слабеет. Ему становится хуже!

Норд и Айзенкопф с тревогой наблюдали за стрелками приборов.

— Ничего не понимаю! Ciliary arrhythmia! Arterial pressure is dropping![1] — Гальтон не заметил, что перешел на английский. Краткий курс обучения русскому языку не включал знакомство с медицинской терминологией. — But Gromov said that «эликсир бессмертия» guarantees complete cell regeneration without any after-effects![2]

---

[1] Мерцательная аритмия! Падает артериальное давление! (*англ.*)

[2] Но Громов говорил, что «элексир бессмертия» гарантирует полную клеточную регенерацию без каких-либо побочных эффектов! (*англ.*)

Из-под металлического кожуха аппарата еле слышно донеслось, тоже по-английски:

— Я принял дезактиватор. Еще тринадцать лет назад. Нечестно пользоваться привилегиями, когда снимаешь с себя Статус.

Голос был совсем тихий, но Гальтон все равно сразу его узнал по тембру и особой манере очень четко выговаривать звуки.

Это был голос из тайников — вне всякого сомнения.

ПАЦИЕНТ ОТКРЫЛ ГЛАЗА

и смотрел прямо на Гальтона. Он был в сознании, даже улыбался — слабой, словно извиняющейся улыбкой.

— Защита дезактивируется не сразу, постепенно. Мозг работает удовлетворительно, а вот тело без подпитки совсем износилось... На этот раз, думаю, всё. И очень хорошо... Я слишком зажился на свете...

Человек, лежащий в железном ящике, прищурил выцветшие глаза, когда-то бывшие голубыми. Речь давалась ему с трудом.

— Вы от него, да? От него? Я знал, что рано или поздно вы появитесь. Подойдите ближе, я не вижу вашего лица.

Норд сделал шаг вперед и наклонился. Он очень боялся, что старик снова лишится чувств и умолкнет. Уже навсегда.

— Ну конечно, от него... — Пациент опять улыбнулся. — Он всегда умел подбирать идеальных помощников...

Его глаза закатились. Рот остался приоткрытым.

— Сейчас, сейчас! — Зоя регулировала жизнеобеспечивающую аппаратуру. — Увеличу концентрацию кислорода, и он очнется.

Гальтон от напряжения закусил губу.

— Кто умеет подбирать помощников? Мистер Ротвеллер?

Его отодвинул Айзенкопф.

— Старик бредит. А вы только зря теряете время. Нужно выяснить, где «эликсир бессмертия», и дать ему дозу. Это единственное, что может его спасти!

Пациент моргнул и с удивлением уставился на узкоглазую физиономию.

— Вы кто? Те Гуанцзы? Не может быть!

— Кто это «Те Гуанцзы»? — прошептал Норд.

Биохимик пожал плечами и поднял палец: не мешайте.

— Да, я Те Гуанцзы. Где вы прячете «эликсир бессмертия»? Нужно срочно его выпить, иначе вы умрете!

Больной забеспокоился.

— Вы меня обманываете. Те Гуанцзы, если он еще жив, ни за что не спустится со своей горы... Что вы так смотрите?

У меня нет эликсира. Я не оставил себе ни капли, все отдал Петру Ивановичу. Мне не нужно, а ему пригодится.

— Пропал «эликсир бессмертия»! — горько сказал Гальтон вполголоса. — Громов наверняка хранил его у себя в лаборатории. После взрыва там ничего не осталось...

— Отойдите, вы нечестный человек, — пролепетал старик немцу. — Я не буду с вами говорить. Где тот, с ясными глазами?

Зоя заправляла шприц.

— Вы его нервируете, Курт. Гальтон, давай лучше ты. Я сделаю ему укрепляющий укол.

Она с трудом попала иглой в вялую вену. Старик даже не поморщился. Он смотрел на Гальтона и улыбался.

— Итак, вы передали «эликсир бессмертия» Громову? — осторожно сказал доктор, боясь нарушить хрупкий контакт.

— Да. Еще в Цюрихе.

— Тринадцать лет назад? Когда приняли дезактиватор?

— Да, в апреле семнадцатого. Петр Иванович возвращался на родину. Я убедился, что он был прав, когда предсказывал революцию. И я решил удалиться от дел. На покой. Сюда, в свое имение. Только покоя не получилось...

Укол подействовал. Больной говорил более внятно и почти без пауз.

Гальтон вспомнил, что конюх-помещик рассказывал про бывшего владельца усадьбы. Кое-что начинало проясняться. Едва-едва. Очень хотелось спросить, от каких это дел удалился Пациент в апреле семнадцатого года, но чутье подсказывало, что таким вопросом можно всё испортить.

Кто же это такой?

— А почему вы решили... удалиться от дел?

— Ну как же! Ведь я был за все в ответе. Я старался, я не жалел сил... — Старик заволновался, его речь снова стала сбивчивой. — Я развивал науку, я помогал прогрессу, я внедрял человеколюбивые идеи — и во что всё вылилось! Ужасная бессмысленная бойня на самом цивилизованном континенте! Миллионы смертей! Все научные достижения — ради чего? Чтоб травить ядовитым газом, бросать с аэропланов бомбы, жечь людей из огнеметов? Человечеству не помогли мои усилия, оно сошло с ума... Я устал, я изверился. Я был в отчаянии... А он всегда говорил, что мир нужно переустроить.

— Громов?

— Да, Петр Иванович. Мой ученик. Он чувствовал эпоху лучше, чем я. Я отстал от времени, мне было лучше уйти...

Это не бред — вот единственное, что понял потрясенный доктор Норд. *Я развивал науку, я помогал прогрессу? Человечеству не помогли мои усилия?* Такое может говорить только... Господь Бог.

А что если Бог совсем не то, чем Его воображает христианская церковь? Что если Господь — пожухший старый мальчик, всемогущий и беспомощный, отчаявшийся и умирающий от тотальной аллергии?

Гальтон затряс головой, отгоняя эту безумную мысль.

— Я растерялся... В моем распоряжении находилось мощное средство, а я не знал, как его употребить...

Это он об «эликсире власти», догадался доктор.

— Всё вокруг рушилось, гибло, а я бездействовал. И тогда Петр Иванович привел ко мне того человека. Он обладал всеми признаками идеального кандидата: целеустремленный, сильный, уверенный, с правильной примесью сумасшедшинки. А главное, *он знал, кто виноват и что делать*.

— Вы говорите про Владимира Ленина?

— Да. Невероятно сильный логик и диалектик. Но ему не хватало сил справиться с торжеством Хаоса, который обрушился на мир. И я согласился помочь. Я дал ему эликсир... Этот человек сделал невозможное. За несколько месяцев превратил горстку единомышленников в сильную партию. Взял власть. Начал перекраивать и перестраивать. А стройка — дело грязное. Я тогда не понимал: нельзя возвести здание, даже самое прекрасное, сначала не вырыв яму. И когда начались аресты и расстрелы, я убежал сюда. Я перестал давать ему эликсир... Это была ужасная ошибка! — Больной хватал ртом воздух, его губы посинели, но слова лились сплошным потоком, и Гальтон боялся пошевелиться, чтоб не сбить говорящего. — Понимаете, революция, когда на нее смотришь снизу, вблизи, это ужасно. Сюда пришли дикие люди, все разбили, разломали... Меня посадили в тюрьму, где было много несчастных. А потом увезли в лес и всех расстреляли. Дезактиватор еще только начинал разрушать регенерацию клеток, и я остался жив, только ноги отнялись. Это ладно. В России миллионы калек, чем я лучше? Ужасно другое. Я вообразил, что большевизм — чудовищное заблуждение. А на самом деле заблуждался я сам. Без повторных инъекций эликсира мозг вождя стал высыхать. Я погубил Владимира Ильича...

— Вы отдали Громову «эликсир бессмертия», а «эликсир власти» оставили себе? И несколько лет где-то прятались?

— Да. Только не спрашивайте, где. Это были очень хорошие люди, и я не хочу их подводить. Я и Петру Ивановичу не стал про них рассказывать, когда он меня отыскал.

— А когда он вас отыскал?

— Шесть лет назад.

Значит, в 1924 году, когда Ленин уже умер. Лешко-Лешковский рассказывал, что именно тогда и был устроен лесной заповедник...

— Петр Иванович объяснил мне, что я ничего не понимаю в диалектике. Он сказал, что страшные годы позади и теперь жизнь будет улучшаться сказочными темпами, потому что создан новый мир, где царят справедливость и разум. Он привез меня сюда, обеспечил всем необходимым. Полностью восстановил мою любимую комнату... Сначала я ему не очень верил. Но он снова доказал свою правоту. Большевики действительно совершили чудо. Вы посмотрите вокруг! Как изменилась жизнь! Как изменились люди! Мне трудно выбираться из дома. Я болен. Дезактиватор разрушил иммунную систему организма, наградил меня жесточайшей аллергозависимостью, но я читаю газеты, слушаю радиопередачи, иногда беседую с местными жителями. Коммунизм — превосходная вещь. Я всегда считал его недостижимой утопией, но эта утопия становится реальностью прямо на глазах!

— Бедняжка, — шепнула Зоя. — Ясно, что газеты ему печатают в одном экземпляре, радиостанция вещает персонально для него, а «местных жителей» мы видели...

— И все-таки у вас остаются сомнения. «Эликсир власти» вы им пока не отдали. Большевики его ищут, но не могут найти. — Гальтон вспомнил о папке «Ответы». — Скажите, часто ли вам делают инъекции?

— Часто. У меня очень заботливые врачи. Даже слишком заботливые. Каждые три дня они погружают меня в релаксирующий сон...

— Это препарат, подавляющий волю, — громко сказала княжна. — Они пытаются вызнать, где спрятан эликсир.

Старик повернул голову и замигал.

— Я слышу женский голос, очень милый. И он прав. Я подозревал нечто подобное. Всякий раз во время релаксации мне снится один и тот же сон. Кто-то настойчиво спрашивает: «Где тайник? Где тайник?» Но я предвидел это, и принял свои меры предосторожности. Слово «тайник» в моей подкорке включает совсем другой ассоциативный ряд... Впрочем, это долго рассказывать, а у меня нет сил...

— У вас есть сомнения по поводу Громова и большевистского земного рая? — повторил свой вопрос Норд.

— Да, кое-какие... — Старик снова перевел взгляд на доктора. — Понимаете, это слишком ответственное решение — назначить полноправного Преемника. Здесь в поселке очень хорошо. Чисто, культурно, разумно. И люди просто чудесные, с кем ни поговори. Но у них боязливые глаза... У всех до одного. Это меня беспокоит...

И опять вмешалась Зоя. Она наклонилась над больным.

— Вы правильно поступили, сохранив «эликсир власти» у себя. Но нам вы можете его отдать. Он попадет к тому, к кому нужно.

Гальтон дернул ее за руку: полегче, полегче, ты все испортишь! Но Зоя красноречиво кивнула на прибор. Стрелка кардиоактивности трепетала у самого нуля. Просто удивительно, как у старика хватало сил шевелить языком.

— Еще укол? — Айзенкопф показал готовый шприц и сам себе ответил. — Нет, это его убьет.

А умирающий не слушал. Он смотрел только на Зою.

— Кто эта очаровательная особа? Ваша жена?

Тратить время на объяснения, в каких отношениях состоят они с Зоей, Норд не стал.

— Да, жена... Скажите, а для кого вы оставляли послания в Ректории, в Английском клубе, в церкви?

— Ближе, сударыня, ближе, — медленно выговаривая слова, попросил пациент. Вопроса он, кажется, не расслышал. Княжна наклонилась еще ниже. — Да. Вы, действительно, очень милая. Жены вообще очень милые. Я это знаю... Вы просите отдать вам «эликсир власти». Но я должен быть совершенно уверен. Я ведь не Бог. Я и так слишком часто ошибался. А тут ошибиться нельзя...

Зоя ласково гладила его по морщинистому лбу, а Гальтон подумал: гипотеза про Бога оказалась такой же идиотской, как гипотеза про вечно живого Ильича.

— Что такое Бог? — нежно сказала княжна. — Всего лишь случайность, которая нарушает наши планы.

По лицу умирающего скользнула улыбка.

— Но это не избавляет нас от ответственности за свои поступки, верно?

Рассердившись, Гальтон прошептал Зое: «Ты тратишь его последние силы на пустую болтовню!»

И вдруг старик очень просто, без колебаний сказал:

— А секретик совсем простой. Детский. Моя жена пользовалась им в раннем детстве. Он так и назывался: «секретик». У ее любимого мишки в животе... Когда я восстанавливал этот дом, на чердаке нашел сундук с ее старыми игрушками. Принес их сюда. А комнату сделал точь-в-точь как во время ее детства. В революцию все ценное разграбили, но кому нужны драные зайцы и облезлые медведи?

Ахнув, Курт выбежал из палаты в детскую и вернулся с бархатным мишкой в руках.

— Есть... Есть! — выкрикнул он, разрывая пальцами шов и доставая бутылочку, в которой плескалась красноватая жидкость.

Бутылочка была совсем маленькая, из толстого, полупрозрачного материала, плотно закрытая завинчивающейся серебряной пробкой в виде головы египетского бога Анубиса.

— Уберите, уберите! — жалобно попросил старик. — Я не могу ее отогнать, у меня не свободны руки!

Он с испугом и отвращением смотрел на бабочку, порхавшую над аппаратом.

— Обычно они появляются только в июне, но этот май очень теплый! Их так много в парке! Как будто нарочно, чтоб меня мучить!

— У вас на них аллергия? — спросил Норд, ловя насекомое за белое крылышко с широкой дымчатой полоской. Бабочка из рода Parnassius, рассеянно подумал он и выпустил насекомое в форточку.

Как странно, что Пациент так легко отдал эликсир людям, про которых ничего не знает! Вдруг это какая-то хитрость?

О том же подумал и биохимик.

— Он нам не наврал? Поговорите с ним еще!

Но княжна печально сказала:

— Не получится. Он потерял сознание. И больше не очнется. До утра ему не дотянуть...

— Жаль, — обронил Айзенкопф, с сомнением разглядывая бутылочку. — Значит, у него уже ничего не выяснишь. Нужно уходить. Уберемся поскорей из этой полоумной страны. Мне необходимо попасть в лабораторию. Я не смогу ни спать, ни есть, пока не сделаю анализ этого состава.

— Но как быть с ним? — Норд смотрел на прерывисто дышащего старика. — Мы не можем его так оставить.

Биохимик кивнул, взбалтывая жидкость:

— Конечно, не можем. Нужно отсоединить его от аппаратов... Хм, не пенится...

— Я не позволю его убить! — воскликнул Гальтон.

Немец удивился:

— Но есть риск, что он дотянет до утра и снова попадет в руки большевиков. Вдруг они его вернут к жизни? Хотя бы ненадолго? Он может обо всем проболтаться. Зачем рисковать?

— Если есть хоть крошечная вероятность, что он выживет, бросать его нельзя! Судя по показаниям приборов, надежды нет. Но час назад он уже умирал, а потом воскрес. Дезактиватор еще не полностью нейтрализовал действие клеточного регенератора! Мы должны вывезти его отсюда. Во всяком случае, попытаться это сделать! Не забывайте: за воротами поселка ждет автомобиль.

Почесав подбородок (что было совершенно атавистическим жестом, ибо чесаться подбородок никак не мог), Айзенкопф подумал и сказал:

— Вы забыли. Он не выносит бензина. Вывезти его на автомобиле нельзя. Снова будет аллергический шок. Мы все равно его угробим. Лишь потеряем время.

Он был прав. Но оставлять старика чекистам, тем более — насильственно обрывать его жизнь Гальтон ни за что бы не согласился. Не может быть, чтоб не нашлось какое-то решение! Оно всегда есть, нужно только как следует подумать.

— Я знаю! Нужно на автомобиле доехать до деревни, которую мы видели на краю поля. Наш знакомый, мистер... — Двойная фамилия бывшего помещика вылетела из головы, и доктор нетерпеливо махнул рукой. — ...Который теперь служит конюхом в колхозе, говорил, что в конюшне хорошие кони, а у председателя отличная дореволюционная бричка. Я пригоню ее сюда. Пароль известен, охрана меня не остановит. До рассвета еще есть время.

Зоя не принимала участия в споре. Она была занята только умирающим: то регулировала работу аппаратуры, то перебирала разложенные на столе хирургические инструменты и медикаменты. Потом стала заправлять шприцы.

Тем неожиданней была ее поддержка.

— Гальтон прав. Мы обязаны попытаться. Отправляйся за повозкой. Я сделаю серию укрепляющих уколов. Соберу в дорогу комплект кардиостимуляторов, аллергоблокаторов и всего, что может понадобиться. Здесь у них превосходный набор на все случаи. Скорее всего, старик скончается в дороге. Но, по крайней мере, мы не будем корить себя, что не сделали всё возможное. Поспеши!

Оказавшись в меньшинстве, Айзенкопф не стал упорствовать. Больше всего его интересовал эликсир.

— Черт побери! — Он стукнул себя по лбу. — Зачем ждать, пока я попаду в свою лабораторию? У этого чудака

превосходно оборудованный кабинет со всеми необходимыми приборами и реактивами! Я сделаю анализ прямо
сейчас! Сколько времени вам понадобится, Норд? Я успею?

Гальтон прикинул: добраться до гаража — десять минут;
доехать до деревни — еще столько же; отыскать конюшню,
разбудить конюха, запрячь повозку...

— Полагаю, что вернусь через восемьдесят—девяносто
минут.

— Ну, тогда мне лучше поторопиться...

Айзенкопф выбежал из палаты, прижимая к груди драгоценную бутылочку, в которой плескалась жидкость цвета
крови.

Еще быстрей, не рысцой, а размашистым стайерским бегом, мчался через парк доктор Норд. По центральной аллее,
мимо клумбы с фонтаном, мимо гротов с загробными названиями, потом через поселок «Ленинский путь».

У гаража он был через семь с половиной минут, то есть с
опережением намеченного графика.

Разговора с охраной доктор ждал с некоторой нервнос-
тью. Вдруг одного пароля мало? Вдруг спросят, кто он такой,
откуда взялся, да решат на всякий случай перепроверить, по-
звонят в Спецсектор?

Но возникла другая проблема, неожиданная. Навстречу
бегущему человеку в кожаной куртке от ворот бросился человек в фуражке.

— Вы за автомашиной?

— Да. «Ильич живее...»

Не дослушав пароль, военный виновато развел руками:

— Выкатили, как велено. А сейчас проверили — колесо
спущено. Меняем. Обождать придется, товарищ.

По ту сторону ворот, у автомобиля с зажженными фарами, возились двое в спецовках.

Доктор скрипнул зубами, стал смотреть на часы.

Непредвиденная задержка украла шестнадцать минут.

Наконец, можно было ехать.

— Я скоро вернусь. На бричке! — крикнул Гальтон и дал
полный газ.

Он гнал по лесному шоссе на восьмидесяти, чтобы наверстать упущенное время.

На крутом повороте пришлось сбросить скорость. Норд вывернул руль, красиво описал дугу по самой обочине, выровнял машину.

Фары скользнули по стволам деревьев, по кустам и вдруг выхватили из тьмы нечто совершенно невероятное: обнаженную женскую фигуру.

Беззащитная, белая, как молоко, она стояла спиной к машине прямо посреди дороги. Гальтон вскрикнул и что было силы вжал педаль тормоза.

Его бросило лицом и грудью на руль.

УДАР БЫЛ СИЛЬНЫЙ

, но сознания Норд не потерял, только задохнулся. Рывком выпрямился.

Машина стояла, полуразвернувшись. Женщины на дороге не было — ни голой, ни одетой. Зато разом распахнулись дверцы и в голову Гальтону уперлись два ствола.

— Рученьки остаются на руле, — сказал голос, который показался свихнувшемуся доктору знакомым.

Пистолеты — это ладно, это понятно. Но обнаженная женщина! Галлюцинация? Наваждение? Помутнение рассудка?

Он ошарашенно замотал головой, ударился виском о дуло.

— А ну-ка, в середку.

Его подпихнули в бок. Еще не пришедший в себя Гальтон послушно сдвинулся. Слева сел один человек, справа другой. Доктор оказался тесно зажат с обеих сторон.

Кто-то включил лампочку в кабине.

Норд повернул голову вправо — увидел парня-молодожена, с которым ехал в одном купе. Обернулся влево — товарищ Октябрьский, собственной персоной. Смотрит, довольно улыбается.

— Что это было? — спросил доктор, снова покосившись на дорогу — не вернулось ли видение.

— Не узнали? — Русский рассмеялся. — Естественно. Вы ведь ее не видели в таком виде — с лучшей, так сказать, стороны. Лиза Стрекозкина, моя сотрудница. А это Никифор Люсин. Они вас «пасли» в поезде, изображая молодую счастливую семью. Понравился вам мой экспромт? Задача: как остановить автомобиль, бешено мчащийся по темной дороге? Ответ: если за рулем мужчина — очень просто. Ни один нормальный мужик не задавит девушку. Одетую еще может. Голую — никогда. Особенно, если она сложена, как наша Лиза. Инстинкт не позволит. — Он высунулся из окна. — Стрекозкина! Живей одевайся! Люди ждут!

С облегчением Гальтон потер виски. С психикой, слава богу, у него был порядок.

— Ясно. Ваши люди должны были убедиться, что мы пересечём границу. А когда мы сошли в Малоярославце, они проследили, куда мы направляемся. Поздравляю. Ваша пара сработала очень аккуратно.

— Если бы пара. Кроме вас троих весь вагон, включая проводника, был мой. Из-за вас я не пожалел свои лучшие кадры. У ребят был приказ: если соскочите с поезда — проследить. А если вас попытаются арестовать конкуренты из ГПУ — списать вчистую. Ничего не попишешь, сё ля ви... — Контрразведчик подмигнул, словно рассчитывал развеселить собеседника этим признанием. — Жалко вы не видели, что началось на станции, когда вы так внезапно сошли. Мне рассказывали — умора. За вами высыпал весь вагон. Товарищи собирались баиньки, некоторые уже легли. Бегут кто с зубной щёткой, кто в трусах-майке, одного агента третьего разряда даже с унитаза сорвали. — Октябрьский захохотал, и «молодожён» тоже хихикнул. — Ох, и крыли они вас, наймитов американского капитала!

— За нами следила целая орда агентов? По всему пути следования? — не мог поверить Гальтон.

— А вы как думали? Я лопухов у себя не держу. Когда ребята протелефонировали мне из колхозной конторы, что вы засели на подходе к заповеднику «Ленинский путь» и дожидаетесь темноты, я навёл справки, что это за объект такой. Поразительная обнаружилась штука! Означенный заповедник нигде не числится. Ни за Наркоматом лесного хозяйства, ни за ОГПУ, ни за Совнаркомом, ни за ЦК, ни за ЦИКом! Официально его вообще не существует. Тогда я взял ноги в руки и — аллюр «три креста» — прямо сюда. Видел в бинокль, как вы через проволоку сигали. Красота! Что, думаю, за чудо такое? А это, оказывается, хитрая ступенька на пружинах. Я и сам, даром что большой начальник с двумя ромбами, тоже с удовольствием скакнул. За мной Никифор, за ним Стрекозкина, а потом один наш товарищ ста килограммов весом топнул своей ножищей и поломал к чёрту американское изобретение. Остались мои орлы с той стороны. Не с боями же им через блокпост прорываться? Это уж будет новая гражданская война. Но я рассудил, что и втроем управимся. Как говорится, не числом, а умением. Вас ведь тоже только трое? Где, кстати, прелестная Зоя и член Великого Народного Хурала?

— Про это потом, — осторожно сказал Норд. — Покрышка проколотая — ваша работа?

— Само собой. У нас ведь воздушного шара не припасено, пришлось за забором остаться. Не могу передать, до чего это было обидно. Однако набрались терпения, ждем. Вдруг смотрю — охрана засуетилась, из гаража машину выкатывает. Надо же было как следует рассмотреть, кто в нее сядет? Вот и подослал Люсина слегка подпортить социалистическую собственность. Ну, а когда появился мистер Норд, да принялся распоряжаться, стало мне от любопытства просто невмоготу. Вот и сымпровизировал мизансцену. Одна секунда озарения, десять минут препирательств с товарищем Стрекозкиной (она у нас застенчивая), еще пять минут на выбор места и раздевание... А вот и наша наяда.

На дорогу, оправляя юбку, вышла девушка. Гальтон узнал в ней попутчицу из вагона.

— Чего вы обзываетесь, товарищ Октябрьский? — сказала она, глядя в сторону. Даже в тусклом свете, падавшем из кабины, было видно, что ее курносое личико покрыто красными пятнами. — А ты, Никишка, сволочь, если подглядывал!

— Лиз, я ж честное комсомольское давал! Я в сторону глядел, вот чтоб мне провалиться!

Начальник с комической торжественностью заявил:

— Молодец, товарищ Стрекозкина. Преодолела мещанскую застенчивость ради пользы дела. Получишь благодарность в приказе. И не переживай. Люсин — парень положительный, раз обещал не подглядывать, то не подглядывал. Мистер Норд не в счет, он иностранец и вообще без пяти минут покойник. А меня тебе смущаться нечего. — Он толкнул Гальтона локтем в бок и подмигнул. — Мы с товарищем Стрекозкиной состоим в здоровых физиологических отношениях. Само собой, во внеслужебное время.

— Бесстыжий ты, Лёша! — жалобно сказала сотрудница, садясь на заднее сиденье.

Октябрьский ответил ей строго:

— В данный момент, товарищ агент второго разряда, я вам не Лёша, потому что мы находимся на задании. Ясно?

— Так точно, ясно.

Девушка надулась и стала смотреть в окно.

Вся эта сцена, возможно, позабавила бы доктора, если б не оброненное вскользь замечание о «без пяти минут покойнике». Вспомнилось, как при расставании у вокзала русский посоветовал «выметаться из страны» и больше ему не попадаться.

Но больше ничего угрожающего Октябрьский пока не говорил. Он даже убрал оружие — правда, «молодожен» по-прежнему держал американца на мушке.

— Видите, мистер Норд, я раскрыл вам все свои секреты, вплоть до интимных. Жду взаимности. Я сгораю от любопытства. Что там, в лесу, за высоким забором? Только, пожалуйста, не омрачайте наши высокие отношения мелким враньем.

А Гальтон и не собирался врать. Во-первых, он с детства плохо владел этим тонким искусством. Во-вторых, отлично понимал, что обмануть такого оппонента все равно не удастся. В-третьих же, доктор уже определил линию поведения: говорить правду, одну только правду и ничего кроме правды. *Но не всю правду.* Например, о старом мальчике товарищу Октябрьскому знать незачем. Контрразведчик преодолел неимоверные препятствия, чтобы истребить Громова. И уж тем более захочет уничтожить того, крохами с чьего стола Громов питался...

— Для начала, мой американский друг, объясните-ка, почему вы тут распоряжаетесь, а охрана подает вам персональное авто, словно члену ВЦИК?

— Потому что я назвал пароль.

— Откуда вы его узнали?

— От заведующего Заповедником.

Октябрьский рассердился.

— Я что, информацию из вас по капле буду выжимать? Это невежливо. Почему гражданин заведующий вздумал сообщить вам пароль?

Норд молчал. Он вдруг передумал говорить правду и ничего кроме правды. Октябрьский слишком умен. Не успокоится, пока не выяснит всё до конца. Появилась другая идея: прибегнуть к помощи эффектного отвлекающего маневра.

— Я его загипнотизировал. Я в совершенстве владею техникой гипноза.

— Не морочьте мне голову, — оскорбился русский. — Мы серьезные люди.

— Не верите?

Одного взгляда на контрразведчика было довольно, чтобы понять: неподатливый материал. Норд посмотрел на Никифора Люсина. Обернулся на девушку.

Пожалуй, она. Судя по глазам и выражению лица, степень внушаемости у нее высокая.

— Пожалуйста, смотрите на меня.

Девушка презрительно фыркнула и отвернулась.

— Смотри на него, Лиза, смотри. Он тебя не укусит.

— Есть смотреть.

Стрекозкина исполнительно уставилась на американца.

— Вода, вы видите воду... Она журчит, шелестит, шепчет... Сверкает искорками...

Доктор медленно проговаривал обычную гипногенную абракадабру, изобилующую шипящими и свистящими, делая рукой пассы.

Материал оказался идеально податливым. Уже на второй минуте ресницы девушки дрогнули, голова начала клониться книзу. Стрекозкина глубоко вздохнула и погрузилась в глубокий сон.

— Впечатлительно, — с уважением сказал Октябрьский. — Надо будет поучиться. Удобнейшая вещь! Особенно в общении с женщинами. От материалистических взглядов не отрекаюсь, но вношу в них некоторую коррекцию: существуют явления, для которых у современной науки пока нет объяснений... Всё, Лиза, просыпайся!

— Она не проснется. Пока я сам не выведу ее из этого состояния.

— Правда что ли? Ну черт с ней, пусть отдохнет. Бедняжка устала, набегалась... Хорошо. С паролем ясно. Теперь рассказывайте про «Ленинский путь». Что там такое? Ради чего столько таинственности?

— Ради «эликсира власти». Не суррогатного, а подлинного. Он был спрятан на территории поселка. Выяснилось вот что...

Приподняв брови, русский внимательно выслушал рассказ о загадочном препарате, делающем вождей гениальными. Выслушал и не поверил.

— Ну уж это абсолютная мистика. Нет никакого «эликсира власти».

— Есть. Можете считать его еще одним феноменом, который современной науке не по зубам. Сотрудники ГПУ несколько лет ходили вокруг да около, огородили предполагаемое местонахождение тайника тройной охраной, но так и не нашли. А я нашел.

— Вот в это я верю. Вы господин оборотистый. Рассказывайте, рассказывайте. Что представляет собой сие волшебное зелье? — скептически спросил Октябрьский. — Куда вы гнали на машине? Почему один? Где ваши напарники?

— «Эликсир власти» — это не зелье, это аппарат непонятного устройства. Там все время происходит химическая реакция и выделяется жидкость, свойства которой еще предстоит изучить.

Доктор сам поражался, какие в нем открывались таланты. Оказывается, он все-таки умел врать, причем вдохновенно.

— ...Внешним видом реактор напоминает котелок или кастрюлю. Сверху — воздухозаборная трубка. Такое ощущение, что для питания аппарату достаточно свежего лесного воздуха, то есть это почти перпетуум-мобиле. Однако любые примеси, особенно спиртосодержащие, выводят систему из строя. Поэтому на территорию поселка не допускаются автомобили и запрещены любые двигатели на жидком топливе. Мне пришла в голову идея вывезти «эликсир» на повозке, запряженной лошадьми. Понимаете, вечером в поле мы познакомились с одним человеком. Он служит конюхом на колхозной конюшне... Нужно вывезти реактор до утра, а то будет поздно.

Контрразведчик снял фуражку и почесал бритый череп.

— Вот уж не думал, что поверю в такую ерундистику. Перпетуум-мобиле в виде кастрюли! Но я разговаривал с вашим знакомым, гражданином Лешко-Лешковским, 1875 года рождения, лишенным гражданских прав по причине непролетарского происхождения... Сведения совпадают.

Эта маленькая деталь, кажется, решила дело. Октябрьский еще некоторое время что-то домозговывал, но махнул помощнику, чтоб убрал пистолет. Это обнадеживало.

— Сделаем так. — Русский энергично потер ладони. — Разговор в высшей степени увлекательный, но вы правы. Ночь не резиновая. Нужно торопиться. Не спрашиваю, чем у вас там закончилось с заведующим. Полагаю, вы загипнотизировали его до летального исхода, иначе не вели бы себя тут по-хозяйски. За это преступление против советской власти, равно как и за все предыдущие, объявляю вам от своего имени полную амнистию. Более того, я сам озабочусь конной тягой. От вас требуется только одно: вынесите из-за забора эту интересную кастрюлю. Я бы пошел с вами, да, боюсь, моя физиономия может быть известна кому-то из охраны. Буду ждать вас в лесу, на троечке с колокольчиками. Лады?

— А что будет дальше? — настороженно спросил Норд.

— Все по-честному. Исследуем реактор. При участии американских специалистов. Что смотрите недоверчиво? Я вас когда-нибудь обманывал? Даю честное большевистское: всё так и будет.

Гальтон кивнул.

— Будите Лизу. Она и Никифор будут вас сопровождать.

Эта идея доктору не понравилась. Сотрудники контрразведки не должны увидеть Пациента. Понятно, что в одиночку американца Октябрьский не выпустит, но, по крайней мере, пусть надсмотрщиков будет меньше.

— Ваша Стрекозкина находится в фазе сверхглубокого сна. Сейчас будить ее опасно. Это может привести к нервному шоку и длительной психической заторможенности.

— Тогда пускай спит. Затормаживать Лизу мы не станем, она и так по сообразиловке не Софья Ковалевская. Значит, Люсин, идешь с мистером один. Пароль всё спишет. Я на выходе из леса тоже им воспользуюсь. Там ярких фонарей нет, авось не опознают. Ну а пойму, что опознали — им же хуже... Какой у нас пароль? ...Понятно. Очень оригинально. Ну, живее, так живее. Всё, граждане. Не будем рассусоливать. Встретимся у этого железного гроба, где почиет наша спящая красавица. Моторчик выключим, чтоб на деликатную кастрюлю не воняло бензином ...

Уже выйдя из машины, Октябрьский взял Гальтона за рукав и тихо, но убедительно сказал:

— Только ты, американец, не вздумай со мной в Колобка сыграть: я от бабушки ушел, я от дедушки ушел. Я и сам, знаешь, Колобок.

Он погладил себя по блестящему скальпу, осклабился и упруго побежал по дороге в сторону блокпоста.

— Идем, чего застыл? — дернул доктора за рукав товарищ Люсин.

По пути к воротам они не обменялись ни единым словом. Люсин все время держался сбоку и сзади, а правую руку не вынимал из кармана. Но Гальтон не обращал на это внимания. Он был поглощен куда более насущной проблемой.

Осложнений с караульным начальником не возникло. Тот лишь спросил, откозыряв:

— Вы вроде хотели на бричке вернуться?

Норд не потрудился ответить.

— Ты, товарищ, гляди в оба. Сигнал поступил.

— Какой сигнал?

— В лесу замечено подозрительное движение. Стрелять без предупреждения по всем, кто приблизится к воротам.

Он широко зашагал в сторону поселка. Никифор еле поспевал за длинноногим американцем.

— Чего это «стрелять без предупреждения»? — подозрительно спросил он, когда ворота скрылись за поворотом. — Не было такого уговора!

— Отстань, думать мешаешь.

— Ты с кем разговариваешь, вражина!

Агент выхватил из кармана пистолет, но поднять его не успел — железный кулак доктора Норда сбил Никифора с ног. Оружие Гальтон забрал себе, пригодится. В товарища Люсина воткнул целых две иголки. Этого хватит на час нездорового, но крепкого сна.

— Говорят тебе, думать мешаешь, — пробормотал Норд, оттаскивая тело в кусты.

А подумать было о чем. И мысли всё такие — хоть на Луну вой.

ПРО ЧЕСТНОЕ БОЛЬШЕВИСТСКОЕ

товарищ Октябрьский ляпнул зря. От просто «честного слова», которому Гальтон, возможно, и поверил бы, оно отличалось принципиальным образом: коммунист обязан быть честным только перед своей партией. Если она прикажет соврать во имя Великого Дела, никакого греха, с большевистской точки зрения, в том нет — одна доблесть. Как же, станут большевики пускать «американских специалистов» в свои сокровенные тайны!

Однако то, что Гальтон не поверил русскому контрразведчику, это полбеды. Даже четверть беды. *Гораздо хуже то, что Октябрьский поверил американцу.*

Ведь не мог этот матёрый волчище не понимать, что от лопуха-сопровождающего доктора избавится без большого труда. И всё же отпустил...

Откуда такая уверенность, что американцы никуда не денутся?

Вот от чего у Гальтона сжималось сердце и лихорадочно скакали мысли.

Как только он услышал прощальную реплику про Колобка, мозг словно пронзило лучом ледяного света, озарившим безжалостную истину.

Колобок! Имя дурацкой булочки из детской сказки впервые прозвучало из уст Зои. Увидев Гальтона наголо обритым, она очень странно на него посмотрела и прошептала: «Колобок, я тебя съем». Норд очень хорошо это запомнил. Точно с таким же выражением лица она рассматривала и Октябрьского, когда они разговаривали в ЦыгЦИКе. Будто сравнивала или выбирала... А еще, оглушенная разрядом тока, она назвала Гальтона «Алешей». И потом, даже под угрозой повторного удара, не стала отвечать на самый невинный вопрос: «Какой еще Алеша?». Достаточно было бы ответить: «Мой брат». Но аппарат сразу среагировал бы на ложь!

Это Октябрьского зовут «Алеша» или «Леша», как назвала его Лиза Стрекозкина, с которой он состоит «в здоровых физиологических отношениях». Помнится, Зоя на пароходе говорила что-то о «лучшем образце самца», который выбрала для своих изысканий в области секса. Уже не во время ли ее прошлогоднего приезда в Москву это произошло?

Воспоминания нахлынули одно за другим. Мелочи, которым Норд в свое время не придал значения, теперь соединялись звено к звену. Все эти московские связи и полезные знакомства, благодаря которым княжна так кстати узнавала все необходимые сведения! А как она предложила поискать таксомотор возле «Гранд-отеля» — и под видом таксиста приехал человек Октябрьского!

Но самым главным элементом, на котором, как на замке, держалась вся убийственная цепочка, была безмятежность, с которой контрразведчик выпустил американца. Октябрьский рассчитывал вовсе не на дурачка Никифора, а на гораздо более надежного надсмотрщика. То есть надсмотрщицу...

Дойдя в своих логических выкладках до этой точки, Гальтон остановился, как вкопанный, и с изумлением уставился на собственную тень, что чернела на гравиевой дорожке парка.

«Что с вами, доктор? — спросил он у тени. — Что с вами происходит в этой скособоченной стране? Вы научились врать складней, чем Шахерезада. И сомневаться в том, в чем сомневаться нельзя. Почему нельзя? Потому что станет незачем жить».

И сделалось ему стыдно. Невыносимо стыдно, даже в жар бросило. Он вспомнил полет на парашюте, вспомнил благоуханную темноту каюты, вспомнил, как Зоя смеется и как она плачет. Логика покатилась к чертовой матери, поджав свой облезлый хвост, а Гальтон встряхнулся, будто скинул с плеч тяжеленный груз, и быстро пошел дальше.

Свод его жизненных правил обогатился еще одним законом — возможно, самым важным. Но над точной формулировкой еще надо было поломать голову.

Не сейчас, потом. Когда будет исполнено то, что должно быть исполнено.

Появление на сцене Октябрьского сильно усложнило и без того сложную ситуацию. Теперь вывезти Пациента в коляске не получится.

Что ж, нельзя по земле, значит, улетим по воздуху. Есть ведь воздушный шар. Это средство передвижения только кажется рискованным, а на самом деле ни тряски, ни аллергенных запахов. Интересно, какова максимальная грузоподъемность? Гальтона, в котором почти двести пятьдесят фунтов, аэростат перевозил безо всякого труда. Старик почти ничего не весит. Если соорудить из одеяла нечто вроде люльки, которую будет придерживать Зоя, они вдвоем легко поднимутся в воздух. Ночной ветерок (северо-восточный, определил доктор) пронесет их над лесом и опустит за пределами Заповедника. Курт с Гальтоном проделают тот же путь по земле.

Завтра в ОГПУ начнется переполох. Картусов и его начальники еще не успели опомниться после уничтожения Института, а здесь новый сюрприз, почище первого. Пускай ищут ветра в поле. Бегать от них никто не будет. Нужно взять на вооружение опыт цыганских конокрадов — затаиться где-нибудь в непосредственной близости от места «преступления». Пациент все равно нетранспортабелен. Одно из двух: или умрет, и тут уж ничего не поделаешь; или остаточное действие «эликсира бессмертия» вернет его к жизни. Тогда положение существенно упростится.

Доктор был уже возле центральной клумбы, проходил мимо гротов Леты и Мнемозины. Впереди, в господском доме светились окна. Там Курт колдовал в лаборатории над анализом, а Зоя в палате пыталась спасти Пациента. Только бы у нее получилось! Иначе так и не узнать, кто этот древний мальчик, преемником которого мечтал стать профессор Громов...

На сером гравии, ярко освещенном луной, трепетало темное пятнышко. Сначала Гальтон просто скользнул по нему взглядом. Мало ли — может быть, сорванный ветром лист. Но пятно было живое.

Он взглянул снова.

Бабочка из рода Parnassius. Точно такая же порхала над Пациентом. Он еще жаловался, что они прилетают нарочно его мучить. Теперь, когда она смирно сидела, чуть подрагивая крылышками, можно было с уверенностью определить вид: «черный аполлон».

«Черный аполлон»?!

Доктор пошатнулся, словно от удара.

В папке из громовского сейфа все ответы расшифрованы — кроме одного, который так и остался неразгаданным.

3) 17.04 Черный пополон (*второе слово неразборчиво*)

Не «пополон» — «аполлон». «Черный аполлон!» Чекист, записывавший ответы, просто не расслышал.

Старик так странно среагировал на бабочку не из-за аллергии. Тут что-то другое!

Аккуратно, чтоб не сломать, доктор снял бабочку и стал рассматривать.

Передние крылья белые, слегка прозрачные, с широкой дымчатой полосой на наружном крае. В средней части два пятна. «Черный аполлон» охотнее летает утром и вечером, но от необычно теплого мая бабочки слегка не в себе, их обычный ритм жизни нарушен.

Норд порылся в памяти. Что еще ему известно об этих скромных представительницах отряда чешуекрылых? Их научное наименование *Parnassius mnemosyne*, отчего бабочек еще называют «мнемозинами».

Как-как?!

Он оглянулся на сдвоенный грот. На каком из них высечено «Мнемозина», река вечной памяти? Кажется, на правом...

Доктор зажег фонарик. После трех предшествующих тайников он примерно уже представлял себе, как нужно искать.

Белым мрамором грот был облицован только снаружи. Луч нетерпеливо шарил по серым камням, сплошь поросшим мхом. На всякий случай Гальтон еще и ощупывал поверхность пальцами.

На своде ничего... На стенках тоже...

Внизу, где в квадратном резервуаре из плотно подогнанных плит побулькивала вода, вытекая по утопленному в земле желобу, зеленело патиной бронзовое кольцо. Должно быть, когда-то за него можно было взяться, но от времени оно срослось с камнем. Ухватиться не получалось. Нужен был инструмент.

Доктор стал ощупывать мох вокруг кольца.

Есть! Есть!

Он соскреб бархатистое зеленое покрытие. Под ним были вырезаны кривоватые буквы S и K — такие же, как на ступеньке Спасо-Преображенской церкви!

Нужно скорей бежать в дом! У Айзенкопфа в рюкзаке наверняка найдется, чем подцепить кольцо!

Чутье подсказывало Гальтону, что здесь спрятана самая главная из всех разгадок. Последняя и окончательная!

Он вскочил и очертя голову понесся к дому.

Скоро, прямо сейчас всё, наконец, разъяснится.

Какая ночь! Ах, что за ночь!

*

Одним махом он взлетел на второй этаж. Пробежал через анфиладу до приемной, где дежурили «спецмедики», но на пороге спальни заставил себя сбавить шаг. Шуметь по соседству с реанимацией нельзя.

В «детской» всё осталось без изменений: скомканная постель, два неподвижных тела на полу. Справа матово светилась стеклянная дверь медицинского блока, слева — лаборатории. У Айзенкопфа было тихо, немец священнодействовал над «эликсиром власти» (если, конечно, это был эликсир). Из палаты доносилось энергичное позвякивание. Значит, борьба за жизнь Пациента еще не проиграна.

На цыпочках, чтобы не отвлекать Зою от работы, Норд подошел и осторожно приоткрыл дверь.

В первую минуту он не понял, что происходит. Княжна стояла спиной к входу, загораживая аппарат и Пациента. Она была в белом халате и резиновых перчатках по локоть. На соседнем столе зачем-то стояла большая стеклянная емкость, на две трети наполненная прозрачной жидкостью.

Производя какие-то точно выверенные, ритмичные движения, Зоя слегка раскачивалась из стороны в сторону. Она была всецело сконцентрирована на своем странном занятии.

На миг прервалась, распрямилась, стерла рукавом пот со лба. При этом слегка повернула голову, и Гальтон увидел, что у нее на лице хирургическая повязка. На белой марле виднелись алые пятнышки — будто кто-то брызнул на маску кровью.

По-прежнему не замечая Норда, княжна снова наклонилась, очень бережно подняла обеими руками какой-то, по-видимому, довольно тяжелый предмет. Мелко переступая, двинулась боком к столу.

Она больше не загораживала Пациента.

Доктор Норд всегда считал, что обладает исключительно крепкой нервной системой, и не представлял, как это здоровый мужчина может взять и бухнуться в обморок. Но когда он увидел обезглавленное тело и перетянутый жгутом багровый обрубок шеи, ему *невыносимо захотелось лишиться чувств* — по-другому, пожалуй, не скажешь.

— Ты...Ты... — начал он и не договорил.

Сознание отказалось смириться с увиденным и покинуло Гальтона.

Он покачнулся и с облегчением упал в черную пустоту.

С КАКИМ УДОВОЛЬСТВИЕМ

он никогда бы из нее не возвращался. Но сердце у Норда было исключительно здоровое. Оно не остановилось, не разорвалось. По нему всего лишь прошла трещина, да и ту не обнаружил бы никакой кардиологический прибор. Нормальное кровоснабжение мозга через некоторое время восстановилось, нервный шок миновал, сознание разблокировалось.

Открыв глаза, Гальтон увидел над собой белый потолок и сразу все вспомнил. Скосил голову на аппарат «железное легкое» — не примерещился ли кошмар.

Не примерещился. Обезглавленный труп все так же лежал, закованный в металлический кокон. На аккуратном срезе белел кружок отпиленного позвоночного столба. Княжны в палате не было, а со стола исчезла стеклянная емкость.

Понесла предъявлять трофей, вяло подумал доктор. Теперь получит за свой подвиг Орден Красного Знамени. Хотя нет. Убийство, конечно, свалят на американского диверсанта Норда, а свою любовницу «лучший образец самца» отблагодарит на собственный лад...

Гальтон содрогнулся от омерзения.

Но гадостней всего показалось ему то, что гнусная предательница даже не удосужилась его прикончить. Просто перешагнула, как через кучу грязи, и пошла своей дорогой. Правильно сделала. Такого жалкого идиота и слабака убивать — много чести. Она наверняка рассмеялась, когда он грохнулся в обморок. И поспешила унести добычу, пока не вернулся Айзенкопф...

Эта мысль заставила Гальтона вспомнить об «эликсире власти». Почему в лаборатории было так тихо? Что если *эта женщина*...

Запросто! Подкралась сзади к увлеченному работой биохимику, убила его, флакон забрала себе, а потом уже занялась жертвой более легкой — беспомощным стариком.

Доктор вскочил, уперся рукой о стену — его немного пошатывало. Побежал в лабораторию.

Айзенкопфа там не было. Ни живого, ни мертвого.

Склянки с реактивами и приборы стояли на прежних местах. К ним явно никто не прикасался. Но на столе поблескивала знакомая бутылочка с пробкой в виде головы Анубиса. Бутылочка была пустая. Кто-то перелил из нее кроваво-красную жидкость до последней капли...

Исчез и рюкзак. На стуле лежал какой-то аккуратный сверток — ровно посередине. В этой педантичности чувствовалась рука Айзенкопфа. В свертке оказался сдутый аэростат с вложенным в него баллоном газа.

Гальтон застонал и схватился за голову.

Курт?! И Курт тоже?!

Никакого анализа биохимик в лаборатории не делал! Просто перелил эликсир в какой-то другой сосуд и скрылся! А лишний груз из рюкзака выложил. Зачем ему летать на шаре? Его встретят за воротами с распростертыми объятьями...

Ну и экспедицию снарядил в Москву многоумный Джей-Пи. Два предателя под руководством кретина.

«Спокойно, не будь размазней, — приказал себе доктор, стряхивая с ресниц слезинку. — Помни жизненное правило № 3: «Хорош не тот, кто никогда не падает, а тот, кто всегда поднимается». Это не нокаут, это нокдаун! Счет еще идет, поднимайся! Вставай на ноги, сукин сын, и дерись!»

По очкам бой безусловно проигран. Но не всухую, не всухую!

Необходимо вернуться в Нью-Йорк и обо всем доложить мистеру Ротвеллеру. Он должен знать, что, хоть Институт ингениологии уничтожен и Громов убит, проблема не устранена. Возможно, она приобрела еще более злокачественный характер, ведь теперь у большевиков в руках не суррогатный, а настоящий «эликсир власти». Один Бог ведает, как они им распорядятся.

Выбраться отсюда живым будет очень непросто. Возможно, Зоя (он даже мысленно выговорил это скользкое имя с отвращением) потому и не стала пачкать руки, что отлично знает: никуда Гальтон не денется. Если так — плохо она его изучила!

Он взял со стола пустой флакон и бережно завернул его в платок. Очень может быть, что на донышке остались какие-нибудь микрочастицы, которые можно будет подвергнуть анализу.

Плюс остается последний, неубитый козырь. О нем не знают ни Айзенкопф, ни *эта женщина*. Тайник Мнемозины, к которому по чудесному стечению обстоятельств Гальтона вывел «черный аполлон».

Гонг еще не ударил, последний раунд не закончился!

*

Когда на человека обрушился сокрушительный удар судьбы, не все еще потеряно, если у тебя остается важное дело, которое во что бы то ни стало нужно исполнить. Оно как якорь, который не позволяет волнам выкинуть потерявший мачты корабль на скалы.

Весь во власти цели, Норд заставил себя не думать о той, кого любил, и о том, которого считал другом. Незримый хронометр принялся отщелкивать в голове доктора секунды. До рассвета оставалось мало времени. Расходовать его следовало экономно.

Так.

Флакон из-под эликсира во внутренний карман.

Свернутый аэростат пригодится — сунуть под мышку.

Нужно что-то вроде кирки, чтоб подцепить бронзовое кольцо... Он быстро прошелся через комнаты. Увидел в одной из них очаг. Каминная кочерга — годится.

Ну, а теперь к гроту Мнемозины.

В обратном направлении он несся уже не так безоглядно, как получасом ранее, когда ночь казалась ему восхитительной. Но теперь для Гальтона темный силуэт грота приобрел несравненно большее значение. Это было последнее, что у него осталось.

Четвертый тайник должен всё изменить, всё разъяснить, всё расставить по своим местам. Гальтон знал: под плитой с кольцом спрятано *то, что его спасет*.

А спасать доктора было необходимо. Разбитое сердце и пожар мозга — симптомы, мало совместимые с жизнью.

Он установил фонарь, чтобы свет падал прямо на кольцо. Вставил под него загнутый конец кочерги, несколько раз ударил сверху каблуком. Навалился.

Зашевелилось!

Поворот — и металлический круг отделился от камня, к которому, казалось, прирос навечно. Интеллектуальные и душевные силы Гальтона, возможно, оставили, но с физическими, слава богу, всё было в порядке.

Он взялся за кольцо обеими руками, ожидая, что плита окажется неимоверно тяжелой, но она вышла из паза очень легко. Такой груз без труда подняла бы и женщина.

Дыра в полу темнела, словно черный квадрат модного русского художника Малевича.

— Ну вот и всё, — с удовлетворением прошептал Норд, протягивая руку за фонариком.

Сейчас, вероятно, опять придется «играть в бутылочку» — угадывать, где самсонит, а где яд. Мысль о возможной ошибке Гальтона не очень-то и пугала. Между прочим, не самый плохой финал — с учетом всех сложившихся обстоятельств.

Он посветил в выемку и в первый миг ничего не понял.

Бутылочек там не было.

Там вообще ничего не было. Кроме пустоты.

Не поверив глазам, он сел на колени и ощупал нишу. Пальцы стали серыми от пыли — вот и весь результат.

Гальтон сунул в дыру голову. Вдохнул Запах Пустоты. Он был сух и горек.

— Ну вот теперь, действительно, всё, — сказал себе доктор уже не шепотом, а в полный голос.

Это последнее предательство окончательно его подкосило.

Он зажмурился, чтобы больше ничего не видеть. Этого показалось мало — еще и закрыл лицо ладонями.

Но зрение вышло из-под контроля. Перед закрытыми глазами Гальтона вертелась диковинная карусель. Разухабистые танцоры, взявшись за руки, крутили хоровод и разгонялись всё быстрей, быстрей. Мелькнула сверкающая голова Октябрьского, чеховская бородка Картусова, потом сразу несколько Айзенкопфов — с головой бурша, с головой колхозника, с головой китайца, потом два плясуна вовсе без головы — один в громовском белом халате, другой, как водолаз, в железном панцире, еще какие-то фигуры, вроде бы с головами и даже в фуражках, но без лиц, и одна женщина, смотреть на которую было совсем невыносимо.

Гальтон убрал ладони и открыл глаза — лучше уж видеть перед собой тайник, в котором спрятана Пустота.

Он вышел из грота и направился к воротам. Никакой особенной цели это движение не имело. Просто Норд боялся, что если останется на месте, то отвратительный хоровод закрутится опять.

Ветер зашумел верхушками деревьев. По небу летели жирные облака, с одного края подцвеченные красным. Они напоминали насосавшихся крови пиявок.

В небе было скверно. Но не сквернее, чем на земле. Оцепеневший мозг доктора Норда отказывался делать какие-либо умозаключения и отдавать команды. Руки действовали сами по себе.

Они развернули аэростат, повернули кран на баллоне, и плотная ткань начала наполняться газом. Руки проделись в лямки, застегнули на груди замок.

Шар тянул Гальтона вверх всё настойчивей. Оторвал от земли. Стал поднимать выше, выше. Ветер подхватил доктора и повлек на запад, прочь от солнца, выползающего из-за горизонта.

Вниз Норд не смотрел. На его взгляд успокоительно действовала чернота, по направлению к которой его нес воздушный шар.

Чернота и пустота — в сущности одно и то же, думал Гальтон. Пустота во флаконе, пустота в тайнике Мнемозины. Может быть, в этом и есть ответ.

На что?

На главный вопрос бытия, см. Жизненное Правило № 1. Быть или не быть?

Он взглянул на свои руки, крепко вцепившиеся в лямки аэростата. Расстегнул пряжку на груди. Теперь его удерживала только сила кистей.

А не разжать ли их?

Если разгадка всех разгадок — Пустота, *не сделать ли руки пустыми?*

CODE-5

I.

— ...Да-да. Я пообещал вам, что Франция проиграет эту войну. И я свое обещание исполнил. Ваша страна победила.

Они стояли в крестьянском дворе. Над соломенными крышами изб завывал осенний ветер. В поле горели костры — там ночевали те, кому не хватило места в деревне.

— Объясните, — недоверчиво сказал Фондорин. — С сегодняшнего утра ничего не произошло. Сражения не было, армия не тронулась с места.

— В том-то и дело. Сражения не будет, а завтра мы повернем назад.

— В Москву?!

— Нет. Сейчас я всё расскажу... — Фармацевт снял очки. В его глазах вспыхнули искорки — отраженный свет огней. — После утреннего происшествия, когда император чуть не попал в плен, он вызвал меня для беседы с глазу на глаз. Хоть во время стычки государь держался безукоризненно, инцидент глубоко потряс его. «У меня к вам две просьбы, Анкр, — сказал он. — Изготовьте мне яд мгновенного действия. Я не могу позволить себе попадать в плен. Слишком высока моя ответственность перед историей».

— И что же? Вы дали ему яду?

— Дал. Безвредную микстуру с запахом горького миндаля. Я слишком привязался к этому человеку и не желаю ему смерти. Довольно того, что я отобрал у него великую мечту — стать вторым Александром Македонским, покорив весь мир.

— А вторая просьба? Он потребовал новую порцию эликсира? Чтобы принять правильное решение?

— Да. Здесь-то я и совершил худшую из подлостей. Я предал доверие человека, который привык на меня полагаться. — Барон спрятал очки в карман. — Нужно давать отдых глазам. Ночью, в темноте, мой взгляд никому не покажется необычным.

Замечание было интригующим, но даже оно не понудило профессора отвлечься от главного.

— Дали вы ему эликсир или нет?

— Нет. Я сказал, что со дня, когда он принял предыдущую дозу, миновало слишком мало времени. И взамен сделал то, чего никогда себе не позволял: дал ему совет.

— Относительно генерального сражения?

— Да. Император понимает, что нельзя вытягивать армию по Новой Калужской дороге, когда с фланга нависает собранное в кулак войско Кутузова. Можно развернуться к русским лицом, но нет уверенности, что они примут бой. Очень вероятно, что они станут отступать и придется их преследовать. При том небольшом количестве кавалерии, которое у нас осталось, преследование мало что даст. Всё это Наполеон отлично знает и без меня. Его план был таков: если Кутузов уклонится от баталии, оставить в Малоярославце мощный заслон, а основную часть армии вести на запад.

— Это разумно. Французы могли бы оторваться!

— Да. Но чтоб заслон мог устоять против превосходящих сил противника, пришлось бы выделить самые боеспособные войска. В том числе гвардейские полки. Я видел, как императору не хочется жертвовать своими любимыми усачами. И я сказал ему: «Сир, Франция не простит вам этого. Вы сами себе этого не простите. Герой не совершает поступков, которые история назовет низкими. Возвращайтесь на Старую Калужскую дорогу. Зима в этом году будет поздней. Вы ведь знаете, я умею предсказывать погоду. Вы успеете достичь границы до снегопадов и морозов. Это отступление спасет Великую Армию. Оно будет славнее любого выигранного сражения».

— Вы в самом деле можете предсказывать погоду?

— Не предсказывать, а вычислять. Я ученый, а не ясновидящий, — немного обиделся Анкр. — Это целая наука, я назвал ее «метеопрогнозированием». Со временем я обучу вас.

— Значит, морозы ударят не скоро?

— Очень скоро. Зима в этих широтах будет ранней и необычайно суровой. Великая Армия утонет в снегах и вымерзнет, не добравшись до границы. Это неизбежно.

Профессор верил и не верил.

— Но... неужели достаточно было вашего совета, чтобы Наполеон принял такое рискованное решение?

— Моего совета и моего взгляда. Во время беседы с императором я снял свои зеленые очки.

Барон посмотрел в глаза молодому человеку. Мерцающий свет будто обволок мозг Самсона Даниловича, мысли начали путаться. Лишь собрав в кулак всю волю, профессор смог устоять против гипнотического воздействия. Засмеявшись, Анкр отвел взгляд.

— Да, я хорошо владею древним искусством окулопенетрации, которое ныне именуют «месмеризацией» или «животным магнетизмом». А Наполеон, в отличие от вас, не знает, как защищать мозг от такого воздействия. Коротко говоря, он со всем согласился и поблагодарил меня за бесценную помощь. Приказ отходить на Можайск уже подписан и разослан командирам корпусов. Можете торжествовать победу. Ваша армия дойдет до Парижа, русский царь станет диктовать свою волю Европе. Всё благодаря вам. Считайте, что это мой подарок вам — прежнему.

— Почему «прежнему»? — нахмурился Самсон. Он всегда считал, что обладает чрезвычайно быстрым умом, но его мозг не поспевал за зигзагами беседы.

— После того, что я вам поведаю, вы станете иным человеком. В определенном смысле вы *вообще перестанете быть человеком*.

Нельзя сказать, чтоб диковинные эти слова совсем уж застали профессора врасплох. Он давно подозревал нечто подобное, а все же вздрогнул.

— У меня была такая гипотеза, но я полагал ее маловероятной, — прошептал Фондорин. — Кто вы? Представитель Высшей Силы? Или сама Высшая Сила? Вы — Бог?

Произнесенные вслух, эти слова прозвучали ужасно глупо, хуже того — *антинаучно*. Самсон почувствовал, что краснеет.

Но Анкр нисколько не удивился, а усмехнулся:

— Вы, подобно императору, желаете знать, Поводырь я или поводок? У меня нет ответа. Это все равно ничего не меняет.

— Но Бог существует? — очень тихо задал еще один глупый вопрос профессор.

Фармацевт ответил непонятно:

— Бог — Случайность, которая нарушает планы. Но это не избавляет нас от ответственности. Мы делаем то, что должно, и не удовлетворяемся утешением «будь что будет».

— Кто «мы»?

— Судьи, — молвил барон. — Мы — Судьи.

II.

— Не знаю, друг мой, каково происхождение этого названия. Мой предшественник предполагал, что от Судей Израильских, которым посвящена библейская «Книга Судей». Я же не исключаю, что это звание передается из поколения в поколение с еще более древних времен. «Небесный Судья» — одно из почетных титулований главного жреца в Древнем Египте. Как бы там ни было, с тех пор, как возникла цивилизация, всегда существовал очень узкий круг людей, обладающих знанием, которое намного опережает время и содержится в сугубой тайне. Не из-за любви к секретам, не из-за жажды власти, а из понимания, что завоевания пытливого ума могут стать опасны, попав в корыстные, жестокие или неумелые руки. Именно таковы во все эпохи были земные правители: корыстны, жестоки и неумелы. Судьи, подобно атлантам, пронесли на своих плечах через тысячелетия бремя ответственности за выживание человеческого рода.

— А сколько их? То есть, вас...

— Судей должно быть всегда двое, чтобы не нарушался Великий Баланс, не прекращался вечный конфликт противоположностей, благодаря которому жизнь не обрывается и не замирает, а движется вперед. Есть Чёрный Судья и Белый Судья. Они ничего не знают друг о друге, две эти линии никогда не пересекаются. Каждый из Судей должен существовать так, будто второго Судьи нет и вся ответственность за мир лежит на тебе одном.

— Скажите, барон, а ваша... судейская мантия... какого она цвета?

— Черного. Но не пугайтесь. «Черное» и «Белое» — это не Добро и Зло. Перед всяким Судьей стоит лишь одна задача — всеми силами оберегать мир от двух крайностей: от слияния в единое целое и от распада на мириад частиц. То есть от чрезмерного Порядка и от чрезмерного Хаоса. И то, и другое означало бы гибель.

— И вы даже не догадываетесь, где находится Белый Судья, кто он?

— Увы... Очень возможно, что Белая Линия давным-давно пресеклась. Ведь мы тоже смертны и подвержены Случайности — той самой, о которой я уже говорил. Деятельность Судьи сродни работе человеческого разума, который пытается всё предусмотреть, учесть, обезопасить — и часто оказывается бессилен перед произволом Рока... И всё же я верю, что где-то на свете живет мой напарник. Несколько раз, когда из-за моей неосмотрительности или по воле Случайности мир оказывался на краю гибели, происходило какое-нибудь нежданное событие, чудодейственно исправлявшее ситуацию. Я склонен видеть в этом вмешательство Белого Судьи. Хотя, возможно, то была рука Поводыря. Есть Бог или Его нет, для нас не то чтобы неважно — *это ничего не меняет*. Нам, Судьям, оглядываться не на кого. Надеяться тоже. Мы — *крайние*. За нами пропасть.

— Но... но это же очень страшно!

— Страшно слабым и бессильным. А мы неплохо вооружены.

— Чем?

— Знаниями, мой юный друг, знаниями. Мои предшественники, каждый из которых увлекался какой-то областью науки, сделали немало выдающихся открытий и собрали их в одной копилке. Это сокровище передается от Судьи к Преемнику по эстафете, обогащаясь век от века. Но изыскания всегда производились не ради отвлеченных интересов науки, а во имя одной совершенно конкретной цели: защиты и развития человеческого общества. Что, по-вашему, важнее всего для общества?

— ...Разумность и терпимость в отношениях между членами?

— Нет. Разумность и терпимость — это результат долгой эволюции в правильном направлении. А направление задает кто?

— Кто?

— Тот, кто ведет общество за собой. Вождь — как бы он ни назывался: кесарем, падишахом или президентом. Египетских фараонов опекали верховные жрецы, но эта схема оказалась несостоятельной. Судья не может занимать официальной должности при дворе — он неминуемо становится мишенью интриг, борьба с которыми отбирает слишком много времени. Есть и еще одна причина, по которой мы не можем быть на виду. О ней я расскажу вам позже.

— Так вот для чего существует ваш «эликсир власти»! Чтобы помогать барану, который ведет за собою стадо?

— Именно. С точки зрения выживания общества самым главным из человеческих талантов является дар управления. Задача Судьи — найти человека, щедро наделенного этой способностью, и помочь ему выполнить его предназначение. Великий вождь — это инструмент, с помощью которого Судья прорубает штольню в скале истории. Мы берем большого человека и делаем из него великана. Приходилось ли вам видеть изображения фараонов на египетских папирусах и барельефах? Царь всегда изображен в виде гиганта, многократно превосходящего своими размерами подданных. Именно таким и видел себя правитель, сделавший глоток эликсира: неуязвимым, упирающимся головою в облака, подавляющим всех вокруг своей несокрушимой волей.

— Это всегда был воин, полководец?

— Вовсе нет. Если мир требуется как следует встряхнуть, тогда Судья действительно подыскивает завоевателя. Если же довольно обойтись реформами или нужно сохранить существующее положение, мы избираем правителя мирного — преобразователя либо консерватора. Правильный выбор кандидата это целая наука. Со временем я подробно посвящу вас в ее тайны. Потенциальный гений власти обладает набором из семи обязательных природных качеств: быстрота ума, неугомонная любознательность, честолюбие, настойчивость, вечная неудовлетворенность результатом, жесткость характера и небоязнь одиночества. Как я уже говорил вам однажды, весьма желательно подбирать личность эпилептоидного склада. Такое устройство мозга многократно увеличивает действенность препарата.

— Случается ли, что марионетка выходит из вашей власти?

— Рано или поздно это происходит почти с каждым из них. Ведь они не куклы, а живые люди, причем выдающиеся. Если подопечный (обычно такое случается с завоевателями) взбунтовался или стал настолько могуществен, что это угрожает равновесию мира, мы просто перестаем его поддерживать. Хоть и редко, но бывает, что полководец продолжает расширять свою державу и без помощи эликсира. Но в этом случае у него непременно появляется более удачливый соперник, либо же бунтарь внезапно умирает. Полагаю, что это наносит ответный удар Белый Судья. Во всяком случае, *надеюсь*, что это так.

— А как выглядит «эликсир власти»? И как он производится?

— Формула мне неизвестна. А показать могу — извольте. Этот флакон всегда со мной. Он вырезан из алмаза невероятной величины и чистоты. Пробка, как видите, изображает голову Анубиса.

— Вот эта рубиновая жидкость и есть гипермнезический препарат? Но его так мало! Всего на один глоток! Как же вы пополняете запас?

— Вы слишком нетерпеливы, друг мой, и хотите узнать все сразу. Обучение занимает долгие годы.

— Какое обучение?

— Ремеслу Судьи. Вы, конечно же, догадались, что я предлагаю вам стать Преемником. Решение, впрочем, целиком зависит от вас.

III.

От этих слов, произнесенных самым спокойным и дружественным тоном, Фондорину вдруг сделалось жутко. Никогда, во всю свою жизнь, не испытывал он такого страха.

— Но... на что вам преемник?

— Таково правило. Судья живет долго, но он не бессмертен. Наступает момент, когда пора передать бремя следующему. Я слишком давно тащу эту ношу, мои силы на исходе. Главные враги Судьи — усталость и безразличие — все больше овладевают мной. Я уж отчаялся когда-либо найти себе смену, но тут мне попались вы. Это невероятная удача и огромное счастье.

— Неужто найти преемника так трудно?

— Гораздо трудней, чем кандидата в великие люди. Ведь и ответственность здесь совсем иная. Уходя, Судья должен быть уверен, что оставляет дело в надежных руках. Ошибку с выбором «сосуда» еще можно исправить. Ошибку с выбором Преемника исправлять будет некому. Условия, которым должен отвечать Преемник, регламентированы еще строже, чем исходные данные Гения. Всего этих пунктов пятьдесят четыре.

— И вы хотите сказать, что я всем этим требованиям удовлетворяю?!

— Почти всем. Кое-чего существенного недостает. Но вы компенсируете эту нехватку другими, не менее ценными качествами. Вы гениальный ученый и выдающийся экспериментатор. Такие рождаются раз в сто лет, а то и реже. Что же до ваших недостатков, у нас будет довольно времени, чтобы исправить их. Я не уйду прежде, чем вы будете полностью готовы.

— Откуда такая уверенность? Разве с вами не может приключиться какой-нибудь беды? В конце концов, есть та самая непредсказуемая Случайность, которую вы отождествляете с Богом!

— Ах, друг мой, уничтожить Судью очень трудно. Вы сами могли в этом убедиться. Опыт, дальновидность, умение читать в сердцах и сугубая осторожность оберегают нас от случайностей. А еще есть лекарство, о котором я вам уже говорил. По древней традиции оно называется «эликсиром бессмертия», хотя на самом деле никакого бессмертия, конечно, не обеспечивает, а лишь помогает тканям самовосстанавливаться. Судья принимает порцию «эликсира бессмертия» раз в десять лет и не имеет права уклоняться от этой обязанности, пока не сыщет себе Преемника.

— Стало быть, найдя Преемника, Судья перестает подпитывать свое тело? И что тогда?

— Большинство предпочитает умереть, тихо угаснуть. Жизнь Судьи так продолжительна, что превращается в тяжкую обузу. Всё становится неинтересно, ничего не хочется. Хочется лишь одного — *не быть.*

— Сколько ж все-таки живет Судья?

— По-разному. Один из Судей библейского периода искал Преемника четыре с половиной столетия, а потом еще пятьдесят лет его воспитывал. Однако служение редко длится больше двухсот лет. Усталость от жизни накапливается у нас к тому же возрасту, что у обычных людей — годам к восьмидесяти. Но чувство долга и сознание важности своей миссии продлевают активный возраст вдвое или втрое. После этого стремление уйти делается необоримым. Расцвет Судьи, то есть идеальное сочетание чувственного покоя и мудрости, начинается на исходе первого столетия жизни. Но горе тому Судье, кто не смог подыскать себе Преемника к концу второго века существования. Редко кому везет, как мне с вами. Вы, можно сказать, свалились мне с неба. А ведь у меня есть целая сеть специально обученных Помощников, которые неустанно ищут кандидатов по всему свету. Находят, доставляют ко мне — но всё не то, не то... Вот уже двадцать лет, как я одинок. И вдруг встречаю вас — на краю света, в далекой России!

— Так у вас уже был Преемник.

— Был. И превосходный. Но слишком молодой, почти как вы. Это огромный недостаток. Мой дорогой мальчик слишком увлекся идеей всеобщей справедливости. Это привело его на гильотину... Если б его расстреляли, повесили, посадили на кол, я мог бы его оживить! Но против отсечения головы «эликсир бессмертия» не защита... Мозг, не питаясь кровью, быстро умирает. Ах, если б я умел пришивать голову к иному телу! Но это, увы, невозможно...

— Раз ваш друг погиб на гильотине, значит, двадцать лет назад вы уже жили во Франции. Разве не должен Судья следить за всем миром? Почему вдруг такое предпочтение одной стране?

— Потому что с 1789 года Франция стала самым важным местом на земле. Теперь этот период заканчивается, и я переместюсь в иную точку планеты. Видимо, в испанскую Америку, где грядут великие события... Судье так или иначе приходится менять имя и место проживания каждые 20-30 лет. Иначе окружающим начинает казаться странным, что он не стареет.

— Расскажите мне про ваших предшественников! Ведь получается, что это они, а вовсе не монархи, определяли ход истории!

— Да. Путь, которым движется человечество, во многом зависит от личности Судьи. Все они были яркими людьми, с неповторимыми особенностями, со своими убеждениями и пристрастиями. Разумеется, каждый из них был осторожен, бескорыстен и мудр, но при таких возможностях и такой власти любая деталь характера, даже самая мелкая, влечет за собою гигантские последствия. В эпохи, когда Судьей делался человек более темпераментный, движение истории ускорялось. Создавались и рушились империи, происходили научные открытия, разрабатывались новые законы. Данные о Судьях античности туманны, ибо у нас не принято делать записи. Мой предшественник рассказал мне всё, что знал, а ему, в свою очередь, о прежних Судьях поведал его учитель. С течением столетий память искажается, смешивается с легендами. В обычных семьях худо-бедно помнят о прадедах, но о более отдаленных предках обычно рассказывают небылицы. Так и у нас. Я могу ручаться за относительную достоверность сведений лишь о пяти последних Судьях. Причем о своем «пра-пра-прадеде» я знаю лишь, что он жил с седьмого по девятый век, в эпоху краха романской цивилизации и кризиса раннего христианства. Этот Судья верил, что свет воссияет человечеству с Востока, и потому его называют «Ориентофил». Он дал толчок развитию новой всечеловеческой религии — Ислама, однако терпимость и гуманность первых мусульманских вероучителей вскоре сменились воинственностью и завоевательным пылом. Пав духом и разуверившись в себе, Ориентофил решил, что истину следует искать еще дальше на Востоке. Он отыскал себе Преемника в Китае.

То был необычайно флегматичный человек, считавший, что всякое волевое усилие пагубно, Добро и Зло равно благотворны, а подгонять развитие человечества — всё равно что подгонять рост дерева. Мой «пра-прадед» правил миром дольше, чем кто бы то ни было, целых триста лет. Впрочем слово «правил» здесь вряд ли уместно. Этот Судья (его прозвище Даос) ни во что не вмешивался. Он культивировал новые сорта чая и беседовал с немногими избранными учениками. Ни разу не покинул Даос родного Китая и никогда не применял «эликсира власти». В Китае до сих пор ходят легенды о старце Те Гуанцзы, будто бы открывшем секрет вечной жизни.

Но в Преемники он почему-то выбрал Ветродуя, человека чрезвычайно деятельного. Ветродуй, мой «прадед», немедленно раздул мощный смерч, обрушившийся с Востока на Запад. Имя смерча было Чингиз-хан — великий преобразователь, мечтавший создать всемирную империю, где прекрасная девушка, несущая золотое блюдо, могла бы дойти хоть до края земли, сохранив и блюдо, и невинность. Как мы знаем, из этого замысла ничего не вышло, однако монгольское нашествие подстегнуло ход всей истории. Ветродуй в Судьях продержался недолго и уступил место Преемнику столь же непоседливому, но менее бурливому.

Его прозвище — Мореплаватель. Он был одержим идеей освоения всей планеты Земля. Судьи давно уже знали, что где-то по ту сторону Атлантики находится огромный континент, существующий сам по себе. Однако никто из предшественников моего «деда» не горел желанием расширить зону своей ответственности, и без того огромной. Мореплаватель же вообразил, что человечество столь далеко от совершенства из-за своей необъединенности. Благодаря «деду», побудившему европейских правителей исследовать заморские земли, бремя Судьи изрядно возросло, а долгие путешествия сделались неотъемлемой частью нашего служения. Гармонии же открытие Нового Света человечеству не прибавило.

Именно поиском гармонии — но не географической, а внутренней — был озабочен мой любимый учитель, или, если угодно, «отец». Он хотел, чтобы следующие поколения Судей звали его Художником. Нет, сам он не был художником, но свято верил, что расцвет искусств повлечет за собою смягчение нравов, развитие вкуса и поднимет людской род на более высокую ступень развития. Это ему обязаны мы Ренессансом, зарождением идей гуманизма и зачатков веротерпимости. Художник прослужил на своем посту двести лет, и я считаю его величайшим из предшественников. Я очень любил этого человека и был бы счастлив, если б мой Преемник вспоминал меня с тем же чувством, с каким я думаю о Художнике...

IV.

— А какое прозвание у потомков хотелось бы иметь вам? — поинтересовался Фондорин со всей почтительностью.

Анкр посмотрел затуманенными глазами в мерцающее звездами небо.

— «Рационалист». Я сделал ставку не на эстетический вкус, а на разум; не на искусство, а на науку. Эту линию я выдерживаю уже без малого двести лет.

Самсон вздрогнул. Одно дело — слушать рассказ о долгожителях-патриархах прежних веков, и совсем другое — узнать, что человек, с которым ты ведешь беседу, ровесник дома Романовых!

— Сколько же вам лет? — испуганно спросил профессор. — И откуда вы родом?

— Я родился французом в канун Варфоломеевской ночи. Стало быть, недавно мне сравнялось двести сорок, — как ни в чем не бывало отвечал Рационалист. — Засиделся я в Судьях... Вам, должно быть, странно узнать, что первым моим «сосудом» был многообещающий эпилептоид по имени Арман-Жан дю Плесси, будущий кардинал Ришелье, первый строитель сбалансированной Европы. К сожалению, его мозг не выдержал длительного воздействия эликсиром. Бедняга под конец совсем свихнулся.

— Да, вы рассказывали, что он стал воображать себя лошадью. Но скажите, барон, разве справедливо то, что вы все время делаете великими вождями своих соотечественников? То герцога Ришелье, то Наполеона. Разве это не нарушает всемирного равновесия?

Анкр рассмеялся.

— О, как вы заблуждаетесь, друг мой. За два столетия я переменил немало «сосудов». Вы, верно, обиделись за свою родину? Напрасно. Когда шведская кукла по имени Карл XII стала вести себя слишком своевольно, для исправления перекоса я некоторое время поддерживал одного очень утомительного эпилептоида, которого у вас называют Петром Великим. В Санкт-Питербурхе меня знали как «медикуса Колория, цесарских земель уроженца». Русским языком я владею еще с тех пор. А Наполеону я стал помогать в противовес британской гегемонии. Захватив владычество на морях, английская корона неминуемо должна была подчинить себе весь мир, однако такое объединение преждевременно. Когда судьба свела меня с генералом Бонапартом, он был всего лишь одним из полководцев Республики, к тому же безнадежно увязшим в песках Египта. После первой же дозы эликсира он бросил свою армию и вернулся в Париж — за величием и властью...

— Но из-за меня ваш план нарушился, — виновато сказал Фондорин, впервые взглянув на мировое устройство поверх ограды патриотизма. — Что же теперь будет? Всё склонится пред британским львом?

— Не думаю. Главной державой континента станет победительница Наполеона — Россия. Океан же будет принадлежать Англии. У первой самая сильная сухопутная армия, у второй — флот, так что друг для друга они будут неуязвимы. Такое положение надолго убережет Европу от новой войны. Если вы примете мое предложение, нам хватит времени спокойно и без спешки осуществить передачу полномочий.

— Я вижу, вы всё предусмотрели!

— Кроме одного. Я не знаю, согласитесь ли вы избавить меня от ноши... Очень бы этого хотел, но не имею права вводить вас в заблуждение. — Барон посмотрел на Самсона взглядом, в котором надежда смешивалась с состадани-

ем. — Участь Судьи печальна. Я обрисую вам эту жизнь правдиво, без прикрас. Вас ожидает абсолютное одиночество.
Вначале оно будет скрашено общением с учителем, а в конце — воспитанием ученика, но всю срединную часть вы про-
существуете наедине с собой. На всем свете не найдется ни
одного человека, с которым вы сможете поговорить по ду-
шам. Вам придется отказаться от семьи, от друзей, от всех
личных привязанностей. Ни одна страна не станет для вас
домом. Каждый день вы будете ощущать на своих плечах огромный груз ответственности за судьбу мира... От этого уста-
ешь больше всего. Я долго верил во всемогущество Разума, я
и сейчас в него верю. А в вас я вижу единомышленника, который способен продолжить мое дело. Ведь вы тоже сторон-
ник Разума?

— Безусловно!

Анкр вздохнул.

— Меня смущает восклицательный знак, явственно раздавшийся после слова, которое и само по себе категорично. В вас,
как в моем погибшем Преемнике, я угадываю склонность к
слишком простым, монохромным решениям. В чем, по-вашему, ключ к возвышению человечества?

Профессор уверенно провозгласил:

— В науке и общественном прогрессе.

— Ну-ну... Точно так же думал он. И закончилось это гиль-
отиной. Правда... — Здесь лицо Рационалиста немного про-
светлело. — Правда, вы можете перемениться. Вы еще очень
молоды! Вдвое моложе, чем я, когда стал Преемником. Вы
недостаточно знаете людей, вы слишком верите в теорию,
вы прекраснодушны, но я пробуду с вами до тех пор, пока вы
не изживете эти недостатки. Пусть на это уйдет двадцать,
тридцать или даже сорок лет. Лишь бы вы согласились. Думайте. Взвешивайте. Если скажете «нет», мы никогда больше
не увидимся. Скажете «да» — обратного пути не будет. Вот,
держите.

Он вынул из кармана маленький флакон, но не алмазный, с
алым «эликсиром власти», а обычный, стеклянный, в котором
плескалась мутная густая жидкость.

V.

— Что это?

— Первая порция «эликсира бессмертия». Вы выпьете ее, если решитесь. В противном случае вылейте. Иначе, не получив повторной дозы препарата, ваш организм через десять лет начнет быстро разрушаться.

Анкр умолк — мимо, хрустя каблуками по замерзшим лужам, шел взвод гвардейцев. Стволы ружей тускло блестели под луной.

— Больше я вам ничего не скажу. Я и так говорил слишком долго. Нам лучше на время расстаться. Вам незачем идти с нами дальше. Французскую армию ждут голод, холод и гибель. Уединитесь где-нибудь. Вы сможете найти место, где ничто не помешает вам собраться с мыслями?

— Да. Неподалеку отсюда мое поместье.

— Вот и отлично. Решение, каким бы оно ни стало, вы должны принять, всё хладнокровно взвесив и обдумав. Я не хочу влиять на ваш выбор своим присутствием. Самое трудное — раз и навсегда порвать все эмоциональные связи. Без этого стать Преемником невозможно. Вам придется выбрать, что для вас главнее: личное счастье или благо человечества. Но я очень надеюсь, что не ошибся в вас. Итак, до встречи! Или прощайте...

Напоследок он коротко коснулся фондоринского плеча, вздохнул и побрел прочь по деревенской улице. Сейчас, глядя на сгорбленную спину Анкра, пожалуй, можно было поверить, что ему двести сорок лет.

— Постойте! — в смятении крикнул профессор. — Зачем вам отступать с Наполеоном? Он вам больше не нужен. Идемте со мной. Я поселю вас во флигеле, вы мне нисколько не помешаете!

Но Анкр печально молвил:

— Нет, друг мой. Я выведу свою бедную куклу из ловушки, а потом уж предоставлю ее судьбе. У Судьи есть определенные обязательства перед тем, кого он выбирает.

— Но где же я вас найду, если...

Самсон Данилович не договорил, но барон его понял и так.

— В Париже. Скоро казаки будут жечь костры на Елисейских полях. Там я и живу, у самой заставы Этуаль. Дом барона Анкра вам укажет всякий. Я буду ждать.

До рассвета профессор шел в северном направлении, ни разу не остановившись и не чувствуя ни малейшей усталости. Дорога была ему знакома, ноги сами знали, где повернуть. Мозг же был занят до того плотно, что Самсон и не заметил, как оказался на идеально прямой просеке, что вела через лес к усадьбе. Просто шагал-шагал, да вдруг оказался перед знакомыми воротами. За решеткой в смутной предрассветной дымке виднелись аллеи, кусты, а за ними белел фронтон господского дома.

Внутри было пусто. Дворовые, должно быть, разбежались, опасаясь врага, а французы в эту лесную глушь не добрались.

За вчерашний день и за ночь Фондорин отмахал не один десяток верст, а всё не мог остановиться. Он бродил из комнаты в комнату. Несколько раз с решительным видом доставал из кармана бутылочку с «эликсиром бессмертия», подносил ко рту — и прятал обратно.

Одно из помещений, бывшая Кирина детская, которую по просьбе тестя сохранили в неизменности, Самсон особенно любил. Здесь всё оставалось точь-в-точь таким же, как во времена, когда жена была ребенком: потолок разрисован сказочными фигурами, на полках и каминной доске расставлены старые куклы. Почтеннейшее место средь них занимал бархатный медведь по имени Бальтазар, живот которого служил маленькой Кире самым первым ее тайником — там прятала она леденцы и конфекты.

Глядя на эти милые пустяки, профессор вдруг содрогнулся, будто очнувшись после долгого, глубокого сна. Он снова выхватил из кармана флакончик, порывисто распахнул окно и вышвырнул склянку в серый туман.

А потом схватился за голову и опрометью выбежал вон.

С полчаса Самсон Данилович ползал на четвереньках, разыскивая место, куда упала бутылочка. В конце концов нашел.

Стекло, хоть и упало на щебень, не разбилось. Бутылочка была цела, эликсир из нее не пролился. Фондорин увидел в этом маленьком чуде ответ на мучивший его вопрос и больше уж не сомневался. Бережно вытер флакон, спрятал его и вернулся в дом, где оставил сак с химикатами.

Нужно было объясниться с женой. Невозможно взять и просто исчезнуть из жизни той, которая вверила тебе свою судьбу. Даже Анкр не смог обойтись подобным образом с Наполеоном...

Звукосохраняющую смесь Фондорин изготовил быстро. А вот над посланием размышлял очень долго. Давно уж настал день, а профессор всё писал на бумажке тщательно взвешенные слова. Зачеркивал, снова писал.

«~~Прости меня, забудь меня, я тебя недостоин~~».

Нет, Киру не удовлетворит эта слащавая нелепость. «Недостоин» — будто из глупого романа.

«~~Долг требует, чтоб я тебя оставил. Я не могу тебе ничего объяснить, но так нужно. Ты всегда верила мне, поверь и ныне~~».

Пожалуй, она решит, что он спятил. И, наоборот, кинется разыскивать, чтоб вылечить от сумасшествия.

«~~Настоящий ученый, желающий миру добра, не имеет права обзаводиться семьей. Прощай и не ищи меня~~».

Совсем чушь!

Наконец Фондорин утвердил формулировку: *«Я не создан для супружества. Ты всегда это знала и не зря похоронила наши кольца. Я буду тебя помнить как лучшую страницу моей жизни. Но есть вещи более важные, чем счастье. Прощай».*

Ну вот и всё. Самое существенное сказано, остальное не имеет значения.

Он налил раствор в подходящий сосуд — узкий и строгий, как могильная стела. Набрал полную грудь, наговорил в «телефон» длинноватый текст скороговоркой, чтоб ничего не пропало. Закупорил свое последнее послание жене — будто закрыл крышку гроба над дорогим прахом.

Над тайником ломать голову не приходилось. В усадьбе есть место, куда Кира обязательно заглянет, — грот Мнемозины. Еще девочкой она устроила там секретную нишу, а в пору медового месяца у молодоженов образовался род игры. Если Кира желала, чтоб ночью они испили любовного напитка, она прятала фиал с дурманным зельем в тайник, а на камне угольком рисовала бабочку, которую называют Parnassius mnemosyne или Черный Аполлон. Они водились здесь в изобилии. Юный супруг, бывало, проходил мимо грота по нескольку раз на дню, будто бы прогуливаясь, — и всё смотрел, не появилось ли нового рисунка. К исходу незабываемого месяца на белом мраморе набралось семь черных бабочек...

Они виднелись еще и теперь, семь теней былого счастья, не до конца смытые дождями. Первое, что сделал профессор, — тщательно стер их рукавом. С счастьем *этого рода* отныне покончено. Затем он подцепил бронзовое кольцо, укрепленное на каменной плите, под которой располагалась ниша. Когда-то маленькая Кира обустроила этот «секрет» для своих не очень-то сильных рук, и крышка была совсем тонкой, фунтов в десять весу. В счастливом марте Фондорин вырезал на камне инициалы KS, как на церковной ступеньке. Глядя на буквы, он тяжко вздохнул.

Уже закрыв тайник, Самсон всё стоял у грота, терзаемый сомнениями.

Тот, кто решился посвятить себя великому служению, не должен проявлять слабости. А что есть это послание, как не appel voilé[1]: «не забывай меня!» Женщина, подобная Кире, — сильная, умная, любящая — сразу это поймет и с присущей ей решительностью кинется на поиски супруга. Хотя бы лишь для того, чтобы спросить его в лоб, глядя в глаза, что стряслось. У профессора не было уверенности, сможет ли он вынести этот взгляд.

Уж рвать так рвать.

Он вновь поднял плиту и вынул бутылочку.

Правильнее будет исчезнуть бесследно, без прощаний и объяснений. В военное время всякое может случиться. Пускай

---

[1] Завуалированный призыв (*фр.*).

уж Кира лучше скорбит о погибшем муже, нежели навсегда останется с тяжкой, недоуменной обидой на сердце.

Он осушил флакон с «эликсиром бессмертия», а вторую склянку расшиб об угол грота.

В ту самую секунду, когда стекло разлетелось вдребезги, хрустнуло что-то и в груди у Самсона Даниловича.

Не вынуть ли и локатор из-под ступеньки, сказал он себе. Но почувствовал, что душевных сил на это у него сейчас недостанет.

А если Кира окажется настолько дотошной и настолько *любящей* (он даже мысленно произнес это слово с содроганием), что все-таки разыщет предателя-мужа, то, может быть...

Додумывать эту мысль до конца Фондорин себе запретил.

Ночь он провел на кровати в Кириной детской, а утром отправился в путь — в русский лагерь, чтоб вместе с армией дойти до Парижа. Самсон знал, что с прежней жизнью кончено, и собирался взять себе какое-нибудь новое имя. Вернуться в усадьбу, где он вначале был очень счастлив, а потом навеки потерял Любовь и обрел Бессмертие, профессор не чаял.

Но спустя годы, ему было суждено провести здесь печальнейшую пору своей нескончаемой жизни. Тяжелее всего становилось в начале лета, когда в стекла дома колотились крылышками бабочки-мнемозины.

VI.

Зря Самсон Данилович так себя изводил. Его супруга тоже умела делать выбор, и дался он ей куда проще. Во всяком случае, естественней.

Она попала в Москву лишь зимой. Древнюю столицу (или то, что от нее осталось) давно уж очистили от неприятеля, но в положении Киры Ивановны езда по тряской дороге была нежелательна, даже опасна. Госпожа Фондорина выехала из Нижнего, когда наконец установился хороший санный путь.

О печальном профессорша думать себе не позволяла. И рассудок, и внутреннее ощущение говорили ей, что грусть может повредить созревающему плоду. Всю жизнь Кира только и делала, что размышляла. Напряжение умственных сил она почитала главной обязанностью просвещенной личности. Ныне же почти совсем забросила мыслительные упражнения, поскольку они не сулили ей ничего доброго. Муж с лета не подавал вестей, и, судя по всему, его уже... Дойдя до этого пункта, Кира Ивановна осаживала себя и думать переставала. Старалась жить простыми чувствами и сиюминутными наблюдениями. Подолгу смотрела на белое поле или на скованную льдом Волгу. Улыбалась, видя, как скачут по снегу румяные снегири. Хотелось поплакать — плакала, но слезы были не горькими, а утешительными.

Увидев, как страшно изменился родной город, Кира тоже заплакала. Потом улыбнулась, обнаружив, что Ректорий уцелел. В этом чуде она усмотрела доброе предзнаменование, а ведь прежде от одних только слов «чудо» иль «предзнаменование» фыркала и морщила нос.

Перевернутый глаз Ломоносова профессорша обнаружила сразу же, в первый свой обход разоренного дома. Вскрыла барельеф, прочла надпись мелом, сделанную почерком Самсона. Увидела четыре флакона. Безошибочно взяла амурчика, нежно погладила его по стеклянному животу.

А потом поставила склянку обратно и тайник закрыла. Чрево шепнуло молодой женщине, что ей сейчас не нужно знать этот секрет. Нет на свете секрета более великого, чем тот, что она вынашивает в себе. Пускай в бутылочке хранится ключ хоть к Бессмертию, что с того? Вот оно — Бессмертие, внутри тебя самой. Прижми ладонь и ощутишь, как бьется его пульс.

Про бессмертие Кира Ивановна подумала, конечно, фигурально. А инстинкт, повелевший ей поставить физико-химический конвертер на место, объяснила себе так: в «теле-фоне» содержатся сильнодействующие ингредиенты, которые могут быть вредны роженице. Сначала нужно честно исполнить материнский долг и произвести на свет младенца. Долг супруги следует оставить на после. Ежели роды пройдут хорошо (на сей счет Киру томили предчувствия, которые она от себя гнала), придет черед стеклянного амура. Послание давало надежду, что Самсон жив. Это была новость отрадная, а значит, для беременности полезная. Профессорша улыбнулась. Последние недели она не позволяла себе думать о муже, теперь же с утра до вечера всё представляла, как хорошо заживут они втроем — потом, когда она родит ребенка и разыщет Самсона.

Предчувствия томили Киру не зря. Роды были тяжелы. Младенца удалось спасти, лишь произведя sectio caesarea, которого роженица не перенесла.

— Что? Что? — всё повторяла она, пока еще могла говорить.

Ей несколько раз отвечали: мальчик, здоровый, но она не слышала.

Наконец, разобрала.

— Слава богу, — прошептала Кира Ивановна и рассмеялась слабым счастливым смехом. — Назовите его «Исаакий».

Это были последние ее слова.

FINAL LEVEL. ПОСЛЕДНИЙ ВЫБОР

...ТАКИМ ОБРАЗОМ

, мистер Ротвеллер, дело, которое вы мне доверили, полностью провалено. Я не перекладываю на кадровый департамент ответственность за то, что они не распознали агентов Разведупра. Ведь команду выбирал я сам... То, что произошло по моей вине, непоправимо. Да, лаборатория Громова и сам он уничтожены. Но взамен большевики получили нечто более ценное — «эликсир власти», который они так долго и тщетно искали. Кроме того я позволил убить великого ученого, ничего толком про него не узнав. Даже имени!

Со дня первой встречи Гальтона с Небожителем миновал ровно месяц. Ни кабинет великого человека, ни сам он нисколько не изменились. Зато доктор Норд переменился настолько, что секретарь Ротвеллера его едва узнал. Лицо страшно осунулось, глаза ввалились, отросшая на голове щетина, которой полагалось быть золотистой, отливала серебром — половина волосков поседела. Бывший «настоящий американец» выглядел лет на десять старше своего возраста, а ощущал себя ветхим старцем, ровесником девяностолетнего Джей-Пи.

Доклад о провале московской миссии продолжался долго. Гальтон считал своим долгом испить эту горькую чашу до дна. Он ничего не опускал, не искажал, не пытался оправдываться. Чего ради?

Непонятно только, слышал ли его мафусаил американского бизнеса или же дремал с открытыми глазами. Они смотрели в лицо Норду со странным, застывшим выражением, которое не поддавалось расшифровке. Когда отчет завершился, взгляд миллиардера не изменился.

Э, да старикашка в прострации, подумал Гальтон и поморщился. Неужели придется повторять весь мучительный рассказ?

— Сэр, мощный психостимулятор, по сравнению с которым сыворотка Громова — детская забава, в руках большевиков, — произнес он громко и отчетливо, чтобы до дедушки дошло хотя бы самое главное. — Я в этом уверен на сто процентов. Айзенкопф и... *она* сумеют втолковать генералу Октябрьскому, что эликсир — не мракобесие, а мощное оружие. «Эликсир власти» у Сталина!

Блеклые зеленые глаза Ротвеллера блеснули, проваленный рот прошамкал что-то невнятное.

— Простите, сэр? Я не разобрал.

— Не у Сталина. У Гитлера.

— У кого, сэр?

— Есть в Германии такой политический деятель. Он почти не известен за пределами своей страны. — Оказывается, Небожитель был в здравом рассудке и ничего не пропустил. — Вы ошиблись насчет Айзенкопфа. Он выкрал эликсир не для большевиков, а для Гитлера. Это весьма перспективный эпилептоид, с задатками незаурядного лидера. Я решил помочь ему. Заряд волевой и интеллектуальной энергии — то самое, чего мистеру Гитлеру недоставало. Теперь дела у его партии пойдут в гору. Курт давно уже с ними работает. Между прочим, это люди Гитлера спасли вас от коммунистов в Бремерсхавенском порту.

— То есть, Айзенкопф нас... вас не предал? Он действовал по вашему указанию?

— Да. У него была инструкция: в случае, если вы добудете эликсир, обеспечить вашу безопасность, а красную жидкость использовать для поддержки Адольфа Гитлера.

— Обеспечить мою безопасность, сэр?

— Разумеется. Он ведь оставил вам свой аэростат? Неделю назад я получил шифровку из Мюнхена. Эликсир доставлен по назначению. Гитлер одолеет своих политических противников и поднимет Германию из ничтожества. Соседям снова придется считаться с этой страной.

— А... Простите, сэр, а зачем вам это нужно? — спросил Гальтон, чувствуя себя уязвленным. Не очень-то приятно знать, что тебя использовали вслепую в какой-то малопонятной игре. Оказывается, всё это — постаревшее сердце, преждевременная седина, ночные кошмары, мучившие его две последние недели, — ради того, чтобы в Германии пришел к власти какой-то эпилептоид?

— Европе нужен противовес, — с глубокой убежденностью сказал Ротвеллер. — Коммунистическая угроза слишком велика. С Востока на нас надвигается такой ураган, что остановить его можно лишь встречным смерчем. Два бесноватых — Сталин и Гитлер — уравновесят друг друга. Это спасет цивилизацию. Другого решения у меня нет. Да, риск очень велик. Но что мне остается делать, когда Самсон наломал столько дров! Нельзя было давать «эликсир власти» кровожадному вурдалаку Ленину! Нельзя было подпускать к тайне проходимца Громова. Я всего лишь пытаюсь исправить ошибки Самсона...

Доктору показалось, что взволнованная речь адресовалась не ему, а кому-то другому. Во всяком случае, Гальтон мало что в ней понял.

— Какому Самсону? — удивленно переспросил он, забыв добавить «сэр».

— Человеку, которого вы называете «Пациент». Это мой давний, очень давний знакомый. Больше, чем знакомый... — Джей-Пи грустно покачал головой. — Он абсолютный гений. «Самсониты» названы в его честь, именно он первоначально изобрел этот способ хранения и передачи информации. Самсон хотел, как лучше, однако он всегда слишком увлекался техническим прогрессом. А технический прогресс — теперь я это твердо знаю — не должен опережать развитие нравственности...

У Норда начинала кружиться голова, отказывавшаяся вместить столько невероятных сведений.

— Значит, Пациент не бредил, когда говорил, что мировая война случилась из-за него?

— В известной степени так оно и есть. А теперь назревает новая мировая война, между слабеющим Западом и хищным, матереющим Востоком. Я выпущу на ринг еще одного боксера, которой помешает столкновению.

— Прошу извинить, сэр. При всем почтении, позволю себе заметить, что в боксе я наверняка разбираюсь лучше вас. Три боксера на ринге — это куча-мала, мордобой без правил. Достанется всем, в том числе и судье.

Ротвеллер рассмеялся сухим, лающим смехом.

— О судье мы поговорим чуть позже. Сначала отвечу на ваше критическое замечание. — Миллиардер устало смежил пергаментные веки, немного помолчал. — Возможна и всемирная куча-мала. Всегда существует опасность, что вождь, питаемый эликсиром, выйдет из-под контроля. Айзенкопф все время будет рядом, но и это не гарантия... Что ж, в этом случае я буду исправлять свою ошибку. Такое со мной случится не в первый раз.

— Как же вы ее исправите?

— Прикажу Айзенкопфу прекратить инъекции. Абстиненция приводит не только к потере гениальности, но и к помрачению разума, а когда у единоличного правителя помрачается разум, его держава начинает терпеть поражения... Если этого окажется мало — стану снабжать эликсиром кого-то из противников. Британского лидера, или французского, или даже американского. Но американского лишь в самом крайнем случае. Соединенные Штаты и без того слишком сильное государство. Гениального президента нам не нужно, а то мы подомнем под себя весь мир и это нарушит в нем равновесие. Без сбалансированности силовых полей человечество очень быстро погибнет.

— Да где вы возьмете другой эликсир? Ваш Айзенкопф забрал всё до последней капли!

Гальтон показал на пустой флакон, еще во время доклада поставленный им на край стола. Пузырек был по-прежнему туго замотан в платок. За время пути у Норда так и не хватило духа посмотреть на бывшее вместилище эликсира еще раз. Странная боязливость удерживала доктора. Ему казалось, что Пустота может вновь потянуть его в свою вакуумную воронку — как тогда, над лесом...

— Вы блестяще справились с заданием, мистер Норд. — Небожитель медленно развязывал узелки на платке. — Вы сделали всё, что можно. — Меж костлявых пальцев тускло блеснула собачья голова Анубиса. — Действуя без подсказок, вслепую, вы не совершили ни одного серьезного промаха. Я в вас не ошибся, и это главный результат экспедиции.

— Я опять вас не понимаю, сэр.

— Сейчас поймёте. Ну-ка, что это у нас?

Гальтон потёр глаза. Кажется, в одном из них от напряжения лопнул кровеносный сосуд — иначе откуда взялось это красное пятно?

Нет, со зрением всё было в порядке...

Пузырёк по самую пробку был наполнен рубиновой влагой!

— Того количества препарата, которое забрал с собой Айзенкопф, хватит лет на десять. Потом дозы закончатся. Видите ли, всё дело в самом флаконе. Он является генератором, который производит эликсир. Только не спрашивайте, как это происходит. Я не знаю. Судьи — всего лишь хранители флакона...

— Но почему вы этого не сообщили мне раньше? — воскликнул Норд, пропустив мимо ушей непонятную последнюю фразу. — Ведь я мог выкинуть эту пустую склянку! Или просто не взять её с собой! Да мало ли... — Он задохнулся. — ...Да мало ли, каких дров я мог наломать просто по незнанию?!

— Я вам уже сказал. Самая главная цель экспедиции — не эликсир. В конце концов, за ним потом можно было отправить другую группу. Важнее всего было убедиться, правилен ли мой выбор: обладаете ли вы достаточной силой, прозорливостью и интуицией. Годитесь ли вы в Преемники. Могу ли я рассчитывать, что следующим Судьёй станете вы. Ошибки в выборе обходятся слишком дорого...

В это мгновение Норд ощутил нечто непонятное. На его плечи словно опустилась огромная тяжесть, буквально вдавив доктора в кресло.

Моя психика совсем расшаталась, нервы ни к чёрту, раздражённо подумал он и нарочно поднялся, чтобы скинуть с себя невидимый груз, не поддаваться его давлению.

Тяжесть сразу же исчезла. Гальтон стоял, глядя на миллиардера сверху вниз, и чувствовал лишь одно: нетерпение. Честно говоря, все эти загадки и недомолвки ему до смерти надоели.

Джей-Пи наблюдал за молодым человеком с печальной улыбкой, будто отлично понимал, что́ тот сейчас испытывает.

— Всё это уже было... — прошептали морщинистые губы. — Всё было...

Гальтон по-бульдожьи выпятил челюсть. Он понял, что беседа близится к кульминации, и был не намерен отступать, пока не выяснит всё до конца.

— Сэр, о «Преемнике» упоминал человек, которого вы назвали Самсоном. Но что такое «Судья»?

— Когда-то, несколько тысячелетий назад, два мудрых человека решили, что кто-то должен взять на себя ответственность за судьбу мира. Одного из них, по преданию, звали «Белый Судья», другого — «Черный Судья». Первый пошел на запад, второй на восток, и они никогда больше не встречались. От каждого пошла линия преемников, Черных и Белых Судей, которые накапливали сокровенное знание и следили за тем, чтобы на земле не нарушилось Великое Равновесие. Я происхожу из рода Черных Судей. Сохранились ли Белые Судьи либо их династия давно пресеклась, нам неизвестно. Мы должны жить так, будто кроме нас спасать человечество некому. Для поддержания баланса сил Судья время от времени оказывает поддержку кому-то из правителей, чтобы тот подтолкнул Историю в нужном направлении. Или же удержал мир на краю бездны. Давая или отнимая «эликсир власти» у своего избранника, Судья управляет им — до определенных пределов. А когда Судья чувствует, что его миссия исполнена или что силы его иссякли, он назначает себе Преемника...

Если бы всё это говорил кто-то другой, а не Мистер Один Процент, Небожитель, Самый Богатый Человек Планеты, великий Джей-Пи Ротвеллер; если бы беседе не предшествовали все невероятные события минувшего месяца, Норд безусловно воспринял бы россказни о всемогущих Судьях как шутку или бред выжившего из ума старика. Но Жизненное Правило № 2 гласило: на свете существуют вещи, о которых человечество даже не догадывается. Хотя догадываться-то как раз догадывается. Оттого, вероятно, без конца и возникают легенды о мировых заговорах, закулисных правителях и тайных орденах...

В истинности слов старца Гальтон не усомнился. Он засомневался в другом.

— Вы принимаете решения, от которых зависит судьба целых народов и жизнь многих миллионов людей. Как вы можете быть уверены, что не ошибаетесь?

— Никак. Я вам уже говорил, что мы ошибаемся. И мне тоже доводилось совершать ошибки, расплата за которые была очень тяжкой. Мне гораздо больше лет, чем вы думаете, Норд. Было время, когда меня звали не Джеральдом Пуллменом Ротвеллером, а иначе. На протяжении веков я менял имя несколько раз. И с каждым из имен были связаны свои победы и свои поражения. Вожди, на которых я делал ставку, часто меня подводили. Мозг кардинала Ришелье не выдержал передозировки эликсира — я был тогда еще слишком неопытен. Его высокопреосвященство кончил тем, что ржал по-лошадиному и лягал придворных каблуками, как копытами... Шведский король Карл Двенадцатый от побед вообразил себя новым Александром. Фридрих Прусский был слишком алчен, в мои планы не входило создавать в центре Европы единое германское государство. Но самой трагической моей ошибкой, конечно, был генерал Бонапарт... На нем я и споткнулся. Понял, что мое время закончилось. Мои представления о всеобщей разумности устарели. Пора дать дорогу молодым. А тут как раз подвернулся человек, показавшийся мне идеальной кандидатурой для Преемника...

— Самсон? — прошептал Гальтон, слушавший фантастический рассказ, затаив дыхание.

— Да, молодой русский ученый. Это был беспримесный, самородный гений. Чистый, ясный, бескорыстный и прямой. В отличие от меня, выросшего в эпоху просвещенной монархии, он верил не в великих правителей, а в разумность человеческого общества. Не в государственную мощь, а в науку и прогресс. Я испытал огромное облегчение: скоро можно будет уйти на покой.

Человек, которого Гальтон знал как Джей-Пи Ротвеллера, опустил голову и вздохнул.

— В древности Судья, определив Преемника, вручал ему атрибуты могущества — «эликсир власти» и «эликсир бессмертия», — а также меч, которым избранник отсекал своему предшественнику голову. Никак иначе оборвать жизнь Судьи было невозможно. Позднее, уже в Средние века, один из Судей, выдающийся алхимик, изобрел тинктуру, которую наш прогрессист Самсон назвал «дезактиватором». Она избавляла Преемника от ужасной обязанности убивать своего Учителя, а ушедшему от дел Судье позволяла угаснуть медленно, почти естественным путем. И не раньше, чем он окончательно устанет от жизни. Выражаясь языком современным, у Судей появилась возможность уходить на пенсию. Первым таким «пенсионером» стал даос Те Гуанцзы. Иногда до меня доходили смутные слухи о ветхом китайском старце, который открыл тайну вечной жизни и живет где-то далеко в горах, возделывая свой сад...

Воспользовавшись тем, что Небожитель замолчал, видимо, размышляя над тем, жив ли еще «пенсионер»-китаец, Гальтон задал вопрос, который его очень интересовал:

— Простите, ...ваша честь, — назвал он хозяина кабинета титулом, каким обычно именуют судей. Обращение «сэр», в свете вышеизложенного, показалось доктору недостаточно почтительным. — Но биография Джей-Пи Ротвеллера... то есть *ваша* биография, хорошо известна: где и когда вы родились, кем были ваши родители и прочее. Как же так?

— А-а, вы про это... — Старец небрежно махнул. — Во времена бедняги Те Гуанцзы медицина находилась в детской поре своего развития. Он мог сохранять свою жизнь и здоровье сколько ему заблагорассудится, но не имел возможности заменить свое изношенное тело и вернуть себе молодость. Мне повезло больше. В девятнадцатом столетии наука стала развиваться невиданными темпами. Появились новые инструменты, препараты, методики. Мой ученик и Преемник был превосходным анатомом и хирургом, а под моим руководством добился в этой области таких успехов, которых пока еще не достигла и нынешняя медицина. Мы вместе разработали технологию операции по пересадке мозга из одной черепной коробки в другую. И когда пришло время, он помог мне обрести новое, молодое тело. Тогда я и «ушел на пенсию» — только не стариком, а полным сил юношей. Ах, какое волшебное чувство свободы я испытывал после двух с лишним веков непрерывного служения, разочарований, самобичевания! Теперь за все в ответе был Самсон, а я мог на досуге возделать свой собственный сад — не настоящий, как Те Гуанцзы, а в фигуральном смысле. Мне давно уже казалось, что истинный ключ к гармонии и процветанию следует искать не в государственном устройстве, не в правильных законах и не в прочих внешних условиях человеческого существования, а внутри людей. Нужно *развивать душу* каждого человека. Помогать ему стать милосердней, терпимей, просто *добрее*. Пускай Самсон испробует свою прогрессистскую методику, а я потихоньку стану экспериментировать со своей. Ведь это ничему не помешает. Мне нетрудно было стать самым богатым человеком земли. Слава богу, опыта и знания людей хватало. Гораздо труднее было создать то, чего раньше не существовало.

— Вы имеете в виду благотворительность? Но она появилась давно.

— Во-первых, нет. Идея организованной помощи слабым, не связанной с религиозным миссионерством, появилась всего несколько десятилетий назад. Во-вторых, никто и никогда не пробовал заниматься филантропической деятельностью в таких масштабах и на строго математических основаниях. В-третьих, главные средства я вкладываю не в госпиталя и сиротские приюты, а в создание новой идеологии. Идеологии не политической, а бытовой. *Не тянуться за самыми сильными, а оглядываться на самых слабых* — в этом суть. И «эликсир власти» здесь совершенно ни при чем. — Судья-пенсионер горестно воздел руки к потолку. — Так я полагал на протяжении долгих лет. И опять ошибся. Миром по-прежнему правят грубая сила и закон муравейника. Душа развивается в тысячу раз медленнее, чем технические навыки. Путь ускоренного прогресса, путь Самсона оказался смертельно опасен. Да и сам он исчез. Я давно потерял его из виду и не знал, жив ли еще мой бывший ученик. Слухи о «сыворотке гениальности», которую якобы добывают в СССР, очень меня встревожили. Я чувствовал: назревает что-то опасное, чреватое необратимыми последствиями. Я подозревал, что Самсон уже не у дел и, возможно, неправильно выбрал себе Преемника. Так у меня возникла мысль сделать то, чего не бывало за всю историю существования Судей. Я решил восстановить свои полномочия, а для этого нужно было вернуть флакон с «эликсиром власти».

— Но есть еще «эликсир бессмертия», — напомнил Гальтон.

— Химическая формула этого препарата несравненно проще. Мои ученые уже умеют синтезировать клеточный регенератор. Я держу это открытие в тайне. Жду, пока человечество сможет позволить себе жить бесконечно долго. Согласитесь, что в мире, где миллионы умирают от голода и отсутствия лекарств, «эликсир бессмертия» стал бы излишней роскошью.

— Как вы можете такое говорить! А больные дети? А довлеющий над миром ужас смерти!

— Так-то оно так. Но представьте себе вечных диктаторов. Или ударные полки бессмертных солдат. Банды неуязвимых мафиози? Ужас смерти ничто перед ужасом неистребимого Зла. Сначала — победа Добра, потом — Бессмертие.

Он прав, подумал Гальтон.

— Теперь вы снова Судья, — сказал он. — Я рад и горд, что сумел вам помочь.

Мистер Ротвеллер поднялся из кресла. Они стояли друг напротив друга.

— То, что вы сделали, Норд, — пустяк по сравнению с тем, чего я от вас жду. Мне нужен новый Преемник. Миру нужен новый Судья. Я вернул себе полномочия временно. Лишь для того чтобы передать эстафету следующему. Готовы ли вы принять этот груз?

Доктор Норд знал, что предложение будет сделано напрямую. И уже решил, как надо ответить.

— Нет, не готов. Я совершаю слишком много ошибок. А хуже всего то, что я совсем не разбираюсь в людях... Для частного человека это паршиво, но пережить можно. — Он откашлялся. — А если и нельзя... пережить, то все рав-

но — речь идет всего лишь о Гальтоне Норде. Однако миссия, о которой вы говорите, слишком высока и ответствен-
на. Вам нужно искать другого Преемника, который спра-
вится с нею лучше, чем я.

Джей-Пи прошептал:

— Дежа-вю... Вся моя жизнь — сплошное дежа-вю... —
Чему-то с грустью усмехнулся и мягко сказал. — Ну разумеется, вы не готовы. Вам предстоит еще многому научиться,
стать другим человеком. Я буду вести вас по этому пути и не
передам вам своей власти, пока вы не почувствуете себя уверенно. На это уйдут долгие годы. Я очень устал, мне хочется
уйти. Теперь уже окончательно. Но я буду рядом с вами
столько, сколько понадобится. В конце концов, что такое десять или даже двадцать лет для человека, который скоро
встретит свой триста пятьдесят восьмой день рождения.

Он засмеялся и протянул Гальтону ладонь. Рукопожатие
Судьи оказалось неожиданно крепким и бодрым. Оно словно
наполнило доктора энергией.

— Ну, если так... Я все равно думаю, что не заслуживаю
такой великой чести, однако... Если вы обещаете, что не ос-
тавите меня до тех пор, пока я не подготовлюсь как следует...
Что ж, я согласен.

— Вы должны знать, что Преемник, и тем более Судья,
обречен на полное одиночество. У нас не может быть никаких
привязанностей, личных связей, семьи. Я смог себе позволить эту роскошь, лишь когда удалился от дел.

— Я понимаю. Иначе было бы невозможно отдаваться
Службе беспристрастно и без остатка.

Внезапно Ротвеллер высвободил руку, обошел вокруг
стола и встал с той стороны, словно отгородившись от собеседника широкой полированной поверхностью.

— Вы согласились слишком легко. Я знаю, чем это вызвано. — Он погрозил Гальтону сухим пальцем и сделался похож
на самого настоящего сурового судью, готового призвать
подсудимого к ответу. — Вас ничто не удерживает в мире
обычных человеческих чувств. Ибо вы думаете, что вас пре-
дала женщина, которую вы любили. Но это не так. Зоя Клински, как и Курт Айзенкопф, выполняла мое задание. Ему бы-

ло поручено заниматься эликсиром; ей — спасти Самсона, если он еще жив...

— Но...

— Молчите и слушайте. Да, мисс Клински находилась в контакте с начальником военной контрразведки мистером Октябрьски. По моему указанию во время прошлогодней командировки в Советскую Россию она вышла на оппонентов Громова и согласилась стать их секретным агентом. На самом деле она все время работала только на меня. Я получал от нее донесения о всех ваших действиях в Москве. Когда она сообщила, что Институт пролетарской ингениологии разместился по соседству с университетским Ректорием, я понял, что это неспроста. Значит, Самсон не умер. Когда-то, очень давно, он жил в том доме. Полагаю, Громов рассчитывал со временем переселить туда своего Учителя из Заповедника.

Гальтон вспомнил, что часть помещений музея была восстановлена в прежнем виде так же скрупулезно, как «детская» в усадьбе. Вероятно, насчет Ректория миллиардер был прав. Как и насчет всего остального. Однако сейчас Норда занимали не намерения покойного Громова.

— Послушайте, я собственными глазами видел, как она отрезала Пациенту голову! Ничего себе спасение!

— Именно спасение. По показаниям приборов мисс Клински видела, что Самсон угасает. Она не могла заставить его сердце работать. Но могла попытаться законсервировать мозг. Что и было сделано. Сейчас во все мои клиники отдано распоряжение немедленно докладывать обо всех жертвах несчастных случаев — молодых, физических сильных. Когда-то Самсон помог мне обрести новую жизнь. Я с удовольствием сделаю для него то же самое. Пусть живет себе на покое и занимается наукой. Я так по нему соскучился!

Мистер Один Процент снова улыбнулся, но не горько, а растроганно, и древнее мумиеобразное лицо вдруг ожило и потеплело.

— Это вам, мистер Норд. — Старец положил на стол конверт. — Прочтите, и тогда уж принимайте решение. Чтоб потом не пожалеть.

— Что это? — спросил доктор, и сразу же узнал ровный, красивый почерк. Кровь отлила от лица Гальтона, пальцы никак не могли надорвать конверт.

«Милый, милый, милый. У меня чуть не разорвалось сердце, когда ты лишился чувств. Я и не знала, как сильно ты меня любишь. Но я не могла тратить время на объяснения, счет шел на минуты. Ты простишь меня?Ведь теперь тебе известна вся правда.

Сейчас я хочу сказать только одно. Не соглашайся! Ради меня. Ради себя. Пусть мир спасает кто-нибудь другой, а мы с тобой лучше спасем друг друга. Нет страшнее ошибки, чем пожертвовать любовью — ради чего бы там ни было. Посмотри, что случилось с Самсоном. Он был умный и хороший, но без любви он заблудился и пропал. Как ребенок без матери. Как ты без меня.

Я жду тебя».

Доктор перечитал это короткое письмо несколько раз. Листок трепетал в его руках, будто в кабинете вдруг задул ветер.

— Я должен с ней увидеться, — хрипло сказал Норд. — Чтобы всё объяснить. Потом приму решение.

— Зое ничего объяснять не нужно. Она и так всё знает. А встретиться с ней вы, конечно, можете. Но в этом случае мое предложение снимается.

— Но почему?!

— Решение увидеться с любимой женщиной — это уже выбор.

Чертов старик опять прав, опустив голову, подумал Гальтон.

— Скажите, ваша честь, а почему вам обязательно нужен Преемник, а не Преемница?

— Таков древний закон. Менять его Судья не вправе.

— От этого и происходят все исторические ошибки! Самые важные решения принимают мужчины, а они составляют лишь половину человечества, притом не лучшую! Как же ваше драгоценное равновесие?

Судья наклонил голову.

— Я думал об этом... Возможно, Белым Судьей бывают только женщины? Это было бы логично. Есть вы, Черный Судья, мужчина. И где-то, неизвестно где, есть Белый Судья, женщина. Она, как и вы, обречена на вечное одиночество и тоже не знает наверняка, существуете вы или нет. Но ваше взаимное тяготение друг к другу, вероятно, и есть та ось, на которой держится мир... Однако хватит разговоров. Какое решение вы принимаете?

ПОСЛЕДНИЙ ВЫБОР

1. Нет, я не хочу быть Преемником

2. Да, я согласен стать Преемником

Гальтон Лоренс Норд

1901 • 1993

Нобелевский лауреат по химии,
член десяти ученых обществ,
почетный профессор шести университетов,
создатель трехсот новых лекарств

Нам будет так не хватать тебя!

Благодарные дети, внуки, правнуки

2

НОВОСТНАЯ ЛЕНТА АГЕНТСТВА «ПАН-УОРЛД НЬЮС»
11 декабря 2062 г.

ЗАЯВЛЕНИЕ ДИРЕКЦИИ РОТВЕЛЛЕРОВСКОГО ИНСТИТУТА

Как известно, наша организация понесла тяжкую утрату. Вчера утром в Скалистых горах потерпел катастрофу аэролимузин директора Ротвеллеровского института и попечителя Ротвеллеровского Фонда доктора Лю Вусиня. Д-р Вусинь, многолетний руководитель крупнейшего научно-благотворительного учреждения планеты, как обычно, вел машину сам, направляясь из своего йеллоустонского поместья в Манхэттенский офис. Обломки аппарата разбросаны на территории в несколько сотен ярдов. Тело выдающегося деятеля современной цивилизации пришлось собирать по частям, однако патологоанатомическое исследование останков позволяет предположить, что причиной аварии была внезапная остановка сердца.

Вся жизнь д-ра Лю Вусиня была связана с нашей организацией. Сын китайских иммигрантов, в 23 года он попал в одну из клиник Фонда с опухолью головного мозга. При тогдашнем уровне развития медицины считалось, что у больного нет ни одного шанса на спасение. Однако в результате операции, проведенной нашими хирургами, Вусинь не только остался жив, но у него начали проявляться феноменальные способности в самых разных областях. Удивительного юношу пригласили на работу в учреждение, которому он был обязан своим исцелением. В очень скором времени тогдашнее Правление приняло смелое и неожиданное решение назначить молодого человека на пост директора, вакантный после гибели великого гуманиста д-ра Гальтона Л. Норда (1901 – 1993). Это назначение стало сенсацией и вначале вызвало всеобщее недоумение, однако мистер Вусинь быстро доказал, что ни в чем не уступает своему прославленному предшественнику. За 70 лет бессменного руководства Институтом и Фондом д-р Лю Вусинь сделал для процветания человечества больше, чем любой другой государственный или общественный деятель нашего столетия.

Прискорбно, что некоторые гипертаблоиды сочли возможным окружить печальное событие недостойной шумихой. Причиной ажиотажа стало заявление пресс-службы Института о том, что похороны будут происходить в закрытом гробу, поскольку голову д-ра Вусиня на месте катастрофы обнаружить так и не удалось. Падкие на жареные факты репортеры немедленно раскопали в архивах давнюю историю о трагической кончине предшествующего директора д-ра Г. Л. Норда, которому оторвало голову взрывом во время неудачного эксперимента в лаборатории. Этого зловещего совпадения, абсолютно случайного, оказалось достаточно, чтобы обладающие буйной фантазией писаки пустились в самые невообразимые спекуляции, комментировать которые мы не намерены.

В эти траурные дни мы обращаемся к средствам массовой информации с просьбой проявить сдержанность, понимание и достоинство.

Литературно-художественное издание

Борис Акунин

КВЕСТ

Роман

Подписано в печать 19.10.2010 г.
Формат 84х108 1/32.Усл. печ. л.31,92.
С.: ПС Доп. тираж 2000 экз. Заказ № 1130.
С.: Жанры черн. Доп. тираж 6000 экз. Заказ № 1131.

Общероссийский классификатор продукции
ОК-005-93, том 2; 953000 — книги, брошюры
Санитарно-эпидемиологическое заключение
№ 77.99.60.953.Д.012280.10.09 от 20.10.2009 г.

ООО «Издательство Астрель»
129085, г. Москва, проезд Ольминского, д. 3а

ООО «Издательство АСТ»
141100, РФ, Московская обл., г. Щелково, ул. Заречная, д. 96

Наши электронные адреса: www.ast.ru
E-mail: astpub@aha.ru

По вопросам оптовой покупки книг
Издательской группы «АСТ»
обращаться по адресу:
г. Москва, Звездный бульвар, 21 (7 этаж).
Тел.: 615-01-01, 232-17-16

Отпечатано с готовых файлов заказчика в ОАО «ИПК
«Ульяновский Дом печати». 432980, г. Ульяновск, ул. Гончарова, 14